# VILLAIN
# ERA

## LUNA PIERCE

# playlist

RIVER - BISHOP BRIGGS

FIGURE YOU OUT - VOILA

I TRIED - CAMYLIO

FROM THE START - MATT SCHUSTER

I LOVED YOU THEN - WOODLOCK

I BURNED LA DOWN - NOAH CYRUS

SOMETHING IN THE ORANGE - ZACH BRYAN

CINDERELLA'S DEAD - EMELINE

MIDDLE OF THE NIGHT - ELLEY DUHE

HAUNT YOU - X LOVERS, CHLOE MORIONDO

TILL FOREVER FALLS APART - ASHE, FINNEAS

CONSEQUENCES - CAMILA CABELLO

CAN'T FORGET YOU - MY DARKEST DAYS

BETTER OFF WITHOUT ME - MATT HENSEN

THIS LOVE (TAYLOR'S VERSION) - TAYLOR SWIFT

THE DEATH OF PEACE OF MIND - BAD OMENS

# LIEBER LESER:

Der Inhalt dieses Buches enthält grafisches Material, das für ein reifes Publikum bestimmt ist. Einige Situationen und Szenen sind möglicherweise Trigger, und ich bitte dich dringend, diese Liste von Triggern durchzulesen und sicherzustellen, dass dieses Buch für dich geeignet ist.

Mord. Tod. Entführung. Schusswunde. Angedeutete Essstörung. PTBS. Narben. Versuchter Mord. Panikattacke. Erwähnung eines verstorbenen Elternteils. Erwähnung eines misshandelnden Elternteils/Alkoholismus. Erwähnung eines verstorbenen Großelternteils. Albträume/Nachtangst. Erwähnung eines Angriffs. Folter. Erwähnung des Stockholm-Syndroms. Lügen. Selbstverletzung. Erwähnung eines verstorbenen Geschwisterteils. Erwähnung von Ertrinken. Erwähnung von häuslicher Gewalt. DVP. TVP.

Eine ausführlichere Liste, WO die Trigger zu finden sind (Spoiler), findest du unter https://www.lunapierce.com/triggerwarnings

Buchumschlaggestaltung von Opulent Swag & Design
Englisches Lektorat durch Tiffany Hernandez
Deutsche Übersetzung von Literary Queens
Deutsche Übersetzung von Ariana Lambert
*Erste Auflage 2023*
ISBN der gebundenen Ausgabe: 978-1-957238-10-4
ASIN des E-Books: B0C8PTC58M

# KAPITEL EINS – JUNE

*J*ch steige aus der übergroßen Dusche, schlinge das
Plüschhandtuch um meinen Körper und stelle mich
auf die Zehenspitzen, um das Kondenswasser vom Spiegel zu
wischen. Die Narbe an meinem Kinn ist verblasst, aber etwas
violetter als sonst – eine Erinnerung an den Mann, der mich
entführt und gefoltert hat und der dann verblutet ist, als ich ihm
die Kehle durchgeschnitten habe.

Ich hätte nie gedacht, dass es so einfach sein würde, einen
Mann zu ermorden. Und ein kleiner Teil von mir macht sich
Sorgen, dass dies keine normale menschliche Reaktion ist, aber
ich erinnere mich an diesen Tag, an dem es ihm fast gelungen
wäre, mein Leben zu beenden, und ich bin mir sicher, dass er
bekommen hat, was er verdient.

Mein Blick wandert zu der Narbe auf meiner Brust – eine
Erinnerung an eine weitere Nahtoderfahrung. Eben noch hatte
ich Simons Hemd mit einem Messer durchstochen, und im
nächsten Moment lag ich verblutend in seinen Armen. Seine
Wärme verzehrte mich, sein Blick war verzweifelt und flehte
mich an, bei ihm zu bleiben.

Ich habe ihn erpresst. Ich habe ihn gezwungen, aufzugeben.

Mit meinem letzten Atemzug flehte ich ihn an, das Handtuch zu werfen, damit Dominic gewinnen würde.

Ich habe getan, was getan werden musste.

Und es funktionierte.

In diesen letzten Momenten drückte Simon seine Hand auf meine Wunde, hielt mich am Leben und ließ mich einen kurzen Hoffnungsschimmer spüren. Ich war bereit, alles zu verlieren, aber ich wollte nicht zulassen, dass Dominic verlor. Nicht, solange ich wusste, wie viel ihm der Sieg bedeutete.

*Bedeutete.* Vergangenheitsform.

Denn als er zu mir ins Krankenhaus kam, nachdem ich operiert worden war und die Ärzte alles in ihrer Macht Stehende getan hatten, um den entstandenen Schaden zu beheben, offenbarte Dominic, dass er alles für mein Leben gegeben hätte. Es war ihm immer wichtig, an der Spitze einer wohlhabenden kriminellen Organisation zu stehen. Aber in diesem Moment war ich wichtiger.

Eine Priorität.

Etwas, das ich noch nie bei jemand anderem erlebt habe. Nicht mit dem Vorsatz, alles zu riskieren. Und nicht mit dem Willen, alles in Schutt und Asche zu legen.

Co war völlig ausgerastet, als er mich in Simons Armen sterben sah. Er schlachtete zahlreiche Menschen in einem Bereich ab, in dem eigentlich Waffen verboten waren – er schoss und schnitt jedem die Kehle durch, der auch nur ein Fünkchen Schuld auf sich geladen haben konnte. Es war ihm egal, dass auch er getötet werden würde. Er wollte so viel Schaden wie möglich anrichten, um das Unrecht wiedergutzumachen.

»Ein Penny für deine Gedanken.« Magnus unterbricht meine ausufernde Reise in die Welt der Erinnerungen. Er lehnt sich an den Türrahmen, die tätowierten Arme vor der Brust verschränkt.

Mein Herz stolpert bei seinem Anblick. Er hat immer diese

Wirkung auf mich. Seine Liebe strömt aus ihm heraus und fließt in mich hinein – rein, stark und endlos. Eine Konstante, auf die ich mich verlassen kann. Er liebt bedingungslos, unwiderruflich und uneigennützig.

Magnus hat nie an mir gezweifelt. Er hat nie infrage gestellt, ob ich in ihre gefährliche Welt passen würde. Er ist offen und ehrlich und sagt die Dinge, zu denen sonst niemand fähig ist. Er mag mich im Bett herumkommandieren, aber ich zweifle nicht eine Sekunde daran, dass er alles tun würde, was ich jemals von ihm verlangen könnte.

Das heißt aber nicht, dass ich seine besitzergreifende Körpersprache nicht bemerken würde, wenn wir in der Öffentlichkeit sind. Wie er sich vor mir positioniert. Wie sich seine Kiefer anspannen und sein Blick jeden Raum abtastet, hektisch suchend, das Bedrohungsrisiko abschätzend. Es ist, als wäre er nervös, besorgt, wartend, aus Angst, dass wieder etwas passiert.

Es ist über ein halbes Jahr her, dass ich fast gestorben wäre. Aber manchmal, denke ich, kommt es uns allen wie gestern vor.

»Weißt du, wann Alec Geburtstag hat?« Ich rubble mein feuchtes Haar mit einem Handtuch.

»Alec? Dein Fahrer Alec?« Magnus stößt sich von der Wand ab und kommt auf mich zu.

»Mmh.«

Er umfasst von hinten meine Taille und küsst meine freie Schulter. »Es ist dir überlassen, dich um den Geburtstag deines Fahrers zu kümmern.«

Ich drehe mich zu ihm um und lege meine Arme um seinen Hals. »Ich sehe den Kerl jeden Tag. Das Mindeste, was ich tun kann, ist, ihm eine Karte oder so etwas zu besorgen.«

Magnus' Lippen verziehen sich zu einem *Grinsen*. »Mach dir keine Sorgen, Prinzessin! Es ist für alles gesorgt. Wir geben jedem Mitarbeiter Urlaubs- und Geburtstagszuschläge.«

»Wirklich?« Ich werfe ihm einen strengen Blick zu.

Er drückt seine Lippen auf meine Stirn. »Versprochen.« Dann hinterlässt er einen weiteren Kuss auf meiner Schläfe, meiner Wange und meiner Nase.

Gierig nach mehr, fordere ich diese Lippen auf meinen. Mein Körper fügt sich mit seinem zusammen, und wir werden zu einem Wesen, das miteinander verschmilzt. Seine Arme schließen sich fest um mich, und er hebt mich auf den Waschtisch, wobei mein Handtuch kaum hält.

Magnus stößt meine Knie auseinander und positioniert sich zwischen ihnen. Mit einer Hand greift er in meinen Nacken, mit der anderen streicht er über das weiche Fleisch meines Innenschenkels und kommt immer näher, bis er meinen Schritt erreicht. Er fährt mit einem Daumen über meinen bereits schmerzenden Nippel und taucht den anderen in meine gierige Muschi.

Ich wimmere gegen seine Lippen und rücke näher an ihn.

Er zieht sich zurück, führt seinen Daumen zum Mund und schmeckt meine Lust. »Mein Gott, Prinzessin.« Magnus streicht mit demselben Daumen über meine Unterlippe, bevor er ihn zwischen meine Lippen und in meinen Mund schiebt. »Du schmeckst so süß.«

Ich greife nach seiner Hose und knöpfe sie auf. »Ich will, dass du mich fickst.«

In diesem Moment bemerke ich, dass noch jemand an der Tür zu meinem Badezimmer steht.

»Lass dich von mir nicht aufhalten.« Dominic steht da, die Kiefer angespannt wie immer, die Schulter an die Wand gepresst.

Magnus beachtet ihn nicht und konzentriert sich lieber auf mich. Er schiebt seinen Finger zwischen meine Brüste, um den knappen Halt des Handtuchs an meinem Körper zu lösen, und entblößt mich völlig. Er zwickt meinen linken Nippel zwischen seinen Fingern und schenkt dann dem anderen die gleiche Aufmerksamkeit.

Ich schlucke und halte meinen Blick auf Dominic gerichtet. »Komm zu uns!«

»Ich will nur zuschauen. Ich muss gleich zur Arbeit.«

Ich seufze und Magnus nimmt meine Enttäuschung sofort wahr.

Er lässt meinen Nippel los, tritt zurück und reicht mir die Hand, um mir vom Waschtisch zu helfen. »Auf die Knie, Prinzessin!«

Ich hüpfe hinunter und füge mich, gehe auf die Knie und schaue zu ihm auf, bereit für jeden Befehl, den er mir als Nächstes geben wird. Ich war noch nie der gehorsame Typ, aber bei ihm liebe ich es, herumkommandiert zu werden.

Magnus streicht mir das Haar aus dem Gesicht und fährt mit seinem Finger über die Wange. »Ich werde dein Gesicht ficken, Prinzessin. Ist das okay?«

Ich nicke, bereit und völlig willig, ihn in meinen Mund zu nehmen. Die Vorstellung, ihn zum Orgasmus zu bringen, steigert mein eigenes Vergnügen.

Schließlich sieht er Dominic an. »Und Dom wird dich von hinten ficken. Stimmt's, Dom?«

»Ich will nicht zu spät kommen.« Dominic bleibt, wo er ist.

Ich schaue zu ihm. »Bist du nicht der Boss?« Ich beuge mich nach vorn und fordere ihn auf, dem Vorschlag von Magnus zu folgen.

Der Sex mit einem meiner Männer allein ist himmlisch, aber mit zweien ist es wie eine Reizüberflutung auf die beste Art und Weise. Dominic und Magnus sind mörderische Psychos, aber sie lieben es, mich zu teilen, und ich liebe es, geteilt zu werden. Co und ich sind noch nicht an diesem Punkt angelangt. Er weiß sehr wohl, dass ich andere Männer ficke, und er akzeptiert unser ungewöhnliches Arrangement, aber es hat sich noch nicht die Gelegenheit ergeben, dass wir es alle zusammen tun. Die Wunde aus den Jahren, in denen wir getrennt waren, ist noch frisch, unsere intimen Momente sind nur für uns beide – im Moment.

Dahin kommen wir auch noch, nur nicht heute.

Vor allem, weil er sowieso schon weg ist.

»Du verschwendest Zeit«, sage ich zu Dom und lecke dann an der Kuppe von Magnus' Schwanz. Ich starre Magnus an, während ich ihn in meinen Mund nehme.

Er stöhnt und führt seinen Schaft hinein und heraus, langsam und gleichmäßig, tiefer und tiefer.

Meine Augen tränen angesichts seiner Länge, aber ich nehme hungrig jeden Zentimeter von ihm auf. Ich umfasse seinen Schwanz und genieße seine Härte, ohne mich darum zu kümmern, dass wir beobachtet werden. Wenn überhaupt, macht mich das nur noch mehr an. Gerade als ich mir sicher bin, dass Dominic sich nicht zu uns gesellen wird, höre ich das Geräusch eines Reißverschlusses, das Knistern einer Verpackung und spüre die Wärme seiner Anwesenheit hinter mir.

Ich lächle um Magnus' Schwanz und schlecke ihn weiter.

Dominic verschwendet keine weitere Sekunde. Er stößt seinen Schwanz in meine nasse Pussy und hält sich an meinen Hüften fest, um mich zu stabilisieren. Ich ziehe mich um ihn zusammen, seine Länge füllt mich aus, sein Umfang dehnt mich. Dom kniet hinter mir und fickt mich hart und schnell. Ich schaukle zurück, mein Arsch hüpft und knallt gegen ihn.

»Das ist unser braves Mädchen«, sagt er mit zusammengebissenen Zähnen.

Magnus hält mein Gesicht und fickt meinen Mund. »Sag mir, wenn es zu viel ist.«

Ich öffne mich weiter und lasse mehr von ihm über mich herfallen. Ich spreize auch meine Beine, verzweifelt nach jedem Zentimeter, den diese Männer mir geben.

Mein Innerstes spannt sich an, und ohne dass ich mir dessen bewusst bin, überrollt mich mein Orgasmus. Ich stoße einen gedämpften Schrei aus, der Magnus' Schwanz umschließt, und

Dominic stößt weiter in mich hinein und wieder und wieder, wobei er auch während meiner Erlösung nicht nachlässt. Ich zittere, bleibe aber aufrecht, während die Lust mich durchströmt. Die Spannung baut sich wieder auf, dieses Mal etwas mehr unter meiner Kontrolle. Ich halte sie in Schach und genieße die Ekstase, die sich zwischen zwei Orgasmen einstellt.

Magnus hört auf, meine Kehle zu ficken, und zieht einen Teil seines Schafts heraus, um ihn mit der Hand zu umfassen. Er streichelt sich selbst und lässt nur noch die Kuppe in meinem Mund. Ich öffne meinen Mund und streichle den unteren Teil seines Schwanzes mit meiner Zunge, begierig darauf, dass er seine Erlösung findet.

»Sieh mich an, Prinzessin!«, befiehlt Magnus.

Ich starre durch meine Wimpern zu ihm hinauf und bin froh, dass ich mich noch nicht geschminkt habe, denn meine Wimperntusche würde zweifellos meine Wangen verschmieren.

Er explodiert in meinem Mund, und ich schlucke dankbar jeden Tropfen von ihm. Er streicht mit der Kuppe über meine Lippen und schiebt seinen Schwanz dann wieder hinter den Bund seiner Boxershorts.

Ich lasse den Kopf sinken und stütze mich mit den Händen auf dem Boden ab, während ich mich auf den Mann konzentriere, der mich hart von hinten fickt. Ich wölbe meinen Rücken, halte mich an dem Teppich fest, auf dem wir hocken, und stemme mich gegen ihn. Ich gebe genauso viel nach wie er, entspreche seiner Intensität und halte durch, obwohl ich jeden Moment meiner Erlösung nachgeben könnte. Ich möchte spüren, wie er in mir explodiert, wenn sich meine Muschi um seinen Schaft zusammenzieht – spüre meinen eigenen Höhepunkt, der darauf wartet, dass er zuerst kommt.

Aber das ist die Sache mit Dom und mir, wir sind beide gierig in unserem Verlangen, den anderen zu befriedigen, also geht das, was wir wollen, oft in dieselbe verdammte Richtung. Die Frage ist, wer wird zuerst nachgeben?

Ich war nicht immer so. Nein, als wir anfingen zu ficken, war ich unglaublich egoistisch in dem Versuch, zuerst zu kommen. Denn die meisten Männer sind im Bett geizig und erwidern es nicht oft, wenn sie erst einmal selbst die Ziellinie überschritten haben. Aber je mehr Zeit ich mit meinen drei Männern verbringe, desto klarer wird mir, dass sie niemals zulassen würden, dass meine Bedürfnisse nicht erfüllt werden. Das allein weckt in mir den Anspruch, dafür zu sorgen, dass alle unsere Wünsche befriedigt werden.

Dominic verlangsamt sein Tempo, bleibt aber tief in mir. Er packt meinen Hintern und gräbt seine Finger sanft in mein Fleisch. »Komm für mich, wie ein gutes Mädchen.«

Und weil ich anscheinend keine verdammte Selbstbeherrschung habe, tue ich es. Meine Muschi krampft sich um ihn, und ich schreie in den Teppich. Sein Schwanz pocht in meinem Inneren, während er mir über das Ziel folgt. Ich liege da, das Gesicht vergraben und der Atem stockt. Dominic verlangsamt sein Tempo, bis er sich überhaupt nicht mehr bewegt. Er hält inne, während ich um ihn herum pulsiere und vor der Intensität des Höhepunkts erzittere. Schließlich zieht er sich zurück, steht auf, zieht das Kondom aus und wirft es in den Mülleimer unter dem Waschbecken.

»Geht es dir gut, Prinzessin?« Magnus hilft mir, auf meine wackeligen Beinen zu kommen.

»Mmhm.« Ich grinse ihn an und zwinge mich dazu, mich zusammenzureißen. Mein ganzer Körper strahlt von Kopf bis Fuß vor Glückseligkeit. Mein Verstand dreht sich im euphorischen Orgasmusrausch.

Dominic wirft einen Blick auf seine Patek-Philippe-Uhr. »Wir werden zu spät kommen.«

Ich gehe in den privaten Toilettenbereich, schließe die Tür nicht ganz und erleichtere mich. Durch den Spalt frage ich: »Mit wem trefft ihr euch?« Ich bin schnell fertig und gehe zurück ins Bad, um meine Hände zu waschen. Ich werfe einen

Blick auf die beiden im Spiegel und frage mich, wer von ihnen sich dieses Mal dafür entscheiden wird, um den heißen Brei herum zu reden. Seit ich sie kenne, waren sie noch nie offen, was ihre Geschäfte angeht. Es gab eine kurze Zeit kurz vor dem Mordversuch an mir, in der sie bereit waren, Informationen zu geben, aber jetzt, *nach* dieser Zeit, meiden sie das Thema Arbeit wie die Pest.

Und ganz ehrlich, das ist verdammt nervig.

Der Grund, warum ich überhaupt entführt wurde, war, dass sie Geheimnisse vor mir hatten. Ist ihnen nicht klar, dass ich, wenn ich an ihrem Leben teilhabe, auch an ihren Geschäften teilhaben muss? Ich muss nicht jedes kleinste Detail wissen, aber sie erzählen mir so gut wie nichts. Es ist, als ob sie denken, wenn sie den Elefanten im Raum nicht anerkennen, existiert er nicht. Aber alles, was sie tun, ist, dass ich mich isoliert und von ihnen abgeschottet fühle. Und es ist nur eine Frage der Zeit, bis sich das auf unsere romantischen Beziehungen auswirkt.

Ich frage nicht, weil ich neugierig bin. Ich tue es, weil ich helfen möchte. Vielleicht nicht indem ich mich erschießen lasse, aber in jeder Hinsicht, die ihnen bei der Verwaltung dieses Imperiums helfen könnte. Ich habe einen Abschluss in Betriebswirtschaft – auf dem sie bestanden haben –, bin klug genug, um ihre korrupten Wege zu verstehen und zu gehen. Ich sollte eine Bereicherung für ihre Organisation sein, nicht eine Belastung, die sie meinen, von allem abschirmen zu müssen.

»Mit niemand Wichtigem, Prinzessin.« Magnus küsst mich auf die Wange und streicht mir eine Strähne meines wilden, tiefschwarzen Haares hinters Ohr.

Ich bin mir bewusst, dass Magnus in dieser Sache derjenige ist, der vielleicht bereit wäre, die Grenzen zu lockern, aber noch gibt er nicht klein bei. Er war derjenige, der sich dafür einsetzte, mir die Wahrheit zu sagen, als wir anfingen, uns zu treffen, und praktisch verlangte, dass die anderen beiden einen Teil der Wahrheit beigeben. Doch jetzt macht er bei der

9

Geheimniskrämerei mit. Angeschossen zu werden und fast zu sterben, kann die Dynamik der Dinge verändern.

Jeder von ihnen weiß, wie stark und fähig ich bin, aber sie haben immer noch das Bedürfnis, mich vor ihrer Welt zu schützen. Ich muss ihnen nur beweisen, dass ich wirklich dazu gehöre und mit meiner eigenen Welt zurechtkomme.

Nur ihre anhaltende Geheimniskrämerei und die Tatsache, dass ich so gut wie ständig unter Beobachtung stehe, machen das ziemlich schwierig.

Aus Dominics Tasche ertönt ein Geräusch. Er holt sein Telefon heraus und schiebt es eine Sekunde später zurück in seine Tasche. »Beckett ist hier.«

Der Mann, der einst ihr Feind war, der mir buchstäblich das Leben gerettet hat, ist jetzt mein ständiger Leibwächter. Sie haben sich die Entscheidung nicht leicht gemacht, aber sie bestanden darauf, dass jemand auf mich aufpasst, wenn sie es nicht können, und obwohl sie ihn abgrundtief hassen, haben sie mit dem besagten Feind eines gemeinsam – den ursprünglichen Wunsch, mein Leben zu schützen.

Sie überprüften zahlreiche andere Mitglieder in ihrer Organisation und kamen bei keinem Gespräch zu einem Ergebnis. Sicher, alle sind gehorsam und befolgen die Anweisungen, aber keiner von ihnen hatte ein persönliches Interesse an der Sache. Somit war Simon Beckett der am besten Qualifizierte für die Stelle.

»Ich brauche keinen Babysitter«, schimpfe ich, während ich den BH, der zu meinem Slip passt, anziehe. Früher, als ich so gut wie kein Geld hatte, suchte ich immer nach sauberer Unterwäsche, weniger nach der passenden. Die Jungs sorgen dafür, dass ich alles habe, was ich mir wünschen könnte, und geben es mir, bevor ich überhaupt weiß, dass ich es brauche oder will. Nun, alles außer der Wahrheit.

Ich ziehe ein schlichtes weißes T-Shirt an und schlüpfe in eine zerrissene schwarze Skinny-Jeans.

»Er ist kein Babysitter.« Dominic kommt auf mich zu, drückt mir einen kurzen Kuss auf die Lippen und schlendert zur Tür. »Er erledigt seinen Job, und ob es einem von uns gefällt oder nicht, er ist notwendig.« Dom geht, ohne mir die Chance zu geben, etwas zu erwidern.

Ich seufze und richte meine Aufmerksamkeit auf den anderen Mann. Magnus zuckt mit den Schultern und folgt ihm. »Notwendiges Übel, Prinzessin.« An der Tür hält er inne, seine tätowierte Hand umklammert den Rahmen. »Ich liebe dich.«

»Ich liebe dich mehr«, murmle ich und drehe mich um, um ein Paar Socken zu finden.

»Niemals«, ruft er auf dem Weg in den Flur.

»Immer«, rufe ich ihm hinterher.

Ein paar Minuten vergehen, als ein Schauer über meinen Rücken läuft. Ich werfe einen Blick über meine Schulter und sehe Simon Beckett in der Tür stehen. Ich lege meine Hand auf meine Brust und beruhige den Schrecken, den er mir eingejagt hat. »Mein Gott, Simon. Du musst ein Mädchen warnen.«

Er bleibt mit unbeweglicher, ernster Miene stehen. »Bist du bereit für die Arbeit?«

Ich nehme mein Handy vom Nachttisch und stecke es in meine Gesäßtasche. »Ja.« Ich bleibe direkt vor ihm stehen. »Du solltest nicht drinnen sein.«

Eine weitere der Regeln, die von den Männern aufgestellt wurde und mich betreffen. Simon darf keinen Fuß in mein Schlafzimmer setzen, es sei denn, es ist ein Notfall. Es ist, als ob sie denken, wenn er das tut, wird er versehentlich ausrutschen und mit seinem Schwanz in meiner Muschi landen. Ich bin mir nicht ganz sicher, ob ihnen klar ist, dass es eine Million anderer Orte gibt, an denen Simon sich an mir vergehen könnte, und dass das Verbot, mein Zimmer zu betreten, nicht wirklich verhindert, dass das passiert.

Nein, die Sache, die das verhindert, ist, dass ich ihnen das nicht antun würde. Ich weiß, wie sehr sie ihn hassen, wie viel er ihnen fast genommen hat, und ich würde meine Beziehung zu drei unglaublichen Männern nicht wegen eines schnellen Ficks sabotieren.

Okay, das ist etwas übertrieben. Simon wäre kein schneller Fick. Er hätte das nur gern.

Je mehr Zeit ich mit ihm verbringe, desto mehr durchschaue ich die Fassade, die er sich aufgebaut hat. Er will, dass die Welt ihn als diesen gleichgültigen Frauenhelden sieht, aber er ist nicht ganz so schrecklich.

Vielleicht liegt es aber auch einfach daran, dass ich von moralisch zweifelhaften Männern umgeben bin, dass ich die Grenzen dessen, was ich als gut oder schlecht betrachte, verwische.

Simon blickt zu mir hinunter, sein smaragdgrüner Blick fällt auf den Boden und dann wieder zu mir. »Ich bin nicht in deinem Zimmer.« Er schluckt, als ich mich näher an ihn drücke.

»Nein, aber du stehst mir im Weg.« Ich dränge mich an ihm vorbei und gehe in den Flur. Als ich die Treppe erreiche, sehe ich ihn an. »Kommst du oder was?«

Und einfach so folgt mir mein kleiner Hund von Leibwächter. Seine Schritte sind nah, aber nicht zu nah. Immer präsent, aber mit ein bisschen Abstand.

»Hast du schon gefrühstückt?«, fragt Simon mich.

»Nein, du etwa?«, erwidere ich, wobei in jedem Wort ein Hauch von Herablassung mitschwingt.

»Du solltest etwas essen, bevor wir gehen.« Simon ignoriert meine Frage.

»Ich bin nicht hungrig.«

Simon strafft seine Schultern, als ich mich ihm nähere, und blockiert mit seiner Gestalt die Tür zur Garage, wo Alec darauf wartet, mich zur Arbeit zu bringen. »Du musst etwas essen, June.«

Ich stelle mich aufrecht hin und versuche, seine Überlegenheit nachzuahmen. »Willst du mich zwingen?«

Simons schön geformter Kiefer verkrampft sich leicht. »Ich werde es tun, wenn ich muss.«

Mein Herzschlag beschleunigt sich, und die Spannung zwischen uns wird mit jeder Sekunde, die wir in dieser Sackgasse verharren, größer.

»Ich fordere dich heraus«, murmle ich leise vor mich hin. »Ich fordere dich verdammt noch mal heraus.«

Simon sieht mir weiterhin in die Augen. »Du bist unmöglich, weißt du das?«

»Ich bin mir dessen bewusst«, sage ich und gebe nicht nach.

Simon unterbricht schließlich den Blickkontakt und schnappt sich eine Banane vom Küchentisch. Er bricht sie auf, schält das Fruchtfleisch heraus und hält sie mir hin. »Bitte!«

Und nur weil ich verdammt böse bin, trete ich einen Schritt vor, mein Blick bleibt fest auf seinem, und ich umschlinge die Spitze der Banane mit meinem Mund und beiße sie mit aller Verführungskraft ab, die ich aufbringen kann. Ich kaue sie langsam und starre ihn dabei an. »Zufrieden?«

Simon schluckt hart, als würde er seine Worte sorgfältig abwägen.

Anstatt zu antworten, tritt er näher und führt die Banane an meine Lippen.

Ich nehme einen weiteren Bissen, beobachte ihn, wie er mich ansieht, und nehme dann noch einen. Wir setzen dieses Hin und Her fort, bis nur noch ein kleines Stück übrig ist.

»Jetzt bin ich zufrieden.« Er stopft sich den Rest in den Mund und nickt zur Tür. »Wir können gehen.«

Ich dachte, ich hätte das Sagen, aber in Sekundenschnelle drehte Simon den Spieß um, und ich spiele verdammt gut mit. Dass er mein Leibwächter ist, könnte mich zu Tode ärgern, aber zumindest ist es ein unterhaltsames Spiel, wer wen mehr schubsen kann.

## KAPITEL ZWEI – SIMON

Ich stehe in der Ecke von *Bram's Diner*, einem malerischen kleinen Lokal am Rande der Stadt, das den besten Kaffee weit und breit serviert. Verdammt, vielleicht sogar den besten des ganzen Bundesstaates. Aber das ist nicht der Grund, warum ich hier bin. Ich bin hier, weil ich Junes persönlicher Leibwächter bin. Weil es meine Aufgabe ist, dafür zu sorgen, dass sie immer in Sicherheit ist, wenn sie nicht unter dem Schutz ihrer drei Freunde steht.

Sie hassen mich.

Und ich hasse sie.

Aber das ändert nichts an der Tatsache, dass wir ein gemeinsames Ziel haben – Junes Leben zu schützen. Ich hätte sie einmal fast im Stich gelassen, und diesen Fehler werde ich nicht noch einmal machen. Es war meine Schuld, dass sie sich in Gefahr gebracht hat. Ich war der Grund, warum sie angeschossen wurde. Weil einer meiner Männer schießwütig wurde, als er sah, wie sie mir einen Dolch in die Brust rammte. Ich hätte früher handeln müssen, die Bedrohung erkennen müssen. Aber ich war zu sehr von der strahlenden Schönheit gefesselt, die eine Klinge auf mein Herz richtete. Hätte sie

Erfolg gehabt, wäre dieser Tod weit weniger schmerzhaft gewesen als der, den ich jetzt erlebe.

Ihr so *verdammt* nahe zu sein ... aber sie nicht mein nennen zu können.

Zu sehen, wie sie tagein, tagaus mit den drei Männern zusammen ist, die ich am meisten hasse.

Die Gewissheit zu haben, dass sie für mich niemals so empfinden wird.

Ein großer Teil von mir wünscht sich, dass sie an diesem Tag Erfolg gehabt hätte. Dass sie mir die Klinge ins Herz gerammt und mein Leben auf der Stelle beendet hätte. Stattdessen hätte *ich* in ihren Armen verbluten können, dann wäre ich nicht hier, langsam gequält von der brisanten Nähe zwischen uns. Aber dann erinnere ich mich daran, dass ich Simon Beckett bin, und wann habe ich jemals so leicht aufgegeben?

An diesem Tag zu sterben, wäre der einfachste Ausweg gewesen. Als ich sie im Krankenhaus besuchte, um mich mit eigenen Augen davon zu überzeugen, dass es ihr wirklich gut ging, sagte ich ihr, ich würde ewig warten.

Und genau das werde ich tun.

Ich werde das Spiel so lange spielen wie nötig. Ich werde den unerträglichen Anblick ertragen, dass sie drei andere Männer liebt, nur für die Möglichkeit, dass ich sie irgendwann von der Wahrheit überzeugen kann. Dass ich besser für sie bin. Dass sie in meinen Armen gut aufgehoben ist. Bis dahin werde ich die Rolle spielen, die sie braucht – einen treuen Leibwächter.

Heute Morgen wäre ich fast durchgedreht. Ich hockte vor ihrer Schlafzimmertür, während der Duft von Sex in der Luft lag. Ich wollte die Schwelle überschreiten und sie auf das Bett werfen, um sie für mich zu beanspruchen. Aber ich tat es nicht. Ich konnte es nicht.

Erstens: Weil es nicht das ist, was sie will – noch nicht.

Und zweitens: Wenn die Jungs mich zuerst töten, wird sie nie mir gehören.

Ich erinnere mich an unsere Interaktion in der Küche, wie sie mich zurechtstauchte und ich trotzdem nicht nachgab. Ich wusste, dass sie noch nicht gegessen hatte. Es ist schrecklich, dass sie das Frühstück auslässt. Ich habe bemerkt, wie viel sie seit dem Unfall abgenommen hat. Ihre Kleidung hängt mit jedem Tag ein bisschen lockerer. Sie ist gestresst, was zweifellos an der Wahl der Männer liegt, die sie um sich hat. Aber da ist noch etwas anderes. Sie redet nicht viel darüber, sie behält die Dinge für sich und lässt sie vor sich hin gären. Das Ausmaß des posttraumatischen Stresses, der durch den Unfall verursacht wurde, ist nicht zu erahnen. Allein die Anpassung an diesen Lebensstil reicht schon aus, um die psychische Gesundheit eines Menschen aus dem Gleichgewicht zu bringen, aber sie wurde mit dem Kopf voran ins Wasser geworfen und dann von einer Welle nach der anderen überrollt. Ich bin in diese Welt hineingeboren worden – sie ist alles, was ich je gekannt habe.

Ich konnte nicht zurückweichen, als sie meinen Bluff mit dem Essen durchschaute, aber lieber Gott, ich hatte nicht erwartet, dass sie ein phallusförmiges Essen nur wenige Zentimeter von meinem Gesicht entfernt essen würde, mit ihren intensiven Schlafzimmeraugen, die mich fixierten. Ich konnte sie nur anstarren, um meinen Schwanz in der Hose zu behalten und sie nicht direkt auf dem Küchentisch zu nehmen. Aber ich behielt die Kontrolle und speicherte das Bild in meinem Kopf, um es für immer zu behalten.

Es war meine Schuld, ich hätte ihr leicht etwas anderes zu essen geben können, aber es war das erste, das zur Verfügung stand. Und ich hatte keine Ahnung, dass sie so leicht die Oberhand gewinnen würde, wenn ich dachte, ich sei derjenige, der das Sagen hat. Ein weiterer Grund, warum ich absolut verrückt nach ihr bin. Sie ist unberechenbar. Sie ist mutig. Sie ist so verdammt willensstark.

Das bringt uns hierher – zu *Bram's Diner*.

Ein Job, den sie nicht braucht, den sie aber trotzdem behalten will, weil sie es kann. Weil sie es will.

Jeder einzelne ihrer Männer könnte ihr problemlos alles bieten, was sie will, aber wenn sie alle drei zusammen sind, sind die Möglichkeiten endlos. Geld spielt keine Rolle. Sie haben die Macht, ihr so ziemlich alles zu ermöglichen, was sie sich wünschen könnte. Und hier ist sie nun und arbeitet drei Tage in der Woche für einen knapp über dem Mindestlohn liegenden Job. Für sie geht es bei all dem nicht um Geld. Es geht darum, jeden Funken Unabhängigkeit zu bewahren, den sie noch hat.

Sie gleitet von einem Tisch zum nächsten, nimmt Bestellungen auf und sammelt dabei leere Teller ein. Sie stellt sie am Küchenfenster ab und klemmt zwei Bestellungen an das kleine Karussell für die Köchin. June schnappt sich zwei Stapel Pfannkuchen und bringt sie an den Ecktisch. Sie wischt sich die Hände an ihrer Schürze ab und schaut sich im Raum um, um zu prüfen, ob die anderen Kunden zufrieden sind und sie noch etwas wünschen.

Ihr Blick wandert zu meinem, und als sie merkt, dass ich sie direkt anstarre, wandert er weiter. Ich schaue nicht weg. Ich behalte sie im Auge, beobachte das leichte Erröten ihrer Wangen, das sanfte Wippen ihres Adamsapfels, wenn sie schluckt, das nervöse Zurückstreichen ihres obsidianfarbenen Haars hinter ihr Ohr.

All das ist ein Akt, um mich noch mehr anzulocken.

Und sie ist verdammt gut darin.

Sie wirft einen Blick auf die Uhr und dann wieder auf mich und neigt den Kopf, um mir zu signalisieren, dass ich zu ihr kommen soll.

Ohne mit der Wimper zu zucken, marschiere ich durch den Raum und folge ihr zum Tresen.

Ich würde ihr bis in die tiefste Hölle folgen, wenn sie mich darum bitten würde.

»Eure Hoheit«, begrüße ich sie.

Sie rollt mit ihren strahlenden braunen Augen. »Was willst du essen? Das Übliche?«

»Fahren wir nicht direkt nach Hause?« *Nach Hause*. Ihrs und das der anderen Männer. Ein Ort, an den ich nicht gehöre.

»Nein.« Sie geht nicht näher darauf ein, weil sie weiß, dass ich bereits ahne, wohin wir gehen.

»Das Übliche ist gut.«

June schlüpft hinter den Tresen, gibt Carlos eine Bestellung auf und wendet sich dann der Kaffeestation zu. Sie holt zwei Becher zum Mitnehmen heraus und füllt beide mit Kaffee, wobei sie in einem noch ein wenig Platz lässt. Sie gibt noch etwas Sahne und ein Päckchen Zucker dazu. In den anderen legt sie einen Eiswürfel, bevor sie die Deckel auf beide Becher setzt. Sie kniet sich hin, sodass man sie kaum noch sehen kann.

Instinktiv bewege ich mich, um einen besseren Blick auf sie zu werfen.

Eine Sekunde später richtet sie sich wieder auf und packt die Tassen in einen kleinen Behälter mit zwei Ausbuchtungen. Sie stellt sie neben mir auf den Tresen und zeigt auf einen der Becher. »Das hier ist deiner.«

Aber das wusste ich bereits. Und nicht einen Moment lang ignoriere ich die Tatsache, dass sie sich meine Gewohnheiten gemerkt hat und weiß, wie ich meinen Kaffee trinke. Eigentlich sollte ich mich dadurch besonders fühlen, doch wenn ich mich daran erinnere, dass sie damit ihren Lebensunterhalt verdient, verflüchtigt sich dieses warme und wohlige Gefühl schnell.

Sie ist gut in ihrem Job, deshalb kennt sie diese Details.

So wie ich gut in meinem bin. Deshalb bemerke ich die kleinen Dinge – den Wechsel des Tonfalls in ihrer Stimme, wenn sie mit bestimmten Kunden spricht, das Lächeln in ihrem Gesicht, wenn Bram kommt, die Anspannung in ihren Schultern, wenn sie etwas bedrückt. Ich sehe mehr, als sie denkt – mehr, als ich wahrscheinlich sollte. Jede kleine Beobachtung bringt mein Herz um so viel näher an sie als am Tag zuvor.

Wir machen das schon seit über sechs Monaten so. Jeden einzelnen Tag für den größeren Teil des Jahres. Ganz am Anfang war ich bei ihr zu Hause, während sie sich von der Schusswunde in der Brust erholte. Aber dann ging sie zurück aufs College, um ihren Abschluss zu machen. Ich stand vor ihrem Klassenzimmer und wartete schweigend, beobachtete und beschützte sie. Ich begleitete sie auf dem Weg zum und vom College, ohne auch nur ein Wort zu sagen – ein Schatten, der lauerte und bereit war, jeden Moment zuzuschlagen, sollte es nötig sein. Ich würde nicht zulassen, dass ihr etwas zustößt, und während meiner Anwesenheit und der ihrer gefürchteten Männer hat es keine einzige Bedrohung gegeben. Niemand würde es wagen, sich mit ihr anzulegen.

Das heißt nicht, dass sie nicht da draußen sind – sie sind nur nicht dumm genug, um herauszufinden, was passiert, wenn sie unser Mädchen anfassen.

Ich begleite sie zu Arztterminen, zur Physiotherapie, zu Frauenabenden und gelegentlich, wenn es ihr nicht gut geht, gehen wir in diesen kleinen Park am Stadtrand, wo sie sich auf diese eine Bank setzt. Ich weiß, dass sie dort lieber allein wäre, aber ihre Sicherheit lässt das nicht zu. Also tue ich, was ich kann, um ihr etwas Freiraum zu geben, während ich sie weiterhin im Auge behalte.

Und genau das tun wir heute.

Als ihre Schicht im Diner vorbei ist, gehen wir schweigend zu ihrem Lieblingsplatz. Ich beobachte jede Person, die in ihre Nähe kommt, suche nach Anzeichen für eine mögliche Bedrohung und bin bereit, zu handeln, wenn es nötig ist. Wir schaffen es wie jedes Mal ohne Probleme und gehen direkt zu der Bank, auf der sie immer sitzt. Sie lässt sich darauf nieder und wühlt in der Tüte mit den Lebensmitteln.

Ich nehme meinen Kaffee aus der Box und warte darauf, dass sie mir mein Essen gibt, damit ich zu der anderen Bank gehen kann, die nur einen Steinwurf entfernt ist – mein bescheidener Versuch, ihr etwas Freiraum zu geben. Es ist nicht viel, aber das ist das Mindeste, was ich tun kann, um ihr das Gefühl zu geben, dass sie nicht ständig unter Beobachtung steht.

June holt meinen Burger heraus, gibt ihn mir aber nicht. Stattdessen nickt sie auf den freien Platz neben sich. »Du kannst hier sitzen.« Sie macht eine Pause und fügt dann hinzu: »Wenn du willst.«

»Bist du dir sicher?« Ich bin mir bewusst, dass ich sie heute Morgen fast mit Gewalt gefüttert habe und sie bei jeder Gelegenheit aufziehe, aber in Momenten wie diesem, wenn ich spüre, dass etwas nicht stimmt, halte ich mich zurück. Ich kann es mir nicht leisten, sie zu weit über die Klippe zu stoßen, solange unsere Beziehung noch nie auf festem Grund steht.

»Ja, du solltest es einfach tun, bevor ich noch meine Meinung ändere.« Sie grinst und hält mir den Burger hin.

Ich nehme ihn und setze mich an das andere Ende der Bank. »Das wollen wir doch nicht, oder?« Mein Sarkasmus bleibt in der Luft hängen. Alles, was ich mir wünschen könnte, ist, dass sie ihre Meinung ändert – über mich, über sie, über uns.

Sie macht sich nicht die Mühe, den Köder zu schlucken, sondern zieht das Papier um ihren Chicken-Wrap zurück und beißt eine kleine Ecke ab. Sie kaut langsam, schluckt und starrt dann blindlings in die Ferne, auf nichts Bestimmtes.

»Willst du mir sagen, was los ist?« Ich esse mein eigenes Mittagessen und habe ein wenig Angst, dass ich meine Grenzen überschreite, wenn ich sie etwas so Persönliches frage, obwohl sie noch nie diejenige war, die sich öffnete, ohne sofort wieder abzuschalten.

June atmet ein, ihr Brustkorb weitet sich leicht, bevor sie ausatmet und ihren Blick über den Boden vor sich schweifen lässt. Sie knabbert an der Innenseite ihrer Unterlippe. Ein Vogel fliegt über uns hinweg und wirft vorübergehend einen Schatten auf uns beide. Sie schaut auf, um zu sehen, wie er vorüberfliegt, aber ich behalte sie fest im Blick.

»Es ist alles in Ordnung«, sagt sie schließlich.

Ich fahre mir mit der Hand durch mein längeres Haar und streiche es mir aus der Stirn. »Ich kann das Problem nicht beheben, wenn du mir nicht sagst, was es ist.«

»Warum bist du dir so sicher, dass es ein Problem gibt, das gelöst werden muss?« Sie nimmt einen weiteren kleinen Bissen von ihrem Wrap.

»Wir wären nicht hier, wenn es keines gäbe.« Ich nicke vage in Richtung des Parks um uns herum. »Du kommst hierher, um dem Lärm der Stadt zu entkommen – um nachzudenken.«

»Vielleicht komme ich nur wegen der Aussicht.«

»Vielleicht.« Obwohl wir beide wissen, dass das eine Lüge ist.

»Was ist los mit dir?«, fragt sie. Eine Frage, die ich nicht erwartet habe.

»Was?« Ich schaue zu ihr und versuche, in ihrem Gesicht zu lesen, um alles aufzuschnappen, was ich verpasst habe.

»Du willst mir also sagen, dass mit dir alles in Ordnung ist.« Sie wendet mir ihren Körper zu, das eine Bein angewinkelt auf der Bank liegend, das andere darauf gezogen.

»Abgesehen vom Offensichtlichen?« Instinktiv zieht es mich zu ihr hin, ich drehe mich um und schaue sie an, so wie sie es bei mir getan hat.

»Und was ist das Offensichtliche?«

»Ich glaube, wir beide kennen die Antwort darauf bereits.« Ich grinse sie an. »Aber netter Versuch, das Thema zu wechseln.«

June rollt mit den Augen und greift in die Tasche, um eine Schachtel herauszuziehen. »Kann ich eines von deinen Pommes haben?« Sie reißt den Deckel auf und schnappt sich einen, bevor ich überhaupt etwas erwidern kann.

Nicht, dass ich Nein gesagt hätte. Diese Frau kann von mir haben, was sie will.

*Nimm das verdammte blutende Herz aus meiner Brust, wenn es dir gefällt, June!*

Ein Gedanke, den ich für mich behalte und sie im Stillen anflehe, zu verstehen, was ich mich weigere, laut auszusprechen.

»Klar«, sage ich trotzdem. »Bediene dich!« Ich nehme ein Kartoffelstäbchen und werfe ihn nach ihr. Er prallt von ihrer Stirn ab und fällt auf den Boden.

Ihre Augen weiten sich, als sie langsam zu mir hochschaut. »Das hast du nicht getan.«

Ich werfe ihr noch einen zu. »Doch. Das auch.«

June schnappt sich eine Handvoll Pommes und wirft sie nach mir. Sie bricht in Gelächter aus, das mich völlig lähmt und mich daran hindert, auf die Tatsache zu reagieren, dass ich überall Pommes frites auf mir habe und einer davon in meinem Haar steckt.

Ich zupfe ein Kartoffelstäbchen von meinem Schoß und werfe ihn ihr zu. »Du hast Glück, dass ich hier bin, um dich zu beschützen, sonst würde ich dir in den Arsch treten.«

Sie fängt das Ding in der Luft und steckt es sich in den Mund, wobei sie von Ohr zu Ohr grinst. »Du würdest verlieren.«

»In deinen Träumen.« Mein Finger zuckt, um ihr das Haar von der Wange zu streichen und es sanft hinter ihr Ohr zu schieben. Ich stelle mir die Wärme ihrer Haut an meiner vor.

Weich ... wie Porzellan ... vernarbt.

Ich seufze bei dem Gedanken an den Abdruck, den diese Klinge hinterlassen hat, der Abdruck des Mannes, den ich mit ihr zusammen getötet habe. Er hätte den Tod zehnmal verdient, weil er ihr ein Haar gekrümmt hat.

June hält sich die Hand vor den Mund. »Was? Habe ich

etwas im Gesicht?« Sie schnappt sich eine Serviette und wischt sich das Vermeintliche ab.

»Nein. Du bist …« Aber ich beende meinen Satz nicht. Ich sage ihr nicht, dass sie perfekt ist. Stattdessen sage ich ihr: »Eigentlich hast du einen Popel an der Nase.«

»O mein Gott, habe ich das wirklich?« Sie fasst an ihre Nase, greift nach vorne und schubst mich. »Du bist ein Idiot.«

Ich genieße den Nachhall ihrer Berührung noch lange, nachdem sie verschwunden ist, und wünsche mir nichts sehnlicher, als sie zu duplizieren und zu wiederholen. Ich nicke in Richtung des Wraps, von dem sie erst ein paar Bissen genommen hat. »Iss dein Essen!«

»Oder was? Fütterst du mich damit wie heute Morgen?« Sie zieht eine Augenbraue hoch und lässt mich wieder bluffen.

»Ich glaube langsam, du magst es, wenn ich dich füttere.« Ich lehne meinen Arm über die Rückenlehne der Bank. »Wie wäre es damit: Entweder du isst, oder du sagst mir, was dich bedrückt.«

»Ich hasse dich, weißt du das?«, erwidert June tonlos.

Ich nehme einen Bissen von meinem Burger und nicke. »Mmh.«

Sie probiert einige meiner Pommes frites und sucht nach der Sorte, die sie mag. Abgerundete Kanten, extra knusprig, die perfekte Menge Salz.

Ich hebe einen auf und reiche ihn ihr. »Hier!«

Sie verengt ihren Blick, nimmt das Angebot aber trotzdem an. »Ich brauche dich nicht.«

Ihre Worte nehmen mir den Wind aus den Segeln, auch wenn ich mir der Wahrheit bereits bewusst war. »Danke für die Erinnerung.«

June seufzt. »Das habe ich nicht gemeint, Simon.«

Verdammter Mist! Mein Name, ihre Lippen, eine schöne Melodie in meinen Ohren.

»Was hast du dann gemeint, *June*?«

Sie zeigt zwischen uns hin und her. »Das. Dieses Arrangement. Die ganze Sache mit dem *Leibwächter*. Das ist nicht nötig. Ich bin nicht in Gefahr, nicht mehr als jedes andere beliebige Mädchen in dieser Stadt auch.«

»Du irrst dich.« Ich nippe an meinem Kaffee und fahre fort. »Du bist mit dreien der berüchtigtsten Kriminellen der gesamten Westküste zusammen. Jeder, der etwas auf sich hält, weiß, wer du bist. Ich würde dein Gesicht in jeder Menschenmenge erkennen.«

»Na und? Das heißt doch nicht, dass ich in Gefahr bin.«

»Und das bedeutet nicht, dass du es nicht bist. Das Risiko ist zu hoch. Es wäre töricht, das Ausmaß der Bedrohung zu unterschätzen.«

June schiebt ihr Essen vom Schoß und steht auf. Sie schnaubt und fährt sich mit den Händen durch ihr Haar. »Das ist verdammt blöd.« Sie dreht sich zu mir um. »Nur weil ich angeschossen wurde?« Ihre Brust hebt und senkt sich. »Das war meine Schuld. Ich habe es verdient. Es war kein zufälliger Angriff. Es war, weil ich versucht habe, dich zu töten, verdammt.« Ihre Hände zittern. »Ich habe das verdient. Aber das?« Sie wiegt ihren Kopf hin und her, Tränen quellen in ihren Augen auf.

Wider besseres Wissen bin ich sofort auf den Beinen und klammere mich an ihren Schultern fest. »Sieh mich an, June!«

»Das ist nicht das, was ich wollte.«

»Hey«, sage ich leise. »Atme!«

Ihr Brustkorb hebt und senkt sich in gleichmäßigem Tempo.

»Atme für mich ein, okay? Durch die Nase. Behalte deine Augen auf mich gerichtet. Durch den Mund wieder aus. Noch einmal einatmen, durch die Nase ein und durch den Mund aus.« Ich ahme das Muster mit ihr nach. »Gut, das ist gut.«

Nach einer gefühlten Ewigkeit beginnt sie sich zu beruhigen.

»Du weißt, dass du nicht bestraft wirst, oder?« Ich lasse meine Hände auf ihren Schultern ruhen, weil ich sie nicht loslassen will und dankbar bin, dass sie sich noch nicht aus meinem Griff befreit hat.

»Es fühlt sich aber so an.« Sie atmet aus und geht einen Schritt zurück.

Der Geist ihrer Berührung sucht meine leeren Handflächen heim.

»Worum geht es hier wirklich?« Ich reibe mir den Nacken und versuche, mich mit dem Verlust ihrer Nähe zu beschäftigen.

Sie senkt ihre Stimme. »Ich weiß es nicht einmal. Nicht wirklich. Ich fühle mich einfach so …« Sie hält inne, um das richtige Wort zu finden. »Allein.« June blickt zu mir auf. »Was blöd ist, wenn man bedenkt, dass ich verdammt noch mal nie allein bin.«

Ich nehme ihr nicht übel, dass es ihr lieber wäre, wenn ich nicht da wäre. Es ist nicht ihre Schuld, dass sie mit mir zusammen ist. Auch wenn ich für jede verdammte Sekunde davon dankbar bin. Sicher, es gibt andere Dinge, die ich mit meiner Zeit anfangen könnte, aber als ich den Thron an Dominic verlor, verblasste alles andere im Vergleich zu dem, wo ich wirklich sein wollte – an ihrer Seite.

Ich wollte nicht, dass es so abläuft, aber man kann es sich eben nicht aussuchen.

»Was kann ich tun, damit du dich nicht so fühlst?« Ich füge schnell hinzu: »Außer nicht mehr dein Leibwächter zu sein.«

»Wahrscheinlich nichts, wenn man bedenkt, dass die Jungs dich hassen.« Sie verschränkt die Arme vor der Brust, wendet sich aber mehr mir zu. »Sie erzählen mir überhaupt nichts. Und ich meine, sie haben es nie wirklich getan, aber es gab eine kurze Zeit, in der sie wenigstens ein bisschen erzählt haben. Als ob sie mich mit einbezogen hätten, als ob sie wollten, dass ich zu ihrer Welt gehöre. Und jetzt? Verdammte Stille! Ich kriege nicht mal kleine Details mit. Sogar Magnus ist ausweichend, und er war nie so. Er war immer derjenige, der Vertrauen in mich setzte. Er hat mir zugetraut, dass ich es schaffe. Und ehrlich gesagt kotzt mich das alles einfach nur an. Sie denken, sie würden mich beschützen, aber alles, was sie tun, ist …« Sie beendet ihren Gedankengang nicht, aber ich weiß genau, worauf er hinauswollte.

»Du wärst fast gestorben … Kannst du dir vorstellen, wie schrecklich das für sie war?« Für uns alle. Vor allem für mich. Ich hielt sie in meinen Armen, ihr Blut sammelte sich um mich herum, während ich Druck auf die Wunde ausübte, während ich zu jedem verdammten Gott betete, der mir zuhören wollte, dass sie bei mir bleiben möge. Angst ist noch nicht einmal ein Ausdruck des Ausmaßes, was mich durchströmte. Wenige Augenblicke zuvor hatte dieselbe Frau ein Messer auf mein Herz gerichtet, und das war nichts im Vergleich zu dem, was ich erlebte, als ich dachte, ich könnte sie verlieren.

»Aber ich bin nicht gestorben. Ich bin genau hier. Und ich werde verdammt noch mal verrückt.« Ihre Hände ballen sich zu Fäusten. »Ich bin so wütend, ich will einfach nur …«

»Auf etwas einschlagen?«

»Nicht *etwas*.«

»Jemanden?« Ich beiße die Zähne zusammen. »Wen?« Denn welcher Name auch immer aus ihrem Mund kommt, ich werde ihn aufspüren und auf einem verdammten Silbertablett servieren, so wie ich es mit Vincent getan habe – dem Mann, der sie entführt und gefoltert hat.

»Das ist es ja.« June schüttelt den Kopf. »Ich weiß nicht einmal, wen ich meine. Ich will nur jemandem verdammt wehtun.« Sie senkt ihre Stimme. »Was zum Teufel ist los mit mir?«

Ich atme erleichtert auf. »Nichts, June, du bist nur …« Ein Grinsen bildet sich auf meinem Gesicht bei dem Gedanken an diese sadistische Füchsin, die vor mir steht.

»Du lächelst, gerade jetzt? Wirklich?« Sie schubst mich wieder, und ich begrüße die Berührung, als wäre sie ein

Geschenk des Himmels. »Du hältst mich für bescheuert, nicht wahr?«

»Überhaupt nicht!« Ich lasse meinen Blick über die zarten Züge ihres Gesichts gleiten. Ihr ganzes Äußeres ist ein Widerspruch zu dem Bösen, das danach lechzt, herausgelassen zu werden. Ich habe es an jenem Tag im Lagerhaus gesehen, als sie sich daran ergötzte, den Mann zu zerstückeln, der sie verletzt hatte. Ich fragte mich, ob es sich um ein einmaliges Ereignis handelte – nur eine Vergeltung, eine Abrechnung. Aber im Laufe unserer gemeinsamen Zeit habe ich gesehen, wie mehr davon an die Oberfläche kam und darum flehte, freigelassen zu werden.

»Was dann?«, fragt sie mich.

»Du betrittst die Zeit des Bösen.«

»Meine was?« June stemmt die Hand in die Hüfte.

»Du weißt schon, wenn der Gute zum Bösen wird. Wenn der Held der Geschichte merkt, dass es viel mehr Spaß macht, der Bösewicht zu sein.«

»Ich war nie der Held oder der Gute.«

»Wie gesagt, die Zeit des Bösen.« Meine Gedanken kreisen um die Möglichkeiten. »Ich glaube, was du brauchst, ist ein bisschen Blutvergießen.«

Ihre Augen funkeln und Aufregung zeigt sich in ihnen, ohne dass ein einziges Wort gesprochen wird.

»Gib mir etwas Zeit!« Ich strecke die Hand aus und lege sie ihr auf die Schulter, obwohl ich das nicht sollte. Ich tue immer wieder Dinge, die ich nicht tun sollte, aber hey, die Dinge sind mir noch nicht völlig um die Ohren geflogen, also was kann es schaden, wenn ich eine weitere Grenze überschreite. »Ich kriege das schon hin.«

*Für dich, June, alles für dich.*

# KAPITEL DREI – JUNE

ch sitze auf einem Hocker in der Villa der Jungs und stochere in einem Blaubeermuffin herum. Die Uhr am Ofen zeigt acht nach fünf an und meine müden Augen bestätigen der Welt, dass ich nicht dafür gemacht bin, so verdammt früh aufzustehen. Aber wenn ich eine Chance haben will, mit einem meiner Männer ins Gespräch zu kommen, muss ich sie nutzen, bevor sie das Haus verlassen.

Ich sehe sie selten alle auf einmal, geschweige denn für mehr als fünf Minuten. Dom und Magnus sehe ich öfter als Co, aber selbst dann ist es nicht viel. Einer von ihnen hält sich immer zurück und wartet darauf, mich an Simon weiterzureichen, mit dem ich die meiste Zeit meines Tages verbringe.

Irgendwann haben wir mal jeden Abend gemeinsam zu Abend gegessen. Nicht mit Simon, sondern nur ich und meine Männer. Es war schön, diese gemeinsamen Momente mit ihnen zu haben. Aber aus einer ausgelassenen Mahlzeit wurde eine andere, und aus einer anderen wurde gar nichts mehr. Ich bin dankbar für Simons Gesellschaft, so lästig sie auch ist, aber es ist nicht das, was ich wirklich will. Ich will mit den Männern zusammen sein, die mich angeblich lieben.

Und mit jedem Tag, an dem sie weniger und weniger präsent sind, frage ich mich, ob das überhaupt jemals der Fall war. Ich glaube, dass sie sich um mich sorgen, aber mehr auf eine obligatorische Art und Weise als alles andere. Ich fühle mich eher wie eine Last oder eine Ablenkung als die Frau, für die sie angeblich ihr Leben geben würden.

Wenn ich ehrlich bin, ist Simon der Einzige, der das wirklich bewiesen hat.

Selbst als Co sich auf seinen mörderischen Rachefeldzug begab, um mich zu rächen, geschah dies zu seiner eigenen Befriedigung, um die Wut zu schüren, und nicht, weil er dachte, dass es mich zurückbringen könnte.

Ich vermisse die alten Zeiten, in denen sie sich um mich bemühten und sich beweisen wollten, mir zu Füßen lagen und in meiner Nähe sein wollten. Ich glaube nicht, dass ich so viel verlange. Und deshalb denke ich, wenn sie mich wenigstens in ihre Geschäfte einbeziehen würden, könnte ich in dieser Welt koexistieren, während sie damit beschäftigt sind, zu tun, was auch immer sie tun. Sie müssten sich nicht für eine Seite entscheiden, weil ich mich bereitwillig auf ihre Seite schlagen würde.

Hinter mir ertönen Schritte, die Präsenz eines Mannes, den ich schon viel zu lange vermisst habe.

Co legt seine festen Hände auf meine Schultern und presst seine Lippen auf meine Schläfe. »J, warum bist du so früh auf? Du bist ja eiskalt.« Er geht ein paar Schritte zur Sitzecke und schnappt sich eine Decke von der Couch, kommt zurück und legt sie mir über den Rücken. »Alles in Ordnung?« Er lehnt sich gegen den Küchentresen und starrt mich an. »Was ist los?«

Wären meine Augen nicht so verdammt trocken vor Müdigkeit, würden sie sicher tränen. Die Emotionen, die in mir hochkochen, drohen überzulaufen. »Ich wollte dich nur sehen.«

»Ach, J …« Co streicht mit dem Daumen über meine Wange, dann hält er an der Narbe an meinem Kinn inne. Er zieht sich zurück, hält sich aber an meiner Hand fest. »Ich hatte in letzter Zeit viel zu tun, es tut mir leid.«

»Du bist weg, wenn ich aufwache, und kommst erst zurück, wenn ich schon im Bett liege. Ich weiß, dass du mich manchmal küsst, wenn du nach Hause kommst, aber ich frage mich langsam, ob du mir mit Absicht aus dem Weg gehst.«

Der schöne goldhaarige Junge schüttelt den Kopf. »J … niemals.« Er seufzt und drückt meine Hand. »Die Dinge laufen … nicht gerade ideal. Aber ich verspreche dir, das bedeutet nicht, dass ich dich weniger liebe.« Sein Blick wandert kurz zu der Uhr an seinem Handgelenk. Ich bin mir nicht sicher, ob er wollte, dass ich das bemerke.

»Siehst du, genau das. Du bist schon dabei, aus dem Zimmer zu stürmen, um das zu tun, was du tun musst. Wohin gehst du so früh? Wo bist du in den frühen Morgenstunden? Wann schläfst du, Co? Ich bin ernsthaft besorgt.«

Trotz seines guten Aussehens sind seine Augen etwas eingefallen. Neue Falten bilden sich an Stellen, die vor sechs Monaten noch nicht da waren. Mein süßer, unschuldiger Junge ist nicht mehr da. Stattdessen steht hier der gebrochene Mann, der vor all den Jahren mein Herz gestohlen hat, mit einer Dunkelheit in ihm, die vorher nicht da war. Eine, die aus einem Jahrzehnt illegaler Aktivitäten und einer gefühlten Ewigkeit verlorener Liebe entstanden ist. Nein, nicht verlorener – *gestohlener.*

Der winzige, zarte rote Faden, der uns verbindet, wurde nie wirklich durchtrennt. Er wurde gedehnt und gedreht und gezogen, und selbst als ich sicher war, dass er reißen würde, blieb er stabil. Ein langsamer und mühsamer Herzschlag, der für immer unser bleiben würde. Eine unmögliche Kraft, die niemals durchbrochen werden kann. Eine Fackel, die nie erlöschen wird.

Wir hatten uns über ein Trauma verbunden, als wir noch Kinder waren – unsere beiden Mütter waren tot. Zwei Kinder, die mehr Zeit auf einem Friedhof verbrachten und mit Geistern sprachen als andere Menschen in ihrem Alter. An dem Tag, an dem wir uns trafen, hatte ich Wildblumen gesammelt. Leuchtendes Violett, einige in der Farbe der Sonne, Weiß und Karminrot. Ich pflückte so viele, dass meine Fingerspitzen wund waren, weil ich versehentlich nach zu vielen mit borstigen Rändern griff. Es ist eine traurige Tatsache, dass selbst schöne Dinge die Fähigkeit haben können, einen zu verletzen.

Ich hatte den hübschen Jungen mit den blonden Locken dort schon einmal gesehen, aber ich hatte nie mit ihm gesprochen. Ich ließ ihn in der Einsamkeit leben, damit er die Frau betrauern konnte, die in dem Grab lag, an dem er die meiste Zeit verbrachte. Das Gleiche, was alle anderen auf Friedhöfen tun. Es ist kein Ort der Geselligkeit, es ist ein Ort, um Respekt zu zollen. Oder was auch immer die Leute sonst dort tun. Ich habe es nie wirklich verstanden, aber ich fühlte mich zu dieser Feierlichkeit und Verzweiflung berufen, als ob sie mich nach Hause rufen würde. Niemand verurteilte mich wegen meines fehlenden Lächelns oder der Schwere, die ich ausstrahlte. Dort musste ich mich nicht verstellen, um in der realen Welt zu bestehen. Niemand fragt, warum man traurig ist, wenn man von Toten umgeben ist.

Aber an diesem Tag konnte ich nicht aufhören, in seine Richtung zu schauen. Und als ich sah, wie seine Schultern zitterten und er sich über die Wangen wischte, zog es meinen Körper zu ihm. Meine Füße machten einen Schritt nach dem anderen, bis ich neben ihm im Schneidersitz mit einem Blumenstrauß in der Hand auf dem Boden saß. Ich legte sie ihm in den Schoß und saß neben ihm, ohne zu sprechen, um einfach nur da zu sein. Ich bin mir nicht sicher, ob es ihm etwas ausmachte oder nicht, aber er sagte nicht, ich solle gehen, und ich merkte, dass ich nicht gehen wollte. Als ich aufstand, um zu gehen und mich mit meinen eigenen Geistern auseinanderzusetzen, sprach er endlich.

»Danke.« Ein einziges Wort, und der Faden wickelte sich um mein Herz.

Damals war es eine andere Art von Liebe. Nicht unbedingt romantisch. Aber voller Gefühl. Ich war zu jung, um die erwachsene Art der Liebe wirklich zu verstehen. Stattdessen war es diese Sehnsucht, jemandem nahe zu sein, der verstand, wie sich Verlust anfühlt. Um einen gemeinsamen Nenner zu haben – den Tod. Und das, ohne zu urteilen.

Ich war das traurige Verlierermädchen in der Schule. Aber dort, mit ihm, war ich eine andere.

Unsere Liebe wuchs und blühte mit jedem Tag weiter auf. Dieser Faden verband uns immer fester. Er war meine Konstante. Mein sicherer Ort. Mein bester Freund. Wir picknickten auf dem Friedhof, spielten Verstecken, wir machten ihn uns zu eigen. Wir sprachen über die Vergangenheit, als wäre sie ein ganzes Leben her, als die Dinge noch nicht immer im Dunkeln gelegen hatten, und wir erlaubten uns, verletzlich zu sein. Wir teilten Dinge, die wir nie mit jemand anderem geteilt hatten. Nicht mit unseren verbliebenen Elternteilen, nicht mit unseren sogenannten Freunden, nicht dem Schulberater, zu dem wir beide gehen mussten. Alle anderen wollten uns nur in Ordnung bringen, herausfinden, wie man uns wieder zusammensetzen kann. Das erwarteten wir nicht voneinander. Damals nicht und auch jetzt nicht. Und als wir uns schließlich trennten, war es, als hätte ich den Klebstoff verloren, der mich all die Jahre, in denen wir Freunde waren, zusammengehalten hatte. Ich habe nicht nur meinen besten Freund, meinen ersten Kuss, meine erste Liebe verloren ... ich habe ein Stück von mir verloren. Mit den Tagen, die zu Wochen wurden, die sich in Monate und Jahre verwandelten, verlor ich auch die Hoffnung. Ich verlor den Glauben daran, dass ich jemals wieder etwas fühlen würde. Ich war wie betäubt und verletzt und ich war so verdammt wütend. Wütend, dass ich jemandem die Macht gegeben hatte, mich zu zerstören, nachdem ich ihm mein Herz geschenkt hatte. Wütend darüber, dass ich dumm genug war, zu glauben, er würde irgendwann zurückkommen.

Wir waren Kinder, aber unsere Verbindung war alles.

Irgendwann habe ich mir fast eingeredet, dass es nie real war, dass es nie passiert ist. Dass ich es als einen seltsamen Bewältigungsmechanismus erfunden habe, um mit dem Verlust meiner Mutter fertigzuwerden. Um mich von meinem missbrauchenden, alkoholkranken Vater abzulenken. Aber es gab Beweise, die mich daran erinnerten, dass das, was Co und ich geteilt hatten, kein Hirngespinst meiner jämmerlichen Phantasie war. Alte Polaroids von uns am Strand, Muscheln, die wir gesammelt hatten, eine zerfledderte Halskette, die er mir aus Schnüren gemacht hatte, ein verblichenes Sweatshirt von ihm, das er mir in einer kalten Nacht geliehen hatte und das ich ihm nie zurückgegeben habe.

Und die größte Erinnerung von allen – das klaffende Loch in meiner Brust.

Außerdem massive Vertrauensprobleme.

Jetzt, ein Jahrzehnt später, steht derselbe wundervolle, gebrochene Junge vor mir, der mir geholfen hat, einen Schmetterling wieder zum Leben zu erwecken, den wir im Kühlergrill des alten Lastwagens seines Vaters gefunden hatten, und seine ozeanblauen Augen starren in meine.

»Mach dir keine Sorgen um mich.« Co bricht ein Stück des Muffins ab und steckt es sich in den Mund.

Mich zu sorgen, ist alles, was ich tue, seit ich ihn als Kind zum ersten Mal gesehen habe.

»Aber du hast recht.« Er streichelt meine Wange. »Wir haben in letzter Zeit nicht genug Zeit miteinander verbracht. Was kann ich tun?«

Jemand räuspert sich hinter uns. Auf die Unterbrechung folgt etwas Geplapper. Ich schaue hinter mich und sehe Magnus und Dominic die Treppe hinunterkommen und in unser Sichtfeld kommen.

33

»In der Tat«, sage ich so laut, dass alle es hören können.

»Warum bist du auf?« Dominic zieht die Brauen zusammen. »Ist etwas passiert?«

Magnus drängt sich um ihn herum, um zuerst zu mir zu gelangen. Er nimmt mein Gesicht in seine Hände und presst seine Lippen auf meine. »Verdammt, du bist so schön am Morgen.«

Ich küsse ihn zurück. »Aber nicht am Nachmittag?«

Dom erreicht mich und streicht mir das Haar aus der Stirn, das Magnus zerzaust hat. Er legt seine Lippen auf die Stelle, die er befreit hatte. »Aber wirklich, ist alles in Ordnung?«

»Da ich euch alle hier habe und nicht weiß, für wie lange … Wir müssen reden«, beschließe ich.

»O Scheiße, das ist ernst.« Magnus springt auf den Hocker neben mir und legt seine tätowierten Hände um meine. »Machst du mit uns Schluss?«

Die Tür zum Garagenbereich öffnet sich knarrend und Simon tritt hindurch.

»Störe ich?« Simon bleibt mit einem Fuß draußen stehen.

»Ja«, sagt Co.

»Nein«, sage ich lauter. »Du kannst reinkommen.«

Magnus lehnt sich näher heran und flüstert: »Willst du *vor* Beckett mit uns Schluss machen?«

Ich drücke seine Hände. »Nein, Blödmann.« Ich wende meinen Blick zu Dom und Co. »Aber irgendetwas ist los. Ich sehe kaum einen von euch, und wenn, dann verhaltet ihr euch alle verdammt ausweichend. Also schlage ich vor, dass ihr euch in eurem vollen Terminkalender etwas Zeit für ein Date nehmt. Eigentlich, nein, ich bestehe darauf. Nicht verhandelbar.«

Co und Dom tauschen einen Blick aus, als ob sie telepathisch miteinander kommunizieren würden oder so.

»Okay, das ist viel besser, als sich zu trennen.« Magnus führt meine Hand zu seinem Mund und küsst meine Knöchel. »Und ich bin dabei.«

Ich wende mich an ihn. »Danke.« Aber die Tatsache, dass Dom und Co nicht sofort mitmachen, lässt mich den Atem anhalten und erwarten, dass die Möglichkeit einer Ablehnung mich in Stücke reißt. Ich fühle mich schon seltsam genug, dass ich meine Freunde um etwas Zeit für mich bitte.

Magnus knutscht weiter meine Hand. »Ich werde meine Leute mit deinen Leuten in Kontakt bringen.«

»Zur Kenntnis genommen.« Ich rolle mit den Augen, bin aber ansonsten dankbar für seinen Humor in dieser unglaublich angespannten Zeit.

Simon bleibt ruhig an der Tür stehen, aber ich kann seine Energie vom anderen Ende des Raums aus spüren.

»Wie wäre es mit morgen?«, fragt Co schließlich. »Nur du und ich. Ich werde etwas arrangieren. Ich verspreche es.«

Dom legt seine große Hand auf meinen Rücken. »Und ich werde ein Date für nächste Woche vorbereiten. Wie wär's damit?«

»Wirklich?« Ich lasse meinen Blick zwischen den beiden hin und her huschen, die Tränen, die sich vorhin fast gebildet hätten, wollen immer noch an die Oberfläche kommen.

»Ja.« Dominic stupst sanft mein Kinn an und kippt es zu sich hinauf. Er küsst meine Lippen mit einer solchen Leichtigkeit, dass man sich nicht vorstellen kann, dass er ein brutaler Mann ist, der regelmäßig Menschen ermordet. »Es tut mir leid, dass du dich vernachlässigt fühlst.«

»Es ist okay«, murmle ich gegen seinen Mund. Aber ist es das? Ist es das wirklich? Ich verstehe, dass sie ein kriminelles Konglomerat leiten, aber sie sind diejenigen, die darauf bestanden haben, dass ich ein Teil ihres Lebens bin. Nun ja, das stimmt nicht ganz – es war auch mein Verdienst, aber sie hätten auch nein sagen können.

Auf einmal summen mehrere Telefone. Meine drei Männer greifen in ihre jeweiligen Taschen und überprüfen die Benachrichtigungen.

»Lass mich raten!«, seufze ich.

»Tut mir leid, Prinzessin.« Magnus schlingt seine Arme um mich und drückt mich fest an sich. Er drückt mir einen Kuss auf die Wange. »Ich liebe dich.«

»Ich liebe dich mehr«, murmle ich.

»Niemals.« Er lässt mich los, steht auf und klopft Dom auf die Schulter. »Fährst du?«

»Immer«, sage ich nur flüsternd. Und ehrlich gesagt, es fühlt sich wie die Wahrheit an.

Magnus wendet sich mir wieder zu und streichelt mein Gesicht. »Ich werde mir auch etwas einfallen lassen, keine Sorge.«

»Das werden wir alle.« Co ergreift meine Hand, bevor er Dom und Magnus zur Tür folgt, wo Simon immer noch steht.

Dom hält auf dem Weg dorthin inne. »Ich muss mir noch ganz schnell einen Kaffee machen.«

»Wartet schon im Auto auf dich«, sagt Simon. »Americano, schwarz.« Er schaut zu Magnus. »Cappuccino, extra Sahne.« Dann zu Co. »Großer Kaffee mit einem Schuss Espresso.«

Bei all dem Koffein ist es kein Wunder, dass Co nie schläft. Vielleicht ist es aber auch nur der Treibstoff, der ihn in den späten Nächten und frühen Morgenstunden wachhält.

»Du weißt schon, Beckett.« Magnus klammert sich an Simons Schulter und schüttelt sie kräftig. »Du wächst mir irgendwie ans Herz.«

Co schiebt sich an Simon vorbei und verlässt den Raum, seine Abwesenheit zerrt an dem unsichtbaren Faden, der sich um mein Herz gelegt hat. Dom murmelt ein »Danke«, als er vorbeigeht. Und mit einem weiteren Abschiedsgruß fällt die Tür zu und lässt nur Simon und mich hier in dieser riesigen Küche zurück.

Sein smaragdgrüner Blick bleibt an meinem hängen. »Geht es dir gut?«

Ich nicke langsam und drücke die Decke, die Co mir

gegeben hat, fester um meinen Körper. »Ich bin müde, das ist alles.«

Er wirft seinen Kopf in Richtung Treppe. »Warum legst du dich nicht wieder schlafen? Ich bin hier unten, wenn du mich brauchst.«

»Ich brauche keinen Babysitter, Simon.«

»Das redest du dir immer wieder ein.«

»Ich dachte, dieser Ort wäre uneinnehmbar. Bin in ihrem Haus nicht sicher?«

»Dein Zuhause«, sagt er, ohne zu zögern. »Das hier ist auch dein Zuhause, June.«

»Wie auch immer.« Ich hüpfe vom Hocker, schlurfe ins Wohnzimmer und lasse mich auf die teure Couch fallen. Simon geht in die Küche und drückt ein paar Knöpfe an Dominics schicker Kaffeemaschine.

»Warum hast du dir nicht selbst auch einen geholt, als du den Kaffee für die Jungs geholt hast?«

Simon zuckt mit den Schultern. »Ich hätte *dir* einen mitgebracht, aber ich dachte, du wärst noch nicht wach.«

»Jaja«, murmle ich in die Armlehne der Couch. »Ich denke, wir wissen alle, dass ich kein Morgenmensch bin.«

Simon trägt seinen Kaffee zu der Sitzecke hinüber und setzt sich in den Sessel am Fußende der Couch, auf der ich sitze. »Ich auch nicht.« Er pustet auf die dampfende Tasse und nimmt einen vorsichtigen Schluck. »Scheiße, ist das heiß.«

Mit schweren Augen studiere ich die Form seines Kiefers, die harten Linien und scharfen Kanten. Selbst mit den Stoppeln seines Bartes ist sein Knochenbau verdammt makellos. Mein Blick wandert zu dem Kaffee in seiner Hand, die Adern auf seinem Handrücken treten deutlich hervor. Ich will ihm nicht so viel Aufmerksamkeit schenken, aber es ist nicht zu leugnen, dass sein Erschaffer extra viel Zeit damit verbracht hat, ihn zu perfektionieren.

»Was ist das für ein Ring?«, frage ich.

»Welcher?« Er dreht das schwarze Ding an seinem Mittelfinger und wackelt mit dem anderen an seinem Zeigefinger herum.

»Der größere.«

»Ein Familienerbstück.«

Ich schließe meine Augen und warte darauf, dass er fortfährt.

»Mein Großvater hat ihn mir geschenkt, als ich zehn war. Kurz bevor er starb ...«

»Tut mir leid«, murmle ich.

»Er war krank.«

»Tut mir leid«, sage ich noch einmal, als ob die Worte beim zweiten Mal ihm mehr bedeuten würden.

»Er sagte mir, ich solle ihn für ihn aufbewahren. Damals war er paranoid, er erzählte ständig, dass jemand seine Sachen durchwühlt. Ich bin mir ziemlich sicher, dass er einfach den Verstand verloren hat, weißt du?«

»Mmhm«, murmle ich, damit er weiterredet.

»Er war nicht immer so. Wir hatten früher viel Spaß zusammen. Er hat mich zu Basketball- und Baseballspielen mitgenommen. Obwohl wir beide Baseball am liebsten gespielt haben.« Er zögert, fährt aber fort: »Ich habe mich auf diese Spiele mit ihm gefreut.« Simon lacht, als würde er eine Erinnerung wachrufen. »Wir haben immer zuerst Hotdogs geholt. Ohne Frage. Und dann holten wir uns den größten Eimer Popcorn. Ich musste fast kotzen, weil ich so viel gegessen hatte.«

»Ich liebe Popcorn«, verrate ich.

»Und wenn ich nicht schon satt genug gewesen wäre, hätte er mir eine riesige Zuckerwatte gekauft.«

»Welche Farbe?«

»Blau, eindeutig blau.«

»Wir sollten irgendwann mal zusammen gehen«, sage ich.

»Was?«

Aber anstatt ihm zu antworten, schlafe ich ein.

*I*ch wache auf, weil ich Schreie höre. Meine Brust schmerzt. Meine Kehle ist rau. Ich blinzle und versuche, wieder zu Atem zu kommen. Endlich kann ich meine Augen fokussieren und sehe den Mann, der mich festhält, mit Angst und Sorge im Gesicht.

»Du bist in Ordnung«, sagt Simon. »Du bist in Sicherheit.«

Ich beruhige mich und befreie mich aus seinem Griff. »Es tut mir leid.« Ich ziehe meine Knie an die Brust und versuche, mich daran zu erinnern, wovon ich überhaupt geträumt habe.

Simon erhebt sich vom Boden, wo er neben der Couch gekniet hat, und setzt sich neben mich, wobei er etwas Abstand zwischen uns hält. »Wie lange?«

Ich sehe zu ihm hinüber. »Was?«

»Wie lange hast du schon diese Albträume?« Seine Kiefer spannen sich an.

»Oh.« Ich umarme mich fester. »Ähm, schon … schon immer. Ich weiß es nicht. Hast du keine?«

»Jede Nacht.« Simon dreht den Ring an seinem Zeigefinger mit seinem Daumen.

»Wovon träumst du?«, frage ich, obwohl es sehr persönlich ist.

Simon holt tief Luft und atmet aus. »Nun, zunächst einmal kommst du in vielen von ihnen vor.«

Ich lache. »Ich bin also nicht deine Traumfrau, ich bin deine Albtraumfrau.«

Er wirft mir einen Blick zu und schüttelt den Kopf. »So ähnlich.«

»Jage ich dich mit einem Messer im Stil von Michael Myers?«

»So ähnlich«, wiederholt er grinsend.

»Und die, in denen ich nicht mitspiele?«

»Äh …«

»Du musst nicht antworten, ist schon okay.« Ich drehe mich zu ihm und lehne meinen Kopf an die Rückenlehne der Couch.

»Versprichst du, dass du nicht lachst oder es jemandem erzählst?«

Ich strecke ihm meinen kleinen Finger entgegen. Er schließt seinen um meinen und schüttelt ihn leicht. Unsere Hände lassen sich auf die Couch sinken, wobei unsere Finger immer noch ineinander verschränkt sind.

»Ich kann nicht schwimmen. Jedenfalls nicht gut …«

Ich suche nach einem Hinweis darauf, dass er lügt, dass er mich verarscht. »Wirklich?«

Simon nickt. »Ja.«

»Viele Leute können nicht schwimmen«, erkläre ich in einem schwachen Versuch, ihn zu beruhigen.

»Vielleicht viele Kinder, aber keine Erwachsenen.«

»Warum hast du das nicht gelernt, als du jünger warst?«

Simon schaut weg, als würde er eine Erinnerung wachrufen. Jeder Teil von ihm scheint sich bei der Erinnerung zu verkrampfen. »Ich habe es einfach nicht gelernt.« Er nimmt die freie Hand und fährt sich mit ihr durch sein dunkelbraunes Haar. »Und in diesen Albträumen ertrinke ich.«

»Das muss schrecklich sein.« Ich hatte schon viele Albträume, wurde lebendig verbrannt, gejagt, angegriffen, betrogen, auf jede erdenkliche Weise angegriffen. Ich kann aber nicht behaupten, dass ich jemals einen hatte, in dem ich nicht schwimmen konnte. Ich schätze, unser Verstand quält uns mit den Dingen, vor denen wir uns am meisten fürchten oder die unsicher machen.

»Es ist kein guter Zeitpunkt.« Er dreht seinen Kopf wieder zu mir. »Aber genug von mir. Geht es dir gut? Du hast ziemlich heftig geschrien.«

»Ich weiß nicht einmal mehr, was es war.« Aber das ist eine Lüge, denn mit jeder Sekunde, die verstreicht, tauchen Teile davon in meinem Kopf auf und verhöhnen mich mit ihrer Erinnerung. Aber das will ich ihm gegenüber nicht zugeben. Stattdessen werde ich es für mich behalten und hoffen, dass ich es nie wieder träumen oder erleben muss.

»Selbst wenn das stimmt …« Simon spricht mit leiser Stimme. »Ich würde nicht zulassen, dass dir etwas zustößt.«

»Mach keine Versprechungen, die du nicht halten kannst.«

»Wow, beleidigst du wirklich meine Fähigkeiten?«

»Wo wir gerade von deinen Fähigkeiten sprechen. Du hast gesagt, du würdest …«

Er unterbricht mich. »Ist in Arbeit. Gib mir eine Minute, um die Details zu klären.« Simon hebt eine Augenbraue. »Obwohl ich es vielleicht in deinen Terminkalender einbauen muss.«

Ich grinse ihn an. »Spüre ich da etwa Eifersucht?«

»Irgendwie schon, aber ehrlich gesagt sollten sie eifersüchtig sein, weil ich mehr Zeit mit dir verbringe als sie.«

»Touché!«

Er hat nicht unrecht. Simon und ich verbringen jeden Tag zusammen, und abgesehen davon, dass wir nicht ficken und flirten, machen wir so ziemlich alles, was ich und die anderen Jungs auch tun. Wenn sie nicht diejenigen wären, die darauf bestehen, Simon in ihrer Nähe zu behalten, würde ich mir Sorgen machen, dass ich kurz davor bin, sie zu betrügen.

Mein Blick fällt auf unsere Finger, die immer noch miteinander verschränkt sind. Ich lasse seine Hand los und ziehe meine weg, denn diese Grenze verschwimmt zu sehr, als dass es mir gefallen würde. Ich würde nie etwas tun, was meine Beziehung zu den Jungs gefährden würde – aber es ist schwer, die Freundschaft zu leugnen, die sich zwischen mir und ihrem Feind aufbaut.

# KAPITEL VIER – COEN

*S*o wahr mir Gott helfe, wenn wir diese Sitzung nicht in den nächsten fünf Minuten beenden, werde ich jeden verdammten Menschen in diesem Raum umbringen.

Ich schaue auf die Uhr und seufze.

Entweder bringe ich sie alle hier oder June bringt mich um, weil ich zu spät zu unserem Date komme.

Besonders nachdem ich gestern den Schmerz in ihrem Gesicht gesehen habe. Ich habe nicht bemerkt, dass die Dinge sie so stark belasten. Aber das habe ich davon, wenn ich nicht aufpasse. Ich war mit dringenderen Dingen beschäftigt und habe mich nicht auf meine Hauptpriorität konzentriert – sie.

»Hayes, bist du da?« Dominic schnippt mit den Fingern vor meinem Gesicht.

Ich schlage seine Hand weg. »Fick dich!«

Seine Kiefer spannen sich an, und für den Bruchteil einer Sekunde vergesse ich, dass wir uns in einem Raum mit anderen Menschen befinden.

*Fuck!* Ich habe gerade meinen direkten Chef nicht respektiert.

Ich erhebe mich und schiebe den Stapel Papiere vor mir hin

und her. »Zwei Transporte wurden abgefangen. Vier Tote. Ich habe es verstanden.«

»Wo zum Teufel willst du hin?«, ruft Dominic mir zu, als ich mich auf den Weg zur Tür mache.

»Ich muss gehen. Es ist wichtig.«

»Darüber reden wir noch.« Dominics Abschiedsworte erschüttern mich nicht. Er kann mich bestrafen, so viel er will, nichts wäre schlimmer, als sie wieder zu verlieren.

Ich eile nach draußen, steige auf der Fahrerseite in meinen Audi RS4 und drücke den Knopf, um den Motor zu starten. Der Wagen erwacht schnurrend zum Leben, der Auspuff knattert und stottert. Ich verschwende keine Zeit mehr, lege den Rückwärtsgang ein und fahre aus dem Parkplatz. Ich lege den ersten Gang ein und stürze mich direkt in den Verkehr, wobei ich den sinnlosen Fahrzeugen ausweiche, die sich mir in den Weg stellen. Die Ampel vor mir schaltet auf Rot, aber ich trete aufs Gas und fahre einfach über die Kreuzung.

Blinkende blaue und rote Lichter erregen meine Aufmerksamkeit im Rückspiegel, aber ich lasse das Gaspedal nicht los, sondern drücke es noch fester durch, der Tacho zeigt zweiundachtzig bei erlaubten fünfunddreißig.

Das Polizeiauto hat Mühe, mit mir Schritt zu halten, während ich mich in den Verkehr einfädele und ihn umfahre.

Ich tippe auf den Touchscreen im Armaturenbrett und wähle eine meiner gespeicherten Nummern.

Es klingelt einmal, dann zweimal, bevor sich ein Mann meldet. »Officer Bradshaw.«

»Sie haben einen Mann auf der Neunten bei Parsons. Rufen Sie ihn zurück!«

»Sie werden …«

Aber ich unterbreche ihn. »Wenn Sie Ihren Gehaltsscheck wollen, verdienen Sie ihn sich, oder ich suche mir jemand anderen, der das für mich tut. Rufen Sie ihn zurück! Sofort!«

»Ja, Sir, Mr. Hayes.«

Ich lege den Hörer auf und schaue in den Rückspiegel, warte und frage mich, ob dieser inkompetente Scheißer tun wird, was ich von ihm verlangt habe. Entweder das oder ich halte den Wagen an und jage dem Bullen eine Kugel in den Kopf. Diese Alternative ist ein bisschen unorthodoxer als ein Strafzettel für zu schnelles Fahren zu kassieren. Aber ich werde alles tun, was nötig ist, um June eher früher als später zu erreichen. Ich rase über eine weitere Kreuzung und biege an der nächsten links ab. Mein Auto hat Mühe, auf dem Asphalt zu haften, während ich es an seine Grenzen bringe. Die blauen und roten Lichter folgen mir dicht auf den Fersen. Ich schätze, ich werde zwei Polizisten umbringen müssen – den hinter mir und den, der seine Arbeit nicht gemacht hat.

Die Idee ist gar nicht so uninteressant. Ich habe nicht unbedingt etwas dagegen, nutzlose Menschen zu vernichten, aber die Tatsache, dass es meine Zeit mit June einschränken könnte, macht mir Sorgen. Zum Glück für sie wird das heute Abend nicht passieren, denn als die Blinklichter in meinem Rückspiegel plötzlich aufhören zu blinken und das Polizeiauto aufhört, mich zu verfolgen, wird mir klar, dass ich aus dem Schneider bin.

Ein Hindernis ist beseitigt.

Vor dem Eingangstor zu unserem Haus bleibe ich stehen. Ich fummle an dem verdammten Schalter herum, drücke Knöpfe und drücke sie wieder und wieder, bis das Ding endlich kooperiert und sich öffnet. Ich eile den Rest des Weges hinein, treibe mein Auto in die Garage und springe hinaus, bevor es eine Chance hat, abzukühlen. Ich umrunde die anderen Luxus-Karossen, die hier geparkt sind, und stürme durch die Tür.

June steht da, eine Augenweide, in dem Kleid, das ich für sie ausgesucht habe, und dem Armband, das ich ihr nach ihrem College-Abschluss geschenkt hatte. Simon steht neben ihr, für mein Empfinden zu nah. Beide starren mich an, etwas erschrocken, als hätte ich etwas unterbrochen.

June ergreift als Erste das Wort. »Du hast es geschafft.«

Ich gehe weiter ins Haus, trete vor Simon und drücke meine Lippen auf Junes Wange. »Ich habe noch zwei Minuten Zeit. Gibst du mir fünf, damit ich mich umziehen kann?« Ich zupfe am Kragen meines Hemdes.

»Ich finde, du siehst verdammt gut aus.« June drückt meine Hand.

»Ich beeile mich, versprochen.« Ich wende mich an Simon und ändere meinen Tonfall. »Du kannst gehen.«

»Aye, aye, Kapitän.« Simon weicht meinem Blick aus und sieht June an. »Wir sehen uns morgen.«

»Bis dann«, bestätigt sie.

Sobald er weg ist, fällt eine Last von meiner Brust. Es ist unsere Schuld, dass er da ist, aber das macht es nicht weniger unerträglich. Simon Beckett ist in meine Seelenverwandte verliebt, und er ist der Grund, warum sie fast gestorben wäre. Aber er ist auch der Grund, warum sie es nicht ist. Ich hasse ihn mehr, als ich mich dafür hasse, dass ich all die Jahre mit ihr verloren habe. Und hier ist er und verbringt mehr Zeit mit ihr als ich, wegen einer Bedrohung, die ich noch nicht beseitigt habe. Ein Problem, das ich verzweifelt zu lösen versuche, damit Dom, Magnus und ich uns endlich unseren Wünschen hingeben können. Damit wir vielleicht ein wenig aufatmen können, weil wir die Frau, die wir gemeinsam lieben, in unsere gefährliche Welt gebracht haben.

Bis dahin heißt es früh aufstehen und lange, schlaflose Nächte ohne meine bessere Hälfte verbringen.

»Läuft da etwas zwischen euch beiden?«, frage ich sie, obwohl mich in der Sekunde, in der die Frage meine Lippen verlässt, das Bedauern durchströmt.

June schlendert zu dem Tisch hinüber, auf dem verschiedene Spirituosen stehen. Sie nimmt einen Kristallbecher vom Tablett und schenkt sich ein Glas Bourbon ein. »Wollen wir den Abend so beginnen, Co?«

»Nein, du hast recht. Es tut mir leid.« Ich folge ihr, nehme ihr das Glas aus der Hand und trinke einen Schluck der goldenen Flüssigkeit. »Ich hätte nicht an dir zweifeln sollen.« Ich gebe ihr das Getränk zurück und küsse ihre Wange, bevor ich die Treppe hinauf verschwinde.

Ich zweifle nicht an ihr, sondern an mir. Vor zehn Jahren hätte ich mich nie gefragt, ob sie einen anderen liebt, aber damals habe ich ihr alles von mir gegeben. Jetzt bekommt sie nur noch die Stücke und Teile, die ich zusammenkratzen kann. Sie verdient jemanden, der ganz ist, jemanden, der da ist, jemanden, der ihr alles geben kann, was sie sich jemals wünschen könnte. Die Zeit ohne sie hat mich verändert, genauso wie die Person, in die ich mich in ihrer Abwesenheit verwandelt habe. Ich wurde kalt, gefühllos ... mörderisch. Und das Schlimmste von allem ist, dass ich den Menschen, zu dem ich wurde, nicht gehasst habe. Es war einfach, sobald ich den Schalter umgelegt hatte, fast so, als wäre diese Version von mir die ganze Zeit über unter der Oberfläche gewesen. June war es, die das Böse in Schach hielt, und ohne sie hätte es mich völlig verschlungen.

Ich möchte sein, was sie braucht, aber was, wenn ich dazu nicht fähig bin? Was ist, wenn ich zu beschädigt, zu gebrochen, zu verdammt böse bin, um der Mann zu sein, der ihrer Liebe würdig ist? Was ist, wenn ich zu weit weg bin, um gerettet zu werden? Was ist, wenn es kein Zurück mehr gibt von den Dingen, die ich getan habe?

Wenn sie wüsste, wozu ich fähig bin, würde sie gehen.

Und vielleicht ist das der Grund, warum ich mich mit der Beseitigung von Bedrohungen beschäftige. Ich habe Angst zuzugeben, dass, wenn sie mich sehen würde ... wirklich sehen würde, dieses Märchen vorbei wäre. Aber wenn ich ihr immer weniger von mir gebe, wird sie so oder so weg sein. Es ist nur eine Frage der Zeit, bis meine schlimmste Befürchtung wahr wird und ich sie wieder verliere. Denn ob ich es wahrhaben will oder nicht, sie ist ohne mich besser dran.

Ich bin einfach zu egoistisch, um sie gehen zu lassen … noch nicht. Nicht, wenn ich sie gerade erst zurückbekommen habe.

Ich dusche in Rekordzeit und schlüpfe in das Outfit, das ich mir schon heute Morgen zurechtgelegt habe. Ich nehme zwei Treppen auf einmal, lege meine Uhr um mein Handgelenk und zähle die Minuten, die vergangen sind – vier.

»Ich habe noch nicht einmal ausgetrunken«, sagt June von ihrem Platz auf der Couch im Wohnzimmer aus.

Ich grinse sie an und nähere mich der Bar. »Dann kann ich ja auch noch einen trinken.«

»Willst du nicht fahren?«

»Doch.« Aber ich trinke trotzdem einen, denn ich weiß genau, dass ich selbst dann, wenn meine Alkoholtoleranz nicht so hoch wäre, immer noch unter dem gesetzlichen Grenzwert liegen würde. Als ob Gesetze für Männer wie mich gelten würden.

Ich gieße etwas bernsteinfarbene Flüssigkeit in ein Glas und setze mich neben June auf die Stuhlkante. Sie steht von ihrem Platz auf und schlendert zu mir, bis ihr Körper zwischen meinen Beinen stehen bleibt. »Dein Haar ist nass.« June streicht mit der Hand über meine feuchten Locken.

»Ist das ein Grund zur Sorge?«, frage ich, während mein Herz schneller schlägt, weil sie in der Nähe ist und immer diese Wirkung auf mich hat.

Von dem Moment an, als sie sich auf dem Friedhof neben mich setzte, war ich völlig verliebt in dieses Mädchen. Die Schmetterlinge, die ich an diesem Tag spürte, sind heute noch da.

»Eigentlich ist das ganz schön sexy.« Sie spielt weiter mit meinem Haar, ihre Berührung lässt meine Sorgen vorübergehend dahinschmelzen.

»Ja?« Ich umfasse ihre Taille und ziehe sie zu mir heran.

Sie lehnt sich nah an mich heran, ihr Mund schwebt in meiner Nähe. »Mmhm.«

Ich überbrücke die Lücke und drücke meine Lippen hungrig auf ihre. Meine Zunge dringt in ihren Mund und tanzt mit ihrer, während sie noch näher an mich herantritt und mit beiden Händen meinen Hinterkopf umklammert. Sie küsst mich noch intensiver, und ich tue es ihr gleich und stelle mein Getränk auf den Tisch, ohne hinzusehen. Ich lege eine Hand auf ihre Taille und fahre mit der anderen über ihren Oberschenkel und unter ihr Kleid. Ich streiche mit meiner Handfläche höher, stelle fest, dass sie keinen Slip trägt, und setze meine Erkundung fort. Ich gleite mit meiner Hand zwischen ihre Beine und finde ihren feuchten Eingang. Ich nehme ihr Stöhnen gegen meinen Mund und die Wölbung ihres Körpers gegen meinen als Erlaubnis und fahre mit meinem Finger an ihren Schamlippen entlang und tauche ihn hinein, wobei ich darauf achte, wie sie sich um mich herum zusammenzieht. Ich schiebe einen weiteren in sie hinein und bewege meine Finger in Richtung ihres weichen G-Punktes, indem ich sie sanft hin und her bewege.

»Co«, haucht sie mich an, ihre Muschi umklammert meine Finger.

Ich greife mit meiner Hand um ihre Taille und stehe auf, schiebe sie rückwärts und auf den Stuhl. Ich löse meinen Mund von ihrem und lasse mich vor ihr auf die Knie fallen, um sofort meinen Kopf zwischen ihre Beine zu legen und ihre Süße zu kosten. Ich lasse meine Zunge über ihren Kitzler gleiten und schiebe die beiden Finger wieder hinein, dieses Mal mit einem dritten, um sie noch mehr auszufüllen. Ich sauge an ihrem Kitzler und genieße den Geschmack ihrer Lust.

Wenn mir jemand vor einem Jahr gesagt hätte, dass ich mein Gesicht in ihr vergraben würde, hätte ich ihm niemals geglaubt. Aber jetzt bin ich hier und bereit, mich mit ihrer Muschi zu ersticken.

June kratzt mit ihren Nägeln an meiner Kopfhaut und zieht

mich näher an sich, stöhnt und windet sich an mir. »Fuck!«, haucht sie – ihre Anspannung verrät mir, wie nah daran sie ist. Ich bewege meine Finger genau so, wie ich weiß, dass sie es mag, und eine Sekunde später pulsiert sie um mich herum, ihr Körper bebt unter meiner Berührung. Ich bleibe dort, nachdem sie fertig ist, lecke die Süße auf, die aus ihr tropft, und wünsche mir nichts sehnlicher, als nur von ihr allein zu leben. Schließlich rutscht sie zurück, zieht mich auf die Beine und presst ihre Lippen auf meine. »Wofür war das?«

Ich küsse sie, stehe auf und reiche ihr die Hand, um ihr vom Stuhl zu helfen. »Ich wollte den Abend mit einem guten Gefühl beginnen.«

»Das war nicht gut, Co. Das war verdammt gut.« Sie glättet die Falten, die sich auf ihrem Kleid gebildet haben, greift nach ihrem Glas und leert den Inhalt in einem Zug.

»Nicht so viel Komplimente.« Ich habe vergessen, dass ich mir überhaupt einen Drink eingeschenkt hatte, und trinke ihn nun auch in einem Zug, wobei die Wärme in meinen Mund dringt und meine Kehle hinunterläuft.

»Wohin gehen wir?«, fragt sie, während sie ihre Clutch umklammert und ihr Handy hineinschiebt.

»Eine Überraschung.« Ich greife in die Tasche meiner gebügelten Hose. »Apropos …« Ich ziehe eine Seidenkrawatte heraus. »Dreh dich um!«

June hebt eine Augenbraue, willigt aber ein. »Kinky.«

Ich wickle den Stoff um ihre Augen und befestige ihn hinter ihrem Kopf, wobei ich die verruchten Gedanken ignoriere, die mir in den Sinn kommen. Als ob ich noch mehr Ideen bräuchte, was ich mit ihr anstellen möchte.

Ich führe sie durch die Garage, helfe ihr auf den Beifahrersitz meines Autos und schließe die Tür. Ich vergewissere mich, dass die Waffe in meinem Gürtelholster geladen ist, schiebe sie zurück in ihr Fach und steige auf der Fahrerseite ein. Eine sanfte Melodie ertönt aus den Lautsprechern, und June summt leise mit. Ich fühle mich in eine längst vergangene Zeit zurückversetzt, als die Dinge noch einfach und unverdorben waren. Als es nur einen Jungen und ein Mädchen gab, die sich von einem Tag auf den anderen ineinander verliebten. Ich habe sie vom ersten Moment an geliebt, aber es waren all die kleinen Momente, die es zu etwas wirklich Starkem machten. Etwas, von dem ich nie dachte, dass ich es wiederfinden würde, nachdem ich sie verloren hatte. Ich wusste, dass meine Gefühle immer bleiben würden, aber ich habe nicht erwartet, dass sie erwidert werden würden. Im Laufe der Jahre gab es Zeiten, in denen ich mich davonschlich, in denen ich sie aufspürte, nur um einen Blick auf sie zu erhaschen. Ich beobachtete sie aus der Ferne, mein Herz schmerzte, um ihr nahe zu sein, aber ich wusste, dass es unmöglich war. Dass ich meine Chance verpasst hatte, während all diese Jahre vergingen. Ich redete mir ein, dass sie glücklich war, dass es ihr ohne mich besser ging und sie nie verstehen würde, was ich in der Zeit unserer Trennung durchgemacht hatte.

Ich habe es in dem Moment versaut, als ich mit meinem Vater in den Truck gestiegen bin, und ich habe mit jedem Leben, das ich genommen habe, um zu ihr zurückzukommen, weiter alles ruiniert. Das wurde mir erst richtig bewusst, als ich in den blutigen Nachwehen des Massakers stand, das ich angerichtet hatte, und Dominic mir sagte, dass es kein Zurück mehr gäbe. Dass ich zwei Möglichkeiten hatte: den Tod oder die Umarmung der Dunkelheit.

Ich hätte mich für Ersteres entscheiden sollen, aber ich war ein zu großer Feigling. Ich nahm seine Hand und ließ mich von ihm weiter in den Abgrund führen, indem ich den Mann, zu dem ich geworden war, voll und ganz akzeptierte – geboren aus Blut.

Er warnte mich, dass niemand sicher sei. Jeder, der mir etwas bedeutete, sollte in der Vergangenheit bleiben. Das habe ich also getan. Ich ließ sie dort zurück, wo ich dachte, dass ihr das Leben, das von mir Besitz ergriffen hatte, nichts anhaben könnte. Schließlich überkam mich der Wunsch, sie zu sehen, und so machte ich sie schließlich ausfindig. Ich brauchte einen Blick auf sie, etwas, das mir bestätigte, dass meine Entscheidung nicht umsonst gewesen war. Sie trank mit einer Freundin Kaffee in einem Café, in das wir oft gingen. Ich beobachtete sie durch das Fenster und mein Herz zerriss bei ihrem Anblick in tausend Stücke. Aber als ich ihr Lächeln sah, ihr Lachen durch den Raum und zu mir schweben hörte, wusste ich, dass ich das Richtige getan hatte. Dass ich ihr die Chance auf ein besseres Leben, als ich es ihr hätte bieten können, gegeben hatte. Dass sie auch ohne mich glücklich sein konnte und meine Anwesenheit sie nur runterziehen würde. Ich war stolz auf sie, dass sie weitergemacht hatte, auch wenn es so war, als hätte ich sie noch einmal verloren. Ich würde diesen Verlust immer wieder durchleiden, wenn ich damit erreichen könnte, dass es ihr gut ginge.

Und so habe ich mir im Laufe der Jahre das Herz zerrissen, um sicherzugehen, dass sie in Sicherheit war – glücklich. Denn letzten Endes war es das Einzige, was mich wirklich interessierte.

Einmal hätte ich sie fast angesprochen, der Drang überkam mich fast. Sie war Studienanfängerin und wanderte auf dem Campus der örtlichen Universität umher, wobei ihr Blick von einer Karte in ihren Händen auf die Umgebung fiel. Sie hatte sich verlaufen, wusste nicht, wohin sie gehen sollte. Meine Füße verrieten mich, als ich hinter dem Gebäude hervortrat, hinter dem ich mich versteckt hielt. Aber ich wurde von einem anderen Mann aufgehalten, der sich ihr näherte und etwas murmelte, von dem ich nur vermuten kann, dass es eine Frage war, ob sie Hilfe benötigte. Der große Mann deutete auf ein nahe gelegenes Gebäude, und sie nickte, wobei sich ein sanftes Lächeln der Dankbarkeit auf ihrem Gesicht zeigte. Ich hätte er sein können, aber ich war zu schwach – oder vielleicht zu stark –, um nachzugeben. Die beiden schüttelten sich die Hände, tauschten zweifellos Formalitäten aus und gingen dann getrennte Wege.

Ich verließ an diesem Tag die Stadt und kehrte eine Weile nicht zurück. Ich beschäftigte mich mit allen möglichen Dingen, um mich von der traurigen Tatsache abzulenken, dass sie niemals mir gehören würde. In dem erbärmlichen Versuch, bei einer Anderen Trost zu finden, vögelte ich herum, aber ich fühlte nie mehr als eine leichte Anziehung zu den Fremden, die ich gelegentlich fickte. Ich redete mir ein, dass ich keine Gefühle hatte, dass sie an dem Tag verschwunden waren, an dem June aus meinem Leben verschwand, aber dennoch zog es mich zurück in diese Stadt und zu dem Mädchen mit den braunen Augen, das mein Herz gestohlen hatte.

Es war dumm von mir, auf Zehenspitzen so nah an das Feuer heranzugehen, als ich die Bar betrat, von der ich wusste, dass sie manchmal dorthin ging. Ich wollte nur einen weiteren Blick, einen weiteren Happen von ihr, um mich bis zum nächsten Mal, wenn ich es nicht mehr ertragen konnte, von ihr getrennt zu sein, über Wasser zu halten. Ich wollte sie nie anrempeln, mit ihr reden, die Traurigkeit, die Wut in ihrer Stimme hören. Sie war verbittert, und ehrlich gesagt hatte ich das verdient. Ich hatte viel mehr verdient. Allerdings habe ich nicht erwartet, so viel zu fühlen. Ihre Berührung war elektrisch, ihre Anwesenheit wie ein Defibrillator für mein Herz. Ich habe mir über Jahre hinweg eingeredet, dass ich damit umgehen könnte, aber erst in diesem Moment wurde mir klar, dass ich mich gewaltig geirrt hatte. Alles, was ich geglaubt hatte, verdrängt zu haben, kam zurück, und meine Liebe zu ihr floss über, als hätte sie nie aufgehört. Aber genau wie bei all den anderen Gelegenheiten schluckte ich die schmerzhafte Realität hinunter, dass die June, in die ich mich verliebt hatte, nicht mehr da war und die Version von mir, die einst existierte, zusammen mit den Männern gestorben war, die ich bei meinem schwachen Versuch, zu ihr zurückzukehren, abgeschlachtet habe.

Ich hatte uns ins Verderben gestürzt, ohne es zu wissen.

June streckt ihre Hand blindlings nach mir aus und stupst den Schalthebel an, um mich zu finden. »Wo ist deine verdammte Hand?«

Ich lache und nehme ihre Hand und lege beide auf ihr Bein. »Ich bin genau hier.« *Das war ich schon immer, June, auch wenn du dachtest, ich wäre es nicht.* Ich werde nie irgendwohin gehen – nicht, solange ich lebe.

»Wann sind wir da?« Sie dreht ihren Kopf in meine Richtung, obwohl sie noch immer eine Augenbinde trägt.

»Nicht gucken!«, befehle ich. »Wir sind fast da.«

»Ich habe versucht, mir zu merken, wo wir sind, aber ich habe nach der Seventh Avenue den Faden verloren.«

»Das müssen wir irgendwann mal üben. Es ist gut, das zu können.« Nur für den Fall … denn in unserer Welt weiß man nie, wann dieses Können über Leben und Tod entscheidet.

Ich ignoriere das Summen meines Telefons in der Tasche und fahre auf den Parkplatz.

»Hmm«, murmelt June und versucht zweifellos, immer noch herauszufinden, wohin ich sie mitnehme.

Ich steige aus, öffne ihre Tür und helfe ihr vom Beifahrersitz. Ihre kühle Hand passt perfekt in meine und schafft es, mein ängstliches Herz zu beruhigen. Keine noch so lange Zeit wird diese Nervosität jemals verschwinden lassen. Jedes Mal, wenn ich mit ihr zusammen bin, fühle ich mich in die Zeit zurückversetzt, als ich noch ein verunsicherter Teenager war, der vor Unsicherheit strotzte. Was, wenn ich das Falsche tue? Was, wenn sie mich nicht mag? Was, wenn ich etwas vermassle?

Aber der schlimmste Schaden ist bereits angerichtet worden. Ich habe ihr Vertrauen gebrochen. Ich habe sie verlassen – das schlimmste Verbrechen von allen, vor allem, wenn man weiß, dass es das schlimmste Vergehen ist. Sie hatte Probleme mit dem Verlassenwerden, und alles, was ich getan habe, hat diese Probleme noch verschlimmert. Selbst wenn es gegen meinen Willen war, habe ich sie doch verletzt. Und ich werde für immer den Preis dafür bezahlen.

»Was ist das für ein Geruch?« June schnuppert an der Luft.

Ich führe sie durch die Eingangstür und sobald wir drinnen sind, zupfe ich am Stoff der Krawatte und nehme sie ihr von den Augen.

Sie blinzelt ein paar Mal und hält sich mit der Hand den Mund zu. »Das hast du nicht.«

Ich wende meinen Blick nicht von ihr ab, als ein breites Lächeln ihr Gesicht erhellt und sie ihre Arme um meinen Hals wirft, um mich fest zu umarmen.

»Co, willst du mich verarschen?«

Ich schaue immer noch nicht weg, als sie mich loslässt und in die mit Kerzen beleuchtete Pizzeria geht, in der wir als Kinder viele Abende verbracht haben. Der Laden ist leer, abgesehen von uns und ein paar Angestellten im hinteren Teil. In der Mitte des Raums steht ein einsamer Tisch mit vielen Kerzen und einer gekühlten Flasche Champagner.

»Das …« Sie schlendert zurück zu mir und zieht mich an sich. »Das ist perfekt.«

»Ja?« Ich streiche ihr eine Strähne ihres schwarzen Haars hinters Ohr.

»Ja.« June richtet sich auf und presst ihre Lippen auf meine. Ein einziger Kuss löst die Spannung von meinen Schultern.

»Ich hätte nicht gedacht, dass du dich noch daran erinnerst«, sagt sie mir, ihr Gesicht nur wenige Zentimeter von meinem entfernt.

»Ich könnte es niemals vergessen. Nicht ein einziges Detail von uns.«

»O mein Gott!« June hält mich auf Armeslänge und lacht. »Diese verdammte Pizza-Herausforderung.«

Ich schüttle den Kopf, denn die Erinnerung an diesen Tag kommt mir sofort wieder. »Nicht gut?«

»Co.« Sie kichert weiter. »Das war brutal. Wir haben so viel Pizza gegessen, dass ich dachte, wir würden beide sterben.«

Damals hatte keiner von uns viel Geld. Wir kamen hierher, weil die Pizza günstig und gut und der Besitzer nicht so gemein zu uns war wie viele andere Ladenbesitzer. Er servierte Pizzastücke für einen Dollar, und manchmal gab er uns sogar zwei für eins. Wir dachten uns diesen idiotischen Plan aus: eine Pizza-Challenge. Eine Riesenpizza in dreißig Minuten essen, und wenn wir es schafften, wäre sie umsonst. Ansonsten vierzig Dollar.

Für uns als Kinder war die Vorstellung, so viel Geld für Pizza auszugeben, ein verdammter Traum. Wir hatten keine Zweifel daran, dass wir es schaffen würden, aber als June und ich die Hälfte der Strecke hinter uns hatten, kamen uns Zweifel. Eine Menschenmenge hatte sich versammelt, zufällige Fremde, die die beiden dummen Kinder anfeuerten, die sich die Bäuche mit Pizza vollstopften. Die Leute klatschten und spornten uns an, und gerade als ich dachte, dass wir es nicht schaffen würden, bekamen June und ich wieder Luft und stopften uns so viel Pizza in den Mund, dass ich mir nicht sicher war, ob ich jemals wieder Lust darauf haben würde. Die letzten zehn Sekunden vergingen wie in Zeitlupe, während die Menge schrie, der Besitzer mitmachte und jeder Einzelne in diesem Laden wollte, dass wir gewannen. Und weil wir beide zu dickköpfig und zu pleite waren, um die Rechnung zu bezahlen, wenn wir es nicht geschafft hätten, gewannen wir.

Alle schrien, und ich versuchte, ein Lächeln zu erzwingen, aber die Menge an Pizza, die mich ausfüllte, hielt meine Feierlichkeiten im Zaum. June und ich sahen uns über den Tisch hinweg in die Augen, eine Art telepathischer Blick, der sagte: *Wir haben es geschafft, wir haben das Unmögliche bewältigt.*

Und vielleicht war es nicht grundsätzlich unmöglich, eine

LUNA PIERCE

Riesenpizza zu essen, aber für uns fühlte es sich so an, und in gewisser Weise war es ein Zeichen, dass wir alles gemeinsam durchstehen würden. Wir verbrachten den Rest des Tages damit, unter unserer brillanten Idee zu leiden, aber als der volle Magen nachließ, war ein neues Band zwischen uns entstanden.

»Lass uns das nie wieder tun.« Sie legt ihre Hand auf ihren Bauch. »Ich kann mich noch daran erinnern, wie voll ich gefühlte Tage lang war. Ich dachte, Käse und Peperoni kämen mir aus der Nase.«

»Ich bin überrascht, dass es nicht so war.« Ich nehme ihre Hand und führe sie zum Tisch. »Hoffentlich bist du wieder bereit für Pizza, sonst können wir auch woandershin gehen.«

Sie setzt sich, greift aber zu mir und drückt meinen Unterarm. »Ich mache keine Witze, wenn ich sage, dass es perfekt ist, Co.«

Die Tür zur Küche öffnet sich, und ein älterer Mann mit strahlenden Augen kommt mit einem dampfenden Teller in der Hand heraus. »Meine beiden Lieblingskunden«, begrüßt er uns. Nach all dieser Zeit führt immer noch derselbe Mann den Laden. Als ich die Vorbereitungen für heute Abend traf, fragte ich ihn, warum er nie in den Ruhestand gegangen ist, aber er betonte, dass er seine Arbeit so sehr liebt, dass ein Ruhestand für ihn nicht infrage kommt. Er sagte, er hoffe, dass eines Tages eines seiner Kinder den Laden übernehmen würde, aber es sähe nicht danach aus.

»Jovi, du bist noch hier?« June erhebt sich und umarmt den runden Mann, nachdem er die Pizza auf unseren Tisch gelegt hat.

»Bis zu dem Tag, an dem ich sterbe.« Er umarmt sie und zieht sich zurück, um sie anzuschauen, aber nicht auf die unheimliche Art, wie es die meisten Männer tun. »Du bist erwachsen geworden, Junge.« Er klopft mir auf die Schulter. »Das seid ihr beide.« Jovi blickt zwischen uns hin und her. »Aber lasst euch von mir nicht stören. Ich wünsche euch einen

schönen Abend, und wenn ihr etwas braucht, scheut euch nicht
zu schreien. Ich schicke Jonah gleich los, um nach euch zu
sehen.«

»Danke, Jovi«, ruft June ihm nach.

Wir beide lassen uns auf unseren Stühlen nieder, mit einem
niedlichen Grinsen auf den Gesichtern, als hätten wir uns in die
Kinder zurückverwandelt, die um Kleingeld schnorrten, um
sich ein Stück Pizza zu teilen. Und jetzt habe ich mehr Geld, als
ich ausgeben kann, und mein Herz gehört immer noch
demselben Mädchen von vor all den Jahren.

June schnappt in ein Stück Pizza, schließt die Augen und
stöhnt beim Kauen. »Genau so habe ich sie in Erinnerung.«

»Warst du nie wieder hier?«, frage ich sie.

Sie wischt sich über die Mundwinkel und schluckt den
Bissen hinunter. »Nö. Und du?«

Ich schüttle den Kopf. »Nein.«

»Ich habe alles vermieden, was mich an dich erinnert.« June
nimmt einen Schluck aus dem Wasserglas neben sich. »Ich habe
wirklich lange gebraucht, um meine Mutter zu besuchen, weil
ich Angst hatte, dass ihr Geist nicht der einzige sein würde, den
ich finde.«

»Ich wollte dir *das* nicht verderben.«

Sie zuckt mit den Schultern. »Das war einmal.«

»Es tut mir leid.« Ich greife nach der Champagnerflasche.
»Auf die Zukunft.«

»Co?«

»Hm?« Ich fülle ihr Glas und dann meines.

»Du hast mir nie wirklich erzählt, was passiert ist.«

»Was?«, frage ich nach und habe Angst, ihren Blick zu
erwidern. Es gibt nur wenige Dinge auf dieser Welt, vor denen
ich Angst habe, und sie zu verlieren, steht ganz oben auf der
Liste.

»Alles, wirklich. Von deinem Vater. Warum du gehen
musstest, warum du nie zurückkamst, warum du jetzt … *anders*

bist. Ich meine, du hast mir immer nur Bruchstücke erzählt, aber nie die ganze Geschichte.« June knabbert am Rand ihrer Pizza und wartet darauf, dass ich etwas sage, irgendetwas.

Aber wo soll ich anfangen? Und wie kann ich einen von uns beiden auf die Wahrheit des Ganzen vorbereiten? Dass der süße Junge, in den sie sich vor zehn Jahren verliebt hat, sich in einen mörderischen Verrückten verwandelt hat.

»Warum bist du nicht zurückgekommen? Sag mir wenigstens das.«

»Ich dachte, ich könnte dich beschützen«, gestehe ich die einzige Wahrheit, die nicht zu hässlich ist, um sie zuzugeben.

»Wie?«

»Ich habe einige schreckliche Dinge getan, J. Dinge, von denen ich dachte, dass ich sie tun muss. Dinge, die mich verändert haben. Dinge, die mich näher zu dir bringen sollten, aber letztendlich genau das waren, was eine Rückkehr zu dir unmöglich machte.«

June starrt mich an, ihr Blick tastet mein Gesicht ab. »Und ich dachte, es war, weil du mich nicht liebst.«

»Genau das Gegenteil, wirklich. Alles, was ich getan habe und immer noch *tue*, tue ich, weil ich dich liebe, vielleicht zu sehr.«

»Du weißt, dass ich auf dich gewartet habe.« Sie schaut mich weiterhin direkt an, ihre Augen glitzern. »Ich bin monatelang jeden Tag zu deinem Haus gegangen. Ich saß auf deiner Veranda und beobachtete jedes Fahrzeug, das deine Straße entlangfuhr. Ich bin durch dein Fenster eingebrochen und habe in deinem Bett geschlafen, in der Hoffnung und im Gebet, dass ich aufwachen und dich finden würde. Ich kann dir nicht sagen, wie oft ich unseren Anrufbeantworter überprüft habe, um zu sehen, ob er noch funktioniert. Wenn ich jemals wieder die automatische Ansage höre, dass keine neuen Nachrichten eingegangen sind, werde ich wahrscheinlich den Verstand verlieren. Ich war die meiste Zeit traurig. Und dann verwandelte sich meine Traurigkeit in Wut. Es war leichter, auf dich wütend zu sein als alles andere.« June gluckst. »Meine ganze Persönlichkeit basiert darauf, ständig wütend zu sein. Ich bin mir nicht einmal sicher, ob ich das ändern könnte, wenn ich es versuchen würde.«

»Ich dachte, du warst glücklich.«

»Woher willst du das wissen? Du hast dir nie die Mühe gemacht, es herauszufinden.«

Ich erinnere mich an all die Zeiten, in denen ich ihr nachstellte. Wie ich in den Schatten lauerte, um einen Blick auf das Mädchen zu erhaschen, von dem ich mich nie trennen würde. Aber ich traue mich nicht, die Wahrheit zuzugeben. Stattdessen sage ich: »Du hast recht.«

»Ich werde dich nicht dafür verurteilen, was du getan hast, Coen, was auch immer es ist, ich kann damit umgehen.« Sie greift über den Tisch und nimmt meine Hand. »Ich weiß, dass du mich immer noch als das gebrochene Mädchen auf dem Friedhof siehst, aber ich bin schon lange über sie hinausgewachsen. Du denkst vielleicht, dass du dich verändert hast, aber das habe ich auch.«

Ich überlege, was ich als Nächstes tun soll. Ein großer Teil von mir möchte ihr alles gestehen, aber alle unterschwelligen Unsicherheiten kommen an die Oberfläche und sagen mir, dass ich den Mund halten soll. Ich kämpfe gegen beide Versionen von mir an und betrachte das wunderschöne Gesicht der Frau vor mir. Sie hat wirklich recht. Wir sind nicht mehr dieselben Kinder von früher. Unsere Liebe füreinander ist das Einzige, was uns von dieser Zeit geblieben ist.

»Mein Vater«, beginne ich. »Er hat ein paar wirklich mächtige Leute verärgert.« Ich erzähle die Geschichte Stück für Stück und überspringe dabei die Details, die nicht unbedingt nötig sind. »Er hat mir nicht alles erzählt, aber soweit ich weiß, haben sie ihn bedroht … und zwar so sehr, dass er alles, was er konnte, auf die Ladefläche des alten Pick-ups gepackt und mich fast schreiend und tretend aus dem Haus gezerrt hat. Erst in einer betrunkenen Nacht hat er mir gestanden, was mit meiner Mutter passiert ist.«

June hält meine Hand fester, ein Anker, der mich davor bewahrt, bei der Erinnerung daran, dass mein Leben auf den Kopf gestellt wurde, in eine Spirale zu geraten. »Er ist der Grund, warum sie gestorben ist, J. Mein verdammter Vater.«

»Co …« Eine Träne rollt über ihre Wange.

»Er sagte, dass dieselben Leute hinter ihm her sind, sie auch hinter mir her sind und wir fliehen mussten.« Ich hole tief Luft und atme aus. »Wir zogen in verschiedenen Motels umher, blieben nie länger als ein paar Nächte am Stück. Uns ging das Geld aus, obwohl wir ohnehin nicht viel hatten …« Ich sehe sie an. »Du weißt doch noch, wie es war, als wir aufwuchsen.«

June nickt. »Ja.«

»Ich habe an diesem Tag einen Dollar gefunden. Ich trat auf dem Parkplatz eines heruntergekommenen Motels gegen Steine und sah ihn unter einigen Blättern hervorlugen. Ich konnte es nicht glauben. Ich dachte, ich hätte in der Lotterie gewonnen. Ich war so verdammt aufgeregt, dass ich nur noch an den Automaten denken konnte, an dem ich schon zwanzig Mal vorbeigekommen war. Ich rannte direkt zu ihm hin und richtete die Kanten des Geldscheins an der Seite des Automaten aus, bevor ich ihn in den kleinen Schlitz schob. Ich erinnere mich sogar noch an den Knopf, den ich drückte, D 3, und an das Geräusch, das der Automat von sich gab, das wirbelnde Ding, das die Tüte mit den gepuderten Donuts immer näher an den Rand schob. Sie platschte auf den Boden, und ich hätte mir fast die Hand eingeklemmt, als ich hineingriff, um sie herauszuziehen. Es war wirklich dumm, so aufgeregt zu sein, aber es fühlte sich an wie die erste gute Sache, die seit einer Weile passiert war.«

Ich lasse meinen Blick zu unseren miteinander verschränkten Händen wandern und hoffe inständig, dass sie mir die Kraft geben, die Geschichte fortzusetzen und zu der

Wendung zu gelangen, die mein Leben aus dem Ruder laufen ließ.

»Aber als ich auf dem Rückweg war, bildete sich dieses Loch in meinem Magen. Kennst du das? Wenn etwas schiefzugehen droht?«

June nickt.

»Ich hörte Tumult und Leute, die sich gegenseitig anschrien. Was nicht allzu ungewöhnlich war, wenn man bedenkt, wo wir normalerweise lebten. Aber das fühlte sich anders an. Größer.« Ich denke an diesen Tag zurück, der Geruch der feuchten Luft war so stark, dass es mir vorkommt, als wäre ich jetzt dort. Draußen war es dunkel, aber es gab Oberlichter, von denen einige flackerten, andere gar nicht brannten. »Ich blieb an der Ecke des Gebäudes stehen, steckte meinen Kopf hinein und versuchte herauszufinden, was es war. Da sah ich ihn …«

June scheint in Erwartung dessen, was ich als Nächstes sagen werde, den Atem anzuhalten.

»Mein Vater kniete auf dem Boden, die Hände auf dem Rücken gefesselt. Ein Mann, der leicht doppelt so groß war wie er, schlug ihm ins Gesicht. Blut und Spucke flogen überall hin. Der Mann packte meinen Vater am Kragen und zog ihn wieder hoch. Aber dieses Mal schlug er nicht mit der Faust zu. Für eine kurze Sekunde schaute mich mein Vater direkt an und schüttelte den Kopf. Es war subtil, kaum zu erkennen, aber ich konnte erkennen, dass er mich warnte, nicht näher zu kommen. Und wie der Feigling, der ich war, blieb ich an Ort und Stelle verborgen, hielt mich mit den Händen an der Wand fest und sah zu, wie der Fremde meinem Vater eine Kugel zwischen die Augen schoss.«

»Co …«

»Ich wollte schreien. Ich wollte sie bekämpfen, etwas tun. Aber ich konnte nicht. Ich konnte nur zusehen, wie der andere Typ mit dem Mörder meines Vaters unser Motelzimmer durchwühlte, wahrscheinlich auf der Suche nach mir. Sie kletterten in einen weißen Lieferwagen und fuhren weg, während mein Vater dort starb.«

June erhebt sich von ihrem Platz und kommt zu mir herüber, legt ihre Arme um meinen Kopf und drückt mich an ihre Brust.

»Ich war so wütend«, erzähle ich weiter. »Sie haben mir meine Mutter genommen, sie haben dich genommen, sie haben meinen Vater genommen.«

Sie neigt mein Gesicht zu sich hinauf. »Ich bin genau hier, Co, ich bin genau hier.«

»Ich konnte nicht zulassen, dass sie dir wehtun, J. Ich musste wegbleiben, nur so konnte ich dich beschützen.«

»Pst, ich weiß.« Sie drückt ihre Lippen immer wieder auf meine Stirn. »Ich verstehe.«

Sie mag es verstehen, aber glaubt sie mir auch? Ist ihr klar, dass ich sie immer nur beschützen wollte? Dass es nie eine Option gab, sie in meine Welt zu bringen, weil ich dadurch nur noch mehr Angst um sie bekommen hätte? Ich wollte mehr als alles andere mit ihr zusammen sein, aber ich konnte niemals so egoistisch sein, nicht, wenn es bedeutete, ihr Leben zu riskieren. Für mich gab es kein Entrinnen, aber für sie gab es Hoffnung.

Ich ziehe sie auf meinen Schoß und halte sie fest, weil ich mein süßes Mädchen nicht mehr loslassen will. »Alles, was ich hatte, war ein Nummernschild und genug Wut, um die ganze Stadt niederzubrennen.«

»Ist es das, was du getan hast, Co? Die Sache, vor der du Angst hast, sie mir zu erzählen?« June fährt mit den Fingern durch mein Haar und streicht mit der Hand über meine Wange.

»Dominic war derjenige, der mich gefunden hat, nachdem ich Amok gelaufen bin.« Ich schlucke und spiele die Erinnerung in meinem Kopf ab. Überall Blut. An meinen Händen. Eine Blutlache um meine Füße. Tote Körper lagen wahllos herum. Wie in einem Horrorfilm, verursacht von einem Teenager, der auf Rache sinnt. »Er hätte mich auf der Stelle töten sollen. Aber das hat er nicht, er hat mein Potenzial gesehen.«

»Ich bin jedenfalls froh, dass er es nicht getan hat.«

Ich starre in ihre Augen und hoffe, dass sie wirklich versteht, was ich sagen will. »Wenn du sehen würdest, was ich getan habe, bin ich mir nicht sicher, ob du genauso empfinden würdest.«

# KAPITEL FÜNF – JUNE

*G*erade als ich denke, dass Coen mich heute Abend nicht mehr überraschen kann, führt er mich auf das Dach von Jovis Pizzeria, wo eine Decke und weitere Kerzen aufgestellt sind. Glitzernde Lichterketten sind aufgereiht und eine sanfte Melodie fließt durch die nächtliche Luft.

»Das ist wunderschön«, sage ich und drücke seine Hand.

Als Kinder haben wir uns immer hier herauf geschlichen. Kichernd und ohne Worte kletterten wir die Leiter hinauf, in der Hoffnung, nicht wegen unerlaubten Betretens erwischt zu werden. Ein Teil von mir fragt sich, ob Jovi es die ganze Zeit gewusst und einfach weggesehen hatte. Eine kleine Geste, denn wir hatten nicht viel. Wir waren nie die Art von Kindern, die etwas zerstörten, sondern ließen die Dinge immer so, wie wir sie vorfanden – außer wenn wir irgendwo einbrachen und Eis aus dem Laden unten am Weg klauten. Aber das ist eine ganz andere Geschichte.

Hier sind wir nun, zehn Jahre später, eine Million Dinge haben sich geändert, aber eine Konstante ist geblieben – unsere Liebe füreinander.

Ich hegte so viel Groll und Wut und ließ sie in jeden Aspekt meines Lebens einfließen, obwohl Coen in Wirklichkeit mehr Qualen erlitten hat als ich. Sicher, ich hatte mit meiner eigenen väterlichen Scheiße zu kämpfen, aber das ist nichts im Vergleich zu dem, was Coen durchmachen musste. Die Wahrheit über den Tod seiner Mutter zu erfahren *und* mit ansehen zu müssen, wie sein Vater ermordet wird? Das ist genug, um jemanden so weit zu treiben, wie es passiert ist. Ich kann nicht sagen, dass ich nicht genau das Gleiche getan hätte, wenn ich die Möglichkeit gehabt hätte.

Coen hat getan, was er glaubte, tun zu müssen, und was wäre ich für ein Mensch, wenn ich ihm das vorwerfen würde?

Ich wünschte nur, er hätte einen Weg gefunden, es mir zu sagen, früher zu mir zu kommen. Aber ich gebe mir die Schuld daran, dass er das Gefühl hatte, er könne mir diese Informationen nicht anvertrauen. Dass ich nicht alles in meiner Macht Stehende getan hätte, um ihn genauso zu schützen, wie er es für mich getan hat. Wir hätten es gemeinsam herausfinden können, so wie wir es bei allem anderen auch getan haben. Aber am Ende des Tages geht es nicht um einen Pizzawettbewerb. Es geht um Leben und Tod.

»Hier.« Co nimmt meine Hand und führt mich zu der Decke hinüber. Er setzt sich neben mich und schnappt sich die Flasche Bourbon, die schon hier oben stand. »Willst du etwas trinken?«

Ich ziehe meine Schuhe aus, stecke meine Füße unter meinen Hintern und drehe mich zu ihm um. »Klar.«

Er gießt ein paar Finger voll in ein Glas und gibt es mir.

»Das ist kein Dixie-Cup.« Ich grinse und nehme einen langen Schluck der goldenen Flüssigkeit. »Und er ist auf jeden Fall besser als der billige Scheiß, den wir früher getrunken haben.«

»Es tut mir leid, dass wir so viel Zeit verloren haben, J. Wenn ich daran denke, bringt es mich um. Ich wünschte, wir könnten zu diesem Tag zurückkehren und noch einmal von vorn anfangen. Ich wäre nie zu ihm in den Wagen gestiegen, ich hätte darauf bestanden, dass ich bleibe. Wir hätten eine Lösung finden können.« Er greift nach dem Glas in meiner Hand und kippt den Rest des Inhalts hinter, dann schüttet er nach.

»Du weißt schon, dass wir Kinder waren, oder, Co? Ich weiß, du bist ein paar Jahre älter als ich, aber du kannst dir keinen Vorwurf machen, für was passiert ist. Für nichts davon, wirklich.« Ich seufze und lehne mich zurück. »Es gibt zahllose Dinge, die ich in meinem Leben bereue, aber egal, wie sehr ich mich darüber aufrege, es wird nichts daran ändern, was bereits geschehen ist.« Ich strecke meine Hand aus und streiche mit dem Finger über seine Stirn. »Du gibst der Vergangenheit zu viel Macht, wenn du das tust.«

Ich reiße ihm den Becher aus der Hand und trinke etwas davon. Das Gleiche habe ich getan, als wir noch zu jung waren, um überhaupt zu trinken.

»Ist das zu seltsam? Hier zu sein?« Coen entreißt es mir wieder.

Ich seufze, lehne mich auf der Decke zurück und blicke in den Nachthimmel. »Nicht ein bisschen.« Okay, vielleicht ein bisschen, aber nicht auf eine schlechte Art. Ich habe diese Momente mit ihm vermisst, und bis vor Kurzem habe ich sie verdrängt, in der Hoffnung, dass sie mir nicht jedes Mal das Herz brechen, wenn ich mich an sie erinnere. Aber jetzt, da ich ihn wiederhabe, den echten Coen, nicht irgendein Hirngespinst, will ich nicht, dass es jemals aufhört.

Ich ziehe an seiner Schulter und bringe ihn dazu, sich zu mir zu legen, während wir beide zu denselben Sternen hinaufblicken, eine Realität, die ich mir in all den Jahren, die wir getrennt waren, millionenfach gewünscht hatte. Selbst als ich ihn am meisten hasste, sehnte ich mich immer noch nach ihm. Ich habe gehofft, dass das Schicksal uns wieder zusammenführen würde, aber ich hätte nie gedacht, dass es so sein würde – unter diesen extremen Umständen.

Er und zwei andere Männer.

Bin ich gierig, weil ich mich nicht für einen von ihnen entschieden habe? Ich bin mir nicht sicher, ob ich das könnte, selbst wenn ich dazu gezwungen wäre. Sicher, Coen und ich haben die längste Geschichte, aber das entkräftet nicht meine intensiven Gefühle für Magnus oder Dominic. Es sind drei verschiedene Arten von Liebe, und ich möchte keine von ihnen missen.

Coen dreht sich zu mir und stützt sich auf seinen Ellbogen.

»Mach ein Foto, dann hält es länger«, necke ich ihn.

»Ich habe dich vermisst, J.« Coen fährt mit seinem Finger über meinen Arm. »Mehr als du je wissen wirst.«

»Ich glaube, ich habe eine Idee, Co.« Ich zeige auf den Himmel. »Da ist der Große Wagen. Ist er nicht wunderschön?«

»Ja«, haucht Coen, obwohl er mich immer noch ansieht. Er beugt sich herunter, neigt mein Gesicht zu sich und presst seine Lippen auf meine.

Weich, sanft, mit so viel Finesse.

Aber in der Sekunde, in der ich mit ihm verschmelze, überkommt mich ein unstillbares Verlangen, ihm näher zu sein. Ich ziehe ihn auf mich und greife sofort nach dem Gürtel um seine Taille.

Er erhebt sich und beobachtet mich. »Bist du sicher?«

Ich reiße an meinem Kleid und ziehe es hoch, um ihm besseren Zugang zu gewähren. »Warum sollte ich das nicht sein?«

»Äh.« Coen blickt sich um. »Wir sind auf einem Dach, J.«

Ich lache und setze mich auf, bringe sein Gesicht zu meinem und küsse ihn erneut. »Du kannst mir nicht erzählen, dass du damals nie darüber nachgedacht hast.«

»Ich wollte warten, bis du älter bist«, sagt er zwischen keuchenden Atemzügen.

»Weißt du was? Ich bin älter.« Ich knöpfe seine Jeans auf und lehne mich zurück.

Er holt ein Kondom aus seiner Tasche und zieht es über seinen harten Schwanz. Ich rücke näher an ihn heran und animiere ihn ungeduldig, zu mir zu kommen. Coen lässt seine Erektion über meine nassen Falten gleiten und dringt dann verdammt langsam in mich ein. Wir stöhnen gleichzeitig, seine Härte füllt mich bis zum Rand aus. Er beugt sich nach unten, legt seinen Arm um meine Taille und wölbt meinen Körper zu sich. Coen legt die andere Hand über meinen Kopf und stößt in mich hinein. Zuerst geht er methodisch vor, aber dann steigert er sein Tempo und dringt tiefer in mich ein. Ich schiebe meine Hände unter sein Hemd und grabe meine Nägel in seinen Rücken, ziehe ihn näher zu mir und flehe ihn im Stillen um mehr an. Mehr Nähe. Mehr von ihm. Mehr von seinem Schwanz.

»Gott, J, du bist so eng, dass ich Angst habe, dir wehzutun.«

»Du musst aufhören, dir ständig Sorgen zu machen, dass du mir wehtust.« Ich wölbe mich noch näher zu ihm und zeige ihm mit meinem Körper, dass ich alles aushalten kann, was er mir gibt. »Komm, lass mich oben liegen!« Ich schubse ihn an, damit er sich bewegt.

Widerwillig stimmt er zu, und ich sitze auf seinem Schoß, gleite vorsichtig auf seinem Schaft auf und ab und gewöhne mich an die veränderte Position. Während ich mich bewege, ziehe ich die Träger meines Kleides über meine Schultern und entblöße meine Brust. Ich greife nach seinen Händen und bedecke damit meine beiden Brüste.

Coen bewegt seine Hüften und fickt mich, während ich seinen Schwanz reite. »Du fühlst dich so gut an.«

»Hast du immer noch Angst, dass du mir wehtun wirst?« Ich beuge mich vor, lege meine Hände auf beide Seiten seines Kopfes und gebe mir selbst etwas, wogegen ich mich drücken kann. Ich stürze mich auf seinen Schwanz und genieße das Vergnügen, das er uns beiden bereitet.

Coen nimmt mein Gesicht in seine Hände und küsst mich

mit so viel Leidenschaft, dass ich hier und jetzt sterben könnte und damit völlig einverstanden wäre. Oh, wie sehr habe ich mich nach diesen Lippen gesehnt, nach diesem gebrochenen Jungen, nach den Gefühlen, die er mir vermittelt.

»Ich liebe dich, June.«

Bei diesen Worten spannt sich mein Innerstes an. Die Worte, die ich schon so lange hören wollte. Die Worte, an denen ich ein Jahrzehnt lang gezweifelt hatte, nur um jetzt eines Besseren belehrt zu werden, dass er mich wirklich liebt. »Ich liebe dich, Coen.«

Ich schiebe meinen Mund auf seinen, unsere Zungen tanzen wild und gierig. Meine Muschi zieht sich um ihn zusammen und ich beiße auf seine Lippe, als mein Höhepunkt durch mich hindurch rasselt. Coen packt mich an der Taille und fickt mich durch meinen Orgasmen, während sein eigener gleichzeitig mit meinem kommt. »Scheiße!«, stöhnt er.

Ich zittere auf ihm, sowohl von der Lust als auch von der kalten Luft, die an meiner entblößten Haut nagt.

»Ich liebe dich«, sagt er mir noch einmal, als hätte ich es beim ersten Mal nicht geglaubt.

In der Ferne ertönt eine Autoalarmanlage, die mich daran erinnert, dass wir hier draußen im Freien sind, gerade noch in Sichtweite. Nur jemand auf einem anderen Dach oder ein vorbeifliegendes Flugzeug könnte uns sehen, aber trotzdem schießt das Adrenalin durch mich hindurch, wenn ich in der Öffentlichkeit ficke.

Coen küsst meine Stirn, dann meine Nase.

Ich steige von ihm herunter und lasse mich auf die Decke fallen, völlig dankbar für diese Nacht. Aber selbst nach allem, was er mir erzählt hat, habe ich das Gefühl, dass er mir etwas verschweigt. Es ist nur eine Frage der Zeit, bis ich herausfinde, was es ist.

Ich hoffe nur, dass es uns nicht wie beim letzten Mal ruiniert.

# KAPITEL SECHS – DOMINIC

*I*ch lösche ein Feuer und ein anderes entzündet sich.
Die Shitstorms sind endlos.

Sie verschlingen meine wachen Stunden und vereiteln jede Chance auf Schlaf.

Ich wusste, dass ich mit der Übernahme dieser Rolle mehr Verantwortung übernehmen würde, aber ich habe nicht erwartet, dass ich mit so vielen Dingen gleichzeitig jonglieren müsste. Ich denke, ich bin verdammt gut darin, mit Situationen umzugehen, aber das hier ist etwas ganz anderes.

Der Anführer unserer Organisation wurde in einem Krieg mit seinem Bruder ermordet, der auch seinen Tod zur Folge hatte. Und als ob das noch nicht genug wäre, war sein Bruder der rivalisierende Kopf des Syndikats an der Ostküste. Beide Lager standen vor einem Scherbenhaufen, den es zu beseitigen galt, um wieder Fuß zu fassen. Sein Vorgänger war früher ein Laufbursche für unsere Organisation gewesen, aber nach einem vorgetäuschten Tod und Geheimnissen, die immer noch nicht gelüftet wurden, fand er sich an der Ostküste wieder als Erbe eines riesigen Vermögens und eines kriminellen Imperiums. Er ist unerfahren, unqualifiziert und überfordert.

Das, die Fehden mit den Fraktionen hier und der Druck aus den Sektoren im Norden und Süden führen dazu, dass es keine Richtung gibt, aus der nicht jemand mit ausgestreckter Hand oder vorgehaltener Waffe versucht, mich aus meiner Position zu drängen.

Noch nie stand mehr auf dem Spiel. Aber ich würde mich irren, wenn ich glaubte, dass es nicht noch schlimmer werden könnte.

»Jemand aus dem inneren Kreis muss ihnen einen Tipp gegeben haben«, sagt mir einer meiner Männer.

Ich wende mich ihm zu. »Wie ist dein Name?«

Er wendet seinen Blick zu dem Mann neben ihm. »Äh, ähm.«

»Musst du deinen Freund nach deinem Namen fragen?« Ich schlage meine Handfläche vor ihm auf den Tisch. »Du hast eine Sekunde Zeit.«

»John, mein Name ist John, Sir.«

»John.« Ich lasse ihn auf der Zunge zergehen. »Wie lange arbeitest du schon für uns, *John*?«

Ich habe sein Gesicht bis heute noch nie gesehen. Ich kann nicht sagen, ob *er* die verdammte Ratte ist.

»Sechs Jahre, Sir.«

»Hmm.« Ich trete einen Schritt zurück und schaue ihn an.

Sechs Jahre sind eine lange Zeit, um sich an etwas zu binden, aber das ist nicht gleichbedeutend mit Loyalität. Er hätte leicht gehen können, aber er ist hiergeblieben, um demjenigen zur Seite zu stehen, der die Oberhand gewinnt. Oder ich bin einfach nur verdammt paranoid. Es ist schwer zu entscheiden, wem man vertrauen kann, und die ständigen Probleme, die immer wieder auftauchen, lassen mich buchstäblich jeden infrage stellen, außer Hayes und Bryant. Verdammt, ich vertraue Simon Beckett mehr als einem der Männer, die heute vor mir sitzen.

»Wie weit sind wir mit den Informationen?«, frage ich die kleine Gruppe von Männern.

John räuspert sich. »Sir, wir haben den größten Schaden im nordwestlichen Quadranten erlitten. Gefolgt vom Südwesten. Wenn ich raten müsste …«

»Raten?« Ich schlage mit beiden Fäusten auf den Tisch.

Er zuckt zurück, bleibt aber sitzen.

»Das ist kein verdammtes Ratespiel, John.«

John senkt seinen Blick auf den Papierkram vor ihm. »Sir, ja, Sir.«

Bryant stößt sich von der Wand ab, kommt näher und legt seine Hand auf meinen Rücken. »Raus mit euch und gebt uns fünf Minuten«, sagt er zu den Männern.

Sie eilen aus dem Zimmer, als ob ihr verdammtes Leben davon abhinge. Sobald sie weg sind, schließt Bryant die Tür und setzt sich neben mich auf die Tischkante. »Was ist los, Kumpel? Dir platzt gleich ein Blutgefäß.«

Ich fahre mit der Hand über meinen Bart und atme aus. »Dieser John, was hältst du von ihm?«

»Nun, ich bin mir ziemlich sicher, dass er sich gleich in die Hose pissen wird.«

Ich klappe meinen Kiefer zusammen und wende mich ihm zu. »Das ist verdammt wenig hilfreich, Bryant.«

Bryant wirft die Hände hoch und schlägt sie auf seine Oberschenkel. »Er ist nur ein Typ, Dom. Er arbeitet seit Langem für uns. Keine Übertretungen. Kein Grund, ihn des Verrats zu verdächtigen. Ich habe nichts mitbekommen, nur dass er Angst vor dir hat.« Er rutscht auf der Tischplatte hin und her. »Jeder hat verdammt noch mal Angst vor dir, Dom. Du kannst das nicht mit Illoyalität verwechseln, nur weil sie in deiner Gegenwart zittern. Denn wenn das der Fall wäre, hätten wir niemanden mehr.«

»Wir können nicht immer wieder solche Niederlagen einstecken.«

»Ich weiß.«

»Wir haben größere Probleme, um die wir uns kümmern müssen.«

»Ich weiß.«

»Gibt es etwas Neues?« Meine Hände ballen sich zu Fäusten.

»Nichts Neues, nein.«

Ich verschränke die Arme vor der Brust. »Wie konnten wir das zulassen?«

»Du weißt, wie.«

»Wir haben uns ablenken lassen.« Und deshalb ist unsere Ablenkung mehr denn je in Gefahr. »Wo zum Teufel ist Hayes?«

»Wahrscheinlich hat er die Nacht seines Lebens mit dem Mädchen unserer Träume.« Magnus holt sein Telefon aus der Tasche und drückt ein paar Tasten.

Ich warte darauf, dass er fortfährt, aber er tut es nicht. »Und?«

»Oh, tut mir leid, Kumpel, ich habe nur nach dem Wetter gesehen.«

»Dem Wetter?«

»Ja, ich habe daran gedacht, mit June in einem Heißluftballon zu unserem Date aufzusteigen.«

*Ihrem Date.* Scheiße! Ich habe noch keine Vorkehrungen für meine Zeit mit ihr getroffen. Ich muss irgendwie den Spagat hinbekommen, ein guter Freund zu sein und dafür zu sorgen, dass June am Leben bleibt, und zu verhindern, dass das Unternehmen, das ich leite, zusammenbricht.

»Alle wollen uns – und June – tot sehen, und du schickst sie in einem verdammten fliegenden Eimer in den Himmel?«

Magnus nickt. »Du hast recht, schlechte Idee.« Er klemmt sein Kinn zwischen Daumen und Zeigefinger. »Hmm.«

»Weiß Beckett davon?«

Magnus blinzelt mich ein paar Mal an. »Von dem fliegenden Eimer?«

»Von der Drohung, Dummkopf.«

»O nein. Du hast gesagt, es soll unter uns dreien bleiben.«

»Gut. Je weniger er weiß, desto besser.«

»Ich denke immer noch, wir sollten es ihm sagen … es ihr sagen. Das letzte Mal, als wir versucht haben, Geheimnisse zu bewahren, ist uns die Scheiße um die Ohren geflogen.«

Und zugeben, dass wir nicht in der Lage sind, uns um sie zu kümmern? Dass wir einen Fehler gemacht haben? Dass ich vielleicht nicht der Mann bin, den sie in ihrem Leben braucht?

*Niemals!*

»Ich kümmere mich darum.«

»Du musst das nicht alles alleine machen, Dom.«

Aber wenn ich es nicht tue, wer dann? Es ist klar, dass, wenn ich nicht derjenige bin, der alles bis ins kleinste Detail regelt, die Scheiße zwischen den Ritzen durchrutscht. Es entstehen Probleme, für die es keine Lösungen gibt. Menschen werden verletzt. Mein Mädchen wird verletzt. Es muss für mich einen Weg geben, alles zu erledigen, denn nur so kann ich sicherstellen, dass es erledigt wird.

»Wie weit sind wir mit der Zusammenstellung eines Teams?«

»Das ist bereits geschehen. Sie werden alle Sendungen verfolgen, die ein- und ausgehen.«

»Ich hoffe, dass es keine Verschwendung von Ressourcen ist.«

Magnus zuckt mit den Schultern. »Es ist eher eine Verschwendung, wenn sie sie abfangen und noch mehr von unseren Männern töten.«

»Und Johnny, wann ist das Treffen mit ihm?«

Magnus holt sein Handy wieder heraus. Und hilf mir Gott, wenn er schon wieder das verdammte Wetter checkt. »Miller arbeitet laut Zeitplan. Ich geb dir später Bescheid.«

»Miller.« Ich halte inne und füge hinzu: »Glaubst du, dass er für die Aufgabe geeignet ist?«

»Mehr noch als Johnny, ja. Der Kerl war Lucianos rechte Hand.«

»Mir gefällt das nicht, mir gefällt gar nichts davon.«

»Mir auch nicht, aber wir kriegen das schon hin. Das tun wir immer.« Magnus dreht einen der Ringe an seinem Zeigefinger. »Ich denke, du solltest John anhören, mal sehen, was er zu sagen hat. Könnte ein nützlicher Aktivposten sein.«

Ich fahre mit der Hand durch mein Haar und streiche es an den Seiten glatt. Ich fixiere meine Krawatte und richte mein Jackett. »Bring sie rein!«

Wir verbringen die nächste Stunde damit, die Strategie zu besprechen, die besten Routen zu ermitteln und zahlreiche alternative Wege zu finden. Da wir im Westen immer wieder angegriffen werden, verlagern wir die Transporte weiter nach Osten. Es besteht die Befürchtung, dass unsere Angreifer genau das wollen – dass sie uns vielleicht weiter von der Küste wegdrängen, aber es könnte auch sein, dass die Küste ein leichteres Ziel für sie ist und sie deshalb noch nicht auf unsere Routen im Landesinneren losgegangen sind. Ich bin immer noch nicht davon überzeugt, dass wir keinen Maulwurf haben, aber Magnus ist sich sicher, dass der sich nicht in der kleinen Gruppe von Männern in diesem Raum befindet. Ich vertraue ihm, da das Lesen von Menschen eine seiner Stärken ist. Er hatte schon immer ein Gespür dafür, in welcher Art und Weise die Leute reden und wann sich die Stimmung ändert. Er liest die Körpersprache und ist in der Lage, schnelle und meist sichere Einschätzungen zu treffen. Das ist eine unglaublich nützliche Ressource, aber bei dem Druck, der aus allen Richtungen kommt, ist es unmöglich, ihn an mehreren Orten gleichzeitig zu haben. Der Mann ist bereits überarbeitet und überlastet – wie wir alle. Aber das wird nicht nachlassen, bis wir die Angriffe unter Kontrolle haben und den Bastard ausschalten, der versucht hat, mich zu stürzen.

Eine Stunde geht in die nächste über, und schon ist es fast zwei Uhr morgens. Meine Augen brennen, weil ich fast zwei

Tage lang wach war, aber ich ertrage den Schmerz und konzentriere mich auf das Whiteboard vor mir.

»Hier.« Ich kreise einen Punkt auf der ungeordneten Karte an der Tafel ein. »Ich sage, wir schicken eine Fake-Lieferung los. Versuchen, sie in eine Falle zu locken. Wir brauchen Leute, die wir verhören können, um mehr Informationen zu bekommen. Das ist unsere beste Chance.« Ich sehe mir das Ding noch einmal an. »Sie greifen uns an Stellen an, wo die Überwachung lückenhaft ist. Deshalb nehmen wir diese Route, denn hier haben wir gar keine. Sagt es so vielen Männern wie möglich, ohne es zu offensichtlich zu machen. Lasst euch nicht anmerken, dass es eine gefakte Lieferung ist. Wir brauchen unseren Maulwurf, um die Nachricht zu verbreiten.«

»Aber …« meldet sich John zu Wort. »Das ist eine Todesfalle für den, der fährt.«

Ich wende mich ihm zu. »Ich werde fahren, keine Sorge. Ich werde nicht noch mehr von meinen Männern in Gefahr bringen.«

Bryant räuspert sich. »Ich komme mit dir.«

»Auf keinen Fall.« Ich starre ihn direkt an. »Und das ist ein Befehl.« Ich zeige auf die anderen Jungs. »Du kannst im Konvoi mitfahren, bist meine Verstärkung.«

»Was soll der Scheiß, Dom?« Bryant erhebt sich von seinem Sitz und kommt auf mich zu, als ob ich meine Meinung ändern würde, wenn er vor mir steht.

Ich klopfe ihm auf die Schulter. »Gut, dass wir uns geeinigt haben.«

Er senkt seine Stimme. »Willst du dich umbringen lassen?«

Ich schaue in seine verzweifelten Augen. »Und du?«

Das ist das zweite Mal an einem Tag, dass diese beiden Wichser mir vor den anderen nicht gehorchen. Zuerst Hayes, als er eine Besprechung verließ, nachdem er nicht mehr bei der Sache war, und jetzt Bryant, der meine Autorität vor diesen Männern infrage stellt. Sie geben ein verdammt schlechtes

Beispiel ab und lassen mich aussehen, als hätte ich keine Kontrolle über meine Untergebenen. Es ist kein Wunder, dass jemand versucht, mich zu stürzen – ich sehe verdammt schwach aus. Aber wie soll ich an ihnen ein Exempel statuieren, wenn ich weiß, dass June mir den Arsch aufreißen wird, wenn ich einem von ihnen auch nur ein Haar krümme? Was ist schlimmer – dass June wütend auf mich ist oder die Bedrohung für ihr Leben die Oberhand gewinnt, weil ich weich geworden bin? Ich kann sie nicht beschützen, wenn die Leute anfangen, mir auf der Nase herumzutanzen. Es muss eine Entscheidung getroffen werden – und keinem von uns wird sie gefallen.

Mit einer einzigen Bewegung hole ich tief Luft und schließe meine Hand um Bryants Hals. Ich schiebe ihn durch den Raum und schlage ihn gegen die Wand.

»Was soll der Scheiß, Dom«, stottert Bryant.

Aber ich drücke zu und festige meinen Griff. »Wer hat hier das Sagen?«

Bryant hat Mühe zu sprechen, aber er schafft es, auszuspucken: »Das hast du, du verdammter Psycho.«

Ich lasse ihn los, und er hustet und klammert sich an seinen Hals.

»Mein Gott, Mann.«

Ich winke mit der Hand ab und wende mich wieder den Männern zu, die schweigend auf ihren Stühlen sitzen. »Wenn einer von euch auch nur eine Sekunde lang glaubt, dass ich diese Drohung auf die leichte Schulter nehme, dann irrt ihr euch gewaltig. Ich werde jeden finden und bestrafen, der es wagt, mir zu nehmen, was mir gehört. Ich habe hier das Sagen, niemand sonst. Deshalb hat mich der Rat in dieses Amt gewählt. Und deshalb hat Franklin mich überhaupt erst ernannt. Diese Leute werden nicht ungestraft davonkommen, und wenn wir herausfinden, wer hinter all dem steckt, werde ich ihn häuten und seine Körperteile Stück für Stück an seine Familie zurückschicken. Um jeden, der mit dieser Bewegung zu tun hat, wird man sich kümmern. Habt ihr mich verstanden?«

Einige Köpfe nicken und es geht ein zustimmendes Gemurmel durch den Raum.

»Ich will bis morgen eine Liste mit allen Namen, die für meinen Titel kandidiert haben. Es ist mir egal, ob sie zugestimmt haben oder nicht. Wir müssen jede einzelne Person durchscannen, bis wir herausfinden, wer dafür verantwortlich ist.« Ich zeige auf die Tür. »Ihr könnt gehen.«

Magnus schleicht sich an mir vorbei, aber ich halte ihn am Arm fest und hindere ihn am Gehen.

»Ich musste das tun«, sage ich.

»Wie auch immer.«

Na toll, jetzt muss ich auch noch die Konsequenzen tragen, weil ich seine Gefühle verletzt habe.

»Wenn sie denken, dass ich schwach bin, kommen sie auf die Idee, sich diesem Usurpator anzuschließen oder selbst den Posten zu übernehmen. Die Leute liefen zu Beckett über, bis ich anfing, in der Öffentlichkeit Köpfe einzuschlagen. Du und Hayes wart diejenigen, die das vorgeschlagen haben. Hayes hat sich schon vorhin in der Sitzung arschig verhalten, ich kann es nicht gebrauchen, dass ihr beide mir bei jeder Gelegenheit die Stirn bietet.«

»Nein, ich habe es verstanden, laut und deutlich.« Bryant verschränkt seine Arme vor der Brust. »Ich bin immer noch nicht damit einverstanden, dass du diese Mission allein durchführst. Und auch wenn du die Arschlochkarte ziehst, werde ich meine Meinung nicht ändern. Was wird June denken, wenn sie es herausfindet? Oder ist das nur ein weiteres Geheimnis, das du vor ihr verbergen willst?«

»Das ist nicht fair.«

»Ist es das nicht? Es zwingt mich auch, sie anzulügen.« Bryant bringt ein gutes Argument vor, aber es ändert nichts an der Tatsache, dass ich nicht damit einverstanden bin, ihr etwas davon zu erzählen.

Nicht, dass ich möglicherweise mein Leben in Gefahr bringe. Nicht, dass ich Bryant in den Schwitzkasten genommen habe, um meine Dominanz zu behaupten. Nicht, dass der Thron, den ich mit seiner Hilfe erobert habe, mit jeder Sekunde mehr bedroht ist. Und schon gar nicht das größte Geheimnis von allen.

Dass der Mann, der den Auftrag gab, sie zu entführen, zu foltern und schließlich zu töten – der Mann, von dem wir dachten, wir hätten ihn eliminiert –, sehr wohl am Leben ist und es ihm gut geht.

# KAPITEL SIEBEN – JUNE

»Bist du es nicht leid, drei Tage in der Woche in der Ecke eines Diners zu sitzen?« Ich wische den verschütteten Orangensaft vom Tisch und räume die Salz- und Pfefferstreuer zusammen mit den Zuckerpäckchen weg, wobei ich mir merke, dass der blaue nachgefüllt werden muss. »Tut dein Rücken nicht weh? Das kann nicht gut für dich sein, den ganzen Tag zu stehen.«

Simon grinst mich an. »Es wirkt fast so, als würde es dich interessieren.«

»Du hast recht, das tue ich nicht. Vergiss, dass ich etwas gesagt habe.« Ich gehe um ihn herum und bediene den Tisch zu seiner Linken. »Ich möchte nicht, dass du einen falschen Eindruck bekommst.«

»Du kannst es zugeben, weißt du.« Simon schaut zur Tür hinaus und mustert die Gruppe von Menschen, die an *Bram's Diner* vorbeigeht.

Er mag zwar viel herumalbern, aber er ist eigentlich verdammt gut in seinem Job. Oder es gibt einfach keine Bedrohungen, die neutralisiert werden müssen. Die Tatsache, dass die Jungs immer noch darauf bestehen, ihn in ihrer Nähe zu haben, lässt mich jedoch glauben, dass es sie gibt. Denn warum sonst würden sie jemandem, den sie hassen, erlauben, jeden verdammten Tag mit mir zu verbringen.

Es sei denn, sie benutzen Simon, um mich von der Tatsache abzulenken, dass sie nicht in meiner Nähe sein wollen. Vielleicht hat sich das Neue abgenutzt und die Gefühle, die sie am Anfang empfanden, sind nicht mehr da. Vielleicht sehen sie in mir nur eine Belastung, die sie aus Schuldgefühlen heraus schützen müssen.

»Was gibt es zum Mittagessen?«, fragt Simon.

Ich schaue auf die Uhr. Fast Feierabend. »Worauf hättest du Lust?«

»Pizza?«

»Ich habe gestern Abend mit Co Pizza gegessen.«

»Ach ja, wie war euer Date?«

Ein Haufen lauter College-Kids stürmt in das Lokal, und ohne zu zögern, wirft sich Simon vor mich, wobei er mich mit einer Hand hinter sich festhält und mit der anderen die Waffe in seinem Hosenbund umklammert.

Die Jungs gehen zur Kasse und geben ihre Bestellung bei meiner Kollegin auf. Sie lassen sich auf den Hockern am Tresen nieder und warten auf ihr Essen.

Langsam lässt Simon seine Waffe los und dreht sich um, seine Hände legen sich auf meine Schultern. »Es tut mir leid, ich wollte dich nicht erschrecken.« Sein Blick tastet mein Gesicht ab, während er nach oben greift und mir einige Strähnen von der Wange streicht.

»Mich erschrecken? Ich dachte, du würdest einen Herzinfarkt bekommen.« Ich lege meine Hand auf seine Schulter und klopfe sie ein paar Mal. »Komm runter, Junge!«

»Eines Tages wirst du froh sein, dass ich hier bin, um dich zu beschützen.«

»Und bis dahin ärgere ich mich über den Babysitter.« Ich ziehe mir die Schürze über den Kopf, schlendere zum Tresen, hänge sie zu den anderen an den Haken und stemple meine Stechkarte. Ich winke Carlos, dem Koch, kurz zum Abschied zu, schnappe mir ein paar dieser blauen Päckchen mit falschem Zucker und stecke sie in die Box, bevor ich es vergesse. »Wie wär's mit Tacos?« Ich hake meinen Arm in Simons Armbeuge und ziehe ihn zur Eingangstür.

Simon verkrampft sich unter meinem Griff. »Ich weiß einen Ort.«

Wir gehen nach draußen und Simon schaut sich in der Umgebung um. Er legt seine Hand auf meinen Rücken und führt mich den Bürgersteig hinunter, wobei sein Blick jede Person in der Umgebung taxiert. Er mustert die Fenster des nahegelegenen Gebäudes und die geparkten Fahrzeuge.

»Ich dachte, du hättest einen Lambo?«

»Was?« Er richtet seine Aufmerksamkeit für eine kurze Sekunde auf mich.

»Ja, die Jungs haben mir erzählt, dass du einen Lamborghini hast und ein großer Playboy bist.«

»Wann sollte ich Zeit haben, ein Playboy zu sein?«

»Wir sind nicht immer zusammen«, erinnere ich ihn.

»Aber schon vor dieser Vereinbarung hatte ich andere Verpflichtungen, die meine Aufmerksamkeit erforderten.« Simon behält seine Hand auf meinem Rücken, während wir die Straße überqueren. »Und ich habe das Auto verkauft. Es war unpraktisch.«

»Simon Beckett, ein praktischer Mann?« Ich stoße ihn mit meinem Ellbogen an.

»Du solltest nicht darauf hören, was alle anderen sagen, vor allem nicht über mich.« Simon ergreift meine Hand und zieht mich aus dem Weg eines vorbeirasenden Autos, das eine rote Ampel überfährt. »Mein Gott, Liebes, geht es dir gut?« Er lockert seinen Griff und streicht mit den Fingern über mein Handgelenk. »Habe ich dir wehgetan?«

Mein Herz klopft, das Hupen des entgegenkommenden

Verkehrs klingt mir noch in den Ohren. »Mir geht's gut.« Ich ziehe meine Hand zu mir, um den roten Fleck zu verbergen, der an der Stelle wächst, wo er mich gepackt hat.

Der Appetit, den ich zu haben glaubte, verschwindet mit der Nähe einer weiteren Nahtoderfahrung. Ich verdränge die Erinnerung an den Mann, der mir etwas über den Mund gestülpt hat, an das würgende Gefühl beim Einatmen, eine Reaktion, die ich nicht verhindern konnte. Ich krümmte mich und zappelte, aber das lähmende Gift war nicht zu bekämpfen. Ich wachte durch Schreie auf, aber es waren meine eigenen. Die Narben an meinem Handgelenk erinnern mich an die Zigaretten, mit denen er mich verbrannt hat. Die Narbe an meinem Kinn lässt mich für immer in der Nähe von Messern unsicher sein. Ich war in der Lage, mich zu rächen … aber zu welchem Preis? Die Dinge änderten sich an dem Tag, an dem ich diesen Mann ermordete. In mir und in den Beziehungen, die mir am meisten am Herzen liegen. Ich konnte den Schrecken in den Gesichtern der Jungs sehen, als ich mit dem Blut des Mannes, der mich verletzt hatte, rot gesprenkelt war. Ich schlitzte ihm die Kehle auf, ohne zu fragen, und das Verrückteste von allem war, dass es verdammt einfach war. Zu einfach. Ich habe ein Leben genommen, und ich weiß nicht, was beunruhigender ist, die Tatsache, dass jemand durch meine Hand gestorben ist, oder die Tatsache, dass es mich nicht stört.

Macht mich das auch zu einem Monster? Ich bin nicht besser als der Mann, der mich wie einen Halloween-Kürbis schnitzen wollte.

»Bringen wir dich hier raus.« Simon legt wieder seine Hand auf mich und schubst mich an, damit ich mich bewege.

Ich hasse es, wie er meine Gedanken manipuliert – die Wärme seiner Berührung überwältigt die zügellosen Visionen, die meinen Verstand angreifen. Aber wenn ich mich auf ihn konzentriere, kann ich dem Zorn entkommen, den mein Gehirn in einer Dauerschleife erzeugt.

Wenn es nicht ein Albtraum über die Ereignisse in der Vergangenheit ist, dann ist es die ständige Sorge um die wachsende Distanz zwischen mir und jedem meiner Männer. Seit Coen mir vor all den Jahren das Herz gebrochen hat, habe ich den Rest meines Lebens damit verbracht, Situationen wie diese zu vermeiden. Situationen, in denen ich mir erlaube, verletzlich zu sein, mich zu sorgen, verletzt zu werden. Das hat mir gutgetan, denn es hat mich davor bewahrt, mich mit der unangenehmen Realität des Herzschmerzes auseinanderzusetzen. Aber ich war der Art und Weise, wie Dom, Co und Magnus in mein Leben traten, nicht gewachsen. Es ging schnell und unerwartet, und ich habe mich mehr in sie verliebt, als ich es für möglich gehalten hätte. Aber damit kamen auch die Unsicherheiten an die Oberfläche, die ich so hart hinter One-Night-Stands und falschen Telefonnummern zu verbergen versucht hatte.

Wenn man sich kopfüber in diese Art von Liebe stürzt, gibt es kein Zurück mehr.

Wenn ich schon dachte, dass der Schmerz über den Verlust von Co vor all den Jahren hart war, kann ich mir nicht vorstellen, wie es wäre, meine drei Männer zu verlieren. Ich würde an einem gebrochenen Herzen sterben, und das allein ist es, was mich plagt. Ich habe darauf bestanden, Teil ihrer Welt zu sein, und jetzt, da ich es bin, haben sie mich ausgeschlossen.

Ich habe auch gezögert, Coen einzulassen. Der Verlust des einzigen Menschen, den ich je geliebt habe, hat mich sehr mitgenommen, und wenn man in jungen Jahren einen so wichtigen Teil seines Lebens verliert, kann einen das ganz schön aus der Bahn werfen. Ich wollte diesen Verlust nicht noch einmal durchleiden. Ich hob die Scherben meines gebrochenen Herzens auf und hielt sie fest umklammert. Ich wollte es nie dem Jungen geben, der das gleiche Trauma erlitten hatte. Unsere Mütter sind gegangen, und mit ihnen auch Teile unserer Menschlichkeit, die wir nie mehr zurückbekommen. Wir wurden in ein Leben voller Schmerz geworfen, dem wir nie entkommen können, nicht damals und nicht heute. Wir fanden Trost ineinander, und ob ich es nun mit Stolz zugebe oder nicht, wir hatten eine Traumabindung – etwas, von dem mir einer der Therapeutinnen, die ich für eine kurze Zeit hatte, sagte, dass es ein ungesunder Bewältigungsmechanismus sei. *Es mag sicher aussehen und sich sicher anfühlen, aber diese Art von Beziehung kann extrem unbeständig sein*, sagte sie.

Bei Coen habe ich mich sicher gefühlt. Und was wir hatten, war echt. Aber als er mir entrissen wurde, war auch die warme Decke seiner Liebe weg und ließ mich kalt und allein und der Gewalt ausgesetzt zurück, die Liebe anrichten kann, wenn sie einmal weg ist.

Ich weiß nicht, ob ich das noch einmal durchmachen kann. Ich tue so, als wäre ich stark, als könnte ich mit allem umgehen. Aber was, wenn die Jungs recht haben, was, wenn ich wirklich schwach bin?

Simon bestellt uns Essen, und erst als er mir sagt, ich soll mich setzen, komme ich in die Realität zurück. Völlig ahnungslos schaue ich mich ängstlich in meiner Umgebung um. Ich drücke meine Hände auf den Tisch und verankere mich im Hier und Jetzt. Ich schließe die Augen, atme tief ein und konzentrieren mich auf den eichigen Duft von Simons Parfüm, die frische Luft und die Reste des Salzwassers, das von der Küste herüberweht.

»Ich habe dir eine Dr. Pepper mitgebracht.« Simon klappt den Deckel der Dose auf und stellt sie vor mich hin.

»Danke.« Ich nehme einen Schluck in der Hoffnung, dass ich trotz dieser seltsamen außerkörperlichen Erfahrung einigermaßen normal wirke.

Simon fummelt an dem Ring an seinem Daumen herum. »Die Jungs werden heute Abend viel zu tun haben.«

»Natürlich werden sie das.« Ich rolle mit den Augen und seufze. »Ich hatte eine Nacht mit Coen, und prompt denken sie,

sie hätten einen Freifahrtschein, mich eine Woche lang zu ignorieren.« Ich halte mir die Hand vor den Mund. »Ich wollte das nicht laut sagen.«

»Ich habe nichts gehört.« Simon trinkt von seiner Wasserflasche. »Fürs Protokoll: Ich glaube nicht, dass sie dich ignorieren, zumindest nicht absichtlich.«

»Du stehst auf ihrer Seite, wirklich? Seit wann?«

Simon grinst und entblößt dabei seine übermäßig weißen und perfekt ausgerichteten Zähne. »Tu ich nicht.«

»Sieht aber ganz so aus.«

»Ich bin auf deiner Seite. Das war ich immer und werde ich immer sein.«

Ich schüttle den Kopf, stütze mich auf den Ellbogen und lege den Kopf in die Hand. »Warum?«

»Warum nicht?«

»Du weißt, dass wir nie zusammen sein können, oder?«

»Ich bin mir dessen bewusst.« Simon versucht, den Schmerz zu verbergen, der kurz über sein Gesicht huscht. »Aber das ändert nichts daran, was ich für dich empfinde.«

Er will nur das, was er nicht haben kann. Wenn ich mich entschließen würde, Simon eine Chance zu geben, wäre der Nervenkitzel der Jagd vorbei, und ich hätte alles mit Magnus, Dom und Co. für einen Mann ruiniert, der nur zum Spaß auf mich steht.

»Glaubst du, dass sie mir etwas verheimlichen?«

»Ja. Ohne Zweifel.« Simon erhebt sich vom Tisch und geht ein paar Meter hinüber zur Theke, um unser Essen zu holen. Eine Sekunde später kehrt er zurück, wobei er die ganze Zeit, in der er meine unmittelbare Nähe verlassen hat, nicht einmal den Blick von mir genommen hat. »Aber das ist ihre Natur. Sie können dir nicht alles sagen.«

»Sie sagen mir *gar nichts*.« Ich ziehe ein paar Servietten aus dem Halter, gebe Simon ein paar und behalte den Rest für mich.

»Was sollen sie denn tun? Nach einem langen Tag des

Folterns von Menschen nach Hause kommen und sagen: ›*Hey Schatz, ich habe heute diesen Verräter aus der zweiten Division getötet. Ich könnte morgen einem anderen Typen vor den Augen seiner Familie die Kniescheiben zerschmettern, wenn du mitkommen und zusehen willst.*‹« Simon nimmt einen Bissen von seinem Taco, wobei ein Teil der Füllung auf den anderen Taco in seinem Korb fällt.

»Ich meine, nein, nicht genau das, aber das wäre besser als nichts. Ich werde bestenfalls mit Schweigen bestraft. Sogar Magnus ist verdammt vage, und er war immer derjenige, der mich in alles einbezogen hat.« Ich stochere in dem Essen vor mir herum, ziehe meine Hand aber weg, als ich den leichten Bluterguss an der Stelle bemerke, an der Simon mich vorhin von der Straße gezogen hat.

»Wenn du dich dann besser fühlst, sie erzählen mir auch nichts.« Simon wischt sich mit der Serviette über den Mund und zeigt auf mein unberührtes Essen. »Ich werde dich zwangsernähren, wenn ich muss.«

»Ich hasse dich.«

»Ich weiß.« Er schiebt den Korb zu mir herüber. »Zwinge mich nicht, zu dir zu kommen.«

Ich nehme einen Bissen von dem Taco, um seiner Aufforderung nachzukommen. Die Aromen zergehen auf der Zunge und erinnern mich an den Appetit, den ich früher einmal hatte. »Die sind besser als die letzten, die wir hier gegessen haben.«

»Carne asada«, sagt Simon.

Ich habe mehr Mahlzeiten mit diesem Mann gegessen als mit meinen eigenen Freunden. Nicht nur in letzter Zeit, sondern ganz allgemein. Wenn man die Schlafstunden nicht mitzählt, haben Simon und ich auch mehr Zeit miteinander verbracht. Er ist ihr Feind, was ihn zu meinem Feind macht, aber irgendwie ist er mein treuester Verbündeter geworden. Er ist der *einzige* Mensch, auf den ich mich verlassen kann, wenn ich ihn brauche. Es hat wirklich etwas für sich, wenn man sich seine Freunde nahe hält und seine Feinde noch näher.

Ich kann mir nicht vorstellen, dass die Jungs das gewollt oder auch nur erwartet haben. Aber was haben sie denn gedacht, als sie mich von sich und in die Arme dieses Mannes geschoben haben, der alles für mich tun würde? Ich würde nie etwas tun, was unsere Beziehung verraten könnte, aber ich frage mich, wer sich mehr um mich kümmert – meine Männer oder ihre Feinde?

»Du hast also keine Ahnung, was sie in letzter Zeit besonders beschäftigt hat?« Ich esse weiter und hoffe, dass Simon irgendeine Information hat, die er mir geben kann.

Er schiebt sich den Rest seines Tacos in den Mund, kaut und schluckt ihn herunter, bevor er spricht. »Es gab ein paar Probleme bei der Lieferung. Ich nehme an, sie sind dabei, das zu lösen.«

Ich nicke, als ob ich eine Ahnung hätte, was das bedeuten könnte. »Ist das nicht etwas, was die Logistikabteilung erledigen sollte?«

»So funktionieren diese Dinge nicht. Nicht in diesem Ausmaß. Es gab Tote. Und die Ware wurde nicht gestohlen, sondern zerstört, als ob eine Botschaft gesendet werden sollte.« Simon erzählt mir mehr, als ich erwartet habe, und ich bin für jedes Wort dankbar.

»Was für eine Botschaft?« Ich versuche, so viel wie möglich aus ihm herauszubekommen, bevor er merkt, dass er Details preisgibt, von denen sie wahrscheinlich nicht wollen, dass ich sie erfahre.

»Vielleicht eine Art Drohung. Wahrscheinlich eine der rivalisierenden Fraktionen, die Doms neue Autorität testen, um zu sehen, ob er die Situation meistern kann.«

»Und wird er das?« Ich stelle die Frage, obwohl ich die Antwort kenne. Natürlich ist Dominic mehr als qualifiziert, mit allem umzugehen, was man ihm vorsetzt.

»Deshalb hat er den Job und nicht ich.«

»Du hast zugestimmt«, erinnere ich ihn. »Mein letzter Wunsch, erinnerst du dich?«

Simons hübsches Gesicht spannt sich an. »Ich würde es lieber vergessen, wenn ich ehrlich bin.«

»Ah, hat das Verlieren so sehr wehgetan?« Ich ziehe ihn auf.

Aber er versteht den Scherz nicht, stattdessen starrt er mich direkt an. »Dich zu verlieren, ja.«

Ein Schauer läuft mir über den Rücken, und mein Herz klopft heftiger angesichts der Intensität seiner smaragdgrünen Augen. »Nun, hier bin ich.« Ich versuche, die Situation auf die leichte Schulter zu nehmen. »Sieht aus, als hättest du doch noch bekommen, was du wolltest.«

»Noch nicht.« Simon zwinkert mir zu und wendet seine Aufmerksamkeit wieder seinem Essen zu. Die angriffslustige Version von ihm kehrt zurück und überdeckt die verletzliche Version, die er nicht oft zu erkennen gibt. »Ich sagte, ich würde ewig warten, wenn es sein muss. Es sind erst ein paar Monate vergangen.«

Aber es ist schon länger her, mehr als ein halbes Jahr. Und schon bald wird es ein ganzes Jahr sein, und wenn es so weitergeht, werden es sogar zwei oder drei. Wer weiß, wie lange die Jungs darauf bestehen werden, dass Simon auf mich aufpasst. Vielleicht so lange, bis sie herausgefunden haben, wie sie mich loswerden können, ohne die Schuld dafür tragen zu müssen. Vielleicht war es die ganze Zeit ihr Plan, mich dazu zu bringen, mich in Simon zu verlieben und es dann so aussehen zu lassen, als wäre es meine Schuld.

Oder vielleicht bin ich auch einfach nur paranoid und sie sind wirklich mit der Arbeit beschäftigt und es hat nichts mit mir zu tun. Ich wünschte nur, ich könnte dieses nagende Gefühl loswerden, dass etwas vor sich geht, wovon sie mir nichts erzählen. Der Verdacht verwandelt sich immer mehr in irrationale Gedanken, die mich auffressen, und wenn sich nicht bald etwas ändert, mache ich mir Sorgen, dass der Abstand zwischen uns irreparablen Schaden anrichten könnte.

»Die Lieferungen«, sage ich und bringe uns wieder auf das Thema zurück. »Ich nehme an, die Routen ändern sich ständig, richtig? Um nicht von der Polizei entdeckt zu werden oder so.«

Simon trinkt einen Schluck von seinem Wasser und nickt. »Ja.«

»Dann gibt ihnen also jemand von innen einen Tipp?«

»Das muss so sein.« Simon zeigt auf mein Essen. »Du hast zwei Minuten, um eines davon zu essen, oder ich komme rüber und stopfe es dir in den Hals.«

Ich werfe ihm einen strengen Blick zu. »Verstößt das nicht gegen den Auftrag, mich zu beschützen?«

»Ich kann dich nicht beschützen, wenn du verhungerst, Liebes.«

»Ich werde nicht verhungern. Du übertreibst.«

»Du denkst, ich merke das nicht, oder?«

»Was merken?« Ich schlucke den Kloß hinunter, der sich in meinem Hals bildet.

»Nichts.«

»Tu das nicht!«

Simon greift über den Tisch und schiebt den Korb mit dem Essen näher an mich heran. »Iss … den … Taco!«

»Sag mir, was du bemerkt hast, und ich werde es tun.«

»Ich sehe alles. All die kleinen und großen Dinge.« Er holt tief Luft und atmet aus. »Und wenn du diesen Taco nicht isst, wirst du mich aus nächster Nähe erleben.« Simon zieht eine Augenbraue hoch. »Es sei denn, du willst das so.«

»Gut, dann esse ich es eben.« Ich stecke mir die Hälfte in den Mund und frage ihn, während noch etwas davon aus meinem Mund hängt: »Bist du zufrieden?«

»Ja.« Ein selbstgefälliger Blick der Zufriedenheit erscheint auf seinem schönen Gesicht.

Ich kaue den gigantischen Bissen und schlucke ihn mit

einem Schluck Dr. Pepper herunter. Ich rülpse, ohne mich darum zu scheren, wie wenig ladylike das ist, und esse den Rest des Tacos. Ich mache mich an den anderen heran, wohl wissend, dass er mich nicht so einfach davonkommen lassen wird. Ich schaffe es, die Hälfte herunterzuwürgen, und schiebe den Rest zu ihm hinüber. »Das zählt doch, oder?«

Er wirft mir einen prüfenden Blick zu. Ich überlege, ob er das akzeptieren wird oder nicht. Zum Glück für mich tut er es. Simon zieht den Korb zu sich heran und isst den Rest meines Tacos, leckt sich den Saft von den Fingern, als er fertig ist.

Ich ertappe mich dabei, wie ich ihn anstarre, und tue alles, um ihn nicht länger anzuschauen. »Wenn die Jungs heute Abend weg sind …«

Endlich dämmert mir die Erkenntnis. »Steckst du mit mir fest?«

»Feststecken ist nicht wirklich das Wort, das ich wählen würde.« Simon wischt sich den Mund mit einer Serviette ab und trinkt den Rest seines Wassers. »Aber ja, bis einer von ihnen nach Hause kommt. Obwohl, ich habe Pläne für uns.«

Ich ignoriere das Flattern meines Herzens. »Pläne?«

»Mmh. Aber es ist eine Überraschung.«

»Ich hasse Überraschungen.« Okay, das ist eine Lüge, ich hasse es einfach, von Überraschungen zu wissen. Diese seltsame Vorahnung, was es sein *könnte*, macht mich wahnsinnig.

»Schade.«

»Ich hasse dich«, sage ich ihm wohl zum zehnten Mal heute.

»Rede dir das immer wieder ein, Liebes. Vielleicht glaubst du es eines Tages tatsächlich.« Simon sammelt unseren Müll ein und trägt ihn zum nächsten Mülleimer hinüber. Er zeigt auf die Dose mit der Limonade. »Bist du fertig mit deiner Pop?«

»Meiner was?«

»Ich will mich nicht wiederholen, bist du fertig oder nicht?«

Ich erhebe mich von meinem Sitz und greife nach der

Limonade. »Hast du das gerade *Pop* genannt?« Ich gehe zu ihm hinüber. »Simon fucking Beckett, hast du gerade *Pop* gesagt?«

»Pop, Soda, wie auch immer du es nennen willst, bist du fertig?«

Ich lache und schüttle seine Schulter. »Bist du aus Ohio oder so?«

»June, ich werde meinen Schwur zurücknehmen und dich auf der Stelle umbringen, wenn du sie mir nicht gibst.«

Seine Hartnäckigkeit bringt mich nur noch mehr zum Lachen.

»Das ist der beste Tag meines Lebens.« Ich werfe die Dose in den Mülleimer. »So, ich bin fertig mit meiner *Pop*. Bist du jetzt zufrieden?«

Simon ergreift meine Hand und zieht mich sich zu. »Du wirst wissen, wenn ich zufrieden bin.«

Ich drücke meine Handflächen gegen seine Brust, seine Wärme durchströmt mich. Jesus Christus, ich kann diesem Mann nicht so nahe sein. Er ist sündig und verführerisch, und wenn ich nicht aufpasse, werde ich mich in seiner Flamme verfangen und uns alle bis auf den Grund verbrennen.

»Da ist eine Wimper.« Simon streicht sie mir von der Wange, sein Finger fährt wie kühler Strom über meine Haut. »Wünsch dir was!«

Ich presse die Lippen zusammen, formuliere den Wunsch in meinem Kopf und puste sanft, aber genug, um das Ding fliegen zu lassen.

Er schluckt und fragt mit einer Hand, die mich immer noch festhält: »Was hast du dir gewünscht?«

»Wenn ich es dir sage, geht es nicht in Erfüllung.« Ich sollte mich aus seinem Griff befreien, aber stattdessen bleibe ich an Ort und Stelle. Seine Nähe gibt mir ein seltsames Gefühl der Sicherheit, das ich noch nicht aufgeben möchte.

»Wenn du es mir sagst, könnte ich vielleicht helfen, es wahr werden zu lassen.« Simon führt seine Hand zu meinem Gesicht und lässt sie knapp über meiner Haut schweben. Seine grünen Augen huschen von meinen Augen zu meinen Lippen und wieder zu meinen Augen.

Grün, eine Augenfarbe, die für Gier, Bosheit und Gefahr steht. Sicher, sie sind verdammt strahlend, aber sie sind in der Lage, mich zu hypnotisieren und von der Tatsache abzulenken, dass Simon immer noch der Feind ist.

Ihm so nahe zu sein, lenkt nicht nur ab, es ist auch falsch.

Ich entziehe mich seinem Griff. »So funktionieren Wünsche nicht, Simon Beckett.«

Es macht Spaß, mit dem Feuer zu spielen, aber schon bald wird sich jemand daran verbrennen.

»Also heute Abend«, Simon drängt nicht mehr und lässt mich mit meinem tief in mir verborgenen Wunsch entkommen. »Hast du eine Baseballkappe?«

# KAPITEL ACHT – SIMON

*I*ch sollte nervös sein, weil ich gegen die Regeln verstoße, aber stattdessen bin ich aus einem ganz anderen Grund ängstlich. Ich gehe vor ihrer Schlafzimmertür auf und ab und warte darauf, dass sie sich fertigmacht.

Ich versuche, mir alle Möglichkeiten vorzustellen, wie der heutige Abend verlaufen könnte, und überlege mir Ausweich- und Fluchtpläne, Ausreden und Vertuschungen. Die Jungs dürfen nicht herausfinden, wohin wir gehen, sonst werden sie uns beide umbringen, das ist sicher.

Aber sie können June nicht weiter in einem Felsen oder in einem riesigen Turm versteckt halten, wo sie vor Stress und Vernachlässigung verkümmert. Es gehört nicht zu meiner Aufgabe, diese Dinge zu bemerken, aber ich kann die Wahrheit über die Situation nicht ignorieren. Und je länger sie ihre Wünsche und Sehnsüchte ignorieren, desto schlimmer wird es werden. Für June, für die Jungs, für uns alle. Jemand muss der Mann sein, den sie braucht, und wenn sie es nicht tun, werde ich es tun.

June erscheint – enge schwarze Hosen, ein passendes T-Shirt, ihr schwarzes Haar fällt glatt über ihren Rücken. Sie blickt zu mir, und ich versuche, meinen Kiefer vom Boden hochzuheben.

»Ich konnte kein Basecap finden«, sagt sie, als sie näher kommt. June bleibt vor mir stehen, ihre Füße auf der einen Seite der Tür, meine fest auf der anderen – diese unsichtbare Barriere, die uns trennt.

Die Regel verbietet es mir, ihren Raum zu betreten. Was für eine bescheuerte Regel.

»Warum brauche ich überhaupt eine?«

»Hier.« Ich ziehe das Cap aus meiner Gesäßtasche und klappe es auf. Ich setze ihr das Ding auf den Kopf und streiche ihr das Haar aus den Augen. Ich ziehe den Schirm nach unten und trete zurück, um sie zu betrachten. »Perfekt!«

»Das hat meine Frage nicht beantwortet.« Sie nimmt noch ein paar eigene Anpassungen vor, bevor sie über die Barriere schreitet.

»Vertraust du mir?«, frage ich sie, aber in dem Moment, in dem ich es ausspreche, habe ich Angst, die Antwort zu erfahren.

Sie rollt mit den Augen. »Mit meinem Leben.«

Ich atme erleichtert aus. Es geht nicht um ihr Herz, aber ihr Leben ist genauso wichtig.

June schlendert den weitläufigen Flur entlang, und ich folge ihr dicht und genieße den Duft ihres Shampoos, der mir entgegenweht. Das ist nur eine Kleinigkeit, aber da ich weiß, dass es alles ist, was ich von ihr bekomme, genügt im Moment.

»Kann ich trinken?« Sie geht hinüber zu der Auswahl an Getränken zwischen Wohnzimmer und Küche im ersten Stock.

»Einen.«

»Willst du etwas trinken?«

Ich schüttle den Kopf. »Ich fahre, Liebes.«

»Wir nehmen Alec nicht mit?«

»Nein.« Ich studiere ihre Gesichtszüge und beobachte, wie sie versucht, die Teile dieses Abends zusammenzufügen.

»Nun, dann werde ich auch nichts trinken.« June stellt die

Flasche Bourbon auf das Tablett und geht direkt zur Tür. »Gehen wir durch die Garage?«

»Ja.« Ich fange ihren Arm ab. »Aber du darfst etwas trinken, wenn du willst.«

Sie starrt zu mir hoch. »Es ist meine Entscheidung, nicht deine.«

Das temperamentvolle Mädchen, das ich so liebe, kommt an die Oberfläche.

Ich grinse und lasse sie los. »Wie du willst.«

Wir gehen in die Garage, vorbei an den verschiedenen luxuriösen Fahrzeugen der Jungs. Wir kommen an einem Audi, einem Land Rover, einem Maserati und schließlich an meinem Auto vorbei.

»Du fährst einen Volvo? Wie konnte ich das nicht wissen?« June dreht sich wieder zu mir um.

Ich umfasse den Griff und öffne die Tür. »Der ist praktisch.« Obwohl die verdunkelten, kugelsicheren Fenster und die stahlverstärkten Türen ein Zusatz sind, den ich nicht erwähne. In dieser Branche kann man nie vorsichtig genug sein.

Die Fahrt durch die Stadt verläuft ruhig, und meine Nerven liegen die ganze Zeit über blank. Wird ihr meine Überraschung gefallen? Wird es das sein, was sie will? Wird sie es bereuen, mitgekommen zu sein, und diesen ganzen Abend für dumm halten? Ich schmunzle über die Tatsache, dass von allen Sorgen, die ich haben könnte, ihre Meinung wichtiger ist als die, dass die Jungs es herausfinden und mich dafür köpfen, dass ich sie an einen Ort wie diesen mitgenommen habe.

Schließlich meldet sich June zu Wort. »Magnus hat mir gerade eine SMS geschickt, was soll ich sagen?«

Schuldgefühle treffen mich wie eine Tonne Ziegelsteine. Ich will nicht, dass sie lügt, aber ich kann nicht zulassen, dass sie die Wahrheit sagt. Nicht, dass sie überhaupt weiß, wohin wir gehen werden. Magnus ist vielleicht der Einzige von den dreien, der verstehen oder sogar akzeptieren würde, was wir tun, aber ich kann nicht riskieren, dass er ausflippt oder die anderen Jungs davon erfahren.

»Sei so vage wie möglich! Sag ihm, dass wir etwas essen gehen und später nach Hause kommen.«

»Okay …« Sie tippt mit dem Daumen eine Antwort und drückt auf Senden. Eine Sekunde später summt ihr Telefon. »Er sagt, ich soll Spaß haben und dir sagen, dass du deine Hände bei dir behalten sollst.«

Meine Finger zucken, der einzige Befehl widerspricht allem, was mein Körper tun will. Wenn sie mir gehören würde, würde ich meine Handfläche auf ihren Schenkel legen. Ich würde sie an jeder Ampel küssen, zur Hölle, ich würde nicht einmal warten, bis die Ampel mir die Erlaubnis gibt. Ich würde sie mit so viel verdammter Liebe überschütten, dass sie meine Absichten nie infrage stellen würde, so wie sie es bei ihnen tut. Ich würde sie über meine Karriere stellen, über mein verdammtes Leben. Ich würde sie nie als selbstverständlich ansehen und jeden Tag damit verbringen, ihr zu zeigen, wie viel sie mir bedeutet.

*Drei* gottverdammte Männer, und keiner von ihnen gibt ihr das Gefühl der Sicherheit in ihrer Beziehung. Keiner von ihnen bemerkt den posttraumatischen Stress, der ihre Träume plagt und sie im Wachzustand verfolgt. Sie sehen nicht das Gewicht, das sie verloren hat, die Art und Weise, wie ihr Licht dunkler scheint, seit sie in ihre Welt eindrangen.

Sie liebt sie, aber zu welchem Preis?

Anstatt das zu sein, was sie braucht, stoßen sie sie weg, haben ihre Geheimnisse und lassen sie daran zweifeln, ob sie sie überhaupt in ihrer Nähe haben wollen. Das ist nicht fair. Weder ihr noch mir gegenüber, wo ich doch so gerne der Mann wäre, den sie verdient.

Ich würde dieses Licht nähren, anstatt es ausbrennen zu lassen. Ich würde mir all die Dinge anhören, die sie nicht sagt, und ihr geben, was sie will, bevor sie überhaupt darum bitten kann. Ich würde ihr jeden Wunsch von den Augen ablesen und ihre Fantasien erfüllen.

Ich bin vielleicht noch nicht für ihr Herz verantwortlich, aber das heißt nicht, dass ich nicht alles tun werde, um sicherzustellen, dass sie weiß, dass sie gesehen wird, dass sie gehört wird.

Und vielleicht ist heute Abend die erste Überschreitung der gesetzten Grenze, aber irgendjemand muss ihrer dunklen Seite nachgeben, bevor es sie ganz verzehrt.

Ich fahre mein Auto in eine dunkle Gasse und parke es unter einem flackernden Licht. Ich greife in die Mittelkonsole und ziehe eine Sonnenbrille heraus. »Setz die auf!«

Sie beäugt mich misstrauisch, willigt aber ein. »Besteht die Möglichkeit, dass du mir sagst, wo wir sind?«

»Das würde die Überraschung verderben. Du wirst es früh genug erfahren.« Ich nicke in Richtung ihrer Tür. »Warte, bis ich komme. Sprich mit niemandem in diesem Gebäude. Je weniger Leute wissen, dass wir hier sind, desto besser. Wenn die Jungs herausfinden, dass ich dich hierhergebracht habe, werden sie uns beide umbringen. Bleib in meiner Nähe, und was auch immer du tust, du wirst nicht von meiner Seite weichen. Hast du verstanden?«

June nickt heftig. »Okay.«

»Und wenn du gehen willst, musst du es mir nur sagen.«

»Okay«, wiederholt sie.

Ich atme tief ein und steige aus dem Auto aus, schließe meine Tür und gehe zu ihrer. Auf dem Weg dorthin überlege ich mir, ob ich es mir noch einmal anders überlegen soll, ob ich sie von hier wegfahren und mich wieder an die Regeln der Jungs halten soll. Ich schätze, das ist kein direkter Ungehorsam – sie haben mir nicht gesagt, dass ich sie nicht hierherbringen *darf*, sondern nur, dass ich sie zu jeder Zeit in Sicherheit bringen und von den Mafiageschäften fernhalten muss.

Solange sie alles tut, was ich von ihr verlange, bleibt ihre

Sicherheit gewahrt.

Außerdem ist das kein Mafiageschäft an sich, sondern eher ein Nebengeschäft.

Ich erreiche ihre Tür, öffne sie und besiegle damit unser Schicksal. Ich strecke meine Hand aus und genieße die Sanftheit ihrer Haut, als sie ihre in meine legt. »Hier entlang, Liebes.« Ich führe sie durch die modrige Gasse und durch eine Hintertür. Der Lärm einer wuseligen Menschenmenge erfüllt den Raum und wird lauter, je näher wir kommen. Ich ziehe sie durch einen schmalen Gang, in dem Menschen versammelt sind, die sich in kleinen Gruppen unterhalten oder in einer übermäßig langen Schlange warten.

»Bleib dicht bei mir!«, erinnere ich sie.

Sie drückt meine Hand fester und tritt näher, ihr Körper ist nur wenige Zentimeter von meinem entfernt, während wir uns einen Weg durch die Menschenmenge bahnen. Einen Moment lang tue ich so, als ob es so wäre – wir gegen die Welt. Ich und sie, zusammen, endlich, verdammt. Aber dann werde ich schnell daran erinnert, dass dies nur ein Traum ist, eine Nacht, die nur in meiner Erinnerung existieren wird, wenn sie vorbei ist. So oder so, ich nehme gerne alles, was ich mit ihr bekommen kann.

»Beweg dich!«, sage ich zu einem Mann mittleren Alters, der sich mir in den Weg stellt.

Er zögert, und eine Sekunde lang bin ich mir nicht sicher, ob er tatsächlich einwilligen wird. Aber als würde ihm eine Erkenntnis kommen, tritt er zurück und gibt mir den Raum, den ich verlangt habe. Ich stecke einen Schlüssel in die Tür, vor der er gestanden hat, drehe den Griff, ziehe June mit mir hinein und schließe das Chaos der Menschenmenge aus. Meine Augen brauchen eine Sekunde, um sich an die Dunkelheit des Raumes zu gewöhnen, und dann noch einmal, als ich den Lichtschalter umlege.

»Wo sind wir?« June nimmt die Brille von ihrem schönen Gesicht und sieht sich um.

Ich ziehe den Vorhang des großen Einwegfensters zurück und gebe den Blick auf einen Raum frei, der bis zum Rand mit Menschen gefüllt ist.

June kommt näher und schaut zu mir. »Können sie uns sehen?«

Ich schüttele den Kopf und gehe zum Kühlschrank in der Ecke hinüber. »Nein.« Ich ziehe zwei Flaschen Wasser heraus und gebe ihr eine davon. »Es dauert nicht mehr lange.«

»Ich verstehe das nicht.«

Ich drücke einen Knopf an der Wand, und ein Lautsprecher in unserem Zimmer erwacht zum Leben.

Am Ende ertönt eine Männerstimme. »Beruhigt euch alle!« Er räuspert sich. »Die Jungs machen ihre letzte Runde mit den Wetten. Wenn ihr eine Wette platzieren wollt, dann könnt ihr es noch …« Der Ansager von gegenüber schaut auf die Uhr neben ihm. »Zweiundsechzig Sekunden.«

»Worauf wetten?«, fragt mich June.

Der Mann fährt fort. »Unser erster Kämpfer des Abends ist der dreifache Champion Bradshaw Cleary.«

Jubelschreie für den Jungen im Weltergewicht, der aus der hinteren Ecke auftaucht. Die Menge teilt sich und erlaubt ihm, in die Mitte des Raumes zu gehen, wo die Masse automatisch ein offenes Viereck von der Größe eines Boxrings ohne Seile und Polster bildet. Stattdessen ist es nur eine kahle Fläche mit Resten von altem Blut, das den Betonboden befleckt.

»Ist das ein Kampf?« June zieht die Augenbrauen hoch.

Zumindest ist der Zweifel in ihrem Gesicht ein besseres Zeichen als der Wunsch zu gehen.

»Schau einfach zu, Miss Ungeduldig!« Ich drehe den Deckel von meinem Wasser ab und trinke etwas davon. »Und trinke das, du musst hydriert bleiben.«

Sie rollt mit den Augen. »Was bist du, meine Mutter?«

Ich schaue zu ihr. »Ich kann es wie bei einem Babyvogel machen, wenn du das möchtest.«

»Du wirst ... mir in den Mund spucken?« June blinzelt mich an und in solchen Momenten wünschte ich mir, ich könnte ihre Gedanken lesen.

Mein Schwanz zuckt bei den Gedanken, die mir im Kopf herumschwirren.

»Und sein Gegner«, sagt der Ansager in sein Mikrofon. »Der vierfache ungeschlagene Axel Covington.«

»Scheiße!«, murmle ich. Ich hatte mir den Dienstplan für den Abend nicht angesehen und war mir nicht einmal ganz sicher, ob ich das überhaupt hätte durchziehen können. Aber die Sterne standen günstig, als die Jungs mir sagten, dass sie beschäftigt sein würden und dass ich June im Auge behalten müsse. Sie hatte Lust auf ein wenig Blutvergießen, und was wäre besser als ein grausamer Untergrundkampf?

Axel ist ein verdammt brutaler Kerl, und er wird eine verdammt gute Show abliefern. Das ist der perfekte Rahmen für eine verdammt gute Zeit, in der mein Mädchen genau das bekommt, was sie will. Oder zumindest eine Kostprobe davon.

»Er erinnert mich irgendwie an Magnus.« June beobachtet den tätowierten Mann, als er in die Mitte des Raumes schlendert.

Er schlägt die rechte Faust in die linke Hand und springt ein paar Mal. Seine Füße sind nackt und seine Knöchel mit weißem Klebeband umwickelt.

»Axel ist ein guter Kämpfer«, erkläre ich. Ein verdammt guter, um genau zu sein. Und ich hoffe, dass er seine Erfolgsserie fortsetzt, denn wir können es uns nicht leisten, jemanden wie ihn zu verlieren, nicht auf diese Weise. »Es wird ein ziemlich ausgeglichener Kampf.« Das wüsste ich sicher, wenn ich auf die Aufstellung geachtet hätte, als ich beschlossen habe, sie hierherzubringen. Aber die Wetten hatte ich nicht auf Schirm.

June drückt ihre Handfläche gegen das Glas und beobachtet, wie die Männer in dem behelfsmäßigen Ring umeinanderkreisen. »Warum sind wir nicht da draußen?« Sie nickt in Richtung der dichten Menschenmenge.

»Zu viele neugierige Augen.« Das ist nicht die Art von Männern, die *nur* nach Blut lechzen. Sie gieren nach jeder Art von Gemetzel, und eine schöne Frau wie June in ihrer Nähe zu haben, wäre ein Rezept für eine Katastrophe. Ich würde es nicht wagen, ihre Sicherheit zu gefährden, indem ich sie mit diesen abscheulichen Kreaturen da draußen zusammenbringe. Stattdessen halte ich sie hier bei mir versteckt, wo ich das Ausmaß an Monstern, das sie umgibt, kontrollieren kann. Ich bin nicht besser als die da unten, aber der Unterschied zwischen ihnen und mir ist, dass ich mich tatsächlich um die dunkelhaarige Füchsin in diesem Raum sorge. Ich würde lieber sterben, als dass ihr etwas zustößt.

Bradshaw führt den ersten Schlag aus und trifft mit der Faust Axels Kiefer. Blut fließt und Axel wendet sich Bradshaw mit einem brutalen Grinsen im Gesicht zu. Axel hält seine Arme gesenkt und wehrt keinen der Schläge ab, die Bradshaw ihm entgegenwirft. Die Menge tobt, die Leute schreien Axel an, er solle reagieren.

June verharrt an ihrem Platz, den Blick fest auf den Kampf gerichtet, der sich vor ihr abspielt.

Wir sind nicht besonders nah dran, aber wir stehen etwas erhöht, sodass wir den perfekten Aussichtspunkt zum Beobachten haben. Nur wenige Leute haben einen Schlüssel zu diesem Raum, und drei von ihnen sind heute Abend mit etwas anderem beschäftigt.

Bradshaw schubst Axel, aber Axel lacht ihn nur aus. Dieser Typ ist ein verdammter Irrer. Fast jeder hier ist nervös, hält seine Eier fest und fragt sich, ob er seine Wette richtig platziert hat.

Etwas Glänzendes rutscht über den Beton zu Bradshaw, und ich höre jemanden durch den Lautsprecher rufen: »Mach ihn fertig, verdammt!«

June sieht zu mir. »Ist das erlaubt?«

Ich trete näher an sie heran, unsere Körper sind nur ein paar Zentimeter voneinander entfernt. »Ja. Ohne Wenn und Aber.« Ich lege meine Hand an den Rand des Fensters und stütze mich ab.

Bradshaw überlegt kurz, greift dann aber nach dem Messer, hält es in der Hand und sticht damit auf Axel ein. Es gelingt ihm, die Klinge quer über Axels Unterarm zu führen, wobei Blut auf den Boden spritzt. Er zielt erneut auf ihn, aber Axel gelingt es, dem Angriff auszuweichen.

Axel hüpft auf den Zehenspitzen, stößt seinen Arm nach vorne und schlägt Bradshaw mit dem Handballen in den Hals.

June klammert sich an mich, ihre Finger umschlingen fest meine Hand.

Ob es nun eine bewusste Handlung ist oder nicht, ich mache sie nicht darauf aufmerksam, weil ich befürchte, dass ihre Hand sonst wieder wegzieht.

Bradshaw erholt sich von dem Schlag und sticht mit dem Messer auf Axel ein.

Die Menge schreit, ihre Forderungen sind durch das unaufhörliche Geplapper nicht zu verstehen. Sie brüllen kollektiv, als Axel sich dreht und Bradshaw einen Tritt in den Magen verpasst, der ihn nach hinten schleudert. Bradshaw macht ein paar Schritte, um von Axel wegzukommen und seine Fassung wiederzuerlangen. Er landet einen Schlag in Axels Gesicht, wobei seine Klinge dessen Stirn verletzt. Blut rinnt herunter und Axel reißt den Kopf herum, um das Blut wegzuschleudern, das in seine Augen läuft. Er wischt sich schließlich über die Wunde und blickt auf seine blutgetränkte Hand hinunter. Er lacht und spuckt etwas von dem Blut aus.

Axel fordert Bradshaw auf, anzugreifen, und Bradshaw tut genau das.

Er stürzt sich auf Axel und hält die Klinge in seinem Griff. Axel weicht ihm in letzter Sekunde aus und lässt Bradshaw in die Menge fallen. Sie schubsen ihn zurück in die Mitte des Rings und schreien ihm Obszönitäten und Forderungen entgegen.

»Komm schon, du verdammtes Weichei!«, schreit ein Typ so laut, dass ich ihn über den Rest des Lärms hinweg hören kann.

Bradshaw rennt auf Axel zu, packt ihn und bringt alle dazu, noch lauter zu schreien. Er drückt Axel auf den Beton und schlägt ihm immer wieder ins Gesicht. Er klemmt Axels Arme unter seinem Körpergewicht ein und rührt sich nicht, als Axel versucht, ihn von sich zu stoßen.

»Scheiße!«, flüstere ich. Wenn Axel nicht bald etwas unternimmt, wird Bradshaw diesen Kampf gewinnen und wir werden einen verdammt guten Soldaten verlieren.

»Wann beenden sie den Kampf?« June nimmt ihre Hand nicht von meiner, sondern wendet ihren Blick leicht, um mich anzusehen, bevor sie ihn wieder auf das Spiel vor uns richtet.

Ich beiße auf die Innenseite meiner Lippe, weil ich nicht sicher bin, ob ich ihr diesen Teil schon erzählen soll oder nicht. Der eigentliche Grund, warum ich dachte, das könnte den Hunger stillen, nach dem sie sich in letzter Zeit sehnt.

Bradshaw hält das Messer fest in seinem Griff und hebt es dramatisch in die Luft über Axel. Mit einer Hand um Axels Kehle macht er sich bereit, diesen Kampf ein für alle Mal zu beenden.

»Er wird ihn verdammt noch mal umbringen.« June gräbt ihre Finger weiter in meine Haut. Was eigentlich Schmerz sein sollte, durchströmt mich nur als Lust.

Die Menge schreit lauter denn je – Menschen, die wütend sind, weil sie ihre Wetten verlieren, und Menschen, die darum betteln, ihre Wetten zu gewinnen.

Aber wie alles auf dieser Welt ist es nicht vorbei, bevor es vorbei ist.

Und als eine weitere Waffe in den Kampf geworfen wird, versucht Axel verzweifelt, einen Zentimeter zu gewinnen und die Rettung zu erreichen, die ihm gegeben wurde. Er versucht, Bradshaw zu bändigen, um sich seinem Ziel auch nur ein wenig zu nähern. Er zieht seine Beine hoch, beugt sie in den Knien und setzt sein Gewicht ein, um den Mann, der ihn nieder- drückt, zu bewegen.

Bradshaw lacht über Axels Versuch, versteht aber nicht ganz, *warum* er das tut. Er geht anscheinend davon aus, dass Axel nur versucht, sich zu befreien, und scheint das Messer nicht zu beachten, das auf das Schlachtfeld geworfen wurde. Und als ihn sein Übermut schließlich übermannt, bewegt Axel sich schnell, seine Finger wickeln sich um den Griff des Messers. Ein weit- eres Lächeln erscheint auf Axels Gesicht, und einen Sekunden- bruchteil später stößt er das Messer in Bradshaws Seite, zieht es heraus und stößt es wieder hinein. Einmal, zweimal, drei weitere Male. Blut spritzt überall hin und Axel lässt nicht locker, auch nicht, als Bradshaw von ihm herunterfällt und sich nicht mehr bewegt. Axel fährt fort, die scharfe Klinge in die Brust zu stoßen, und stellt verdammt sicher, dass Bradshaw sich nie wieder erholen wird.

Erst als drei Männer aus der Menge ihn an den Schultern packen und von Bradshaws Leiche wegziehen, hört er endlich auf.

»Heilige Scheiße!«, murmelt June. »Das war …«

Ich achte auf das letzte Wort und warte darauf, *was* sie gleich sagen wird. Das eine Wort, das mich darauf aufmerksam machen wird, ob es ein Fehler war, sie herzubringen. Das Wort, das mir sagen wird, ob ich alles falsch verstanden habe und sie doch nicht wirklich kenne. Aber June fährt nicht fort. Sie sagt nicht das eine Wort, das die Macht hat, diese ganze Nacht zu entscheiden oder zu beenden. Stattdessen wendet sie sich mir zu, mit einer Art Schimmer in den Augen, der vorher nicht da war. »Gibt es noch einen Kampf?«

Ein Hoffnungsschimmer – das ist es.

»Noch zwei, ja.«

June ergreift meine Schulter, schüttelt sie und wendet sich dann der Menge zu, wobei ihr Blick erwartungsvoll darauf wartet, dass es wieder losgeht. »Ich wünschte, wir könnten da draußen sein.«

»Vielleicht ein anderes Mal, Liebes.«

»Ja, vielleicht.« June öffnet die Flasche Wasser, die ich ihr vor dem ersten Kampf auf Leben und Tod gegeben habe, und nimmt einen Schluck.

Ich lasse mich auf der Couch in der Nähe des Fensters nieder und lege meinen Arm über die Rückenlehne. »Du kannst dich setzen, während sie aufräumen und die nächste Runde vorbereiten.«

June blickt zurück und lacht. »Ich habe die Couch gar nicht bemerkt.«

»Du warst ein bisschen beschäftigt.«

Sie setzt sich zu mir, aber nicht so nah, wie ich es mir wünschen würde. Verdammt, sie hätte meinen Schoß als Sitzplatz wählen können, und es wäre immer noch nicht nah genug gewesen.

»So wie …« June dreht sich zu mir um, zieht ihr Bein auf die Couch und legt ihren Arm ebenfalls auf die Lehne. »Bist du mit jemandem zusammen?«

Diesmal bin ich es, der lacht. »Was?«

Sie zuckt mit den Schultern. »Das ist eine berechtigte Frage.«

»Was denkst du, Liebes?«

»Ich denke, du bist ein relativ attraktiver Mann mit schönen Zähnen und tollem Haar. Nach dem aktuellen Dating-Pool zu urteilen, kann ich mir vorstellen, dass du eine Vielzahl von weiblichen Verehrern hast.«

Ich fahre mit dem Finger an ihrer Hand entlang. »Du findest mich attraktiv?«

Sie schlägt nach mir. »Das ist wirklich alles, was du gehört hast?«

»Es ist das, was du gesagt hast.«

»Das beantwortet immer noch nicht meine Frage.« Sie stützt ihren Kopf in die Hand.

Was soll ich sagen? Nein, June, ich bin mit niemandem zusammen. Denn ich kann nur an dich denken. Ich esse, schlafe und atme dich, und von der Sekunde an, in der ich dich im Visier hatte, wusste ich, dass du mir gehören musst. Was ich für ein lustiges Spiel hielt, bei dem ich mit dem Mädchen meines Rivalen vögeln wollte, verwandelte sich in eine Frau, die mich völlig in ihren Bann zog und die ich nie haben kann.

Ich zeige auf den offenen Fensterbereich. »Der nächste Kampf.«

»Bringen sie einem in der Mafia-Schule bei, wie man Fragen ausweicht?« June erhebt sich von der Couch und schlendert zu ihrem Platz am Fenster hinüber.

Ich folge ihr und mein Herz schmerzt angesichts der sofortigen Veränderung der Dynamik im Raum. Ich halte mich sanft an ihrem Unterarm fest und drehe sie zu mir. »Ich bin mit niemandem zusammen, Liebes.«

Sie schluckt hart und starrt mir in die Augen. »Warum?«

»Weil ich nicht will.« Die ehrlichste Antwort, abgesehen von der offensichtlichen Antwort.

»Vielleicht würdest du das, wenn du nicht gezwungen wärst, ständig in meiner Nähe zu sein.«

Ich sollte nicht, aber ich gehe einen Schritt auf sie zu. »Mich zwingt *niemand*.«

»Stockholm-Syndrom«, murmelt sie.

Ich kann nicht anders, als mich auf ihre Lippen zu konzentrieren und wünschte, ich wüsste, wie sie sich auf meinen anfühlen. »Ich möchte hier sein«, sage ich. Nein, es ist mehr ein Bedürfnis als ein Wunsch, aber das sage ich ihr nicht.

»Warum?« Ihr dunkelbrauner Blick wandert zwischen meinen Augen hin und her.

»Ich glaube, wir beide kennen die Antwort auf diese Frage.«

Ich fahre mit meiner Hand langsam ihren Arm hinauf und lasse sie neben ihrem Gesicht schweben. »Und wage es ja nicht, mich mit ihnen zu vergleichen.«

»Ich …« June beginnt, etwas zu sagen, aber es fällt ihr schwer, den Rest ihrer Worte zu finden.

Meine Aufmerksamkeit flackert zu der Menschenmenge auf der anderen Seite des Fensters. Der Schutzmodus ist immer aktiviert und bereit, in Aktion zu treten, wenn sie in der Nähe ist. Ein großer Mann bahnt sich einen Weg, und allein seine Anwesenheit hält die Leute auf Abstand. Er nähert sich und ich konzentriere mich auf seine Gestalt und bekomme fast einen verdammten Herzinfarkt, als ich endlich erkenne, wer es ist.

»Scheiße, J, wir müssen los.« Ich ergreife ihre Hand und ziehe sie in die Richtung, aus der wir gekommen sind.

»Was? Warum?« Enttäuschung und Schock, die sie zweifellos durchströmten.

Aber wir werden größere Probleme als ihre vorübergehende Frustration haben, wenn wir nicht von hier verschwinden.

»Dom ist hier«, sage ich ihr, in der Hoffnung, dass sie die Dringlichkeit der Situation begreift. Ihre Augen weiten sich, eine angemessene Reaktion auf die unerwartete Ankunft ihres rücksichtslosen Freundes. Die Tür gegenüber von uns knarrt. Dominic muss den Raum von der anderen Seite her betreten. Wenn er hereinkommt, wird er mich auf der Stelle umbringen. Jeder ihrer Männer wird mich töten, wenn sie es herausfinden, aber der Tod durch ihre Hände könnte niemals schlimmer sein, als June zu sehen, die sich nach etwas sehnt, das sie nicht haben kann oder das sie ihr nicht geben wollen.

Ich reiße die Tür auf, durch die wir gekommen sind, aber der Menschenauflauf von vorhin ist unverändert. Nun, vielleicht nicht dieselben Leute, aber doch eine endlose Menge von Männern, die versuchen, einen Platz im Inneren zu bekommen, um die Kämpfe zu beobachten.

»Verpisst euch!«, sage ich zu den beiden Arschlöchern, die sich nicht im Geringsten an uns stören.

June schaut über ihre Schulter auf die andere Seite unseres Zimmers und schubst dann den Mann, der sich uns in den Weg stellt. »Beweg dich, Schwanzkopf!« Sie verschwendet keine weitere Sekunde, nein, June ballt ihre Hand zu einer Faust und schlägt sie dem Kerl ins Gesicht.

»Verdammte Schlampe!«, schreit der und fasst sich an die Stelle, die sie getroffen hat.

Ich ziehe die Pistole aus meinem Hosenbund und richte sie auf seinen verdammten Kopf. »Was hast du gerade zu ihr gesagt?«

Innerhalb eines Augenblicks teilt sich die Menge vor uns. Der Mann, der sich uns in den Weg stellt, wirft beide Hände hoch und murmelt eine Entschuldigung.

June packt meinen Arm und zieht mich durch die Öffnung. Die Tür, vor der Dominic steht, öffnet sich, während sich unsere gerade schließt und verriegelt.

»Liebes.« June schüttelt mich. »Wir müssen gehen.«

Ich werde in die Realität zurückgeholt, die Wärme ihrer Berührung und die Sanftheit ihrer Stimme durchbohren mich. Ich schiebe die Pistole zurück in das Holster, schlinge meine Finger um ihre und eile mit ihr den Flur hinunter. Wir stürmen durch die Gasse, die kalte Luft schlägt uns ins Gesicht. Wir lachen beide, aber das hindert mich nicht daran, zu meinem Auto zu eilen und ihr die Tür zu öffnen. »Schnell, steig ein!«

June willigt ein, und ich springe herum, um mich auf den Fahrersitz zu setzen. Eine Sekunde später drehen die Räder durch und wir schießen auf die Hauptstraße hinaus, wobei mein Auto mit all den anderen verschmilzt. Ich schaue auf ihre geröteten Wangen und beobachte das stetige Heben und Senken ihrer Brust. »Hast du mich gerade Liebes genannt?«

»Ich dachte, wir wollten unauffällig bleiben. Ich wollte deinen Namen nicht aussprechen«, erklärt sie.

»Ziemlich sicher wird jeder gewusst haben, dass ich das war, nachdem ich eine Waffe gezogen hatte.« Aber ein Teil von mir hat das Gefühl, dass ihr das bewusst war – oder zumindest hofft ein Teil von mir, dass das die Wahrheit ist.

»Das war so verdammt knapp.« June klappt den Spiegel herunter und streicht sich über ihr widerspenstiges Haar. An der nächsten Ampel bremse ich und greife nach ihr, um ihren Sicherheitsgurt über ihren Schoß zu ziehen. »Schnall dich an, Liebes!« Ich lasse das Ding einrasten, unsere Gesichter sind sich so nah, dass sich unser Atem vermischt.

Ihr Telefon klingelt und reißt uns beide aus unserer Trance.

Die Ampel schaltet auf Grün und ich trete das Gaspedal durch. »Wer ist es?« Ich frage mich, welchen ihrer Freunde ich wohl beneiden werde.

»Es ist … Gwyneth.« Sie hält den Hörer in die Hand und sieht mich an, als würde sie sich im Stillen fragen, was ich denke, dass sie tun soll.

»Geh ran!« Ich mache eine Pause und füge hinzu: »Stell auf Lautsprecher!«

Sie drückt ein paar Tasten und die Verbindung wird hergestellt. »Hallo?«

»June, hallo. Ich bin's, Winnie Sharp. Wie geht es dir, mein Schatz?«

»Hi, Winnie. Mir geht's gut. Und wie geht es dir? Ist etwas nicht in Ordnung?«

»Ganz und gar nicht, mein Schatz. Ich habe nur angerufen, um mich zu erkundigen, wie es so läuft. Es ist schon eine Weile her, seit wir das letzte Mal geplaudert haben.«

Aber es gibt noch etwas, das sie nicht sagt.

»Es ist alles in Ordnung. So ziemlich das Gleiche«, erklärt June.

»Das ist gut zu hören.«

Peinliche Stille entsteht zwischen den beiden.

Schließlich ergreift Winnie wieder das Wort. »Hör mal, ich

bin diese Woche in der Stadt, und ich würde mich gerne mit dir treffen. Was hältst du von Brunch am Dienstag?«

June sieht mich wieder an und ich nicke.

»Ja, das klingt gut.«

»Großartig, ich schicke dir am Montag die Details.«

Ich halte mich an die Geschwindigkeitsbegrenzung, während ich versuche, jede versteckte Bedeutung des Anrufs zu entschlüsseln.

»Wie geht es deinen Männern, Liebling?«

»Ähm, es geht ihnen gut, glaube ich. Sie sind ziemlich beschäftigt.«

»Mmh. Ja, das kann ich mir gut vorstellen. Dominic hat alle Hände voll zu tun.« Ein dumpfes Geräusch dringt durch, als hätte sie das Telefon von einem Ohr aufs andere gelegt. »Und Simon, wie läuft es mit ihm? Ich habe gehört, dass ihr beide viel Zeit miteinander verbracht habt.«

Junes Wangen erröten. »Auf Wunsch der Jungs.«

Ich verdränge die Bitterkeit, die ihr abwehrender Tonfall hervorruft.

»Ja, natürlich. Deine Sicherheit hat für sie höchste Priorität. Und Simon ist für diese Aufgabe geeignet. Er hat dich sehr gern, June. Aber das ist nicht der Grund für meinen Anruf. Ich bin sicher, dass du an diesem Freitagabend andere Dinge zu tun hast. Ich werde dich in Ruhe lassen, aber ich melde mich wegen Dienstag. Sag mir Bescheid, falls etwas dazwischenkommt und du es nicht schaffst. Ich freue mich darauf, dich zu sehen und mich mit dir zu unterhalten. Wir haben viel zu besprechen.«

»Ich freue mich auch darauf.«

Die Frauen verabschieden sich und June legt auf.

June fixiert ihren Blick auf mich. »Was zum Teufel sollte das denn?«

Ich zucke mit den Schultern und biege in eine Seitenstraße ein. »Ich habe keine Ahnung. Aber du wirst es bald herausfinden.«

# KAPITEL NEUN – JUNE

*I*ch schiebe das matschige Müsli in meiner Schüssel hin und her und denke an den gestrigen Abend zurück.

Simon hat mich überrascht, wirklich überrascht. Auf eine Art und Weise, die völlig unerwartet und so verdammt wunderbar war.

Es ist schon eine Weile her, dass ich einen solchen Adrenalinstoß verspürt habe, wie in der Sekunde, als wir in diese dunkle Gasse einbogen. Ich hatte eine Ahnung, dass er mich irgendwohin bringen würde, wo es Spaß macht, aber ich hatte keine Ahnung, dass es so weit kommen würde. Ich wurde Zeuge, wie jemand fast gestorben ist und wie derselbe Mann einen anderen ermordet hat. Die gesamte Atmosphäre des Gebäudes war von einer Dunkelheit erfüllt, die ich schon lange nicht mehr gespürt habe. Sie war mir vertraut und fremd zugleich, und ich genoss jede Sekunde davon.

Und als Krönung des Ganzen wurde ich fast erwischt.

Ich hasse es, meine Männer anzulügen, aber dass Dominic so verdammt nah dran war, es herauszufinden, war ein Nervenkitzel, mit dem ich auch nicht gerechnet hatte. Es ist ja nicht so, dass ich *lügen* würde. Ich sage ihnen nur nicht die ganze Wahrheit. Und ist es nicht genau das, was sie mit mir machen? Nur hat keiner von ihnen gefragt, wohin Simon und ich letzte Nacht gegangen sind. Interessiert sie das überhaupt? Fragen sie sich nicht, wohin ein anderer Mann mit ihrer Freundin gegangen ist? Ich stelle Fragen und bekomme vage Antworten – sie stellen überhaupt keine Fragen.

Simon und ich haben nichts Schlimmes getan. Wir haben nur etwas getan, was sie nicht gutheißen würden. Es ist ja nicht so, dass ich Simon gevögelt habe oder nackt durch die Stadt gelaufen bin. Aber sie sind auch nicht damit einverstanden, dass ich *irgendetwas* tue, was nicht in diesem Haus stattfindet, also ist es schwer zu sagen, was wirklich tabu sein sollte.

Sie können mich nicht ewig wegsperren.

Nicht, dass ich es erlauben würde, eingesperrt zu werden.

Die Grenzen, die sie mir auferlegen, sind fast zu viel, aber wenn ich mehr Momente wie gestern Abend erleben könnte, könnte ich vielleicht den Spagat schaffen, ihr gutes Mädchen zu sein und gleichzeitig meine schlechte Seite zu zeigen.

Irgendetwas fehlt in meinem Leben, und für einen kurzen Moment in diesem Raum mit Simon hatte ich das Gefühl, es endlich gefunden zu haben.

Mein Blick fällt auf meine Fingerknöchel, die geschwollen und geprellt sind, weil ich dem Kerl ins Gesicht geschlagen habe, als er nicht aus dem Weg gehen wollte. Ich erinnere mich an den Rausch, der mich überkam, den Drang, diesem arroganten Arschloch Schmerzen zuzufügen. Ich wollte mehr tun, als ihn nur zu schlagen, und ein großer Teil von mir wünschte, wir hätten es nicht so eilig gehabt und Simon hätte die Waffe benutzt, die er gezogen hatte. Zu sehen, wie Axel und Bradshaw auf den Tod kämpfen, hat etwas in mir ausgelöst. Oder vielleicht hat es nur Licht auf eine Dunkelheit geworfen, die sich die ganze Zeit über versteckt hat. So oder so, zu sehen, wie sie die rohe, uneingeschränkte Fähigkeit haben, sich gegenseitig die

Scheiße aus dem Leib zu prügeln, hat mich dazu gebracht, mir eine Chance zu wünschen …

Meine Gedanken schweifen ab angesichts der endlosen Möglichkeiten. Was will ich eigentlich?

Um mir selbst wehzutun? Jemand anderem Schmerzen zufügen? Um zu töten?

Was auch immer es ist, der Drang, es zu verwirklichen, ist größer denn je.

Ich muss mit Simon sprechen, um ihn zu überzeugen, dass ich mehr brauche.

»Guten Morgen, Prinzessin.« Magnus nähert sich mir von hinten und schlingt seine mit Tinte gezeichneten Arme um meinen Körper. Er drückt mich fest an sich und küsst mich auf den Kopf. »Wie hast du geschlafen?«

»Ziemlich gut sogar.« Ich drehe mich um und fange seine Lippen mit meinen ein. »Du?«

»Ich hätte noch zehn Stunden mehr gebrauchen können, aber ich werde es überleben.« Er greift in die Schachtel mit den Cheerios, holt eine Handvoll heraus und wirft sie sich in den Mund. »Wo habt Simon und du gestern Abend gegessen?«

»Ähm, äh, in irgendeinem mexikanischen Laden.«

»Aha.« Er lässt mich los und schlendert zur Kaffeemaschine hinüber, drückt ein paar Knöpfe und wartet darauf, dass sich seine Tasse füllt. »Wie war's?«

Ich zucke mit den Schultern. »Gut.« Zwei Lügen in einem zehnsekündigen Gespräch.

»Warum warst du so lange weg?«, frage ich ihn, obwohl ich weiß, dass er mir auch nicht die Wahrheit sagen wird.

»Arbeitskram. Das Übliche.«

»Ist es üblich, dass du die ganze Nacht unterwegs bist?«

Magnus seufzt und kommt wieder zu mir herüber. Er nimmt meine Hände in seine und legt sie zusammen auf die Marmorarbeitsplatte. Er richtet seinen ernsten Blick auf den meinen. »Ich verspreche, dass es nicht immer so sein wird. Wir haben es nur mit einigen Veränderungen zu tun. Wenn wir sie bewältigt haben, werden wir wieder mehr zu Hause sein.«

Bezieht er sich auf diese Transporte und die Männer, die dabei gestorben sind? Warum kann er nicht zugeben, dass es das ist, was sie beschäftigt hat? Was schadet es zu sagen, was wirklich passiert? Wie könnte *das* mein Leben in Gefahr bringen? Und warum ist das etwas, das ein Geheimnis bleiben muss? Was glauben sie, wie ich wohl reagieren würde, sodass sie sich weigern, es mir zu sagen? Alle Argumente, mich in ihre Geschäfte einzubeziehen, waren, dass sie mich auf dem Laufenden halten und mich nicht von allem ausschließen wollten. Ich sollte ihnen helfen, Einblicke in Situationen zu bekommen, die sie noch nicht bedacht hatten. Sogar Gwyneth war der Meinung, dass mein Abschluss in Betriebswirtschaft ihnen eine neue Perspektive für die Führung der Geschäfte eröffnen würde. Sie bestanden darauf, dass ich meine Ausbildung beende, aber ich erkannte nicht, dass dies nur ein weiterer Weg für sie war, Zeit zu schinden und mich im Dunkeln zu lassen.

»Warum willst du es mir nicht sagen, Magnus? Ich verstehe das nicht. Du warst immer derjenige, der mich einbeziehen wollte, aber selbst du sprichst in letzter Zeit kaum noch mit mir.« Ich kaue auf der Innenseite meiner Lippe, meine Emotionen sprudeln an die Oberfläche, obwohl ich nichts anderes will, als sie unter Kontrolle zu halten. »Habe ich etwas falsch gemacht?« *Ich meine, abgesehen davon, dass ich fast gestorben wäre.*

»Nein, nein, nein, nein.« Magnus nimmt seine beiden Hände von meinen und legt sie auf meine Wangen. »Mein süßes Mädchen, nein. Du hast nichts falsch gemacht.«

»Was ist es dann?«, frage ich. »Warum willst du es mir nicht sagen? Glaubst du, ich kann damit nicht umgehen?«

Er streicht mir das Haar hinters Ohr. »Du weißt besser als jeder andere, dass ich dir zutraue, mit allem umgehen zu können. Du bist der stärkste Mensch, den ich kenne, Prinzessin.«

Ein leiser Piepton signalisiert uns, dass sein Kaffee fertig gebrüht ist.

»Wer zwingt dich, Geheimnisse vor mir zu haben? Ist es Dom oder Co?« Ich lehne mich in seine Berührung und genieße den Trost, den sie mir spendet.

»So einfach ist das nicht.« Er fährt mit dem Daumen über meine Haut. »Aber ich verspreche, es ist zu deiner Sicherheit.«

Wut durchströmt mich. »Meine Sicherheit.« Wenn ich noch einmal hören muss, dass es um meine verdammte Sicherheit geht, drehe ich noch durch. »Scheiß auf meine Sicherheit!« Ich schüttle seine Hände ab und stoße mich vom Hocker ab. Das Garagentor öffnet sich und jemand kommt in die Küche. Ich mache mir nicht die Mühe, nachzusehen, wer es ist, denn wie bei einem Uhrwerk weiß ich es bereits.

»Ich wünsche dir einen *fucking* guten Tag bei der Arbeit!«, rufe ich, während ich die Treppe hinauf und in mein Schlafzimmer stapfe. Ein paar Minuten vergehen, und obwohl sich ein wenig Schuldgefühle einschleichen, weil ich Magnus angeschrien habe, überwiegt die Wut, die ich empfinde, weiterhin alle anderen Gefühle. Ein leises Klopfen ertönt an der Tür, und als ich von meinem Platz auf dem Boden neben dem Bett aufschaue, sehe ich Simon im Flur stehen. Er lehnt sich gegen den Rahmen und verschränkt die Arme vor der Brust. »Willst du darüber reden?«

»Nein.« Ich balle meine Fäuste noch fester, als sie ohnehin schon waren.

Simon erstarrt an Ort und Stelle und runzelt die Stirn. »Zeig mir deine Hände, Liebes!«

Ich ziehe sie an meinen Körper. »Was? Warum? Nein.«

Er stößt die Tür auf und stellt sich so nah wie möglich an die Innenseite meines Zimmers. »Verdammt, June, lass mich deine Hände sehen.«

»Lass mich einfach in Ruhe, Simon.«

»Scheiß drauf!«, murmelt er und stürmt in mein Schlafzimmer, ohne sich um die blöde Regel zu scheren, dass er hier nicht herein darf. Simon kniet sich neben mich und entreißt mir eine meiner Fäuste, wobei er meine Finger von meiner Handfläche löst und die halbmondförmigen Abdrücke auf meiner Haut freilegt. Er seufzt, seine Entschlossenheit lässt nach. »Gib mir die andere!« Er nimmt sie in die Hand und zieht auch hier die Finger sanft zurück. »Komm, wir machen dich sauber.« Er hebt mich mit Leichtigkeit vom Boden auf und hilft mir auf die Beine.

Ich möchte mich zusammenrollen und unter meinem Bett verkriechen, mich verstecken und zu einem Nichts verkommen, denn so fühle ich mich. Wie ein Nichts. In der einen Minute bin ich zuversichtlich und auf dem Gipfel der Welt, und in der nächsten bin ich unsicher und zweifle an allem. Ich bin wütend und traurig und möchte einfach nur, dass etwas einen Sinn ergibt. Ich dachte, ich hätte endlich etwas Beständiges gefunden, eine Konstante in meinem Leben, aber es ist, als ob mir der Boden unter den Füßen weggezogen wurde, sobald ich festen Boden unter den Füßen hatte. Das einzig Beständige in meinem Leben ist, dass er meine Arme ergreift und mir über den Flur ins Bad hilft, wo er nicht hineingehen darf. Simon legt seine festen Hände auf meine Taille und hebt mich auf den Waschtisch. Er dreht den Wasserhahn auf und sucht unter dem Waschbecken nach etwas, von dem ich nur annehmen kann, dass es ein Erste-Hilfe-Set ist.

Ich betrachte sein Gesicht, während er sich an die Arbeit macht, und achte nicht auf das Brennen des Wassers oder der Salbe, die er auf die kleinen Schnitte aufträgt. Stattdessen konzentriere ich mich auf seinen sorgfältig ausgearbeiteten Knochenbau, die zarte Form seiner Lippen, den Schwung seiner langen Wimpern. Derselbe Mann, der mir meinen Peiniger geliefert hat, damit ich mich rächen konnte, der gelächelt hat, als ich dem Kerl die Kehle durchgeschnitten habe, ist derselbe Mann, der zärtlich, freundlich und fürsorglich ist. Gestern Abend hat er einen Fremden mit einer Waffe bedroht, und jetzt ist er hier, zart wie eine Blume.

»Ich wusste nicht, dass du dich an der Hand verletzt hast, Liebes. Warum hast du mir das nicht gesagt?« Er dreht mein Handgelenk und fährt mit dem Daumen über meine geschwollenen Knöchel. »Ich denke, du solltest dir das ansehen lassen.«

»Du siehst es gerade an.«

Er legt den Kopf leicht schief. »Du weißt, was ich meine.« Simon übt sanften Druck auf meine Hand aus. »Tut das weh?« Er fährt herum, übt mehr Druck aus und biegt meine Finger vorsichtig.

»Nein«, lüge ich. Aber ich würde es nicht zugeben, selbst wenn ich könnte. Es erinnert mich daran, dass ich mich zum ersten Mal seit langer Zeit wieder relativ *normal* fühle, und ich begrüße den Schmerz mit offenen Armen. »Es geht mir gut, wirklich.«

Simon fährt fort, sich um meine Hand zu kümmern. »Du kannst sie vielleicht täuschen, Liebes. Aber mich täuschst du nicht.«

Wie ist es möglich, dass ein Mann, der nicht einmal mir gehört, mich besser kennt als meine eigenen Freunde? Ich schätze, das passiert, wenn man jeden Tag mit jemandem verbringt. Simon ist nicht nur hier, um mit mir abzuhängen, er ist hier, um jede meiner Bewegungen zu beobachten und jede Bedrohung vorauszusehen, die auf mich zukommen könnte. Seine Aufgabe ist es, auf mich zu achten, und genau das tut er auch.

»Danke«, sage ich und springe vom Waschtisch. »Ich werde ein Nickerchen machen.« Ich halte meine bandagierten Hände dicht an meinen Körper.

Er folgt mir in den Flur, bleibt aber vor meiner Tür stehen.

»Bleibst du?«

»Du weißt, dass ich das nicht tun kann.« Simons Kiefer spannen sich an.

»Dann schlafe ich eben auf der Couch.« Ich will das Zimmer verlassen, aber er hebt die Hand, um mich aufzuhalten.

»Nein, du schläfst in deinem Bett, Liebes.« Er zeigt auf den Boden vor meinem Zimmer. »Ich bleibe hier draußen. Okay?«

»Das wird nicht bequem sein.«

»Und die Couch auch nicht.« Sein Blick fixiert mich. »Ich komme schon klar.«

Ich möchte protestieren, ihm sagen, dass die Regeln, die die Jungs aufgestellt haben, dumm sind und dass, wenn sie Simon nicht in meinem Zimmer haben wollten, sie hier sein sollten, um das zu verhindern. Vielleicht hätten sie ihn nicht anheuern sollen, um auf mich aufzupassen, weil sie zu beschäftigt sind, es selbst zu tun. Aber das zu sagen, würde mehr Energie erfordern, als ich im Moment aufbringen kann, und alles, was ich wirklich will, ist, mich zusammenzurollen und in den Schlaf zu sinken. Ich hoffe nur, dass er ohne Albträume sein wird und mir das kleinste bisschen Ruhe gönnt.

Ich krabble ins Bett, ziehe die Decke bis zum Hals und drücke mein Gesicht gegen das Kissen. Ich richte meine Aufmerksamkeit auf den Mann an meiner Tür, der mit dem Rücken an die Wand gepresst ist, das eine Knie hochgezogen und das andere flach ausgestreckt. Er spielt mit dem Ring an seinem Daumen, und er ist das Letzte, woran ich denke, als ich schließlich in den Schlaf gleite.

Irgendwann spüre ich jemanden, der sich zu mir legt.

Ich schmiege mich an ihn, ohne zu fragen, weil ich annehme, dass es wahrscheinlich Magnus ist, der kommt, um sich zu entschuldigen und zu kuscheln. Von all meinen Männern ist er der kuscheligste und definitiv der zärtlichste. Seine Liebe ist eine warme Decke, die meine schmerzende Seele besänftigt.

Ich öffne meine schweren Augen nicht, sondern halte sie geschlossen und freue mich über den Trost, den mir die

Gesellschaft spendet. Ich lege meinen Arm um seine Brust und lausche dem gleichmäßigen, aber ungestümen Schlag ihres Herzens. Bum-bum-bum … Bum-bum-bum. Ich werde in einen erholsamen Schlaf gewiegt und der Albtraum, der mich noch vor wenigen Minuten geplagt hat, verflüchtigt sich.

Erst als ich endlich aufwache, wird mir klar, dass es gar nicht Magnus war. Ich atme den vertrauten und verbotenen Duft eines Mannes ein, zu dem ich nicht gehöre.

»Simon?«, murmle ich.

Er streicht mir das Haar von der Wange und sieht auf mich herab. »Ich bin hier, ich bin genau hier.«

»Du hast hier nichts zu suchen.« Träume ich oder ist das real?

»Du hast gezittert, Liebes.« Simon zieht die Decke über meine Schulter.

Ich blinzle ein paar Mal und setze mich auf, wobei mir sofort kalt wird, als ich seine Berührung vermisse. Simon sitzt da, mit dem Rücken an das Kopfende meines Bettes gelehnt, sein Hemd an der Stelle zerknittert, an die ich mich an ihn geschmiegt habe. Die ganze Zeit dachte ich, er wäre Magnus, ich dachte, einer meiner Männer käme zu mir und würde mich von den Schreckensszenarien befreien, die mein Gehirn heraufbeschwört, wenn ich versuche zu schlafen. Aber nein, es ist ihr Feind, der mich tröstete, als sie es nicht konnten … oder nicht wollten.

»Simon?«

»Ja, Liebes?«

Ich lehne mich zurück, ziehe die Knie an die Brust und schlinge die Decke um meinen Körper. »Glaubst du, mit mir stimmt etwas nicht?«

»Dein Männergeschmack, vielleicht.« Er grinst und zieht die Decke über meinen entblößten Fuß.

»Nein, ich meine es ernst. Glaubst du, sie hatten eine Erleuchtung, und deshalb sind sie so distanziert und schließen mich aus? Du bist mehr mit mir zusammen als die anderen. Du würdest es merken, wenn ich etwas falschmachen würde, oder? Wenn ich fehlerhaft wäre.«

Ich sollte ihn so etwas nicht fragen, aber mit wem kann ich sonst reden, wenn ich kaum fünf Minuten am Stück mit meinen sogenannten Partnern verbringen kann. Ich kann auch nicht mit Cora darüber reden. Erstens wegen der Komplexität der Situation – es wäre zu schwierig für sie, es zu verstehen. Und zweitens, weil sie die letzten drei Wochen nicht in der Stadt war, um an einem Programm zur beruflichen Weiterbildung teilzunehmen. Sie wird erst in einer Woche wieder zu Hause sein, und bis dahin werde ich mit dieser Situation überfordert sein.

Simon rückt näher an mich heran und legt seine Hand an meine Wange. »Du, meine Liebe, bist nicht fehlerhaft. Es ist nichts falsch an dir. Du hast nichts falschgemacht. Ich versichere dir, dass du in meinen Augen perfekt bist. All diese Zweifel, diese Unsicherheiten solltest du nicht haben.«

Mein Handy summt und Simon löst sich von mir, um es mir zu geben.

»Es ist Magnus«, sage ich. »Er hat gesagt, dass er für morgen Pläne für uns gemacht hat.«

»Das ist doch gut, oder?« Simon verlagert seinen Sitz und rückt näher an den Rand des Bettes – weiter weg von mir.

»Er macht das nur, weil wir uns gestritten haben.« Ich seufze und lasse mein Handy auf das Bett fallen. »Es ist ein Mitleidsdate.«

Das Ding brummt wieder, aber dieses Mal ist es eine SMS von Dom.

»Und jetzt sagt Dom, dass er etwas für Mittwoch arrangiert.« Ich vergrabe mein Gesicht in der Decke und stoße ein gedämpftes Stöhnen aus. »Ich sollte sie nicht zwingen müssen, in meiner Nähe zu sein.« Ich setze mich auf und sehe Simon an. »Selbst du bist nur aus Pflichtgefühl hier.«

Simon runzelt die Stirn. »Das ist nicht ganz richtig.«

»Aber es ist teilweise wahr, das kannst du nicht leugnen.«

»Das ist nicht fair, Liebes. Du hast sie gewählt, nicht ich. Ich würde …« Ich warte darauf, dass er weiterspricht, aber er tut es nicht.

»Ich glaube, es wäre für euch alle besser, wenn ich nicht hier wäre«, sage ich. »Dann müsste sich keiner von euch Sorgen um mich machen. Ihr könntet zu eurem alten Leben zurückkehren. Ihr hättet Zeit, euch zu verabreden oder zu tun, was immer ihr tun wollt. Das ist auch dir gegenüber nicht fair, Simon. Du hast das nicht gewollt. Du warst im Rennen, um ein kriminelles Unternehmen zu übernehmen, und jetzt bist du ein Babysitter.«

»June …« Simon fährt sich mit der Hand durchs Haar und legt sie in den Nacken. »Du bringst das alles durcheinander. Und du vergleichst mich schon wieder mit ihnen. Ich will hier sein. Mehr als alles andere, wirklich. Es gibt keinen Ort, an dem ich lieber wäre. Keine einzige Person, mit der ich lieber meine Zeit verbringen würde. Herzukommen, bei dir zu sein, dich zu beschützen, ist der einzige Grund, warum ich jeden Tag aufwache, und ich gehe jede Nacht schlafen und zähle die Minuten, bis ich wieder an deiner Seite sein kann. Wie kannst du das inzwischen nicht sehen? Ich würde nichts haben, wenn ich das hier nicht hätte, wenn ich dich nicht hätte.«

»Das ist noch schlimmer, Simon.« Ich sehne mich danach, seinen Arm zu berühren, aber ich tue es nicht. »Weil du mich nicht hast. Es wird nie so sein, wie du es dir vorstellst, und was bin ich für ein Mensch, dass ich hier sitze und dich mit den Details meiner Beziehungen quäle. Ich bin nicht fair zu dir. Nichts von alledem ist es.«

»Wenn du auch nur eine Sekunde lang denkst, dass sich das alles nicht lohnt, liegst du falsch.«

»Du hast Wahnvorstellungen. Du kannst unmöglich mit diesem Arrangement einverstanden sein.«

»Verdammt noch mal, June!« Simon steht so plötzlich vom

Bett auf, dass ich unwillkürlich zusammenzucke. Sein Verhalten ändert sich sofort und er senkt seine Stimme. »Es tut mir so leid.« Simon lässt sich neben der Matratze auf die Knie fallen und starrt zu mir hoch, seine Hände strecken sich nach mir aus, erreichen aber nicht ihr Ziel. »Ich würde dir nie wehtun. Das musst du wissen.«

»Ich …« Mein Herz klopft wie wild und ich bin mir nicht sicher, von welchem der vielen Dinge, die vor sich gehen, das kommt. »Ich glaube dir.« Und das ist die Wahrheit, denn Simon hat mir noch nie einen Grund gegeben, an ihm zu zweifeln. Nicht ein einziges Mal hat er sich als Lügner erwiesen. Vielleicht war er am Anfang ein wenig trügerisch, aber das war mehr eine kryptische Frage als eine Lüge.

»Irgendwann kommen sie wieder zu sich, Liebes. Und wenn nicht … werde ich immer für dich da sein. Egal, was passiert. Selbst wenn du nie dasselbe fühlst, ich gehe nirgendwohin.« Sein Blick huscht hinter ihn, zur Tür. »Aber ich muss hier raus, bevor einer von ihnen auftaucht und mich enthauptet.«

Ich lächle sanft und strecke meine Hand nach ihm aus. Ich lege meine Finger direkt an seine, unsere Haut berührt sich kaum. »Würdest du etwas für mich tun?« Ich sollte ihn um nichts bitten, aber ich kann der Verlockung des Adrenalinstoßes nicht widerstehen, den mir die Nacht mit ihm beschert hat.

»Alles.«

»Können wir wieder so eine Nacht haben wie letzte? Du und ich.«

Simon zieht seine linke Hand zurück und fährt sich damit durch das Haar, während er die andere Hand neben der meinen liegen lässt. »Wir wären fast erwischt worden. Das hätte böse enden können.«

»Sind wir aber nicht.« Ich fahre fort, die Grenzen zu erweitern, und lege meinen Zeigefinger um seinen.

Er holt tief Luft und seufzt. »Du bringst mich noch um.«

»Bitte!«

Er studiert unsere verschränkten Finger, und ich kann nicht anders, als mich zu fragen, was ihm durch den Kopf geht und ob es dasselbe ist wie bei mir.

»Ich werde darüber nachdenken, okay?«

Ich stoße einen Schrei aus. »Danke, danke, danke.«

Simon schüttelt den Kopf und steht auf. »Verdammt, du bist süß.«

Gerade eben habe ich eine SMS von Magnus und Dom bekommen, in der es um Verabredungen für diese Woche ging, und meine Aufregung darüber war bei Weitem nicht so groß wie die Aufregung darüber, dass Simon mich möglicherweise wieder an einen gefährlichen Ort mitnimmt.

# KAPITEL ZEHN – MAGNUS

*I*ch würde Dominic am liebsten umbringen.

Ich meine, das würde alles *so viel* einfacher machen. Ich würde June nicht anlügen müssen. Ich müsste nicht unter dem Zorn leiden, sie zu enttäuschen, sie im Stich zu lassen. Ich könnte frei sprechen, so wie ich es möchte, und sie würde nicht im Dunkeln tappen und die Dinge links und rechts infrage stellen.

Und ehrlich gesagt kann ich es ihr nicht verübeln. Das würde ich auch. Wir haben uns von einer soliden und unzertrennlichen Einheit zu dieser losgelösten Scheißshow entwickelt, die sie auf Abstand hält. Ich will nichts mehr, als sie in unsere Dunkelheit zu ziehen, nicht weil ich sie in Gefahr bringen will, sondern weil sie damit umgehen kann. Verdammt, sie könnte uns sogar dabei helfen, uns durch diesen Scheißsturm zu navigieren, der unser Leben im Moment verschlingt.

Vielleicht wäre sie sogar nachsichtig mit uns und würde verstehen, warum wir so sehr mit geschäftlichen Angelegenheiten beschäftigt sind. Aber wie soll sie etwas verstehen, wenn Dom darauf besteht, sie im Ungewissen zu lassen?

Aber Dom zu töten, würde ebenso einen Albtraum verursachen. Unsere gesamte Organisation würde unter uns zusammenbrechen und wir würden den minimalen Halt verlieren, den wir derzeit haben. Er ist der Klebstoff, der uns zusammenhält. Ohne ihn fällt alles auseinander.

Außerdem ist June in ihn verliebt, und ich kann mir nicht vorstellen, dass sie es gut fände, wenn ich einen ihrer Freunde ermorden würde.

Ich *hasse* den Kerl auch nicht gerade.

Er geht mir von Zeit zu Zeit einfach nur auf die Nerven.

Coen ist auch nicht besser. Er beharrt am meisten darauf, Dinge vor ihr zu verbergen, als ob es sie irgendwie vor den Bedrohungen schützen würde, wenn sie nichts davon weiß. Ein Teil von mir denkt, dass er wirklich glaubt, wenn er es ihr nicht erzählt, könnte das Schlimmste vielleicht verhindert werden. Doch so funktioniert das nicht, und je länger wir das Geheimnis für uns behalten, desto mehr Schaden richten wir an. Bei ihr, bei mir, bei uns.

Verdammt, Dom will nicht einmal Beckett informieren, der die meiste Zeit des Tages damit verbringt, das Mädchen zu beschützen, das wir alle lieben. Dom ist sich nicht sicher, dass Beckett dadurch seine Autorität anzweifeln und ihm die Gelegenheit geben würde, ihm den Thron zu stehlen.

Als ob June nicht alles in ihrer Macht Stehende getan hätte, um das zu verhindern.

Die Frau wäre fast für ihn gestorben, um diesen Sieg zu erringen, und er revanchiert sich, indem er sie anlügt und verdammt geheimnisvoll ist. Er behauptet, dass er es tut, um sie zu beschützen – dass es in ihrem besten Interesse sei –, aber Dom kann manchmal ein verdammter Idiot sein.

Ich wende den letzten Pfannkuchen und schalte den Herd aus. Mein Telefon summt und meldet, dass einer der Mitarbeiter, die ich für heute engagiert habe, in die Einfahrt fährt. Ich gewähre ihm Zutritt, schicke eine kurze Nachricht und eile zur

Haustür, um sie aufzuschließen. Ich gehe zurück in die Küche und lege letzte Hand an das Frühstück, das ich für meine schlafende Schönheit vorbereitet habe. Nachdem ich alles etwa siebenundzwanzig Mal neu geordnet habe, nehme ich es in die Hand und gehe vorsichtig zur Treppe.

»Sie können sich unten einrichten«, sage ich der Frau, die durch die Vordertür kommt. »Geradeaus und dann links.«

Sie nickt und trägt einen langen Tisch an ihrer Seite.

Ich sollte eigentlich keine Fremden ins Haus lassen, vor allem nicht in so schwierigen Zeiten wie diesen, aber ich verbrachte Stunden zwischen den und sogar während der Treffen damit, zahlreiche Unternehmen zu prüfen und sicherzustellen, dass dieses Doms verrücktes Sicherheitsprotokoll bestehen würde. Okay, vielleicht nicht *bestehen*, aber es ist verdammt nah dran.

Ich gehe den Rest des Weges zu Junes Zimmer, stoße die Tür mit meinem Ellbogen auf und trete ein. Sie rührt sich, öffnet die Augen, blinzelt ein paar Mal und reibt sich die Augen. »Du bist noch zu Hause. Wie spät ist es?«

»So gegen acht.« Ich stelle das volle Tablett auf ihr Bett und setze mich auf die Kante. »Frühstück für meine Prinzessin.«

»Das riecht verdammt himmlisch.« Sie setzt sich auf, doch dann richtet sie ihren Blick auf mich. »Was, wenn ich Lust auf etwas anderes zum Frühstück hätte?«

Mein Herz setzt einen Schlag aus. »Das ließe sich einrichten.« Ich beuge mich vor und küsse sie auf die Wange.

Sie wendet sich mir zu und erwischt meine Lippen mit ihren. »Danke.« June konzentriert sich wieder auf die Auswahl an Speisen und Getränken. Sie nimmt die dampfende Tasse Kaffee in die Hand und nimmt einen vorsichtigen Schluck. »Wann musst du los?« In jedem ihrer Worte schwingt eine gewisse Traurigkeit mit.

»Ich habe mir den Tag für dich freigenommen.«

»Das ist nicht dein Ernst.«

»Todernst.«

»Den ganzen Tag? Wie?« Sie steckt sich eine grüne Wein-traube in den Mund und kaut langsam darauf herum, während ihr Blick auf meinen gerichtet ist.

»Ich habe mich durchgesetzt.«

»Und Simon?«

»Er hat auch den Tag frei, um zu tun, was er will.«

»Interessant.« June trinkt noch mehr von ihrem Kaffee und streckt ihren Arm aus. »Zwick mich, ich muss noch träumen.«

Ich streiche mit meiner Hand über ihre Haut, aber als mein Blick zu ihrer Hand hinunterwandert, wird mir ganz flau im Magen. »Was ist mit deinen Fingerknöcheln passiert?« Ich eile zur Tür und schalte das Licht ein, dann gehe ich zurück zu ihr, fahre mit dem Daumen über ihre geprellte und geschwollene Hand. Ich drehe sie um und betrachte auch die kleinen Schnitte auf ihrer Handfläche.

»Nichts.« June versucht, sich zurückzuziehen, aber ich halte die andere Hand fest und untersuche sie ebenfalls.

»Das ist nicht nichts.« Ich versuche, ruhig zu bleiben, auch wenn ich im ersten Moment am liebsten die ganze Welt in Brand setzen würde. »Bitte, sag mir, was passiert ist. Ich werde nicht böse sein, das verspreche ich.«

Einen Moment lang habe ich Angst, dass sie nicht nachgibt, aber sie überrascht mich, indem sie seufzt und mir beide Hand-flächen zuwendet. »Ich wurde wütend.«

»Du hast also auf etwas eingeschlagen und dir die Nägel in die Handflächen gebohrt.« Das ist keine Frage, sondern eher eine Feststellung des Schadens, der zu sehen ist.

»Ja«, bestätigt sie.

Ich drücke an den Rändern ihrer Knöchel. »Tut es weh?« Ich bewege ihre Finger, um sicherzugehen, dass alles an Ort und Stelle ist. »Ich kann unseren Arzt zu uns nach Hause kommen lassen, damit er sich das ansieht.«

»Nein, es geht mir gut, wirklich. Ich will keine große Sache daraus machen.«

Wie kann sie nicht begreifen, dass ihre Gesundheit und ihr Wohlbefinden für uns an erster Stelle stehen? Aber da wir uns so sehr auf ihre allgemeine Sicherheit konzentrierten, haben wir vernachlässigt und ignoriert, wie sie sich tatsächlich fühlt.

»Es tut mir so leid, Prinzessin.« Ich hebe ihre Hand und drücke meine Lippen sanft auf die geschwollenen und verfärbten Stellen. »Du hast jedes Recht, wütend auf mich zu sein. Auf uns alle.«

»Es wird nicht ewig so weitergehen, oder?«

»Nein.« Das wäre die perfekte Gelegenheit, alles zu beichten. Um ihr die Wahrheit zu sagen. Dass der Mann, der befohlen hat, sie zu entführen und zu foltern, der Mann, der dafür verantwortlich ist, dass sie fast aus dieser Welt verschwunden wäre, immer noch da draußen ist. Dass wir einen Fehler gemacht haben. Wir waren so sehr auf unsere Fehde mit Beckett konzentriert, dass wir die Zeichen übersehen haben, als sie direkt vor unseren Augen lagen. Wir dachten, wir hätten das Ziel eliminiert, dass alle Hauptbedrohungen ausgeschaltet wären, aber wir haben nur das eliminiert, was er uns glauben machen wollte, dass er es sei. Es war etwas viel Schlimmeres im Spiel. Sogar Beckett war davon überzeugt, dass wir die andere wichtige Person ausgeschaltet hatten, die ihn oder Dom vom Thron stürzen könnte. Aber stattdessen versteckt sich der Kerl hinter einer falschen Identität und wartet auf den richtigen Zeitpunkt, um zuzuschlagen. Er tritt nur lange genug aus dem Schatten hervor, um uns mit dem Geheimnis, wer er wirklich ist, und der ständigen Drohung, dass er uns die beiden Dinge wegnehmen wird, die uns am wichtigsten sind, zu verhöhnen und zu verspotten.

June. Und den Thron.

Dom befindet sich auf einer gefährlichen Gratwanderung, beides aufrecht zu erhalten, aber indem er die Dinge so anpackt, wie er es für richtig hält, verliert er nicht nur ständig Männer bei den Angriffen oder Produkte, die gestohlen oder zerstört werden, sondern er stößt auch unser Mädchen weg. Weil wir auf diese blöde, beschissene Einheitsfront bestehen, hat Dom Hayes und mich dazu gebracht, zu schwören, ihr nicht die Wahrheit zu sagen. Nicht, bevor die wirkliche Bedrohung eliminiert ist und die Dinge wieder einigermaßen normal laufen können.

Meine Sorge ist, dass es zu spät sein wird, wenn sich nicht bald etwas ändert. Unsere Unternehmen leiden darunter, aber was noch wichtiger ist, auch unsere Beziehung. June ist nicht die Einzige, die wütend ist – auch ich bin von einer unerträglichen Wut zerfressen.

»Siehst du das hier?« Ich zeige auf eine Stelle links von meinem mittleren Knöchel. Eine gezackte und verblasste Narbe ist mit schwarzer Tinte bedeckt. »Und genau hier?« Eine weitere Narbe direkt an der anderen Seite des Knöchels. »Ich habe immer auf irgendeine Scheiße eingeschlagen, wenn ich wütend war.« Ich nehme ihre Hand und streiche mit ihr über meine. »Spürst du das? Da sind Narben für immer.«

June streicht mit ihren Fingern über meine Hand und untersucht die Knoten. »Das ist mir noch nie aufgefallen.«

Ich lächle. »Die Tattoos verdecken mehr, als du denkst.«

»Wirklich?« Ihr dunkler Blick sieht zu mir auf, und es ist, als würde ihre Seele nach mir greifen, in der Hoffnung, dass ich sie erkenne. Ich hebe mein Shirt an und führe ihre Finger an meine Seite. »Die hier stammt von einem Messerstich.« Ich zeige ihr ein paar weitere Verletzungen auf meinem Oberkörper. »Ich weiß nicht einmal mehr, woher einige davon stammen. Es ist, als würden sie alle miteinander verschmelzen.« Ich strecke meinen Arm aus und zeige auf meinen Bizeps. »Hier wurde ich angeschossen. Eine Fleischwunde, nichts Ernstes. Hat aber ganz schön geblutet.« Ich lache und führe ihre Hand zu meinem Gesicht und fahre mit ihr an meiner Nase entlang. »Das Ding habe ich mir unzählige Male gebrochen.« Ich streiche ihren Finger über meine Oberlippe. »Die kleine Narbe hier stammt aus der Zeit, als ich wie ein Arschloch gefahren bin und mein Auto zu Schrott gefahren habe. Der verdammte Zahn ging durch meine Lippe, als ich den Airbag krachte.«

»Verdammt, Magnus, wieso bist du nicht schon tot?«

Ich lache wieder. »Da weiß ich genauso viel wie du.«

»Du hast mir nie wirklich erzählt, wie du zu diesem Job gekommen bist.« Sie greift nach ihrem Kaffee, lässt aber ihre andere Hand in meiner.

»Nun, ich würde ja gern sagen, es ist eine lange Geschichte, aber das ist es nicht.« Ich denke zurück an all die vergangenen Jahre. Es kommt mir wie ein ganzes Leben vor. »Wir sind alle so etwas wie Waisen, und das sind die besten Kandidaten für diese Art von Arbeit. Menschen, die sonst niemanden haben, sind in der Regel ziemlich verzweifelt und wollen irgendwo dazugehören. Ich war ein rücksichtsloses Kind ...«

»Das überrascht mich nicht im Geringsten.« Sie grinst und nimmt einen Schluck von ihrem Kaffee.

»Irgendwie war ich damals wahrscheinlich noch schlimmer. Wie auch immer, ich war ein Verbrecher. Ich habe mich herumgetrieben und alles kaputtgemacht, was ich konnte. Ich habe Hausfriedensbruch begangen, habe Sachen gestohlen, um sie zu verpfänden. Alles, was ich tun konnte, um ein paar Dollar für mein Essen zu verdienen. Ich bin bei Tanten und Onkeln, Cousins und Cousinen herumgehüpft und habe bei Fremden auf der Couch gepennt. Ich habe alles getan, was ich konnte, um zu überleben.«

Noch nie habe ich mit jemandem über meine Vergangenheit gesprochen, aber bei ihr ist es im Moment so, dass sie diese Geschichte mehr braucht, als dass ich sie für mich behalten kann.

June schüttet Sirup über ihre Pfannkuchen und isst einen kleinen Bissen. Ohne wirklich darüber nachzudenken, greife ich nach ihr und wische den Sirup mit meinem Daumen von ihrer Lippe, lecke ihn ab und erzähle weiter. »Ich habe mich eines Tages auf dieser Baustelle herumgetrieben. Ich wollte Werkzeuge stehlen. Ich hörte einen Aufruhr, Schreie. Nichts Verrücktes, aber dann fiel ein Schuss, und ich erstarrte auf der Stelle. Ich versteckte mich hinter einer noch nicht verbauten Steinplatte. Sie war nur an die Wand gelehnt. Ich erinnere mich, dass ich mich dagegen drückte und versuchte, verdammt noch mal unsichtbar zu sein. Aber ich lehnte mich zu weit zurück und mein Kopf geriet zwischen die Halterungen und in die Isolierung. Die Scheiße juckte wie verrückt und ich konnte kaum stillsitzen. Ich hielt ein Brecheisen in der Hand. Als ob es einer Waffe überlegen wäre. Ich war ein Kind, weißt du?«

June nickt und stopft sich noch eine Gabel voll von den Pfannkuchen in den Mund.

»Wie auch immer, dieser große, brutale Mann kam um die Ecke in den Raum, in dem ich mich befand. Ich hielt den Atem an und dachte, ich könnte so tun, als würde ich nicht existieren, wenn ich mich nicht bewegte. Er hielt eine Pistole an seiner Seite und starrte mich an. Ich hätte mir fast in die Hose gemacht. Er schaute etwa viermal von der Brechstange zu mir und dann sprach er endlich. Er fragte mich, was ich vorhätte, und in all den Jahren, in denen ich mich mit verschiedenen Arten von Kriminellen herumgetrieben hatte, wusste ich, dass ich diesem Kerl auf keinen Fall etwas vormachen konnte. Ich hatte mein ganzes Leben damit verbracht, Menschen zu lesen und herauszufinden, mit wem ich mich anlegen konnte und mit wem nicht. Das ist wahrscheinlich das Einzige, was mich so lange am Leben gehalten hat. Na ja, das und dass ich wirklich schnell rennen kann.« Ich lache und nehme den Bissen an, den June mir anbietet.

»Das war Dom, nicht wahr?«, fragt June.

Ich nicke. »Der Kerl war verdammt einschüchternd. Als wäre das pure Böse durch die Tür getreten. Er fragte mich, was

VILLAIN ERA – HEMMUNGSLOS

ich hier mache, und ich sagte ihm die Wahrheit. Dass ich Werkzeug klaute, um es in die Pfandleihe zu bringen. Er fragte mich, warum, und ich sagte, ich bräuchte Geld zum Essen. Ich erinnere mich an den Moment, und ich schöre dir, dass er überlegt hat, ob er mich umbringen sollte oder nicht. Ich überlegte, ob ich mit dem Brecheisen auf ihn losgehen sollte, aber ich wusste, dass ich ihn niemals überrumpeln könnte. Schließlich sprach er, aber es war nicht das, was ich erwartet hatte. Er winkte mir mit der Waffe, ihm zu folgen, drehte sich auf dem Weg nach draußen um und sagte, ich solle das Brecheisen liegen lassen.«

»Ich dachte, das war's, dass er mich einfach woandershin bringen würde, um mich zu erschießen, irgendwohin, wo es einfacher sein würde, die Sache zu bereinigen. Ich hatte zwar schon einiges gesehen und gehört, was in der Gegend passierte, aber ich war noch nie so hautnah dabei gewesen. Am verdammten Sensenmann persönlich. Ich folgte ihm durch das Haus, vorbei an dem Raum, in dem er den anderen Kerl erschossen hatte, wo ein paar Kerle dabei waren, die Sauerei aufzuräumen. Er führte mich nach draußen und sagte mir, ich solle in sein Auto steigen. Ich wusste immer noch nicht, was er mit mir vorhatte, ob er mich in den Menschenhandel verkaufen wollte oder etwas noch Schlimmeres im Sinn hatte. In diesen wenigen Minuten ging mir ein Worst-Case-Szenario nach dem anderen durch den Kopf. Ich konnte es nicht fassen, als wir vor einem Diner hielten. Ich dachte, es sei verdammt seltsam, dass mich hierher brachte, um mich zu töten. Aber er steckte seine Waffe weg, bevor er aus dem Auto stieg, führte mich direkt in das Lokal, ließ mich an einem Tisch Platz nehmen und sagte mir, ich solle bestellen, was immer ich wolle. Auf seine Rechnung.«

Junes Augen weiten sich ein wenig, als würde sie an jedem meiner Worte hängen.

»Ich habe den größten Cheeseburger meines Lebens bestellt.

LUNA PIERCE

Pommes frites und Zwiebelringe. Einen Schokomilchshake. Ich habe fast gekotzt. Ich habe so viel gegessen, aber ich dachte mir, ich sterbe sowieso, was soll's?! Ich bin nicht gestorben. Stattdessen blieb Dom steif wie ein Brett in der Sitzecke mir gegenüber sitzen. Sein Anzug war perfekt gebügelt und seine Manschettenknöpfe glänzten. Er fragte mich, wo ich wohnte, wie ich zu Geld kam, ob ich Familie hatte. Aber dann fragte er mich, warum ich ihm die Wahrheit gesagt hätte. Ich hatte keine richtige Antwort, nur, dass mein Bauchgefühl mir das gesagt hatte.«

Ich nehme eine Scheibe Speck vom Tablett und verschlinge sie.

»Was ist dann passiert?« June trinkt etwas von dem Orangensaft, den ich ihr gebracht habe.

»Nun, er fragte mich, ob ich etwas Geld verdienen wolle. Er sagte, dass es wahrscheinlich komplizierter sei als die Art und Weise, wie ich mir mein Geld beschaffte, und dass es immer noch illegal wäre, aber dass er für mich da wäre, wenn ich in Schwierigkeiten geraten würde. Auch die Bezahlung wäre besser und beständiger. Er sagte mir, dass ich mir nie Gedanken darüber machen müsste, wo ich meine nächste Mahlzeit herbekomme.«

June seufzt. »Das erklärt, warum du ein bisschen besessen vom Essen bist.«

»Ja, wahrscheinlich.« Ich zucke mit den Schultern, denn ich habe die beiden Dinge nie wirklich zusammengebracht. Ich bin verdammt gut darin, andere Menschen zu lesen, aber ich bin ein ziemlicher Idiot, wenn es darum geht, mit mir selbst umzugehen. Das Einzige, was ich mit Sicherheit weiß, ist, wie sehr ich dieses Mädchen liebe, das vor mir sitzt.

»Willst du noch einen Bissen?« Sie hält mir den mit Pfannkuchen gefüllten Teller hin, die andere Hand darunter, um den Sirup aufzufangen, der heruntertropft.

Ich erlaube ihr, mich zu füttern, und greife nach ihrem

Kaffee, um alles hinunterzuspülen. »Dom und ich haben uns ziemlich schnell verstanden, und es dauerte nicht lange, bis ich anfing, kleine Hinweise von den Leuten aufzuschnappen, mit denen er zu tun hatte. Ein paar von ihnen habe ich bei einer Lüge ertappt, und als Dom merkte, wie gut ich Menschen lesen kann, holte er mich noch näher zu sich. Bei vielen Treffen war ich wie eine Fliege an der Wand. Keiner verstand, warum er mich in seiner Nähe behielt, aber Dom sonderte immer wieder Verräter aus und festigte die Reihen. Ich habe ihn nicht ein einziges Mal verraten oder ihm einen Grund gegeben, mir nicht zu vertrauen, und es gab nichts, was ich nicht für ihn getan hätte – und umgekehrt. Loyalität ist schwer zu bekommen, besonders in unserer Welt. Dom war der erste Mensch, der sich wirklich für mich interessierte, und so fremd das auch war, ich wollte das nicht kaputtmachen. Ich glaube, etwa fünf Jahre später stieß er auf Hayes. Der arme Junge war verdammt traumatisiert und psychotisch, aber Dom sah auch sein Potenzial. Der Typ schont nicht viele, wenn überhaupt jemanden. Aber Hayes und ich hatten das Glück, dass Dom uns unter seine Fittiche nahm und uns dieses Leben schenkte. Wenn ich ehrlich bin, wäre ich ohne ihn wahrscheinlich entweder im Gefängnis oder tot. Das Gleiche gilt für Hayes. Ich weiß, dass er es zu seinem eigenen Vorteil getan hat, aber ohne ihn hätten wir es nie zu etwas gebracht.«

June greift nach meiner Hand. »Ich kann mir eine Welt ohne dich, Coen oder Dom nicht vorstellen. Ich bin froh, dass ihr drei euch gefunden habt. Es ist, als wärt ihr die Familie, die ihr immer gebraucht habt.«

»Ich habe eine Familie gefunden, ganz sicher.« Ich verschränke meine Finger mit ihren. »Aber wir hatten noch mehr Glück, dich zu finden, Prinzessin.«

»Es ist schon seltsam, wie sich das alles entwickelt hat. Meine Geschichte mit Coen, dich und Dom zu treffen, in diesem Haus aufzuwachen und euch alle nebeneinander wiederzufinden. Der verdammte Coen hatte eine Waffe auf mich gerichtet.« Sie macht eine Pause, als würde sie sich an den Morgen erinnern. »Ich konnte das alles nicht glauben. Ich stand unter Schock. Der Coen, den ich von vor zehn Jahren kannte, hätte nie einer Fliege etwas zuleide getan. Dann treffe ich ihn in einer Bar und er erzählt mir, dass er bei einem *privaten Sicherheitsdienst* arbeitet.« Mit ihren Fingern formt sie Anführungszeichen um die beiden Wörter. »Er hat meinem Date fast den Arm gebrochen, ihn durch die Bar geschleudert und nicht eher losgelassen, bis ich ihm gesagt habe, dass der Kerl zu mir gehörte.«

»Ein Date?« Ich kann meine Eifersucht nur schlecht verbergen.

»Es hat ganze fünf Minuten gedauert. Ich habe den Namen des Mannes etwa viermal falsch gesagt. Ich glaube, das war an dem Tag, als ich hier Essen geliefert habe.« Sie reibt sich an der Schläfe. »Es kommt mir wie eine Ewigkeit vor.«

»Das tut es, nicht wahr?« Ich streiche mit dem Daumen über ihre Wange.

»Das hat mir gefehlt«, sagt sie und ihr Blick bohrt sich in meinen. »Wir.«

Ich atme aus und wünsche mir nichts sehnlicher, als dass ich weiterhin alle Geheimnisse ausplaudern, ihr jedes kleine Detail über jede Kleinigkeit erzählen kann, bis es nichts mehr zwischen uns zu verbergen gibt. Ich möchte, dass sie alles weiß – meine Vergangenheit, meine Gegenwart, meine Zukunft. Denn ohne sie ist nichts davon von Bedeutung. Ich bin erst zum Leben erwacht, als sie vor all den Monaten vor meiner Tür auftauchte. Man sagt, Liebe auf den ersten Blick sei nicht echt, aber ich wusste von dem Moment an, als ich sie ins Visier nahm, dass sie mein Herz gestohlen hat.

»Ich vermisse dich, selbst wenn ich mit dir zusammen bin.« Ich lehne mich zu ihr und drücke meine Lippen auf ihre. Ich atme sie ein und küsse sie tiefer, wobei die Intensität ihrer

Berührung mit jedem eifrigen Vorstoß zunimmt. Ich steige auf das Bett und drücke sie sanft zurück, während ich meinen Körper zwischen ihre Beine schiebe. Sie stützt sich mit den Ellbogen ab, bis ich ganz auf ihr liege und ihr Körper in die Matratze sinkt. Ich ziehe das Kissen tiefer und lege es unter ihren Kopf, dann nehme ich ein zweites und lege es unter ihren Hintern. Ich schiebe ihr übergroßes T-Shirt hoch und mein Mund findet instinktiv ihre nackte Haut, und meine Lippen hinterlassen eine Spur von Küssen auf ihrem Bauch. Ich dringe weiter nach Süden vor, bahne mir einen Weg zu ihrer Mitte und schiebe ihr Höschen mit meiner Nase zur Seite, um an der Falte ihres Oberschenkels zu lecken. Ich gleite mit meiner Zunge an ihrer Nässe entlang, zu gierig in meinem eigenen Verlangen, ihre Süße zu schmecken, und schnippe gegen ihre Klitoris, nehme sie zwischen meine Lippen und sauge daran.

June wölbt sich mir entgegen und stöhnt, ihre Hand ergreift meinen Kopf und drückt mich näher an sie.

Ich schiebe zwei Finger in sie hinein und grinse, als sie sich um mich herum anspannt. Ich bewege sie hin und her und krümme die Finger nach oben. Mein Schwanz verhärtet sich in meiner Hose und ich greife nach unten, um ihn neu zu positionieren, während er gegen meine Jeans drückt. Ich sehne mich danach, ihn tief in ihr zu vergraben, aber heute geht es um sie, und im Moment ist ihr Vergnügen meine höchste Priorität.

Es dauert nicht lange, bis sie zum Höhepunkt kommt. Wir haben diesen Tanz oft genug getanzt, dass ich genau weiß, wie ich sie lecken, saugen und mit dem Finger ficken muss, bis sie sich fallen lässt. Und egal, wie vertraut ich mit ihrer Muschi werde, ich bin dankbar für jeden verdammten Moment mit ihr.

»Magnus«, stöhnt sie.

Ich spreize ihre Beine weiter und werfe eines über meine Schulter, sodass ich einen besseren Winkel habe, um meine Finger tiefer zu schieben. Ich spucke auf meine Hand, bevor ich einen weiteren Finger in sie schiebe und sie noch mehr ausfülle.

»Du bist so verdammt eng, Prinzessin.«

Sie bebt unter meiner Berührung und explodiert um mich herum, ihre Säfte bedecken meine Finger und meine Zunge, während ich alles auflecke. Ich drehe mich auf den Rücken und ziehe ihren immer noch zitternden Körper auf mich. »Setz dich auf mein Gesicht, Prinzessin.«

June kichert, fügt sich aber. »Ich werde dich zerquetschen.«

Ich reiße ihr das Höschen vom Leib und schlinge meine Arme um ihren Hintern, um sie zu ermutigen, sich auf mein Gesicht zu spreizen. »Gut, immer zu!« Ich ziehe sie nach unten, bis ihre Muschi endlich in Reichweite ist. Ich lasse meine Zunge über ihre Länge gleiten und knabbere an ihrer pochenden Klitoris. »Ich will, dass du mein Gesicht fickst, Prinzessin.«

June beugt sich vor, umklammert das Kopfteil und drückt sich an mich. Anfangs ist sie sehr zurückhaltend, aber schließlich findet sie ihren Rhythmus und mein Griff ermutigt sie, mir mehr zu geben. Ich grabe meine Finger in sie und genieße die Lebenskraft ihrer Muschi. Ich wirble meine Zunge und tauche sie in sie ein, während sie auf meinem Mund hin und her schaukelt. Ich fahre mit meiner Hand ihren Rücken hinauf und gleite an der Wölbung ihres zarten Körpers entlang. Gerade als ich sicher bin, dass sie ein zweites Mal kommen wird, verlangsamt sie ihr Tempo und richtet sich auf. Sie dreht sich um und beugt sich in die entgegengesetzte Richtung, aber sie hält mein Gesicht mit ihrem Körper bedeckt.

Ich stöhne, als sie meinen Schwanz durch die Hose greift und ihn streichelt. Ich poche in ihrem Griff und tue alles, was ich kann, um nicht gleich hier und jetzt zu explodieren. Aber bei dem Geschmack von ihr, der meinen Mund bedeckt, und der Wärme ihrer Hand um meinen Schwanz, bin ich bereit zu explodieren.

June knöpft meine Hose auf, schiebt sie über meine Hüften und befreit meinen Schwanz aus seiner Enge. Sie beugt sich vor und streicht ihre Lippen über meine Kuppe, bevor sie mit ihrer

Zunge um mich herumfährt und nur einen Zentimeter von mir in ihren Mund nimmt. Sie umklammert die Basis meines Schafts und nimmt mich auf, zuerst nur ein wenig, aber dann verschluckt sie sich fast an meiner Länge.

Ich reibe mein Gesicht an ihrer Muschi und wünsche mir, ich könnte in sie hineinkriechen und verdammt noch mal für immer dort leben.

June lutscht meinen Schwanz, als gäbe es kein Morgen, ihre Lippen umschließen meinen Schaft und ihre Hand gleitet mit ihnen auf und ab, was mein Vergnügen nur noch verstärkt. Sie entlässt mich aus ihrem Mund und streichelt mich mit ihren Lippen, deren Sanftheit ausreicht, um mich zum Höhepunkt zu bringen. Aber ich war noch nie einer, der schnell nachgibt. Sie gleitet mit ihrer Zunge an mir hinauf und rutscht dann an meinem Körper hinunter, ihre Muschi rückt immer weiter weg. Mit ihrem Arsch immer noch zu mir gewandt, gleitet sie an meinem pochenden Schwanz entlang. Sie positioniert ihn an ihrem Eingang und gleitet auf mich.

Aus dem perfekten Winkel beobachte ich, wie sie jeden Zentimeter von mir in sich aufnimmt. Ich umklammere ihre Schenkel und spreize sie auseinander, stoße meine Hüften nach oben und ficke sie. »Verdammt, Prinzessin. Du fühlst dich so verdammt gut an.«

Sie lehnt sich vor und gewährt mir so einen noch besseren Blick. June reitet auf meinem Schwanz, und ich kann nicht anders, als sie von hinten zu berühren. Ich greife unter sie und lege meine Hand an den Ansatz ihrer Muschi, während sie meinen Schaft reitet. Ich gleite mit meinem Daumen an ihrer Nässe entlang und hinauf zu ihrem engen Arschloch. Ich stoße an den Rändern entlang und sie lässt ein Wimmern hören und spreizt ihre Beine weiter für mich.

»Du bist so ein braves Mädchen«, sage ich ihr, während ich die Spitze meines Daumens in ihren prallen Arsch schiebe. »Du nimmst mich so gut auf, Prinzessin.« Ich umfasse ihren Oberschenkel mit meiner anderen Hand und stoße von unten in sie hinein, erhöhe meine Intensität und ficke sie härter. Ich lasse meine Handfläche zu ihrer Arschbacke gleiten und bewege sie kreisförmig, bevor ich aushole und ihr einen Klaps gebe. Sie umklammert meinen Daumen und meinen Schwanz, lehnt sich aber noch weiter vor, mit dem Gesicht am Fußende des Bettes und den Händen in ihrem Haar.

»Fester«, fleht sie mich an.

Ich umkreise wieder die weiche Stelle und klatsche noch einmal auf ihren Arsch, dann noch einmal und noch einmal, bis ihr Hintern rot und geschwollen ist. »Das gefällt dir, nicht wahr?« Ich stoße in sie hinein. »Willst du mehr? Oder willst du, dass ich aufhöre? Sag einfach, ich soll aufhören.« Ich ficke sie härter.

»Mach weiter, bitte!«, haucht June.

Mein Schwanz pocht tief in ihr, mein Orgasmus ist verdammt nah. Ich schlage ihren Arsch dieses Mal härter und sie fällt in sich zusammen, ihr Körper bebt, als ihr Höhepunkt sie verzehrt. Sie schreit auf und stützt sich auf mir ab, ihre Muschi zieht sich um meinen Schwanz zusammen und melkt mich geradezu. Ich explodiere in ihr und lehne meinen Kopf zurück, während sie von meiner Lust erfüllt wird.

Erst nachdem ich gekommen bin, merke ich, dass wir kein Kondom benutzt haben. Ich wusste, dass sich das verdammt gut anfühlt, ich war nur zu blöd, um es früher zu merken. Es stimmt, was man über das Denken mit dem falschen Gehirn sagt.

Sobald June ruhiger wird und nicht mehr pulsiert, drücke ich meine Hand auf die warme rote Stelle an ihrem Hintern. »Ähm, Prinzessin. Wir, äh … haben keinen Schutz benutzt.«

June richtet ihren Kopf auf. »Oh, Scheiße! Ich, ähm, ich nehme die Pille, also sollte es okay sein, oder?«

Ich gleite aus ihrem engen Loch und richte mich auf, um sie auf meinen Schoß zu ziehen. »Das sollte es, ja, aber ein Plan B wäre trotzdem besser.« Ich küsse ihre Wange. »Es sei denn, du willst, dass ein Baby-Magnus herumläuft.«

Ich habe mir noch nie Kinder gewünscht, aber das mit ihr zu teilen, erscheint mir gar nicht so schrecklich. Doch die Realität ist, dass wir in einer Welt leben, die zu gefährlich ist, um Kinder in sie zu setzen. Wenn ich mir vorstelle, mir die ganze Zeit Sorgen um sie zu machen, würde ich noch früher an massivem Herzversagen sterben. Ich bin mir ziemlich sicher, dass Dom und Coen zustimmen würden – so verlockend es auch ist, June zu schwängern, es ist kein Risiko, das wir eingehen sollten. Allerdings habe ich keine Ahnung, wie sie zu Babys steht und ob das für sie ein Hindernis sein könnte.

Plötzlich überkommt mich der Gedanke, dass sie uns verlässt, weil wir ihr nicht die Familie bieten können, die sie sich immer gewünscht hat.

»So bezaubernd du bist …« June lehnt ihren Kopf an meine Brust. »Ich glaube nicht, dass ich mit einer Miniaturausgabe von dir umgehen könnte.« Sie lacht. »Oder einer von Dom oder Co.« Sie drückt ihre Hand gegen mein schweres Herz. »Ich bin mit dem zufrieden, was wir haben.« June löst sich von mir und sieht mich direkt an. »Es sei denn, du willst Kinder. Wolltest du? Willst du?«

Ich grinse, als ich sehe, wie sie die gleiche Angst empfindet, die ich noch vor wenigen Sekunden hatte, weil ich nicht wusste, was sie wirklich will. Ich schüttle den Kopf. »Ich will dich, das ist alles.«

Es ist schon schwer genug, eine weitere Person am Leben zu erhalten, ganz zu schweigen von einem kleineren Menschen, der nicht versteht, dass seine drei Väter ein Verbrechersyndikat leiten.

»Magnus, ich muss dir etwas sagen.«

Mein Herz klopft und ich tue alles, um ruhig und gefasst zu bleiben. »Was immer du willst, Prinzessin.«

»Ich glaube nicht, dass ich laufen kann.« Sie bricht in ein

breites Lächeln aus. »Im Ernst. Meine Beine sind inoperabel. Du wirst mich in diesem Bett begraben müssen. Und alle sollen wissen, dass du mich in den Tod gefickt hast.«

Ich schüttle den Kopf und stoße sie in die Seite. »Du hast mich für eine Sekunde ins Schwitzen gebracht, weil ich dachte, ich hätte etwas falschgemacht.«

»Das hast du.« Sie kichert. »Ich kann mich nicht bewegen.« June stößt an ihren Oberschenkel. »Diese Dinger sind verdammt wackelig.«

Ich halte sie immer noch in meinen Armen, stehe vom Bett auf, streife meine Hose ab und gehe zum Badezimmer. Ich trage sie hinüber zur Toilette und setze sie sanft darauf ab. Ich lasse ihr das kleinste bisschen Privatsphäre, damit sie sich erleichtern kann, gehe zur Dusche, drehe den Wasserhahn auf und entledige mich meiner restlichen Kleidung. Sobald die Temperatur gut ist und die Toilette gespült wurde, gehe ich zurück zu ihr, ziehe ihr das Shirt über den Kopf und werfe es beiseite.

»Du bist umwerfend, Prinzessin.« Ich hebe sie in meine Arme, wiege sie und trage sie in die große Dusche. Ich setze sie an die Wand gelehnt ab und justiere den Wasserstrahl so, dass er sie trifft, ohne ihr ins Gesicht zu spritzen. Ich lasse mich neben ihr auf die Kacheln sinken und das Gewicht ihres Körpers mit meinem verschmelzen. »Bist du dir sicher mit der Kindersache?«

Sie neigt den Kopf zu mir und kneift die Brauen zusammen. »Ja. Und du?«

»Ich wollte nur sagen, wenn du es bist, könnte ich eine Vasektomie machen lassen. So müssen wir uns keine Sorgen machen, dass etwas passiert.«

»Würdest du das tun?«

»Wenn du es wünschst, ja. Ohne Frage. Wir haben jetzt die Möglichkeit, aber wir – du – vielleicht nicht immer. Wenn es um deine Sicherheit ginge und darum, mit dir Sex ohne

Kondom zu haben, würde ich auch zulassen, dass sie mir den Arm abhacken.«

»Aber für welchen solltest du dich entscheiden?« June streicht mit ihrer Hand über meine beiden Arme. »Sie sind beide so toll.«

Ich drücke meine Lippen auf den Scheitel ihres Kopfes. »Also, es ist entschieden? Bist du dir ganz sicher? Oder willst du noch etwas Zeit haben, um darüber nachzudenken?«

»Das ist nicht meine Entscheidung, Magnus. Es ist dein Körper. Was, wenn du …« Sie beendet ihren Satz nicht, aber ich weiß genau, worauf ihr Gedankengang hinausläuft.

Ich nehme ihr Kinn in meine Hand. »Niemals, solange ich lebe, werde ich mit jemand anderem als dir zusammen sein wollen. Hast du mich verstanden?« Ich blicke zwischen ihren Augen hin und her.

»Ja.«

»Ich liebe dich.«

»Ich liebe dich mehr.«

»Niemals«, sage ich ihr und weiß genau, was sie als Nächstes sagt.

»Immer«, sagen wir gleichzeitig.

Ich küsse ihre Lippen und dann ihre Nase. Wassertropfen rinnen an ihrem Körper hinunter und machen mich neidisch, weil sie ihr viel näher sind als ich. Ich sollte es nicht tun, weil sie sich bereits über ihre Erschöpfung beklagt hat und weil die nächste Episode unseres gemeinsamen Tages bereits im Keller auf uns wartet, aber ich schiebe meine Hand zwischen ihre Beine und spreize sie. Ich fahre mit meinem Finger an Innenseite ihres Schenkels entlang und tauche ihn in ihren durchnässten Eingang ein. June stöhnt und lehnt ihren Kopf zurück an die Wand. Ihr Blick bleibt an meinem hängen. »Das ist nicht dein Ernst, oder?«

Ich lecke mir die Lippen und nicke. »Lehn dich zurück und lass mich meine Arbeit machen.«

Sie greift nach meinem Schwanz und er wird sofort hart in ihrem Griff. Mit einem Grinsen im Gesicht geht sie auf die Knie, dreht sich zu mir und setzt sich rittlings direkt auf meinen Schaft. Ich werde härter in ihr, fülle sie aus und dehne ihre zarte Muschi. Zuerst gehe ich es langsam an und stoße mit meinen Hüften gegen ihre Hüften. Ich schlinge meine Arme um ihren Körper, halte sie dicht an mich gedrückt, eine Hand findet ihre Klitoris, die andere greift nach oben und kneift ihre Brustwarze. June stöhnt und neigt ihren Kopf zu mir, ihre Lippen suchen verzweifelt nach den meinen. Wir küssen uns, unsere Zungen verwöhnen einander und unsere Körper suchen verzweifelt nach noch mehr Nähe. Sie hüpft auf mir und passt sich meinem Rhythmus an, während mein Finger ihren pulsierenden Kitzler umkreist.

»Komm für mich, Prinzessin!«, hauche ich in ihren Mund. »Ich will spüren, wie du um mich herum zerbrichst.« Ich lasse meine Hand von ihrem Nippel über ihre feuchte Brust gleiten und greife an den Ansatz ihres Halses. June legt ihre Hände auf meine und lenkt meinen Druck auf ihren Hals und ihren Kitzler. Sie reitet weiter auf mir, ihre Muschi festigt sich um meinen Schwanz. »Fuck!«, murmelt sie.

»Das ist mein Mädchen.« Ich drücke ihren Hals und vergrabe meinen Schwanz so tief in ihr, dass ich Angst habe, ihr wehzutun. Aber alles, was sie tut, ist, sich weiter zurückzulehnen und mich tun zu lassen, was ich will. Ich schnippe an ihrer Klitoris und klemme sie zwischen meinen Fingern ein, wobei ich sie hin und her bewege. Die Veränderung des Gefühls versetzt sie in einen explosiven Orgasmus und mein Schwanz spritzt in ihre pulsierende Muschi. Wir kommen zusammen, unser Atem geht stoßweise und unsere Körper beben.

Mit dem anhaltenden Schaudern, das sie überkommt, atmet sie dramatisch aus. »Ich glaube, ich brauche einen Plan B nach dem hier.«

*N*ach einer zweistündigen Paarmassage und einer lustigen Pediküre, bei der June mich dazu überredet hat, meine Zehennägel lila lackieren zu lassen, machen wir eine Pause, um uns im Wohnzimmer zu entspannen. Es war der perfekte Tag – einer, von dem ich gar nicht wusste, dass ich ihn genauso dringend brauchte wie sie.

In unserer Branche gibt es kaum Ausfallzeiten, und wenn doch, dann hatten wir bisher niemanden, mit dem wir sie teilen konnten. Eine Mahlzeit mit den kriminellen Partnern, mit denen wir zusammenleben, ist nicht mit dem vergleichbar, was June und ich jetzt tun.

»Wie geht es deinen Beinen?«, frage ich sie neckisch.

»Sie funktionieren kaum, vielen Dank.«

»Sehr gerne geschehen.« Ich ergreife ihre Hand und ziehe sie zu mir heran. »Ich muss los und in der Apotheke vorbeischauen.«

»Was? Willst du Alec nicht nach einer Pille danach schicken?« Sie lehnt sich an mich, und ich genieße jeden Teil ihres Körpers in meiner Nähe.

»Daran habe ich eigentlich nicht gedacht.« Ich küsse sie auf die Stirn. »Gute Idee.«

June lässt ihre Finger unter meine gleiten und verschränkt sie ineinander. »Ich möchte einfach lieber die coole Tante sein, weißt du. Cora kann alle Babys haben, und ich werde sie verwöhnen und herzen, wenn sie umherhüpfen.«

»Ist Cora überhaupt mit jemandem zusammen?«, frage ich.

»Nein«, kichert sie. »Sie schwört immer noch, dass sie und Miller einen Moment hatten und versucht, mich davon zu überzeugen, dass er bi ist und nicht schwul.«

»Ich frage mich, wie lange wir das Schauspiel aufrechterhalten können, bevor sie es herausfindet.«

»Hoffentlich für immer.« June seufzt. »Ich will nicht, dass du

145

das falsch verstehst, denn ich bin euch ewig dankbar, dass ihr mir die Wahrheit gesagt habt, aber ...« Sie stoppt und lässt den Rest ihres Satzes in der Luft hängen.

Ich beende ihn für sie. »Du willst dieses Leben nicht für sie.«

Sie wendet sich mir zu. »Ist das schlimm?«

»Nein, ganz und gar nicht.« Ich streiche ihr das Haar hinters Ohr. »Nicht jeder ist dafür geschaffen. Ich finde es bewundernswert von dir, dass du sie beschützen willst.«

»Aber?«

»Wie fühlst du dich dabei, diese Entscheidung für sie zu treffen?«

»Wie Scheiße!«

Ich nicke. »Es ist eine unmögliche Situation. Einer wird so oder so verletzt.« Die Geheimnisse, die ich mit mir herumtrage, fressen nicht nur mich auf, sie schaden auch June. Egal, was wir tun, egal, wie sehr wir uns bemühen, das Richtige zu tun, wir vermasseln es immer wieder. Vielleicht finden wir eines Tages heraus, wie wir sie beschützen können, ohne sie anzulügen.

Mein Handy summt, und ohne es zu wollen, werfe ich einen Blick auf die Benachrichtigungen, die auf dem Bildschirm erscheinen.

**Dom: Ich habe eine Spur. Du musst sofort herkommen.**

**Dom: Jetzt sofort, verdammt.**

»Du musst gehen, nicht wahr?« June zieht sich zurück, ihre Stimmung schlägt sofort um.

»Ich ... ich will nicht.« Ich würde alles tun, um für den Rest meines Lebens hier bei ihr zu bleiben.

»Schon gut, ich rufe Simon an und sage ihm Bescheid.« Sie springt von der Couch auf und holt ihr Handy vom Tisch.

Simon meldet sich nach dem ersten Klingeln.

Ich kann nicht verstehen, was er sagt, aber sie erklärt: »Du hast Babysitterdienst.« Sie legt ohne ein weiteres Wort auf und kommt zurück zu mir. June legt ihre Hände auf meine Schultern. »Ich liebe dich, sehr sogar, Magnus. Aber ich weiß nicht, wie viel ich davon noch ertragen kann. Das ist keine Warnung, das ist keine Drohung, das ist einfach die Wahrheit. Du solltest es auch mal damit probieren.« Sie küsst mich auf die Lippen, bevor sie geht und mich hier allein lässt, um über die Erklärung nachzudenken.

# KAPITEL ELF – JUNE

*I*ch weiß nicht, was schlimmer ist – zu wissen, dass etwas das Potenzial hat, großartig zu sein, oder zu erkennen, dass es nie passieren wird.

So ist mein Leben. Ein Balanceakt, bei dem ich immer nahe dran bin, aber nie nahe genug.

Im Leben. Im Tod. In der Liebe.

Und sind sie nicht in Wirklichkeit ein und dasselbe? Liebe ist Leben, aber sie endet letztlich genauso wie der Tod.

Alle Worte sind gesprochen worden. Die Gefühle sind gefühlt worden. Nichts ist neu und frisch, und alles verblasst schließlich am Abgrund. Nur damit sich der Kreislauf immer und immer wiederholt und jeden mitreißt, der es wagt, die größte Wette von allen einzugehen – die um sein Herz.

Blutig, geschlagen, zerfetzt – egal, was du tust, um zu verhindern, dass es dich packt, seine bösartigen Klauen in deiner Brust versenkt und das Ding herausreißt. Wenn du Glück hast, überlebst du es vielleicht, aber manchmal, wenn du es tust, wolltest du sowieso sterben.

»June«, sagt Gwyneth von der anderen Seite des Tisches. »Du hast deine Ceviche kaum angerührt.«

»Tut mir leid«, sage ich und schaufle mir einen Bissen in den Mund, den ich mit einem gezwungenen Lächeln kaue. »Es ist köstlich«, murmle ich, nachdem ich geschluckt und mir wie eine richtige höfliche Dame über die Lippen gestrichen habe.

»Wie ich schon sagte, ich glaube, Italien würde dir sehr gefallen. Die Nordküste ist mit ihren Seen und Weinbergen wirklich zauberhaft. Und Treviso ist einfach atemberaubend. Es hat diesen alten Charme mit seinen gepflasterten Gassen und Kanälen. Aber genug von mir, was hast du seit unserem letzten Treffen gemacht?«

Mein Blick huscht zu dem Mann, der in der hintersten Ecke des leeren Raums steht. Simons Blick fängt meinen auf und er schaut weg.

»Abgesehen davon, dass ich ständig unter Beobachtung stehe?« Ich nicke dem schönen Leibwächter zu. »Ich tue nicht viel, wenn mich alle wie ein Kind behandeln, das man nicht allein lassen kann.«

Gwyneth neigt ihren Kopf zur Seite. »Und wenn du deine Freiheit hättest, was würdest dann tun?«

Ich atme aus und denke über ihre Frage nach. »Ich weiß es nicht. Vielleicht allein in die Stadt gehen. Alleine etwas essen gehen. Mit meiner besten Freundin tanzen gehen, ohne das Gefühl zu haben, dass ich der Freak bin, der sie die ganze Zeit beobachtet.«

»Aber das ist das Leben, das du gewählt hast, June. Solange du lebst, wird es immer jemanden geben, der in deine Richtung schaut. Ob er Freund oder Feind ist, hängt vom jeweiligen Tag ab.«

Ich nippe an meinem Wasser und konzentriere mich auf die Tropfen, die an der Seite des Glases herunterrollen. »Ich bin egoistisch, ich verstehe.«

Gwyneth schüttelt den Kopf und streckt ihre Hand aus. »Nein, du hast jedes Recht dazu. Aber die Dinge sind jetzt anders, und ich bin mir nicht ganz sicher, ob du dir deines Einsatzes bewusst warst, als du dein Schicksal besiegelt hast.«

»Ich ...« Ich schiebe die Meeresfrüchte mit meiner Gabel herum. »Ich denke, ich könnte damit umgehen, wirklich, aber ...«

»Hör zu!«, fährt sie fort, wo ich aufgehört habe. »Ich will ehrlich zu dir sein, June. Ich habe nicht geglaubt, dass du es in dir hast. Ich hatte meine Zweifel daran, wozu du fähig bist. Aber als ich gesehen habe, wie du die Initiative ergriffen und versucht hast, die Sache aus eigenem Antrieb zu regeln ... da wusste ich nicht, ob du einfach nur dumm oder brillant bist. Diese Männer haben ihren Verstand verloren, alle vier. Und ich habe noch nie erlebt, dass sie sich um jemand anderen als sich selbst gekümmert haben oder darum, welchen Vorteil sie erlangen konnten. Sie hätten bereitwillig alles aufgegeben, was sie besaßen, um zu gewährleisten, dass du weiterlebst.«

Ich habe mein Leben riskiert, damit sie alles haben, während sie alles für mich aufgegeben hätten.

»Darf ich dir ein kleines Geheimnis verraten?« Gwyneth lehnt sich gegen den Tisch und senkt ihre Stimme. »Nur unter uns Mädchen.«

Ich nicke. »Natürlich.«

»Bis zu dem Moment, als Simon aufgegeben hat, hatte er gute Chancen zu gewinnen.«

Mein Herz pocht in meiner Brust. »Was?«

Sie lächelt und greift nach ihrem Weinglas. »Ich dachte mir schon, dass du es weißt.«

»Mir wurde etwas anderes gesagt.«

»Ich weiß nicht, wie es ausgegangen wäre, wenn du nicht eingegriffen hättest, aber eines weiß ich mit Sicherheit: Du hast Dominic zum Sieg verholfen.«

Ich habe ihm geholfen, seinen verdammten Krieg zu gewinnen, und er dankt es mir, indem er mich ausschließt?

Wie kann das gerecht sein?

»Die – wie soll ich sie nennen? – Anpassungen, die sie im Moment durchmachen, sind nur der Anfang eines viel größeren Sturms, der auf sie zukommt. Die Zeiten ändern sich und Druck kommt aus allen Richtungen. Das ist einer der Gründe, warum ich die Entscheidung getroffen habe, zurückzutreten. Ich werde zu alt, um mit solchen Situationen umzugehen, und nachdem ich Franklin verloren habe, wurde mir klar, wie viel von meinem Leben er in Anspruch genommen hatte. Er war nicht immer ein rücksichtsloser Mann, mein Franklin, aber sein Ehrgeiz und seine Gier haben das Beste aus ihm herausgeholt und ihn zu dem Monster gemacht, das er war, als er starb. Dominic hat nicht nur das gesamte Unternehmen übernommen, er hat auch all seine Feinde und Verbindlichkeiten geerbt, all seine Dämonen. Für ihn gibt es kein Entrinnen. Dunkle Tage liegen vor ihm.«

Sie sagt das alles mit Überzeugung, als gäbe es kein Entrinnen vor diesem vorbestimmten Ausgang. Dass Dominic nichts mehr daran ändern kann und akzeptieren muss, dass er der Dunkelheit erliegen wird, die auf ihn wartet.

Wie kann ich mich zurücklehnen und das geschehen lassen?

Wie kann ich etwas tun, wenn er sich weigert, mich an ihn heranzulassen?

Ich denke, ich werde es morgen herausfinden, wenn wir unter vier Augen sprechen. Ich werde ihn dazu bringen, mit mir zu reden, auch wenn es bedeutet, Zeit zu opfern, die eigentlich romantisch sein sollte, um uns näherzubringen, obwohl wir uns nie weiter voneinander entfernt gefühlt haben.

»Ich glaube an ihn.«

Sie nickt. »Das weiß ich, und vielleicht wird das seine Rettung sein.«

Ein Kellner kommt, um unsere Teller abzuräumen und Platz für den nächsten Gang zu machen.

»Danke«, sage ich, während er es vermeidet, direkten Augenkontakt herzustellen.

Weiß er, wer sie ist? Weiß er, wer der Mann ist, der neben der Tür steht? Weiß er, wer ich bin – und die Männer, mit denen ich mich umgebe? Ist es das, was es bedeutet, mit ihnen zusammen zu sein? Eine Bedrohung durch Assoziation?

»Hast du dein Studium beendet?«, fragt mich Gwyneth.

»Ja, das ist schon eine Weile her.«

»Ich verstehe. Und was gedenkst du jetzt zu tun?« Sie nimmt noch einen Schluck von ihrem Wein – damenhaft und prätentiös.

*Trink einfach den verdammten Wein!*

Ein anderer Kellner bringt unsere Gerichte, aber als er verschwindet, erwische ich seinen Unterarm. »Kann ich einen Bourbon bekommen, pur, was immer Sie da hinten haben?«

»Das klingt köstlich, ich nehme das Gleiche«, fügt sie hinzu.

Ein Pfiff ertönt von der anderen Seite des Raumes. Simon winkt den Kellner zu sich herüber. Sie wechseln ein paar Worte, die ich nicht ganz verstehen kann.

»Ich bin mir sicher, dass er nur darauf besteht, dass du das Beste bekommst, sonst würde er sich das Leben nehmen.« Gwyneth zwinkert mir zu. »Der da ... war schon immer ein Joker, aber mit dir ist er anders.«

»Wie das?«, frage ich sie, obwohl ich weiß, dass ich das nicht sollte. Ich sollte es dabei belassen und das Gespräch wieder auf ihre Reise nach Irland oder Finnland oder wo auch immer sie war, lenken.

*Italien. Stimmt, es war Italien. Ich Dummerchen.*

»Nun, zunächst einmal hat er seine Ambitionen für dich buchstäblich aufgegeben, um ein glorreicher Babysitter zu werden.«

Ich kichere. »Das ist genau das, was ich gesagt habe.«

Auch sie lächelt. »Obwohl, ich glaube nicht, dass es ihm etwas ausmacht.«

»Er behauptet, das tue es nicht.« Ich werfe ihm einen Blick zu, und tatsächlich, er starrt mich direkt an. Ich wende meinen

Blick nach hinten, um mich zu vergewissern, dass er nicht auf etwas anderes starrt. Da ist nichts.

Ihre Stimme ist tiefer als zuvor. »Simon wurde in dieses Leben hineingeboren. Das ist alles, was er kennt. Aber nach dem, was mit seiner Schwester passiert ist, war nichts mehr so, wie es einmal war.«

»Seine Schwester?«

»Tragischer Unfall. Sie waren am See, die beiden. Sie fiel hinein, schlug mit dem Kopf unter dem Steg auf und ertrank. Simon versuchte, sie zu retten, und wäre auch fast ertrunken. Ein Angler hat ihn aus dem Wasser gezogen.«

Es bricht mir das Herz, wenn ich mich daran erinnere, dass er mir sagte, er habe Angst vor Wasser, er könne nicht schwimmen. Es ist kein Wunder, dass er immer wieder Albträume vom Ertrinken hat.

»Jedenfalls verwandelte er sich von einem liebevollen und süßen Kind in einen verschlossenen Jungen, den ich nicht mehr erkannte. Er träumte davon, die Firma zu übernehmen. Er stieg schneller als die meisten anderen auf. Aber Dom stand ihm immer im Weg. Er hatte mehr Jahre, mehr Erfahrung. Dom war immer der Nächste in der Reihe – so hatte es Franklin festgelegt. Er hatte kein Vertrauen in Simons New-Age-Mätzchen. Ich dachte, er würde es nie schaffen. Aber als Frank starb, eröffnete sich für Simon die Möglichkeit, dem Rat zu beweisen, dass er das Zeug dazu hat. Und ich will verdammt sein, der Junge hatte es fast geschafft. Wenn du nicht gewesen wärst, hätte er vielleicht gewonnen.«

Indem ich Dominic zum Sieg verholfen habe, habe ich dafür gesorgt, dass Simon verloren hat. Beide Männer hätten es verdient, aber einer von ihnen hatte bereits mein Herz. Hätte ich mich nicht eingemischt, wäre vielleicht Simon an Doms Stelle gewesen, aber was wäre dann aus Dom geworden, und was wäre mit mir passiert? Hätte Simon die Jungs einfach gehen lassen? Und was hätte er mit mir gemacht? Es ist klar, dass er besessen ist, aber wo wäre die Grenze gezogen worden, wenn er derjenige gewesen wäre, der die Kontrolle hat?

Ich schätze, das werden wir nie herausfinden, denn ich bin eingeschritten und habe Simons Leben mit einer Klinge aus Gwyneths Büro bedroht. Aber ist es nicht das, was sie die ganze Zeit von mir wollte?

Bei den verschiedenen Gelegenheiten, bei denen sie und ich uns zu diesen gelegentlichen Gesprächen getroffen haben, habe ich sie nie nach diesem Tag gefragt. Aber je mehr ich über diese Männer erfahre und je mehr Schichten dieser Welt ich aufdecke, desto reizvoller ist es, die Wahrheit zu enthüllen.

»War es ein Test?«, frage ich.

»Was denkst du denn?« Sie macht sich nicht die Mühe, so zu tun, als wüsste sie nicht, worauf ich mich beziehe.

»Ich glaube …« Ich fummle an einem der vielen Löffel auf meinem Gedeck herum. Wer auch immer gedacht hat, dass man so viele Utensilien braucht, hat offensichtlich noch nie in seinem Leben abgewaschen. »Es war einer«, fahre ich fort. »Ich glaube, du wolltest sehen, was ich bereit bin, für sie zu tun, und ob ich das Zeug dazu habe, Risiken einzugehen, mich selbst aufs Spiel zu setzen, und wie weit ich gehen würde. Du hast mich nicht ohne Grund in diesen Raum geholt und mir den Dolch direkt vor die Nase gehalten. Und ich glaube, du wolltest sehen, wie sie darauf reagieren würden, wenn ich dieses Risiko eingehe. Du wolltest nicht nur mich testen, sondern auch sie.«

»Klingt, als wärst du ziemlich überzeugt von deiner Argumentation.« Gwyneth hebt das Glas auf, das der Kellner vor ihr abstellt, und hält es mir entgegen. »Darauf, Risiken einzugehen!«

Ich hebe meines in die Luft. »Und darauf, dass sie sich auszahlen!«

Aber tun sie das wirklich? Vielleicht für Dominic, aber es ist offensichtlich, dass Magnus in dieses Hin und Her verwickelt ist, und das Leben des armen Simon ist völlig aus den Fugen geraten, als ich ihm den Dolch in die Brust gestoßen habe. Sogar Coen ist noch aufgeregter als sonst. Und ich stehe hier und frage mich, was schiefgelaufen ist und warum mir keiner meiner Männer die Wahrheit über irgendetwas sagen will.

Ich nippe an der bernsteinfarbenen Flüssigkeit und genieße den luxuriösen Geschmack. »Habe ich recht?«

»Nun, du hast sicher nicht unrecht.«

Ihre seltsam trügerische Antwort lässt mich über die anderen Möglichkeiten nachdenken, die ich vielleicht ausgelassen habe. Welchen anderen Grund hätte sie haben können, mich zu dieser Waffe zu führen? Es sei denn …

Es sei denn, sie wollte mich eliminieren.

In diesem Haus gab es Regeln, es war eine gewaltfreie Zone. Der Gebrauch von Waffen war verboten. Vielleicht wollte sie, indem sie mich dort hineinbrachte, sehen, wie dumm ich wirklich war. Um zu sehen, ob ich in der Lage war, Befehle zu befolgen und zu tun, was von mir erwartet wurde. Nachdem ich das nicht getan hatte, wäre es ihr gutes Recht gewesen, mich töten zu lassen. Um sicherzustellen, dass die Jungs nicht von irgendeiner Frau abgelenkt wurden. Ich hatte ihnen schon einige Missgeschicke eingebrockt, und solange ich bei ihnen bin, würde ihre Arbeit nicht ständig Priorität haben. Aber vielleicht war Simon wirklich der Joker, und nur sein Handeln hatte sie davon abgehalten, ihren teuflischen Plan durchzuziehen.

Aber wie alles andere in meinem Leben werde ich die Wahrheit nie erfahren – ihre Lippen sind genauso versiegelt wie die von Dominic.

»Hast du das Zeug dazu, June?«

»Wie bitte?«

»Damit das funktioniert.« Ihr bedrohlicher Blick geht mir durch und durch.

Habe ich das? Ich dachte, ich hätte es, aber bei all den Geheimnissen bin ich mir nicht mehr so sicher. Ich kann meine

Männer nicht zwingen, ehrlich zu mir zu sein, und je mehr sie mich wegstoßen, desto schwieriger wird es. Ich kann keine Brücke mit nur der Hälfte des Materials bauen. Und solange sie sich nicht entschließen, mich in die Gemeinschaft aufzunehmen, werden meine Zweifel nur weiter wachsen.

»Und du?«, frage ich.

»Ich denke, wir werden es herausfinden.«

# KAPITEL ZWÖLF – DOMINIC

»Vergiss mich nicht, heute Abend«, sagte June heute Morgen, als ich ihr einen Abschiedskuss gab.

Ich denke *immer* nur an sie, wie könnte ich sie vergessen?

Ich bin spät dran zu unserer Verabredung, aber sie hat recht, wenn sie darauf besteht, dass wir mehr Zeit miteinander verbringen. Es ist nicht so, dass ich nicht will, ich war nur ein bisschen damit beschäftigt, den Mann aufzuspüren, der für den Auftragsmord an ihr und die Störung unserer Geschäfte verantwortlich ist. Ich hasse es, dass ich nicht ehrlich zu ihr sein kann, aber je weniger sie weiß, desto besser. Auf diese Weise ist es sicherer. Solange Simon sein Wort hält und sie beschützt, als würde sein Leben davon abhängen, wird sie nicht in Gefahr sein.

Ich ziehe die Kante des Baseballschlägers über den Beton und nähere mich dem Mann, der an den Stuhl in der Mitte des Raumes gefesselt ist. »Was hältst du von deinen Knien?« Ich lege den Schläger an seine Brust und hebe sein Kinn damit an. »Oder von deinen Zähnen.« Ich trete näher und greife nach einer Zange auf dem Tablett. Ich schiebe sie ihm in den Mund

und ziehe ihm einen Backenzahn heraus, während er wimmert und stöhnt.

Er spuckt Blut auf den Boden neben mir. »Du verdammter Psycho. Ich weiß gar nichts.«

Ich lege den Zahn auf das Tablett und die Zange wieder an ihren Platz. »Das ist es ja, sonst wärst du nicht hier.« Ich atme tief ein und wieder aus. »Mal unter uns: Es ist mir scheißegal, ob du stirbst. Ich bleibe den ganzen Tag hier und nehme dich Stück für Stück auseinander. Ich werde dir jeden einzelnen Zahn aus dem Mund reißen. Ich ziehe dir die Fingernägel, einen nach dem anderen. Ich breche dir jeden einzelnen Knochen in deinem Körper, bis du mir sagst, was du weißt. Oder du stirbst. So einfach ist das. Und wenn du glaubst, dass es mir keinen Spaß machen wird, irrst du dich. Es wird mir eine große Genugtuung sein, dich leiden zu sehen.«

»Du bist krank, Mann!«, schreit der Typ.

»Ich habe nie etwas anderes behauptet.« Ich nehme den Hammer und knie mich vor ihn, ziehe ihm den Schuh vom Fuß und sehe zu ihm auf. »Hast du mir etwas zu sagen?«

»Fahr zur Hölle, Arschloch!«

Ich hole aus und schlage ihm den Hammer auf den Fuß, wobei ich jeden Knochen zertrümmere, mit dem er in Berührung kommt. Der Kerl schreit, aber das spornt mich nur an, ihn noch mehr zu verletzen. Irgendwann wird er brechen, aber in der Zwischenzeit wird es Spaß machen, ihn zu knacken.

Obwohl er sich auf seinem Sitz windet, schaffe ich es, ihm den anderen Schuh auszuziehen. »Danach wirst du wahrscheinlich nie wieder laufen können. Aber wenn ich erst einmal mit dir fertig bin, wird das Laufen deine geringste Sorge sein.« Ich zögere, um ihm die Gelegenheit zu geben, etwas zu sagen. Als er mir ins Gesicht spuckt, schlage ich mit dem Hammer härter zu, als ich es mit dem anderen Fuß getan habe. Ich stehe auf, ignoriere seine Schmerzensschreie und schlendere zu dem Tisch mit den verschiedenen Foltergeräten hinüber. Ich reiße einen Lappen vom Ende und wische mir über das Gesicht. »Das macht Spaß, oder?«

Ich drehe mich zu ihm um, Tränen laufen über seine glühenden Wangen. Sein Gesicht ist blass und doch so voller Farbe. Was für ein verdrehter Widerspruch.

»Das wirst du mir büßen.« Er stöhnt, kämpft darum, seinen Kopf oben zu halten. »Du wirst verdammt noch mal bezahlen.«

Ich werfe den Lappen beiseite und denke über seine nichtssagenden Worte nach. »Das bezweifle ich, aber ich schätze deine Hartnäckigkeit.« Ich sehe mir die Werkzeuge an und überlege, welche Möglichkeiten ich habe. »Ich könnte es schnell machen, wenn du willst, du musst nur deine Stimme für etwas anderes benutzen als zum Heulen.«

»Ich bin so oder so tot«, platzt er heraus. »Warum sollte ich dir irgendetwas erzählen?«

»Weißt du nicht, wer ich bin? Muss ich dich an die Gerüchte erinnern, die über den Mann ohne Gewissensbisse geflüstert werden? Derjenige, der mit großer Freude Schmerzen zufügt.« Ich greife wieder nach der Zange, gehe hinter ihn und nehme seinen Zeigefinger. »Das hier«, ich klemme seinen Nagel ein und reiße ihn ihm vom Finger, »ist nur ein weiterer Tag im Büro.« Ich ignoriere seine Schreie und zerquetsche den Finger. »Ich könnte das im Schlaf machen.«

Als er endlich wieder zu Atem kommt, sagt er: »Er wird dich ausnehmen wie ein verdammtes Schwein.«

»Ja?« Ich beuge mich vor und drücke meine Hand gegen seine Schulter. »Du musst mir nur einen Namen zu sagen, und ich werde dir einen schnellen Tod schenken. Ich lasse dir sogar die Wahl.« Ich deute auf den Tisch hinter mir. »Ich würde an deiner Stelle wahrscheinlich eine Kugel in den Kopf wählen, aber ich bin so nett, dich entscheiden zu lassen.«

»Ich habe keinen verdammten Namen«, schreit er mich an. »Meinst du nicht, ich hätte ihn dir schon längst gesagt?«

»Nein, nicht wirklich. Ich habe noch nicht einmal richtig

angefangen.« Ich nehme das löffelartige Ding vom Tisch. »Ich denke, als Nächstes werde ich dir die Augen aus dem Schädel reißen. Eigentlich ...«, ich werfe es beiseite, »... glaube ich, damit würde ich mir nur die Hände schmutzig machen.« Ich öffne die Knöpfe meines Ärmels und kremple ihn hoch. »Ich frage mich, wie hoch die Wahrscheinlichkeit ist, dass du dabei stirbst.« Ich halte inne und denke darüber nach. »Möglicherweise hoch. Vielleicht sollte ich mir das für später aufheben.« Ich schaue ihn an. »Was sollen wir als Nächstes tun? Wie wäre es mit einem Stromschlag? Das könnte lustig werden.«

»Savini«, platzt er heraus. »Sprich mit dem verdammten Savini. Ich weiß nichts anderes, aber Savini schon.«

Ich seufze und verschränke die Arme. »Lorenzo Savini?«

Er nickt energisch. »Ja. Wenn jemand Informationen hat, dann ist er es.«

Einer der berüchtigtsten Auftragskiller unserer Organisation. Ein Schatten wie ich, den die Leute fürchten. Ein Mann, den ich respektiere, weil er so verdammt gut in seinem Handwerk ist. Er hat keine Angst, sich die Hände schmutzig zu machen, aber er hat Standards, eine Reihe von Moralvorstellungen und Grenzen, die er nicht überschreitet. Ich hätte nie gedacht, dass er etwas mit der Entführung und Folterung von June zu tun haben würde, weil Frauen und Kinder normalerweise nicht in seinen Aufgabenbereich fallen. Das heißt aber nicht, dass er nicht weiß, wer es war.

»Ich stehe zu meinem Wort«, sage ich dem Mann, den ich gequält habe. »Wähle dein Gift!«

»Erschieß mich einfach und bring es hinter dich. Bitte, um Himmels willen ...«

Ich lasse ihn nicht ausreden, nehme die Pistole und feuere einen Schuss mitten durch seine Stirn und sicherheitshalber noch einen in seine Brust. »Das war gar nicht so schwer«, sage ich zu dem, was von seinem toten Körper übrig ist.

Ich ziehe mein Handy heraus und wähle einen meiner gespeicherten Kontakte.

»Sir?«

»Ich brauche einen Standort für Lorenzo Savini und ein Aufräumteam in der Neunten.«

»Wird sofort erledigt, Sir.«

Ich trenne die Verbindung und schiebe das Gerät zurück in meine Tasche. Ich stecke die Pistole in das Seitenholster und schiebe meine Ärmel wieder runter, streiche sie glatt und knöpfe sie zu. Auf dem Weg zur Tür schiebe ich meine Arme durch die Ärmel meines Jacketts.

---

*D*er Weg durch die Stadt ist nicht lang, aber der Verkehr ist stärker, als ich gehofft hatte. Ich schaue auf die Uhr, als ich aus meinem Geländewagen steige. In meinem Kopf dreht sich alles um die Dinge, die ich noch vor dem Ende der Nacht erledigen muss.

»Ihre Schlüssel, Sir?« Der Page streckt seine Hand aus.

»Nein, der Wagen bleibt. Ich brauche nicht lange.« Ich stürme an ihm vorbei und ins Hotel. Ich ignoriere das Personal, das mich begrüßt, und marschiere über den polierten Boden in das dahinter liegende Restaurant. Ich werfe einen Blick auf die verschiedenen Gäste und entdecke mein Ziel in der hintersten Ecke. Fast hätte ich ihn in seiner versteckten Position übersehen, aber mein Auge ist schärfer als das des Durchschnittsmenschen.

Als ich mich ihm nähere, steht er auf. »Mr. Adler.« Der Mann, etwa zehn Jahre jünger als ich, streckt seine Hand aus. Gebügelter Anzug, ähnlich wie meiner, mindere Qualität. Ein grauer Bart und dieser vertraute mörderische Schimmer in seinen Augen, den ich nur zu gut kenne.

»Mr. Savini.« Ich schüttle seine Hand fest, sein Griff entspricht dem meinen.

»Was kann ich für Sie tun? Es muss von großer Bedeutung sein, wenn ich die Ehre habe, Sie persönlich zu treffen.« Er bittet mich, Platz zu nehmen.

Ich knöpfe meine Jacke auf und schlüpfe in die Sitzecke. »Ich glaube, Sie haben Informationen, die für mich wertvoll sein könnten.«

Er setzt sich mir gegenüber. »Ich verstehe. Und was könnte das sein?«

»Bevor ich frei spreche, muss ich Sie bitten, mit dem, was wir besprechen, diskret umzugehen.«

Savini nickt knapp. »Ihr Ruf eilt Ihnen voraus, Mr. Adler. Ich versichere Ihnen, ich habe keinen Grund, Ihr Vertrauen zu missbrauchen. Es liegt in meinem besten Interesse, unsere berufliche Beziehung aufrechtzuerhalten.«

»Soweit ich weiß, haben Sie Ihren eigenen Ruf. Deshalb bin ich zuversichtlich, dass Sie meine Besorgnis über die Situation nachvollziehen können.« Ich schlucke und ignoriere den starken Wunsch, meinen verdammten Mund zu halten. Ich werde keinen Einblick gewinnen, wenn ich nicht jeder möglichen Spur nachgehe. Und nachdem ich Magnus von seinem Date abgehalten habe, um in einer Sackgasse zu jagen, muss ich weitermachen, wenn ich endlich die Wahrheit darüber herausfinden will, wer dafür verantwortlich ist, dass sie verletzt wurde.

»Bitte, fahren Sie fort.«

»Ich bin mir sicher, Sie haben gehört, was bei der Zeremonie der Ratswahl passiert ist.«

Savini nickt. »Ich war dabei.«

»Ah, Sie waren also Zeuge der Schießerei und der anschließenden Ereignisse.«

»Ja.«

»Diese Frau, die angeschossen wurde, bedeutet mir sehr viel.

In unserer Branche können Sie nachvollziehen, wie wichtig und gefährlich das ist.«

»Auf jeden Fall.«

»Es war nicht das erste Mal, dass ihr Leben in Gefahr war.«

Savini zieht eine Augenbraue hoch, da er offensichtlich neugierig ist, wohin uns diese Geschichte führt.

»Nicht allzu lange vor diesem Tag wurde sie entführt und gefoltert. Sie ist unschuldig, bis zum heutigen Tag. Sie ist kein Teil dieser Welt, sie ist nur jemand, der ins Kreuzfeuer eines Krieges geraten ist, der nie für sie bestimmt war.«

»Und Sie versuchen, den Mann ausfindig zu machen, der ihr etwas angetan hat.«

»Nein«, schüttle ich den Kopf. »Um ihn hat man sich bereits gekümmert.« Ich hole tief Luft und atme aus. »Ich versuche, die Person zu finden, die den Anschlag in Auftrag gegeben hat. Er ist mir entwischt, und ich werde nicht ruhen, bis er zur Rechenschaft gezogen wurde.«

»Ich verstehe.«

»Sie hatte das Glück, mit dem Leben davonzukommen, aber da er immer noch in den Schatten lauert, kann ich es mir nicht leisten, ihn am Leben zu lassen.« Ich überlege, wie viel ich ihm noch sagen soll, aber ich beschließe, es dabei zu belassen. Er muss nicht wissen, dass derselbe Mann auch meine Transporte sabotiert und meine Männer an allen Seiten ausschaltet.

»Sie lieben dieses Mädchen?«

»Ist das wichtig?«

»Nein.«

»Sie hat nicht verdient, was ihr passiert ist. Mir ist klar, dass allein durch meine Person unzählige andere Bedrohungen auftauchen, aber diese ist von großer Dringlichkeit.«

Savini streicht sich mit der Hand über den Bart. »Ich habe keine unmittelbaren Informationen für Sie, aber das bedeutet nicht, dass ich sie nicht für Sie finden kann. Ich werde ein wenig recherchieren und sehen, was ich herausfinden kann.«

»Und als Gegenleistung?«

Savini schaut auf seine Uhr und blickt dann wieder zu mir. »Ich könnte Ihren Einfluss in einer dringenden Angelegenheit gebrauchen. Sie müssen nicht einmal etwas tun, fahren Sie einfach mit mir dorthin. Ihre Anwesenheit allein sollte ausreichen.«

»Sind Sie sicher, dass Sie mir einen Namen geben können?«

»Niemand tut einer Frau weh und kommt damit davon. Sie haben mein Wort.« Er streckt seine Hand über den Tisch, um unsere Vereinbarung zu bekräftigen.

»Lassen Sie uns gehen.«

*E*r sagte, es würde schnell gehen. Eine Arbeit, die nicht lange dauern würde. Aber als die ignoranten kleinen Drogenkuriere nicht aufhören wollten, die Frauen im örtlichen Stripclub zu belästigen, mussten Savini und ich uns doch die Hände schmutzig machen.

Der Klügste von ihnen rannte davon, sobald ich hinter Savinis Schatten hervortrat.

Ein paar Nachzügler schoben sich gegenseitig vor, flüsterten laut miteinander und fragten, ob ich echt sei oder nicht. Einige von ihnen wichen uns aus.

Und dann waren da noch die Dummen. Die verdammten Idioten, die beschlossen, übermütig zu werden, ihre Pistolen zu ziehen und eine Handvoll Stripperinnen als Geiseln zu nehmen.

Es war nicht die sauberste Operation, aber Savini und ich schafften es, jeden einzelnen verbliebenen Idioten abzuschlachten, wobei die Frauen nur ein paar Verletzungen davontrugen. Wir arbeiteten gut zusammen, mit dem Rücken aneinander, während wir uns durch den schwach beleuchteten Ort manövrierten, um jedes unserer Ziele zu eliminieren.

Dem Letzten schoss ich ins Bein und sein Schrei hallte

durch die Luft. Er ließ seine Waffe fallen und umklammerte
die klaffende Wunde, während ich ihn auf den klebrigen
Boden stieß und immer wieder auf ihn einschlug, bis mir das
Blut über das Gesicht tropfte. Ich erhob mich von seinem
toten Körper, und die Frauen, die in der Ecke kauerten,
keuchten.

Savini versicherte ihnen, dass ich ihnen keinen Schaden
zufügen würde, und forderte sie auf zu verschwinden. Der
letzten Frau verband er schnell den Arm, an dem eine verirrte
Kugel sie gestreift hatte, und sagte ihr, sie solle ins Krankenhaus
gehen. Er drückte ihr eine Handvoll Bargeld in die Hand und
wandte sich mir zu.

»Sind wir uns einig?«

Er nickte und ich ging, was mich ins Hier und Jetzt bringt,
während ich durch die Stadt rase und jede rote Ampel ignoriere,
um zu der Frau zu kommen, für die ich das alles getan habe. Die
Frau, die mich umbringen wird, weil ich zu spät komme.

Ich stürme durch die Garagentür ins Haus.

Magnus und Simon hören auf zu plaudern und sehen mich
direkt an.

Magnus ergreift als Erster das Wort. »Du kannst da nicht
hochgehen. Nicht so.«

»Du verstehst nicht, ich muss.« Ich schaue auf die Uhr und
stelle fest, dass ich bereits drei Stunden zu spät bin.

Simon streckt seine Hand aus, um mich aufzuhalten. »Schau
in einen verdammten Spiegel, Dom.« Er schubst mich zu dem
neben unserer Bourbon-Bar.

Blut klebt auf meinen Wangen, in meinem Haar und in
meinen Bart. Meine Fingerknöchel sind geschwollen und ebenfalls rot gefärbt. Das Hemd, das vorhin noch perfekt gebügelt
war, ist zerrissen und zerknittert, befleckt mit den Überbleib-
seln des Abends.

»Sie hat bereits deutlich gemacht, dass sie in Ruhe gelassen
werden will.« Magnus kommt zu mir und klopft mir auf den

Rücken. »Am besten, du machst dich sauber und bittest um Vergebung, wenn sie sich morgen wieder beruhigt hat.«

»Ich wollte nicht …« Ich beende meinen Satz nicht, denn wenn ich gewollt hätte, dann wäre ich hier gewesen. Ich denke vielleicht, ich tue das alles für sie, aber es ist sinnlos, wenn ich sie dabei verliere. Andererseits wenn ich sie schon verliere, dann lieber so als durch den Tod. Lieber hasst sie mich, als dass sie tot ist. Damit kann ich leben, aber ich kann nicht damit leben, nichts zu tun, wenn ich weiß, dass ihr Peiniger noch da draußen ist. Die einzige Möglichkeit, die ganze Situation zu retten, ist, wenn ich ihr die Wahrheit sage, warum ich nicht hier war.

Aber was ist, wenn selbst das nicht ausreicht, um uns von der Klippe zurückzuholen, von der ich uns gestürzt habe?

# KAPITEL DREIZEHN – JUNE

*I*ch bin so verdammt wütend, dass ich nicht mehr klar denken kann.

Ich dachte, ich würde ausschlafen können, aber nein, das bisschen Ruhe, das ich bekam, wurde von Albträumen gestört, aus denen ich nicht mehr aufwachen konnte. Glücklicherweise rüttelte mich mein besessener Leibwächter in die Realität zurück und nahm mein Gesicht in seine Hände.

Er darf nicht in meinem Schlafzimmer sein, aber das hat ihn nicht davon abgehalten, diese Grenze zu überschreiten und reinzukommen, als ich ihn brauchte.

Nach einer langen Dusche, bei der ich unter dem Wasser stand, bis meine Haut von der Temperatur rot wurde, trockne ich mein Haar mit dem Handtuch ab und creme meinen verbrühten Körper ein. Ich ziehe mich schnell an, werfe das erstbeste an, was ich in dem großen Schrank finde, und trete in den Flur.

Ich stoße direkt gegen Simons starke Brust. »Scheiße, ich habe dich nicht gesehen.«

Er beruhigt meine Schultern. »Tut mir leid, ich hätte dir aus dem Weg gehen sollen. Mir war nicht klar, dass du immer noch auf dem Kriegspfad bist.«

Ich rolle mit den Augen. »Ich bin nicht jemand, der leicht über etwas hinwegkommt.«

»Das habe ich bemerkt.« Simon gibt mir ein Zeichen, weiterzugehen, und läuft neben mir die Treppe hinunter. »Wie geht es deinen Handflächen?«

Ich zeige sie ihm. »Sind in Ordnung.« Die Wunden sind verschorft und beginnen zu verblassen. Und ich bin sicher, dass die Schnitte in etwa einer Woche komplett verschwunden sein werden.

»Und die Knöchel?« Er dreht meine Hand um. »Sehen auch besser aus.«

»Ich sagte doch, es geht mir gut.« Ich gehe zur Kaffeemaschine und nehme mir eine Tasse. »Willst du auch einen?«

»Sicher, ja, danke.«

»Bevor du mich wegen des Frühstücks nervst. Kannst du es heute mal sein lassen? Ich habe furchtbare Kopfschmerzen und der Gedanke an Essen macht mich wahnsinnig.«

Simon presst die Kiefer zusammen und zögert, bevor er antwortet. »Gut, aber kannst du wenigstens etwas Wasser trinken?«

Ich drehe mich um, strecke mich nach oben und greife nach einem Glas aus dem Regal. Ich halte es unter den Wasserhahn, fülle es und trinke den gesamten Inhalt in einem Zug aus. Dann werfe ich das Ding in die Spüle. »Zufrieden?«

»So ähnlich.« Er zeigt auf den Kühlschrank. »Du weißt, dass dort gefiltertes Wasser ist, oder?«

Ich zucke mit den Schultern und gehe zurück zur Kaffeemaschine. »Hast du vergessen, dass ich als Studentin permanent pleite war, bevor ich hierherkam?«

»Nein.«

Ich bleibe stehen und lausche den Geräuschen im Haus. »Ist sonst noch jemand hier?«

Er schüttelt den Kopf. »Nein.«

Ich lache trocken. »Habe ich sie alle verscheucht?«

»Sieht so aus.« Simon holt den Milchkaffee aus dem Kühlschrank und bringt ihn zu mir. »Bryant ging zu dir und küsste dich, bevor er ging, aber Dom und Hayes waren schon weg, als ich kam.«

Schon sein Name bringt mein Blut in Wallung.

Alles, was ich wollte, war ein einziges verdammtes Date. Er war derjenige, der darauf bestand, dass es letzte Nacht sein sollte. Er machte Pläne und Versprechungen und brach sie verdammt noch mal. Er hat sich nicht einmal die Mühe gemacht, mich anzurufen und mir zu sagen, dass er nicht kommen würde. Nicht mal eine SMS oder eine verdammte Brieftaube. Er hat sich auch nicht die Mühe gemacht, es Simon zu sagen. Stattdessen habe ich wie eine verdammte Idiotin gewartet, während sich das Herz in meiner Brust zusammenzog. Ich wollte ihm im Zweifelsfall recht geben. Ich wollte versuchen, ihn anzuhören, um zu sehen, ob er mir endlich die Wahrheit sagen würde. Aber nein, er ist nicht aufgetaucht, was mich nur noch mehr davon überzeugt hat, dass er sich nicht so sehr um mich kümmert, wie er es vorgibt.

Was auch immer er tat, war eindeutig wichtiger als die Verpflichtung, die er mir gegenüber eingegangen war.

Ich weigere mich, weiterhin jemanden anzuflehen, mit mir zusammen sein zu wollen. Von jetzt an werde ich auch nur noch das absolute Minimum tun.

Mein Handy summt und ich hätte es beinahe ignoriert, aber als ich nach unten schaue und das Foto einer schönen Blondine auf dem Bildschirm sehe, fahre ich fast aus der Haut.

»Heilige Scheiße, ist alles in Ordnung?« Simon starrt mich an, als ob mir ein Horn aus der Stirn wachsen würde.

»Ja, entschuldige, es geht um Cora. Ich habe schon ewig nicht mehr mit ihr gesprochen.«

**Cora: Hey, zu sagen, dass ich dich vermisst habe, ist die**

Untertreibung des Jahres. Ich habe gerade erst wieder Empfang und hatte etwa 47 Benachrichtigungen von dir. BIST DU OKAY?!

Cora: Und sobald ich wieder in der Stadt bin, gehen wir aus. Nicht verhandelbar.

Ich antworte schnell.

Ich: Mir geht es gut, jetzt, nachdem ich einen Lebensbeweis habe. Verschwinde nie wieder einfach aus der Stadt raus. Danke.

Ich lächle auf meinen Bildschirm, als die Punkte erscheinen, und warte ungeduldig auf ihre Antwort.

Cora: Nächstes Mal nehme ich dich mit, was sagst du dazu?

Ich: Abgemacht. Srsly. Ich vermisse dich so sehr, du dummes Arschloch.

Cora: Dito, du dreckige Schlampe lol

Cora: Der Empfang ist immer noch schlecht. Ich melde mich bald bei dir.

Sie fügt am Ende eine Handvoll trauriger und weinender Emojis hinzu, und ich verdopple die Menge und schicke sie sofort zurück.

Simon schiebt einen Kaffee, von dem ich nicht wusste, dass er ihn mir gemacht hat, über den Tresen und rührt in seiner Tasse.

»Hey, den wollte ich doch machen.«

»Du warst mit etwas Wichtigerem beschäftigt.«

Ich führe meine Tasse an die Lippen und puste über die heiße Flüssigkeit. Ich nehme einen vorsichtigen Schluck und schaue zu dem Mann auf, der mich aufmerksam beobachtet.

»Was?«

»Nichts.« Simon wendet sich ab, geht zur Kücheninsel und lehnt sich dagegen.

Seine Bizepse wölben sich unter dem schwarzen T-Shirt und

bringen seine breiten Schultern zur Geltung. Ich zwinge mich, woandershin zu schauen.

»Also …« Ich gehe zu ihm und stoße ihn in die Seite. »Wie wär's, wenn wir beide uns nach der Arbeit ein bisschen Ärger einhandeln?«

Simon neigt seinen Kopf zu mir. »Du machst nur Ärger.«

»Ach, komm schon! Du hast es versprochen!« Ich hüpfe auf den Tresen und lasse meine Beine über den Rand baumeln. »Und wenn ich nicht bald etwas Ärger mache, verliere ich meinen Verstand. Besonders nach der letzten Nacht.«

»Ich weiß nicht, was es war, aber ich bin sicher, er hatte einen guten Grund.«

Ich schüttle den Kopf. »Ich will nicht darüber reden. Ich will nicht darüber nachdenken. Ich will einfach nur etwas Rücksichtsloses tun, und wenn du nicht willst, dass ich abhaue und es alleine mache, ist das deine Chance, dabei zu sein.«

Simons ganzer Körper verkrampft sich und er starrt mich direkt an, sein Körper überragt den meinen, obwohl ich auf dem Tresen sitze. »Du wirst *nirgendwo* ohne mich hingehen.«

Ich neige meinen Kopf. »Führe mich nicht in Versuchung!«

Simon kommt auf mich zu und drückt seinen Körper zwischen meine Beine. Er greift nach oben und legt seine Handfläche unter meinen Kinnansatz. »Das würdest du nicht.«

Ich starre zu ihm auf, mein Herz rast in meiner Brust. »Ich würde es tun und das weißt du.«

Er leckt sich über die Lippen, und ich will es nicht, aber ich lasse meinen Blick darüber gleiten. Prall, voll, zum Greifen nah. Die Zeit scheint sich zu verlangsamen und die Schwerkraft droht mich näher zu diesem Mann zu ziehen. Ich wehre mich gegen die Anziehungskraft und kämpfe gegen den Drang, das zu tun, worum mein Körper mich bittet. Aber ich weiß es besser, und es wäre falsch, diese Grenze bei ihm zu überschreiten. Nur weil mich meine Männer nerven, darf ich nicht das Unverzeihliche tun. Ich mag ein boshaftes Miststück sein, aber es gibt Grenzen, die ich nicht überschreiten werde – und ihren Feind zu küssen ist eine davon. Auch wenn ich es verdammt nochmal will.

Ich werde es aber nie wagen, das laut zuzugeben.

Mein Telefon summt und reißt Simon und mich aus unserer Trance.

Er lässt mein Gesicht los, geht einen Schritt zurück und schüttelt den Kopf. »Das hätte ich nicht tun sollen.«

Ich springe von der Theke. »Du hast nichts falschgemacht«, versichere ich ihm. *Wir* haben nichts falschgemacht.

Ich prüfe meine Benachrichtigungen.

**Cora: Wir haben so viel nachzuholen. Wir sprechen uns bald, Babe. Ich liebe dich.**

**Ich: Ja, das tun wir. Ich kann es nicht erwarten, alles zu hören. Ich liebe dich!!**

*S*imon versucht während meiner gesamten Schicht im *Bram's* nicht, seinen Blick zu verbergen. Ich spüre, wie er mich in jeder Sekunde der sechs Stunden durchdringt, und obwohl es uns verboten ist, mehr zu sein als das, was wir bereits sind, begrüße ich seine hungrigen Augen trotzdem. Vielleicht will er nur, was er nicht haben kann, aber trotzdem ist es schön, zur Abwechslung mal begehrt zu werden. Und auch wenn wir diese Grenze nie überschreiten, was kann es schaden, wenn er mich von dem klaffenden Loch in meiner Brust ablenkt.

Denn wenn ich zu lange darüber nachdenke, steigen mir die Tränen in die Augen und eine Leere überkommt mich. Ich habe einen Haufen Scheiße zu tun, ich kann nicht zusammenbrechen, weil die Männer, die eigentlich meine Partner sein sollten, wenig bis gar nichts mit mir zu tun haben wollen. Ich dachte, die Chance, etwas Zeit mit ihnen zu verbringen, würde die Dinge irgendwie besser machen, aber alles, was es tat, war, mich daran zu erinnern, dass das, was wir haben, großartig und unerreichbar weit weg ist.

Vielleicht ist der Zeitpunkt falsch. Oder vielleicht sind manche Dinge nicht für die Ewigkeit bestimmt. Menschen kommen und gehen in deinem Leben, um dir eine Lektion zu erteilen. Um dir zu helfen, etwas über dich selbst zu lernen. Was, wenn das alles war? Das Universum, das mir versichert, dass es die Liebe gibt, aber dass sie flüchtig und schwer zu halten ist. Vielleicht habe ich noch nicht die Person gefunden, die bereit ist, so um mein Herz zu kämpfen, wie ich es verdiene, dass man um mich kämpft. Ich habe gehofft, dass es Dom und Co und Magnus sein würden, aber mit jedem Tag, der vergeht, werde ich unsicherer, was das alles für sie bedeutet.

Coen und ich haben eine Vergangenheit – eine, die uns genommen wurde. Aber was ist, wenn es nie so sein sollte? Was, wenn unsere Ewigkeit genau das war, was sie war – machtvoll und vorübergehend? Magnus ist der Einzige, der echte Reue für seinen Anteil an der Sache zeigt. Er ist distanziert und macht immer wieder kleine Andeutungen, aber er gibt sich die meiste Mühe. Ich glaube, dass er mir die Wahrheit sagen will, aber irgendetwas, das stärker ist als seine Liebe zu mir, hält ihn davon ab, es durchzuziehen.

»Ich habe einen Vorschlag«, sagt Simon, als er sich mir nähert.

Ich ziehe die Augenbrauen hoch und lächle. »Ja?«

»Nichts Unanständiges!« Er schüttelt den Kopf und errötet.

»Hey, du hast es gedacht, nicht ich.« Ich wische den Tisch fertig ab und werfe den Lappen in den Mülleimer hinter dem Tresen.

Er folgt mir auf Schritt und Tritt. »Wenn du was isst, können wir etwas unternehmen.«

»Was zum Beispiel?«

»Ich weiß nicht, Pizza oder Burger oder …«

»Nein.« Ich kichere. »Was können wir dann unternehmen?«

»Oh.« Simon reibt sich den Nacken und blickt sich im Raum um, bevor er mich wieder ins Visier nimmt. »Vielleicht etwas Dummes.«

Ich strecke meine Hand aus. »Abgemacht.«

Er legt seine Handfläche um meine, seine Wärme umhüllt mich. »Abgemacht.«

»Ich stemple aus und dann gehen wir los. Wie wär's mit Tacos von diesem Imbisswagen?«

---

*J*ch schaffe es, eineinhalb Tacos herunterzuwürgen, wie immer in diesem Laden. Nicht, dass sie nicht köstlich wären, aber ich habe in diesen Tagen einfach keinen großen Appetit. Nach einigem Hin und Her akzeptiert Simon schließlich, dass ich genug habe. Nachdem ich mich geweigert habe, das zweite Stück überhaupt anzurühren, droht er damit, mich noch einmal zu füttern, aber ich gebe nach und esse ein paar Bissen, um seinen Wunsch zu stillen, mich herumzukommandieren.

»Wie wär's mit Go-Kart?« Simon scrollt durch sein Handy und schaut zu mir hoch.

Ich verenge meinen Blick. »Da musst du dich schon mehr anstrengen.«

»Paintball?«

»Ehrenhafter Babysitter.« Ich lache. »Hör zu, ich habe meinen Teil der Abmachung eingehalten, jetzt musst du deinen auch einhalten. Ich will Gefahr, keine Autoscooter im Einkaufszentrum.«

»Da fällt mir ein, wir könnten doch zum Bowling gehen?«

»Simon, hast du zufällig ein Messer?«

»Äh, nein. Warum?«

»Weil ich dich abstechen werde. Eigentlich … nein wirklich,

kann ich jemanden abstechen? Dann würde ich mich vielleicht besser fühlen.«

Ich denke daran zurück, wie ich dem Kerl die Kehle aufgeschlitzt habe und sein Blut auf mein Gesicht spritzte. Simon lächelte die ganze Zeit über. Wo ist diese Version von ihm? Die mich mit der Gefahr, die er ausstrahlte, so sehr reizte.

»Beruhige dich, Cujo.«

»Gibt es heute Abend irgendwelche Kämpfe? Das war perfekt neulich. Das können wir wieder machen.«

Er seufzt. »Es wurde noch nicht bekannt gegeben, wann der nächste Termin sein wird. Und das war außerdem ein bisschen zu knapp, Liebes.«

»Gibt es die Kämpfe auch für Mädchen? Ich würde gerne jemandem in den Arsch treten. Vielleicht nicht bis zum Tod.« Eine Idee springt mir in den Kopf. »Du solltest mir beibringen, wie man kämpft.«

»Was?« Simon lenkt seine Aufmerksamkeit von seinem Telefon auf mich.

»Ja. Ihr seid alle auf meine Sicherheit bedacht. Sollte ich nicht wissen, wie ich mich verteidigen kann? Vielleicht habe ich das nächste Mal, wenn ich entführt werde, eine Chance, im wahrsten Sinne des Wortes.«

Simons Nasenlöcher blähen sich. »Solange ich etwas zu sagen habe, wird es kein nächstes Mal geben. Wage es nicht, so sorglos über dein Leben zu sprechen.«

»Mensch, wer ist derjenige, der sich beruhigen muss? Warum bist du so dagegen, dass ich weiß, wie ich mich verteidigen kann?«

»Dafür bin ich ja da. Du solltest nie einen Finger rühren müssen.«

Ich hebe meine Hand in die Luft. »Wie wäre es mit fünf? Warte …« Ich zeige auf meinen Daumen. »Es sei denn, du zählst den hier nicht mit, dann sind es wohl nur vier.«

Simon kneift die Augen zusammen. »Du bist so frustrierend.«

Ich tippe ihm auf die Nase. »Ich weiß.«

Eine Gruppe von Motorrädern rast an uns vorbei und lässt ihre Motoren aufheulen.

»Verdammte Idioten«, murmle ich. »Sie lassen jeden wissen, wie klein ihre Penisse sind.«

Simon blickt in die Richtung, in die sie verschwunden sind, und dann zu mir. »Ich habe eine Idee.«

»Wenn das nicht besser ist als Fingermalerei, dann schwöre ich bei Gott ...«

»Vertrau mir!« Simon trinkt das Wasser aus und wirft seine Flasche in den Mülleimer. Er räumt den Rest unseres Mülls zusammen und entsorgt ihn. »Komm schon!«

Ich folge ihm, denn welche andere Möglichkeit habe ich? Meine einzige Hoffnung ist, dass er mich nicht im Stich lässt. Aber ich schätze, so wie die Dinge derzeit laufen, liegt die Messlatte nicht gerade hoch.

*W*ir fahren in Simons Volvo durch die Stadt und halten in einem Parkhaus. Er tippt einen Zugangscode ein und das Tor öffnet sich, sodass wir einfahren können.

»Wo sind wir?«

»In meiner Wohnung.«

So viel zu den Grenzen. Simon geht bei den Dingen, die wir nicht tun sollten, wirklich aufs Ganze.

»Komm nicht auf dumme Gedanken«, sagt er, bevor meine Gedanken zu sehr ausufern können. »Wir bleiben nicht hier.«

»O nein. Das ist es ganz und gar nicht.« Ich löse den Griff, den ich um mein Knie hatte. »Was machen wir hier?«

»Wir tauschen nur die Fahrzeuge.« Er fährt in eine Parklücke ganz hinten, wo keine anderen Autos stehen. Simon stellt den Wagen ab, schaltet den Motor aus, steigt aus und springt an meine Seite, bevor ich den Türgriff fassen kann.

Ich steige aus und schaue mich um, wobei ich mich frage, was zum Teufel er vorhat. Es sind keine Fahrzeuge in der Nähe. Vielleicht hat er vor, uns zu Fuß dorthin zu bringen, wohin wir wollen.

Aber Simon führt uns nicht von hier weg. Er fummelt an den Schlüsseln an seinem Schlüsselbund herum und schließt die kleine Garagentür auf, neben der wir stehen. Simons Shirt schiebt sich hoch, während er die Tür anhebt, und ein Teil seines Oberkörpers kommt dabei zum Vorschein.

Ich blinzle, um in die Dunkelheit des kleinen Raumes zu sehen, und konzentriere mich darauf, was er mir zeigen will.

Simon schlendert hinein und schiebt ein Motorrad heraus.

»Ein Motorrad. Du besitzt ein Motorrad?«

Er lacht. »Das ist nicht irgendein Motorrad, Liebes. Es ist eine Ducati Panigale.«

»Sollte ich wissen, was das bedeutet?«

»Nein, wahrscheinlich nicht.« Er dreht den Schlüssel und drückt einen Knopf, um das Motorrad zu starten. Das Ding heult auf, und allein das Geräusch lässt mir einen Schauer über den Rücken laufen.

Okay, vielleicht kann Simon heute Abend tatsächlich etwas erreichen.

Er dreht am Gas, aber nicht so exzessiv wie die Idioten in der Stadt. Nein, Simon tut so, als hätte das einen Sinn.

Trotzdem kann ich nicht umhin, eine Gelegenheit zu finden, ihn zu necken. »Ist das deine Art, mir zu sagen, dass du einen kleinen Schwanz hast?«

Seine verführerischen grünen Augen bleiben an meinem haften. »Das ist etwas, das ich weiß und du herausfinden musst.« Er zwinkert mir zu.

Ich schlucke und schüttle innerlich das Flattern ab, das in

meinem Bauch vibriert. Oder vielleicht ist es zwischen meinen Beinen, ich kann es nicht genau sagen, denn auch in mir rattert der Nachhall des Motorrads.

Simon geht zurück in den dunklen Raum und bringt zwei schwarze Helme mit, die zu seinem geschwärzten Fahrrad passen. »Hier, setz den auf!«

»Wirklich? Du willst mich zwingen, den zu tragen?«

Er starrt mich an. »Wir mögen leichtsinnig sein, Liebes, aber deine Sicherheit ist immer noch mein größtes Anliegen.«

Ich stöhne und ziehe das Ding über meinen Kopf. »Gut.« Ich fummle an den kleinen Riemen herum, weil ich nicht weiß, wie ich sie so befestigen soll, wie er es tut.

Simon schlägt meine verzweifelten Finger weg. »Erlaubst du?« In einer Sekunde hat er den Helm auf meinem Kopf befestigt, und die Hitze seiner Berührung hält noch an, nachdem sie verschwunden ist.

»Danke«, sage ich so laut, dass er es hören kann.

Er zeigt mit dem Daumen nach oben, aber dann drückt er auf die Vorderseite seines Helms und greift nach meinem, um dasselbe zu tun. Ein Knistern dringt durch die Innenseite meines Helms, gefolgt von seiner Stimme. »Heb dir das Schreien für später auf, Liebes.«

»Das hättest du wohl gerne«, sage ich grinsend durch das Mikrofon, das in diesen Dingern eingebaut ist.

Simon zieht das Garagentor herunter. Mit Leichtigkeit wirft er sein Bein über das Bike und streckt mir die Hand entgegen. »Bist du bereit?«

Ich schiebe meine Handfläche in seine, trete auf eine der Fußrasten und steige hinter ihm auf. Da ich nicht weiß, was ich mit meinen Händen machen soll, behalte ich sie für mich.

Simon neigt seinen Kopf leicht zu mir zurück. »Du solltest dich gut festhalten, Liebes.«

Ich lege einen Arm um seine Taille und drücke meinen Körper an seinen.

Er macht etwas mit dem Fuß oder vielleicht mit der Hand, ich weiß nicht genau, wie diese Dinger funktionieren, und gibt etwas Gas, während wir langsam losfahren. Ich glaube, es ist die Kupplung oder so, die er loslässt, damit wir uns bewegen. Vielleicht kann ich ihn überreden, mir beizubringen, wie man damit fährt, damit ich mir nicht so verdammt blöd vorkomme, wenn ich versuche, es herauszufinden. Oder ich könnte einfach akzeptieren, dass ich nicht *alles* wissen muss. Ich meine, solange wir ständig aufeinanderhocken, wird sich das früher oder später sicher ergeben.

Simon fährt uns durch das Parkhaus, das Motorrads schnurrt wie eine verdammte Katze. Er hält am Tor an, wartet, bis es sich öffnet, und schießt dann auf die Straße hinaus.

Die Luft ist eine Mischung aus einer warmen Brise und einer leichten Abkühlung – perfekte Bedingungen für eine Nachtfahrt.

Er gleitet mit viel mehr Leichtigkeit durch den Verkehr als mit dem Auto. Er fährt zwar nicht gerade wie eine Oma in seinem Volvo, aber das hier ist etwas ganz anderes.

Wir fahren *vielleicht* zu schnell in eine Kurve. Natürlich klammere ich mich fester an ihn und lehne mich in die entgegengesetzte Richtung.

»Lege dich mit mir in die Kurve, Liebes«, sagt er durch die Kopfhörer. »Ich werde nicht zulassen, dass dir etwas passiert. Ich verspreche es.«

»Tut mir leid«, erwidere ich, denn was soll ich sonst sagen, während wir beide fast draufgehen, weil ich mich in die falsche Richtung lehne. Es ist ja nicht so, dass ich ein Handbuch für den Sozius hätte.

Von allen Kerlen, mit denen ich in der Vergangenheit herumgevögelt habe, bin ich nicht ein einziges Mal auf das Heck eines ihrer Motorräder gestiegen. Ich war dumm genug, ihnen zu ihren Wohnungen zu folgen, und verdammt, ich wollte die Grenze der Gefahr nicht noch weiter überschreiten und auf ihre Motorräder steigen. Ich bin vielleicht rücksichtslos, aber nicht völlig dumm. Und hier stehe ich nun, ohne jemals Sex mit Simon gehabt zu haben, und ich spiele die Rolle auf seiner Rakete.

»Ich will dir etwas zeigen«, sagt Simon, bevor er das Gaspedal durchdreht und die Autos umkurvt. Wir rasen über Kreuzungen, manövrieren durch den Verkehr und sind schneller in der Stadt als je zuvor in meinem Leben.

Ich positioniere meinen Helm abwechselnd links oder rechts von ihm und genieße die Aussicht, so gut ich kann. Die Gebäude verschwimmen und die Menschen sind nicht wiederzuerkennen, aber alles ist von einer anderen Art von Schönheit. Es ist neu und frisch und so verdammt berauschend. Es ist nicht gerade die Gefahr, die ich im Sinn hatte, aber es ist ein Nervenkitzel, von dem ich nicht wusste, dass ich ihn brauche, während ich die Third Street hinunterschieße und mein Haar hinter mir peitscht.

Um den ganzen Wirrwarr kümmere ich mich später.

Ich bezweifle nicht, dass die Jungs wütend sein werden, wenn sie es herausfinden, aber sie haben nicht gesagt, dass ich nicht mit Simon auf ein Motorrad steigen darf – und wenn man bedenkt, dass Simon darauf bestanden hat, dass ich einen Helm trage, dann hat er sein Versprechen für meine Sicherheit eingehalten. Niemand hat gesagt, dass wir nicht ein bisschen Spaß haben können.

»Hast du keine Angst vor den Bullen?«, frage ich.

Er schmunzelt. »Die meisten von ihnen stehen auf der Gehaltsliste.«

»Du stehst also über dem Gesetz?«

»Was glaubst du, wie deine Freunde sonst mit ihren krummen Dingen durchkommen?«

»Touché.«

»Außerdem ist in unserem Bundesstaat das Spurenwechseln

legal. Die Geschwindigkeitsübertretungen nicht so sehr, aber ich darf überholen.«

»Glaubst du das?«

»Dieses Ding fährt fast zweihundert Meilen pro Stunde, also ja, ich würde sagen, ja.«

Ich umklammere seine Taille fester bei der Vorstellung, auf diesen zwei Rädern so verdammt schnell zu fahren. Wenn wir einen Unfall bauen würden, bin ich mir ziemlich sicher, dass mein Körper einfach auf dem Asphalt explodieren würde. Wenigstens wäre dann nichts mehr von mir übrig, was die Jungs ermorden könnten.

»Mach dir keine Sorgen, Liebes. Mit dir an meinem Rücken würde ich nie so schnell fahren.«

»Mit dir vorn solltest du auch nicht so schnell fahren.«

»Pass auf, Liebes, das hört sich fast so an, als würde ich dir etwas bedeuten.«

*Fast?* Glaubt er wirklich, ich wüsste es nicht? Nur weil wir nicht mehr sein können als das, was wir sind, heißt es nicht, dass er mir egal ist. Er mag der Feind meiner Freunde sein, aber das heißt nicht, dass er nicht mein Freund sein kann. Ich weigere mich, ihn immer noch als meinen Feind anzuerkennen, obwohl er alles in seiner Macht Stehende getan hat, damit ich mich alles andere als allein fühle.

»Wer wird mich beschützen, wenn du über die Straße geschleudert wirst?«, frage ich, während ich mein Bestes gebe, um meine Gefühle für ihn zu verbergen.

»Touché!«

Wir erreichen den Stadtrand und der Verkehr lässt nach. Die Lichter der Straße werden schwächer und es bleiben nur noch ein paar Autos und der Scheinwerfer des Bikes übrig. Salzige Luft, eine kühle Brise und die Wärme von Simons Körper. Seine Berührung ist verboten, aber in diesem Moment ist sie ein absolutes Bedürfnis.

»Aufgepasst, Liebes! Es könnte holprig werden.« Er lenkt das Motorrad von der Straße ab und auf einen Parkplatz. Er fährt bis zum Ende, und als ich sicher bin, dass er endlich anhält, manövriert er uns auf den Rasen und umgeht die Verbotsschilder.

Ich stelle keine Fragen, weil ich sicher bin, dass ich keine Antworten bekommen werde. Stattdessen schlinge ich meine Arme um ihn und warte auf das, was er für uns geplant hat. Mein Hintern knallt auf den Sitz, und ich halte mich fester, während wir das steinige Gelände durchqueren. Ich schließe meine Augen, nicht aus Angst, sondern eher aus Vertrauen. Ich lege meinen Kopf an seinen Rücken und genieße dieses Erlebnis, das nicht von Dauer sein wird. Die Nähe, von der ich geträumt habe, die ich aber nie zugelassen habe.

Das Motorrad kommt zum Stehen und Simon schaltet den Motor ab.

»Wir sind da.« Er fährt mit der Hand an meinen Armen entlang, die um seinen Oberkörper geschlungen sind.

Ich löse mich von ihm, halte mich an seiner Schulter fest und springe vom Bike. »Wo sind wir?« Ich werfe einen Blick auf die Stadt in der Ferne, das Meer in Sichtweite und den Nachthimmel. Es ist fast unmöglich, die Sterne von zu Hause aus zu sehen, aber von hier aus, verdammt noch mal, ist es faszinierend.

»Komm her, Liebes!« Simon gibt mir seine Hand, als er sich mir nähert. Er fährt mit den Fingern an dem Gurt unter meinem Kinn entlang und löst die Fesseln.

Ich ziehe ihn mir vom Kopf, gebe ihn ihm und er legt ihn auf die Fußraste des Motorrads.

Er lacht und streichelt mir über den Kopf. »Dein Haar ist verdammt wild.«

»Das musst du gerade sagen.« Ich greife nach oben und fahre durch sein Haar, sodass es wie meines durcheinander ist. »So, Zwillinge.«

Simon rollt mit den Augen. »Danke, ich weiß das zu schätzen.«

Ich wende meine Aufmerksamkeit von ihm ab, betrachte den Ort, an den er mich gebracht hat, und scanne den Horizont. »Das ist …«

»Etwas anderes, nicht wahr?« Er tritt neben mich. »Ich komme manchmal hierher, wenn ich den Kopf frei bekommen muss. Wie der Park für dich.«

»Der Park ist nichts dagegen.« Ich hebe meinen Kopf und betrachte den Nachthimmel. »Heilige Scheiße, da ist der Große Wagen. Er ist so viel heller als von da unten.«

Er zeigt auf einen großen, hellen Stern. »Siehst du den rötlich-orangenen da?«

»Mmhm.« Ich starre genau auf den, den er meint.

»Das ist der Mars.«

»Auf gar keinen Fall.« Ich schaue ihn an.

»Ich schwöre es.« Er schiebt seinen Arm in eine andere Richtung. »Und ich bin mir ziemlich sicher, dass das der Saturn ist.«

»Halt die Klappe, du verarschst mich.«

»Du willst, dass ich es dir beweise, nicht wahr?«

»Vielleicht.« Ich grinse ihn an und schaue wieder in den Himmel.

Simon holt sein Handy aus der Tasche und drückt ein paar Tasten, um eine App mit allen möglichen Sternen aufzurufen. »Sieh selbst, Liebes!« Er hält das Gerät vor mein Gesicht und richtet es auf den leuchtenden orangefarbenen Stern. Und tatsächlich, er hat recht.

Ich nehme ihm das Telefon ab und bewege es über den nächsten – Saturn. Meine Augen weiten sich vor Unglauben. »Du bist ein verdammter Astronom und hast mir das nicht gesagt.«

Simon grinst. »Es gibt eine Menge, das du nicht über mich weißt, Schatz.«

»Das würde ich auch sagen.« Ich richte das Telefon wieder über den Himmel. »Schau dir das an!«

»Das ist Wega, der fünfthellste Stern am Himmel. Doppelt so groß wie die Sonne.«

»Woher zum Teufel weißt du das?« Ich starre ihn an, wende mich aber wieder der App zu, klicke auf den Stern und bestätige, dass er recht hat. Sie erklärt etwas über das nördliche Sternbild Lyra.

»Indem ich das tue, was du gerade tust. Jedes Mal, wenn ich etwas Interessantes sehe, klicke ich es an, um mehr darüber zu erfahren. Nach einer Weile merkt man sich die Informationen einfach.« Simon zuckt mit den Schultern. »Außerdem habe ich genug Zeit hier oben verbracht, um eine allgemeine Vorstellung davon zu haben, wo alles ist.«

»Bringst du hier alle deine heißen Dates her?« Ich werfe ihm einen Seitenblick zu.

»Willst du damit sagen, dass dies ein heißes Date ist?« Simon neigt seinen Kopf zur Seite.

»Du weißt, was ich meine.«

Das Lächeln verschwindet aus seinem Gesicht. »Ich habe noch nie jemanden hierher gebracht.«

»Warum?«

»Das wollte ich noch nie.«

»Oh.« Ich konzentriere mich wieder auf sein Handy, scanne den Himmel und lenke mich von dem ab, was er gerade gesagt hat. Eine Benachrichtigung poppt oben auf dem Bildschirm auf. Ich will es nicht, aber ich werfe einen Blick auf die Nachricht, den Namen Sarah mit ein paar Herzen im Text. Sofort gebe ich ihm sein Handy. »Äh, ich glaube, deine Freundin hat dir gerade eine SMS geschickt.«

»Was? Nein, ich habe keine …«

Ich unterbreche ihn. »Du musst mich nicht anlügen, Simon. Du darfst auch ein Leben außerhalb von dem hier haben.« Ich stelle mich vor ihn. »Und du bist mir keine

Erklärung schuldig.« Ich verschränke die Arme vor der Brust und entferne mich, während ich in den Himmel schaue.

Simon pirscht sich an mich heran. »Bist du eifersüchtig?«

»Was? Nein. Das ist lächerlich.« Ich verdrehe die Augen und bewege mich weiter von ihm weg, alles, um etwas Abstand zwischen uns zu bekommen.

»Du bist eifersüchtig, Liebes.«

Ich drehe mich zu ihm um und meine Wangen werden heiß. »Ich bin nicht *eifersüchtig*.«

Simon reißt die Arme hoch. »Wenn es wie eine Ente aussieht und wie eine Ente quakt.«

»Ich werde der Ente ins Gesicht schlagen.«

»Was hat die Ente getan?«

»Du weißt, was die Ente getan hat.« Ich lehne mich an einen großen Felsen und starre in den Himmel, um mich von ihm und seinen Anschuldigungen abzulenken.

*Eifersucht.* Ist es das, was das hier ist? Aber warum ... Simon und ich sind nicht zusammen, und die Wahrscheinlichkeit, dass das jemals passiert, ist gleich null. Trotzdem werde ich dieses seltsame Gefühl nicht los, das mich durchströmt, und je mehr es schwelt, desto mehr ärgert es mich.

»June ...«

»Simon ...«

»Sarah ist nur ...«

»Nee!« Ich halte ihm die Hand vor die Nase. »Ich muss es nicht wissen. Sag es mir nicht.«

»Gut.« Er ärgert sich. »Mach die Dinge schwieriger, als sie sein müssen.«

»Wage es nicht, mir frech zu kommen!«

Simon tritt vor und drückt mich noch fester gegen den riesigen Felsen, an den ich bereits gepresst bin. »Du willst über *Frechheit* reden?« Sein Blick folgt dem meinen, fällt auf meine Lippen und dann wieder nach oben. Seine Brust hebt und senkt sich, sein Atem geht stoßweise. Er legt beide Hände neben meinen Kopf und kesselt mich ein.

Mein Herz rast, und ich bin unsicher, wie weit er es treiben wird und wie weit ich es will. Was ist nur los mit mir? Ich sollte das alles nicht denken oder *fühlen*. Ich habe einen Freund – drei davon. Ich bin mit meinen Beziehungen zufrieden. Bin ich das wirklich? Wenn sie mich immer wieder wegstoßen, mich praktisch in die Arme dieses Mannes vor mir schubsen. Aber das ist keine Entschuldigung dafür, dass ich abschweife, und obwohl mein Körper mich geradezu anfleht, diese verbotene Grenze zwischen uns nicht weiter zu ziehen, weiß mein Verstand, dass das nicht richtig ist. Ich habe vielleicht eine offene Beziehung mit drei Männern, aber Simon ist ihr Feind, und das bedeutet, dass er tabu ist.

Dass das, was er als Nächstes tun wird, tabu ist.

»Simon …« Ich warne ihn.

Er senkt seine Stimme. »Du hättest mir gehören sollen.«

Ein Schauer läuft mir über den Rücken. »Aber ich tue es nicht. Und ich werde es nie tun.«

Nicht, solange ich mit meinen Männern zusammen bin. Sie würden es niemals tolerieren. Das haben sie von der Sekunde an klargemacht, als sie herausfanden, dass ich wusste, wer Simon ist. Sie bestehen vielleicht darauf, dass er mein Leibwächter ist, aber mit mehr wären sie niemals einverstanden. Selbst wenn er sich in letzter Zeit als eine bessere Partie für mich erweist, als sie es sind.

Sie haben mich gewarnt, dass sie uns beide umbringen würden, wenn wir es darauf ankommen lassen würden. Und so oder so, ob Simon mir nun etwas bedeutet oder nicht, wie könnte ich zulassen, dass er verletzt wird, wenn ich mich entscheide, egoistisch zu sein?

Wegen meiner Gefühle für ihn würde ich das niemals riskieren.

Ich denke, letzten Endes ist uns beiden die Sicherheit des anderen wichtiger als alles andere.

»Glaubst du, ich weiß das nicht, Liebes?« Simons Atem berührt meine Wange. »Dass du, egal was passiert, immer unerreichbar sein wirst ...«

»Ich bin ...«

Simon unterbricht: »Wage es nicht, es zu sagen.«

Lichter flackern den Hügel hinauf, und das Geräusch von Motorrädern macht uns darauf aufmerksam, dass Simon nicht der Einzige ist, der diesen Ort kennt.

»Verdammt noch mal!« Er stößt sich von dem Felsen ab und bringt Abstand zwischen uns.

Ein Abstand, für den ich dankbar bin, denn wenn er es nicht getan hätte, weiß ich nicht, was passiert wäre. Ich will mich nicht irren, aber wie kann ich etwas widerstehen, das sich so verdammt richtig anfühlt?

»Simon ...«

»Wir müssen los, Liebes.« Er schlendert zu seinem Bike hinüber, schnappt sich meinen Helm und hält ihn mir entgegen.

Ich nehme ihn und frage mich, wer ihn schon einmal getragen hat.

*Sarah. Herz-Emojis.*

Ich presse meine Lippen zusammen und schiebe ihn auf meinen Kopf.

Simon greift nach den Gurten, aber ich wehre ihn ab.

»Alles gut, ich mache das selbst.«

Doch nach ein paar gescheiterten Versuchen und dem Geräusch der immer näher kommenden Motorräder besteht Simon darauf, dass er sie sichert. »Ich hätte dich nicht angehen sollen«, sagt er und begegnet meinem Blick durch das Visier. »Ich bin nicht fair.«

»Das ist alles nicht fair.«

Die Scheinwerfer der Motorräder erklimmen den Hügelkamm und zeigen direkt auf uns.

LUNA PIERCE

»Steig auf das Bike! *Sofort!*« Simon wirft sein Bein hinüber und greift sofort nach meiner Hand, während er mit der anderen das Gefährt anschaltet. Er positioniert seine Waffe an seiner Hüfte, während er den Gang einlegt.

Eines der Motorräder schneidet uns den Weg ab und versperrt uns den Weg. Ein Kerl ohne Helm scheint verdammt harmlos zu sein, aber bei Simon und den Jungs kann man nie vorsichtig genug sein.

»Schickes Motorrad«, sagt er zu Simon.

Simon klappt sein Visier hoch. »Danke. Wir wollten gerade verschwinden. Die Klippe gehört ganz dir, Mann.« Simon weicht mit dem Motorrad zurück, um den Weg freizumachen, aber ein anderes Motorrad nähert sich von hinten.

Weitere kommen den Hügel hinauf, Staub und Schmutz erfüllen die Luft.

»Kennst du einen anderen Weg nach unten, Alter?«, fragt der Typ Simon. »Wir haben einen Motorradpolizisten am Arsch.«

Simon seufzt und blickt in Richtung der Biker-Gruppe. »Ja, folgt mir!«

Sobald er sein Visier geschlossen hat, sage ich durch unser gemeinsames Headset: »Ich dachte, du kannst gut mit Polizisten umgehen?«

»Das heißt aber nicht, dass ich mich mit ihnen befassen will, vor allem, solange *du* bei mir bist. Stell dir vor, du müsstest das den Jungs erklären.«

Der Typ vor Simon bewegt sich aus dem Weg und Simon flitzt durch die entstandene Lücke.

»Halte durch, Liebes. Es wird steiniger werden als vorhin.«

Er ist der Anker, an dem ich mich festhalte und meine Arme um ihn schließe.

»Du bist in Sicherheit, ich verspreche es.«

»Das habe ich nie infrage gestellt, nicht mit dir.«

188

»Warum versuchst du dann, mich zu Tode zu quetschen?« Simon gluckst.

Ich lockere meinen Griff um ihn. »Ich hasse dich.«

»Gib es doch zu, du magst es, meinen Körper an deinem zu spüren.«

Wir fahren über eine Bodenwelle und dann über eine weitere. Die anderen Motorräder sind uns dicht auf den Fersen.

»Hey, Simon?«

»Ja?« In seinem Ton liegt ein Hauch von Neugier.

»Wie würdest du dich fühlen, wenn ich losließe und hinten von deinem Bike fiele? Würden sie mich überfahren? Oder würde ich mir vielleicht zuerst das Genick brechen? Was denkst du?«

Simon lässt linken Lenker los und legt sie um meine Hände auf seiner Brust. »Wenn du auch nur daran denkst, loszulassen …«

»Okay, okay«, rufe ich. »Konzentrier dich darauf, uns hier rauszubringen.«

»Versprich mir, dass du nicht loslassen wirst.« Er drückt seine Handfläche auf meine.

»Ich verspreche es.«

Er atmet aus und richtet seine Aufmerksamkeit wieder auf das felsige Terrain vor uns. Wir fahren weiter den unebenen Grashang hinunter, und mein Hintern wird taub von den vielen Unebenheiten, die wir immer wieder überfahren, bis wir schließlich festen Boden erreichen. Simon fährt direkt auf die Lichter der Stadt zu, aus einer Richtung, in der ich noch nie zuvor gewesen bin. Wir biegen auf eine Straße ein und er wirft einen Blick auf die Bikes hinter uns.

Der Typ von vorhin holt uns ein und fährt neben uns. »Danke, Mann, das war verdammt knapp!«, schreit er zu uns. »Ich lade euch auf ein Bier ein, um euch zu danken.« Er deutet nach vorne. »Ich kenne da oben einen Laden.«

Simon hebt sein Visier an, um mit dem Mann zu sprechen. »Es ist alles in Ordnung, Mann. Kein Problem.«

»Ach, komm schon!«, sage ich. »Was haben wir denn sonst noch so vor?«

»Bist du sicher, Kumpel?« Er macht wieder eine Bewegung. »Es ist nur ein paar Blocks entfernt.«

»Das wird lustig, lass es uns tun.« Ich klammere mich an Simons Oberkörper. »Wie gefährlich kann das schon sein? Zwing mich nicht, dich zu Tode zu quetschen.«

»Fahr vor!«, sagt er zu dem Mann und klappt sein Visier wieder herunter. »Lass mich das nicht bereuen.«

»Mehr als du es schon tust? Unmöglich.« Ich lockere meinen Griff, löse einen Arm ganz aus der Umklammerung von Simon und lasse den Wind durch meine Finger rauschen.

Es dauert nur eine Minute, um dorthin zu gelangen, wo der Typ uns hinlotst, und kaum sind wir auf dem dunklen Parkplatz hinter der Bar angekommen, springe ich von Simons Bike und fummle an den blöden Riemen des Helms herum. Schließlich finde ich heraus, wie es funktioniert, und ziehe ihn mir vom Kopf, bevor Simon ihn abfangen kann.

»Sieh mal an, wer meine Hilfe nicht mehr braucht.« Er nimmt mir den Helm ab und befestigt ihn mit einem kleinen Schließmechanismus am Bike.

»Vielleicht werde ich irgendwann erwachsen und du musst mich auch nicht mehr babysitten.«

»Niemals.« Er nimmt mein Kinn zwischen Daumen und Zeigefinger. »Ein Drink, dann gehen wir. Bleib dicht bei mir, okay?«

»Schön«, seufze ich und bin trotzdem erleichtert, dass er überhaupt nachgegeben hat.

»Was geht, Mann? Ich bin Derek.« Der Biker streckt Simon seine Hand entgegen.

Simon schüttelt ihn und sagt: »Ich bin Brad, das ist Shelly.«

*Brad. Shelly.* Was zu Hölle?

Ich werfe Simon einen strengen Blick zu, lasse mich aber darauf ein und nicke anerkennend. »Wir sind direkt hinter euch.«

Wir lassen die Gruppe von Bikern in die Bar, während *Brad* und ich am Eingang zurückbleiben.

»Sehe ich wie eine verdammte Shelly aus?«

Simon zuckt mit den Schultern. »Sehe ich aus wie ein Brad?«

»Nein, nicht mal ein bisschen.« Ich lache und stoße ihn an der Schulter. »Das nächste Mal suche ich die Namen aus.«

»Hoffentlich gibt es kein nächstes Mal, Liebes. Du kannst solchen Fremden nicht trauen. Wenn einer von ihnen herausfindet, wer du bist, wer ich bin …«

»Was dann, *Brad*? Was würde passieren?«

»Du könntest verletzt werden!«

»Niemanden kümmert es, wer ich bin. Du machst dir einfach zu viele Sorgen.«

»Und du machst dir nicht genug Sorgen. Jemand muss es für dich tun.«

Ich rolle mit den Augen. »Mir geht es gut.« Ich schlinge meinen Arm um Simons und ziehe ihn zum Eingang. »Komm schon, *Brad*!«

Die Bar ist voller Rauch und billigem Schnaps. Ein Billardspiel beginnt, als wir eintreten, und eine Gruppe betrunkener Frauen wackelt auf der Tanzfläche im Kreis herum. Dieser Ort ist, gelinde gesagt, urig.

»Da ist er«, ruft Derek von seinem Platz aus und streckt den Arm nach Simon aus. »Der Mann der Stunde, Brad.«

Die kleine Gruppe von Bikern jubelt und klopft Simon auf die Schulter. Ich kann seine Verärgerung über die ganze Situation spüren und genieße jede Sekunde davon. Wenn diese Männer nur wüssten, wer er ist, dann würden sie ihn wahrscheinlich nicht anfassen. Ich schätze, sein Ruf reicht nicht bis in diesen Teil der Stadt. Oder vielleicht war der Name wirklich eine Verkleidung, um seine wahre Identität zu verbergen.

»Was darf's sein?«, fragt Derek.

»Tequila und einen Bourbon.« Er wendet sich dem Barkeeper zu, der auf seine Bestellung wartet. »Oberstes Regal.« Simon schiebt seine Hand in die Tasche, holt einen Hundert-Dollar-Schein heraus und legt ihn auf den Tresen.

»Ach, Scheiße, Mann, das sollte doch auf mich gehen.« Derek runzelt die Stirn und legt seinen Arm über Simons Schulter.

Simon lässt ihn abblitzen. »Keine Sorge, Mann. Ich weiß das zu schätzen, man kann immer noch zusammen etwas trinken, egal, wer zahlt.«

Derek seufzt schwer, scheint aber Simons Antwort zu akzeptieren. Er greift nach seinem riesigen Bierkrug, von dem ein wenig über die Seiten schwappt. »Du bist ein guter Kerl, Brad.« So wie sich seine Stimme anhört, hat er schon einige Bier getrunken, lange bevor er über uns gestolpert ist. Wahrscheinlich war der Bulle deshalb hinter ihm und ihrer Gruppe her.

Der Barkeeper stellt unsere Getränke auf den Tresen und nimmt den Schein, den Simon auf den Tisch gelegt hat, um das Wechselgeld herauszugeben.

»Passt so«, sagt Simon zu der älteren Frau, die hinter der Theke arbeitet.

Ihre Augen weiten sich und sie lächelt, wobei sichtbar wird, dass ihr ein paar Zähne fehlen. »Danke.«

Simon reicht mir mein Glas und nimmt das andere in seine Hand. »Auf Brad und Shelly.«

Ich grinse ihn an und stoße mein Schnapsglas gegen seins. »Auf Brad und Shelly.« Ich kippe den Inhalt des Bourbons in einem Schluck herunter und stelle fest, dass er nichts von dem hat, den wir zu Hause haben. Noch vor nicht allzu langer Zeit hätte ich mir so etwas nicht leisten können, und jetzt bin ich hier, ein kleiner Snob, der angesichts der minderen Qualität das Gesicht verzieht. Seltsam, was der Umgang mit wohlhabenden Mafiosi aus einem Mädchen macht.

»Du pokerst hoch, was?« Derek schlürft etwas von seinem Bier und wischt sich mit seinem Ärmel den Mund ab. »Was machst du beruflich, Brad?«

Simon spannt sich an und kneift die Augen zusammen, bevor er sich umdreht. »Sicherheitsdienst.«

Dieselbe Antwort, die Coen mir gegeben hatte, als wir uns vor all den Monaten in der Bar begegnet waren. Ich fand das seltsam. *Mein* Coen, der süße, unschuldige Co, der mit mir auf dem Dach einer Pizzeria getanzt hat, machte etwas Gefährliches, um seinen Lebensunterhalt zu verdienen. Ich wusste nicht, dass dieser Job viel tödlicher war, als er zugeben wollte. Und diese Version von ihm existierte nicht mehr. Manchmal sehe ich ihn noch, einen Geist von dem, der er einmal war, aber dieser Teil von ihm ist weg, genauso wie das junge Mädchen aus meiner Vergangenheit.

»Wie der Sicherheitsdienst im Einkaufszentrum?« Derek kippt noch mehr von seinem Bier hinunter.

Ich verkneife mir ein Lachen, weil ich das Gleiche zu Coen gesagt habe.

»Ja, wie der Sicherheitsdienst im Einkaufszentrum«, bestätigt Simon, obwohl er ganz offensichtlich lügt.

»Krass. Ich wusste nicht, dass diese Gigs so gut bezahlt werden. Muss mir das mal ansehen.« Derek schnappt sich einen seiner Freunde und zieht ihn zu sich. »Das ist Brody. Er arbeitet auch im Einkaufszentrum.« Derek reibt dem Typen aggressiv den Kopf und schiebt ihn weg. Er richtet seinen Blick auf mich. »Wie lange sind du und die hübsche kleine Shelly schon zusammen?«

Simon versteift sich, sein Körper zieht sich vor meinem zusammen.

Ich verschlinge meine Finger um seine und halte sie fest. »Ein paar Jahre.« Ich lege meine andere Hand auf Simons Brust.

Derek wippt mit dem Kopf auf und ab. »Ich war einmal verliebt ... Scheiße, es kommt mir wie eine Ewigkeit vor.«

Simon ergreift meine Hand und streicht mit dem Daumen über meine. Er blickt auf mich herab. »Ist es wirklich schon ein paar Jahre her? Die Zeit vergeht wie im Flug, wenn man Spaß hat.«

»Was ist passiert?«, frage ich Derek, denn er ist offensichtlich völlig weggetreten, während er in Erinnerungen schwelgt.

Er blinzelt zurück in die Realität. »Die Schlampe hat mich betrogen. Ich habe ihr Handy durchsucht und einige SMS gefunden, die sie meinem Kumpel geschickt hat. Ich bin nach Hause gegangen, habe sie verprügelt und habe die Schlampe nie wieder gesehen.«

Mir stockt der Atem und Simon und ich halten uns fester aneinander.

»Sie rief an und drohte, mich verhaften zu lassen, aber ich erzählte ihr von den Tittenbildern, die ich noch von ihr gespeichert hatte.« Derek lacht. »Das hat sie ganz schnell zum Schweigen gebracht.«

»Hör zu!«, verkündet Simon. »Wir sollten jetzt gehen, es ist schon spät.«

Derek nimmt sein Bier. »Was, hast du 'ne Sperrstunde oder so?«

»Ja, oder so.« Simon zieht uns aus der Menge zurück, und ich lasse ihn gewähren.

Ich dachte, es würde Spaß machen, herzukommen, und nicht mein Verlangen anheizen, diesem verdammten Arschloch das Genick zu brechen. Erst gibt er zu, dass er seine Freundin missbraucht hat, dann erpresst er sie mit Rache-Pornos, damit sie ihn nicht verhaften lässt.

Er hat es nicht verdient, hier rauszugehen, geschweige

denn weiter zu atmen. Aber nur weil ich denke, dass er ein Stück Scheiße ist, heißt das nicht, dass ich etwas dagegen tun kann. Und Simon zu bitten, einzugreifen, während wir uns auf unbekanntem Terrain befinden, falsche Namen benutzen und in einer Bar voller Fremder sind, wäre sogar noch falscher.

»Sicher, ja. Ich bringe euch raus.« Derek knallt seine Tasse auf den Tresen.

»Nicht nötig«, sagt Simon.

»Ah Mann, ich bestehe darauf. Gib mir die Chance, dein Motorrad zu überprüfen, bevor ihr fahrt.« Derek klopft Simon und mir auf die Schultern und führt uns zur Tür.

Ich erschaudere unter seinen Berührungen und frage mich, wie viel Simon noch ertragen kann. Er hat viel mehr Selbstbeherrschung als ich.

Derek ruft seinen Freunden zu. »Ich bin gleich wieder da, Jungs.«

Wir treten vor die Bar, die frische Luft ist ein Geschenk für meine Lunge. Simon schiebt mich vor sich, seine Hände liegen auf meiner Taille, während er mich zu seinem geparkten Motorrad führt.

»Du bist mein Lebensretter, Mann«, sagt Derek zu ihm, während er bei jedem Schritt schwankt.

Der Parkplatz ist schummrig, fast stockdunkel. Ich kann nur ein paar Meter vor mir erkennen. Das einzige Licht ist das Restlicht der Leuchtreklame der Bar, die in den Raum hineinragt. Wer auch immer hier für die Instandhaltung zuständig ist, lässt es mit dem Auswechseln der Glühbirnen in der Lampe über mir schleifen.

Das hält Simon jedoch nicht davon ab, mich direkt zu seinem Bike zu führen.

»Das ist eine schöne Kiste, die du da hast«, sagt Derek und fährt mit dem Finger über das Armaturenbrett von Simons Motorrad. »Wie viel hat dich das gekostet, so vierzig, fünfzig

Riesen?« Er blickt zu Simon auf. »Wo ist der Schlüssel? Schmeiß diesen bösen Jungen an.«

Als Simon nicht einwilligt, greift Derek in seine Hose und holt ein Messer heraus, irgendwie im selben Moment, in dem er mich am Arm packt und vor sich herschiebt. Er drückt mir die Klinge gegen den Halsansatz. »Gib mir den Schlüssel, Schönling.«

Simon hat keine Zeit, seine Waffe zu ziehen, zumindest nicht genug, ohne mein Leben zu riskieren. Wer weiß, wie viel dieses Arschloch getrunken hat und ob er mir nicht aus Versehen das Messer in die Kehle rammen würde.

»Er ist in meiner Tasche, Derek. Komm und hol ihn dir selbst. Wage es ja nicht, ihr auch nur ein Haar zu krümmen.« Simon hält die Hände vor sich ausgestreckt. »Lass sie gehen und hol dir den Schlüssel. Du kannst das Motorrad haben.«

Derek gluckst. »Als ob ich dir das glauben würde.« Er drückt die Klinge in mein Fleisch und schneidet fast in die Haut. »Warum holst du nicht den Schlüssel für mich aus seiner Tasche, Schätzchen?«

Bei dem ekelhaften Ton seiner Stimme dreht sich mir der Magen um. Ich blicke Simon an und gehe auf ihn zu, als Derek mich in seine Richtung schiebt.

»Irgendwelche komischen Sachen und ich weide sie gleich hier aus.« Derek hält seinen Arm um meine Taille und das Messer an meiner Kehle. Selbst wenn Simon mich von ihm wegziehen wollte, würde Derek mich töten können, bevor ich die Chance hätte, mich zu befreien.

»Liebes …« Simon flüstert, sein ganzer Körper ist angespannt.

»Welche Tasche?«, frage ich, während ich mich darauf konzentriere, den verdammten Schlüssel zu bekommen.

»Mein rechte.« Sein Blick sucht nach einem Ausweg, irgendetwas, um mich von diesem Mann, der mich gefangen hält, zu befreien.

»Keine verdammten Späße.« Derek schüttelt mich, als ob das die Sache besser machen würde.

Ich greife mit meiner Hand in Simons Tasche, schiebe ein Bündel Bargeld beiseite und finde den Schlüssel. Aber das ist nicht alles, was ich fühle, und er und ich wissen es beide.

Simon schüttelt langsam den Kopf, seinen Blick krampfhaft auf meinen gerichtet.

Aber das ist die Sache ... ich war noch nie wirklich gut darin, Anweisungen zu befolgen.

In der Sekunde, in der ich einen Schritt von Derek mache, um ihm den Schlüssel zu geben, nutze ich seinen momentanen Triumph, um mich in seinem Griff zu drehen, mich ihm zuzuwenden und ihm den stumpfen Lauf von Simons Waffe in die Seite zu rammen und abzudrücken.

Dereks Augen werden groß. Das Messer fällt aus seinem Griff und er hält sich nicht mehr an mir fest, sondern an dem Blut, das aus seiner Seite fließt.

Simon reagiert sofort, schiebt das Messer aus seiner Reichweite und reißt mir die Waffe aus der Hand. »Mein Gott, Liebes. Was zum Teufel hast du dir dabei gedacht?« Er packt mich an der Schulter und zieht mich zu sich heran. »Geht es dir gut?« Simon hebt mein Kinn an und untersucht meinen Hals. Er führt seine Hand hinter meinen Kopf und zieht mich an seine Brust, wobei er mich mit einem Arm umarmt, während er mit dem anderen die Waffe in Richtung Derek hält. Simon küsst mich auf den Scheitel und lässt mich los.

»Mir geht's gut, mir geht's gut.« Obwohl ich gerade einen Mann erschossen habe, geht es mir seltsamerweise sehr gut. Vielleicht ist es der Schock oder das Adrenalin oder einfach der pure Wunsch, diesen verdammten Bastard zu töten, aber ich bin überhaupt nicht erschüttert. Ich weiß, ich sollte Angst haben davor, weil ich schon wieder mit einem Messer bedroht wurde oder eine Waffe abgefeuert habe, aber selbst als Simon dastand und nichts tun konnte, fühlte ich mich in seiner Gegenwart sicher. Vielleicht ist es die Gewissheit, dass er in der Nähe ist, die mir die Kraft gibt, so verdammt unvernünftig zu handeln und mich selbst aus der Situation zu befreien. Was auch immer es ist, ich bin dankbar dafür. Denn hier ist er, der Bastard, der es nicht verdient hat, am Leben zu sein, und verblutet in dieser verdammten dunklen Gasse.

Simon lenkt seine Aufmerksamkeit auf das Ende der Sackgasse und dann wieder auf Derek, der an seinem eigenen Blut erstickt. »Du hast ihn verdammt gut erwischt, Liebes.«

»Er hat es verdient«, sage ich.

»Das hat er«, beruhigt mich Simon. »Aber du kannst die Dinge nicht immer selbst in die Hand nehmen.« Er streicht mir das Haar hinters Ohr. »Ich muss das melden. Wir können ihn nicht einfach hierlassen.«

Mein Herz springt mir fast aus der Brust. »Willst du die Bullen rufen?«

Simon seufzt. »Nein, Liebes. Ich werde ein Aufräumkommando rufen.«

# KAPITEL VIERZEHN – COEN

*W*as hast du, wenn du einen Raum voller unwissender Männer hast, die ein Problem nicht lösen können?

Eine totale verdammte Anarchie.

Mein Handy vibriert in meiner Tasche, und als ich es herausziehe, klopft mein Herz noch heftiger.

**June: Ich vermisse dich, Co x**

Wenigstens hasst sie mich nicht völlig für die ganze Geheimniskrämerei und Distanz. Aber je länger ich so weitermache, kann ich nicht sagen, wie viel sie verkraften wird.

Ich wäre wütend auf mich.

Verdammt, ich *bin* wütend auf mich.

Es sollte nicht so schwierig sein, mit dieser Situation umzugehen. Wir haben die Besten der Besten auf unserer Seite, und da wir die volle Kontrolle über die Organisation haben, sollten wir in der Lage sein, alle erforderlichen Ressourcen zu nutzen, um eine Lösung zu finden.

Aber Dom ist zu verdammt stolz, um es zu einem unternehmensweiten Problem zu machen, und besteht darauf, dass wir es intern mit unserem eigenen begrenzten Team erledigen. Er hat zu viel Angst, dass jemand seine Macht anzweifelt, dass jemand seinen kostbaren Thron angreift.

Nun, sie sind nicht nur hinter seinem Thron her, sondern auch hinter seiner Frau, und das bedeutet tatsächlich auch mir etwas. Es ist mir scheißegal, ob sie jedes einzelne Produkt niederbrennen und jeden Mann, der für uns arbeitet, umbringen – aber in dem Moment, in dem sie sie mit reinziehen, wird es zu meiner Sache.

»Raus mit euch!«, befiehlt Dominic den Anwesenden.

Ich bleibe auf meinem Platz sitzen, mein Handy in der Hand. Ich schreibe June eine kurze SMS und lasse sie wissen, dass ich sie auch vermisse, auch wenn ich keine Worte finde, um ihr zu zeigen, wie sehr.

Ich habe sie gerade erst wiedergefunden, aber diese Situation erfordert meine volle Aufmerksamkeit, sodass sie allein gelassen wird, mit Simon fucking Beckett als ihrem persönlichen Leibwächter.

Ich bin der Erste, der zugibt, dass er alles tun wird, um sie am Leben zu erhalten, aber das macht es verdammt noch mal nicht einfacher, das zu ertragen. Wenn das alles gesagt und getan ist, würde ich ihm gerne eine Kugel in den Kopf jagen.

Bryant ist der Erste, der spricht, sobald wir nur noch zu dritt sind. Ich, er und Dom. »Wenn du es ihr nicht bald sagst, werde ich es tun. So kann es nicht weitergehen.« Er lässt seine Füße vom Tisch auf den Boden fallen und knallt seine Hände auf die harte Oberfläche. »Das ist doch Blödsinn.« Er erhebt sich von seinem Stuhl. »Es ist in Ordnung, wenn es keinem von euch etwas ausmacht, sie zu verlieren, aber mir ist es verdammt noch mal nicht egal, und ich weigere mich, dabei zuzusehen, wie es passiert.«

Dominic steht ebenfalls auf. »Du wirst nichts dergleichen tun.«

»Was willst du dagegen tun? Mich feuern? Nur zu. Es ist mir egal.« Bryant leert seine Taschen auf dem Tisch aus – Brieftasche, Schlüssel und Waffe. »Was willst du von mir? Die Klamotten, die ich trage? Nimm das Haus! Ich habe Ersparnisse. Ich kann sie gut versorgen.«

Dominic ballt die Hände zu Fäusten, und wenn dies ein Zeichentrickfilm wäre, würde ihm zweifellos Dampf aus den Ohren kommen. »Keiner geht. Und niemand wird es ihr sagen. Noch nicht.«

»Wann dann? Hm?« Bryant verschränkt die Arme vor der Brust. »Dann gib mir eine verdammte Frist. Denn ich werde das nicht länger mitmachen. Ich werde es ihr selbst sagen, verdammt. Ich werde die Schuld auf mich nehmen. Ich werde damit klarkommen, dass sie sauer auf mich ist, aber ich werde sie verdammt noch mal nicht verlieren.« Er blickt zu mir. »Alter, komm schon, du musst ein Wörtchen mitzureden haben. Du hast sie einmal verloren. Willst du wirklich, dass es noch mal passiert?« Er dreht sich wieder zu Dom um. »Liegt denn keinem von euch so viel an ihr wie mir?«

Ich seufze und fahre mir mit der Hand durch mein Haar. »Sprich nicht für mich, Bryant!«

»Weißt du, was verdammt lustig ist?« Bryant lacht trocken. »Ihr beide hasst Beckett so verdammt sehr, und doch ist er der Einzige, auf den sie zählen kann. Der Einzige, der zeigt, dass sie ihm nicht egal ist. Ehrlich gesagt …«

»Sag es nicht, verdammt!«, knurrt Dominic.

Bryant wirft die Arme hoch. »Aber es ist wahr.« Er zeigt auf Dom. »Du weißt es.« Dann auf mich. »Und du weißt es verdammt noch mal.« Er hält eine Sekunde inne und fährt fort. »Ich bin kein Fan von dem Kerl, aber im Moment ist er mehr Mann als wir drei zusammen. Er hat nachgegeben, weil es ihr Wunsch war. Würde einer von euch dasselbe tun? Nein? Ich glaube nicht.« Bryant stößt einen Stuhl quer durch den Raum. »Ich wäre nicht einmal sauer, wenn sie ihn uns vorziehen würde. Er stellt sie an die erste Stelle. Und was tust du? Sie zur

Seite schieben, um herauszufinden, wer deine verdammte Schmuggelware stiehlt?«

»Es«, Dominic versucht, seinen Tonfall gleichmäßig zu halten, »hat nichts mit dem Geschäft und alles mit ihr zu tun. Wie kannst du das nicht sehen?«

»Oh, ich sehe es.« Bryant zeichnet mit seinem Finger Kreise auf den Tisch. »Das bist du. Das ist das Geschäft. Das bist du, der sich um die Scheiße kümmert, die passiert. Das ist June, die mit unserem so genannten Feind davonläuft, weil wir zu dumm sind, etwas dagegen zu unternehmen.« Er sieht zu Dom auf. »Bist du so blöd?«

»Ich werde diesen Mangel an Gehorsam tolerieren, weil ich verstehe, wie du dich fühlst …«

»Tust du das? Tust du das wirklich?« Bryant deutet auf Dominics Brust. »Hast du da drin überhaupt ein verdammtes Herz, Dom? Bist du schon so lange in dieser Branche, dass du so blind bist für das, was direkt vor dir ist? Sag mir ganz ehrlich, ist es dir egal, wenn du sie verlierst? Mir ist es nämlich nicht egal. Ich würde lieber sterben. Und lass mich dich verdammt nochmal warnen, wenn ich sie verliere …« Bryant starrt Dom direkt an. »Du jagst mir besser eine Kugel in den Kopf, denn wenn du es nicht tust, komme ich und jage dir eine in den Kopf.«

»Es reicht!«, sage ich. »Setz dich verdammt noch mal hin, Maggie.« Ich ziehe den Stuhl, den er weggetreten hat, wieder zu ihm. »Setz dich! Wir werden sie nicht verlieren, okay? Nicht heute.« Ich wende mich an Dom. »Wisch dir diesen mörderischen Blick aus dem Gesicht. Nichts von dem, was er gesagt hat, war etwas, das du nicht schon wusstest.« Ich stelle mich an den Rand des Tisches. »Wir müssen uns überlegen, was wir hier tun wollen. Die Zeit zum Handeln ist jetzt. Wir müssen diese Situation unbedingt angehen.«

»Denkst du, ich hätte das nicht versucht?«, fragt Dominic.

»Ich weiß es nicht, Dom. Und du? Denn dieser verdammte

Kerl läuft seit über sechs Monaten Amok und ist noch nicht gefasst worden.« Ich kratze mich am Hals und zögere, die nächsten Worte auszusprechen, die meinen Mund verlassen wollen. »Du hast recht, dir Sorgen zu machen. Darüber, was die Leute von dir denken werden. Darüber, was passieren wird, wenn sie es herausfinden. Aber worüber machst du dir mehr Sorgen – darüber oder über June? Denn du musst dich entscheiden. Wenn du dich dafür entscheidest, nicht alle einzubeziehen, wird es nur länger dauern. Und die Zeit ist nicht auf unserer Seite. Ich glaube, du vergisst, dass du ein Mensch bist. Du kannst nicht alles alleine erledigen, und das sieht man. Um Hilfe zu bitten, ist keine Schwäche. Maggie und ich können nur eine bestimmte Menge tun. Wir haben ein kleines Team, aber auch die anderen haben nur begrenzte Informationen. Wir müssen mehr Ressourcen mobilisieren. Wir brauchen alle Hände an Deck, wenn wir dieses Arschloch ausschalten wollen. Savini ist ein großer Gewinn, aber wir brauchen mehr.«

Dominic lässt sich auf den Sitz sinken, seine Manschetten sind aufgeknöpft und seine Ärmel bis zu den Unterarmen aufgerollt. Sein gesamtes Outfit ist schlampig und entspricht ganz und gar nicht dem gepflegten Mann, den ich kenne. Er ist gestresst, und das sieht man.

Wäre er auch so, wenn June keine Rolle spielte?

Die Übernahme eines milliardenschweren kriminellen Unternehmens ist eine große Aufgabe für eine Person, vor allem wenn man die Umstände unseres verstorbenen Vorgängers bedenkt. Wenn man dann noch den Fall seines Bruders, des Anführers des Syndikats an der Ostküste, in Betracht zieht, hat man ein Rezept für einen riesigen Haufen Scheiße. Aber mittendrin die Liebe seines Lebens zu finden, im reifen Alter von um die fünfzig, das kann einen Mann schon ganz schön mitnehmen.

Dom ist ein Kraftpaket, aber er kann nur eine bestimmte Menge bewältigen.

An seiner Stelle würde ich auch den Verstand verlieren. Zum Teufel, meine Position sie bei Weitem nicht so wichtig und einflussreich wie seine. Aber es muss sich etwas ändern. Denn wenn das nicht geschieht, werden wir alles verlieren. Das Geschäft. Das Geld. Das Mädchen.

Und obwohl ich es hasse, Bryant zuzustimmen, bin ich in diesem Punkt auf seiner Seite – dass sie die Priorität ist.

»Gebt mir eine Woche! Das ist alles, worum ich bitte. Eine weitere Woche. Wenn ich die Bedrohung nicht neutralisieren kann, werden wir reinen Tisch machen.« Dominic sieht zu mir auf, seine Hand ruht auf seinem struppigen Bart.

»Wann hast du das letzte Mal etwas gegessen?«, frage ich.

Er sieht beschissen aus. Eingefallene Augen, blass, ein bisschen dünner als sonst. All das sieht so gar nicht nach ihm aus.

»Spielt das eine Rolle?« Dom schüttelt den Kopf. »Ich weiß es nicht. Vorhin. Gestern.«

»Was denkst du, Maggie?« Ich drehe mich zu Bryant um, der wütend auf seinem Stuhl sitzt. »Schaffen wir noch sieben Tage?«

Bryant sieht mich an, dann Dom. Er seufzt. »Sieben verdammte Tage. Nicht länger. Dann hauen ich, June und Simon zusammen ab. Nicht eine verdammte Sekunde länger.«

Zu diesem Zeitpunkt würde ich mit ihnen gehen, wenn es bedeutet, diesem verdammten Albtraum zu entkommen.

Früher habe ich für diesen Scheiß gelebt. Das Chaos hat meine rastlose Seele angeheizt. Aber jetzt will ich einfach nur, dass es vorbei ist.

Als wir schließlich June in all das einbezogen haben, dachte ich, das wäre der Wendepunkt. Keine Lügen mehr. Kein Verrat mehr. Kein Verstecken mehr, wer ich bin. Sie würde die Wahrheit über meine Vergangenheit erfahren, was ich getan habe und warum ich sie zurücklassen musste.

Aber als Dom Wind davon bekam, dass ihr Angreifer immer noch da draußen ist, befahl er uns, über unsere Angelegenheiten zu schweigen. Er sagte, je weniger sie wisse, desto besser. Er hat nicht unrecht, aber wenn das die Entscheidung war, die er treffen wollte, hätte er es von Anfang an so halten und sie ihren eigenen Weg gehen lassen sollen.

Stattdessen hat sie sich eine verdammte Kugel eingefangen, um ihm den Sieg zu sichern, und dann hat er sie in die Arme unseres Feindes getrieben, weil er nicht wusste, wie er sonst mit der Sache umgehen sollte.

Normalerweise bin ich in geschäftlichen Angelegenheiten auf Doms Seite, aber das war die dümmste Entscheidung, die er je getroffen hat. Und sein Urteil könnte alles gefährden, worauf wir hingearbeitet haben. Unsere Karrieren und unsere Liebe.

»Du musst mit dem Beckett-Scheiß aufhören«, sagt Dominic zu Bryant.

Bryant zuckt mit den Schultern. »Über die Wahrheit kann man sich nicht aufregen.«

Ich rolle mit den Augen. »Ernsthaft, ihr beide, haltet einfach die Klappe!« Ich schaue auf meine Uhr. »Wann wird Johnny hier sein?«

Bryant schaut auf sein Telefon und wird wohl von etwas abgelenkt, denn er antwortet mir nicht.

»Bald«, bestätigt Dominic. »Jeden Moment.«

Es klopft an der Tür – wie ein verdammtes Uhrwerk.

»Reißt euch zusammen, wenn ihr ernst genommen werden wollt«, sage ich zu den beiden. »Herein!«, rufe ich.

Ein junger Mann betritt den Raum, mittelgroß, stumm. Ein Babygesicht und ein eiskalter Blick. Ja, er ist definitiv schon lange genug in dieser Welt, um die Dunkelheit zu kennen.

Das Treffen sollte mit Johnny Jones stattfinden, aber das ist sein Berater Miller.

Mit ausgestreckter Hand schreite ich auf ihn zu. »Guten Tag. Wann können wir Mr. Jones erwarten?«

Miller schüttelt meine Hand, fester, als ich es erwartet habe.

»Das werden Sie nicht. Er ist mit anderen Dingen beschäftigt. Sie werden direkt mit mir zu tun haben.«

Dominic steht auf, kommt aber nicht näher. »Das ist nicht das, was wir vereinbart haben.«

»Das müssen Sie akzeptieren, weil Johnny auf einer anderen Veranstaltung ist.« Miller gibt nicht nach, obwohl Dominic ihn mit Leichtigkeit überrumpeln könnte. »Bei allem Respekt, Mr. Adler, ich bin seit meiner Jugend mit Luciano zusammen. Ich kenne die Organisation besser als jeder andere, und es gibt niemanden, der besser in der Lage ist, sich um die heutigen Angelegenheiten zu kümmern als ich. Soll ich jetzt gehen, oder können wir weitermachen?«

Dominic gluckst. »Ein verwegener junger Mann, was?«

»Bitte beleidigen Sie meine Intelligenz nicht wegen eines voreingenommenen Eindrucks, den Sie aufgrund meines Alters und meines Aussehens von mir haben. Der verstorbene Luciano und ich haben viele Jahre lang ein erfolgreiches Geschäft ohne Probleme geführt, bis Ihr Vorgänger kam, um sein eigenes Fleisch und Blut zu töten.« Miller starrt Dominic bei jedem Wort direkt an. »Ich stelle nicht infrage, wie Sie die Dinge angehen, und ich würde es begrüßen, wenn Sie das auch bei mir tun würden.«

Bryant erhebt sich schließlich von seinem Platz und geht zu Miller. »Wir haben schon miteinander gesprochen.« Er streckt seine Hand aus. »Magnus Bryant. Zu Ihren Diensten.«

»Miller Rossi.« Miller ergreift die Hand von Bryant und reicht sie dann der meinen. »Coen Hayes.« Und dann wendet er sich Dom zu. »Mr. Adler.«

Dominic zögert, nimmt aber die Hand des jungen Mannes.

»Also gut«, verkündet Miller. »Kommen wir gleich zur Sache.« Er nimmt sich einen Platz und setzt sich, ohne um Erlaubnis zu fragen.

Ich schätze den Mut dieses Jungen.

»Ich glaube, wir haben einen gemeinsamen Feind.« Miller

blickt zwischen uns hin und her. »Wir können den ganzen Tag lang fachsimpeln, bis wir blau anlaufen, aber ich denke, wir sollten uns auf das Kernproblem konzentrieren. Ich habe ein wenig nachgeforscht und herausgefunden, dass Ihre Gewinnspannen rückläufig sind, und ich habe noch ein wenig mehr nachgeforscht und herausgefunden, dass Sie Transitprobleme haben.«

Dominic ballt seine Hand zu einer Faust. »Von wem?«

Miller schüttelt den Kopf. »Sie stellen die falsche Frage, Dominic.«

Ich seufze und schlucke den Köder. »Warum sind unsere Gewinnspannen so wichtig für Sie?«

»Ja, danke, Mr. Hayes. Ein guter Punkt, den Sie da ansprechen.« Miller tippt auf den Manila-Umschlag, den er vor sich auf den Tisch gelegt hat. »Denn unsere sind es auch. Und wenn ich mich nicht irre, ist derjenige, der Ihr Geschäft angreift, auch hinter unserem her.«

*Aber das ist unmöglich, nicht wahr? Ich dachte, unser Dilemma sei ein persönlicher Angriff.*

Ich fange Bryants Blick auf und spüre, wie sich Doms in mich bohrt. Wir denken alle dasselbe.

»Wer auch immer es auf uns abgesehen hat ...« Miller faltet seine Hände auf dem Tisch. »Kommt aus dem inneren Kreis. Tief drinnen. Jemand, der unsere beiden Operationen gut genug kennt, um dies geschehen zu lassen. Jemand, der sowohl an der Ost- als auch an der Westküste Verbindungen hat. Jemand, der die Fäden ziehen kann, egal wo er ist. Und jemand, der das völlig unbemerkt tun kann.«

Alles, was er sagt, ergibt einen Sinn, aber was hat das mit June zu tun? Welchen Winkel würde diese Person einnehmen, dass sie das Ostküsten-Syndikat einbezieht? Ist das ein Trick, um uns zu verwirren und von ihrer Spur abzubringen?

»Ich will Beweise«, sagt Dominic schließlich. »Sind das Ihre Unterlagen?«

Miller schiebt den Umschlag über den Tisch. »Überzeugen Sie sich selbst. Ich habe nichts zu verbergen. Unsere Zahlen sind seit sechs Monaten rückläufig. Zuerst langsam. Dann begannen die Angriffe vor etwa einem Monat stärker zu werden. Wir verlieren nicht nur Produkte, sondern auch Männer. Und das ist etwas, das weder ich noch Johnny hinnehmen werden. Das ist nicht das Erbe, das Luciano hinterlassen hat.«

Dominic studiert den Papierkram und sieht dann zu Miller auf. »Was glauben Sie, wer es ist?«

Miller zuckt mit den Schultern. »Deshalb bin ich ja hier. Um es herauszufinden. Ich werde alle Daten, die wir haben, durchleuchten und sehen, ob sich ein Muster ergibt. Wenn wir das erkennen, können wir dieses Rätsel ein für alle Mal lösen.«

»Ich verfolge ein paar Spuren«, sagt Dominic zu ihm. »Wir haben ein kleines Team, das sich umhört, und ich habe Lorenzo Savini mit ins Boot geholt.«

»Er ist eine große Bereicherung.« Miller nickt und fährt fort. »Genau wie wir. Zusammen mit mir, Johnny und ein paar vertrauenswürdigen Mitarbeitern sind wir jeder möglichen Spur nachgegangen. Seine Frau Claire ist gerade dabei, eine Quelle aufzuspüren, und ihr enger Freund und Geschäftspartner Josey Romano unterstützt sie dabei. Ich glaube, Sie kennen ihn.«

Ich lasse mir den Namen durch den Kopf gehen und überlege, wo ich ihn vielleicht schon einmal gehört habe. »Warten Sie, er arbeitet für Johnny? Ich dachte …«

»Ja, er war ein ehemaliger Mitarbeiter von Franklin Sharp. Jetzt arbeitet er mit uns an der Ostküste.«

»Moment mal!«, mischt sich Bryant ein. »Johnnys *Frau* ist involviert?«

»Sehr sogar«, bestätigt Miller. »Sie ist eine unschätzbare Bereicherung für die Organisation.«

Bryant wirft mir einen Blick zu und dann Dom. »Seht ihr!«

»Da sie so … engagiert ist.« Dominic setzt sich wieder auf

seinen Platz. »Hat es jemals Fälle gegeben, in denen sie entführt wurde, und verzeihen Sie mir, wenn ich so direkt bin?«

Miller zögert nicht. »Ja.«

»In letzter Zeit?«

»Nein, nicht seit dem Fallout. Franklin war derjenige, der den Anschlag angeordnet hat.«

»Warum?«, fragt Dominic.

»Weil Johnny etwas getan hat, was außer seinem Bruder noch niemand zuvor getan hatte. Er hat ihn überlistet. Ich bin sicher, Sie haben davon gehört.«

»Ja, wir haben Gerüchte darüber gehört, was passiert ist.« Dom reibt sich über seinen Bart. »Soweit ich weiß, gab es eine langjährige Fehde zwischen den Brüdern. Sie spitzte sich zu, und beide starben durch die Hand des jeweils anderen. Wenn ich ehrlich bin, war der Fallout so chaotisch, dass die genauen Einzelheiten in dem Durcheinander untergegangen sind.«

»Es ist eine viel längere Geschichte, als ich vorhatte zu erzählen, aber die Bedeutung ist heute nicht relevant. Vielleicht werde ich ein anderes Mal die fehlerhaften Details korrigieren.«

»Dominic hat nicht ganz unrecht«, mische ich mich ein.

Dom sieht mich mit geneigtem Kopf und warnendem Blick an.

»Sie haben sicher von der Ratssitzung gehört, auf der Dom zum Nachfolger der Westküste gekrönt wurde.«

»Hayes«, sagt Dominic mit leiser, aber dringlicher Warnung in seiner Stimme.

»Lass ihn reden, Dom!«, wirft Bryant ein.

Miller konzentriert sich auf mich und schenkt keinem der beiden anderen Männer in diesem Raum viel Aufmerksamkeit. Der Junge hat die Fähigkeit, im Angesicht der Gefahr völlig stoisch zu bleiben.

»Unsere Partnerin hat an diesem Tag eine Kugel abbekommen. Sie wäre fast gestorben. Und das war nicht das erste Mal, dass ihr Leben in Gefahr war. Ein paar Wochen zuvor wurde sie entführt und gefoltert, und wenn sie nicht entkommen wäre, wäre sie wohl nicht mehr hier bei uns.« Ich konzentriere mich auf jedes einzelne Wort und gebe mein Bestes, um fortzufahren. »Wir hatten den Eindruck, dass alles von unserem Feind, unserem Konkurrenten, angeordnet wurde. Aber als er erfuhr, was mit ihr geschehen war, hat er sie aufgespürt und ihren Angreifer zur Rechenschaft gezogen. Wir haben es mit unseren eigenen Augen gesehen.«

»Wir haben einen Waffenstillstand aufrechterhalten, bis wir die Gruppe, die wir für den Angriff verantwortlich hielten, ausgeschaltet hatten – eine andere Fraktion, die versuchte, die Kontrolle darüber zu erlangen, wer bei dieser Ratssitzung gewinnt. Aber von Zeit zu Zeit erreichen uns Drohungen – Drohungen gegen ihr Leben. Sehr konkrete Drohungen wurden an den entsprechenden Transitstellen hinterlassen. Sie zielen direkt auf diese Person von vorhin ab, von der wir sicher waren, dass wir sie aus dem Weg geräumt haben.«

Miller blinzelt ein paar Mal, als ob er die Information verarbeiten würde. »Und Sie sind sicher, dass es sich nicht um einen Nachahmer handelt, jemand, der einfach weitermacht, wo der andere aufgehört hat?«

»Wir wissen nur, dass diese Dinge miteinander verbunden sind und sie nicht sicher ist.«

»Diese Information darf nicht weitergegeben werden.« Dominic starrt Miller direkt an.

»Verstanden.« Miller seufzt, etwas lastet auf ihm. »Ich habe auch etwas, das ich gerne teilen möchte.« Er greift in seine Tasche und holt einen Zettel heraus. Er schiebt ihn über den Tisch zu Dominic. »Das haben wir im letzten Transporter gefunden, der angegriffen wurde.«

Ich gehe zu Dom und stelle mich hinter ihn, um einen besseren Blick zu haben. Bryant gesellt sich zu mir.

Dominic räuspert sich und liest das Papier. »Ihr habt mir

genommen, was mir gehört, jetzt nehme ich mir, was euch gehört.« Wir drehen uns alle zu Miller um.

»Was bedeutet das?«, frage ich.

Miller schüttelt langsam den Kopf. »Ich habe keine Ahnung und hatte gehofft, Sie könnten es mir sagen.«

---

*D*ominic und ich fahren quer durch die Stadt zu einem der Lagerhäuser am Stadtrand. Ein altes, heruntergekommenes Gebäude, in dem es kaum Sicherheitsvorkehrungen oder neugierige Blicke gibt – ein perfekter Ort für Lieferungen.

So sehr er auch darauf bestand, an dieser blöden Scheißmission teilzunehmen, so hartnäckig habe ich darauf bestanden, dass ich ihn begleite. Er braucht Verstärkung, und wenn er nicht bereit ist, einen unserer Männer mitzunehmen, gibt es niemanden, der besser geeignet wäre, ihm zur Seite zu stehen, als ich.

Bryant und ich haben bei Schere, Stein, Papier entschieden, wer von uns beiden gehen würde, aber selbst wenn er gewonnen hätte, hätte ich ihn gefesselt und ihm keine Wahl gelassen. Wenn mir oder Dominic etwas zustößt, möchte ich, dass Bryant derjenige ist, der June tröstet. Er wird wissen, was zu sagen ist und wie man mit der Situation umgeht, und er wird ihr mehr Stabilität geben, als ich es je könnte. Ich hasse es, zuzugeben, dass ein anderer besser geeignet ist, der Mann zu sein, den sie braucht, aber wenn es um ihr Herz geht, kann ich nicht egoistisch sein. Das war ich nie und werde ich auch nie sein. Sie hat die ganze verdammte Welt verdient.

Und genau die wird sie auch bekommen – auch wenn ich nicht derjenige bin, der sie ihr gibt.

Wenn Dominic damit nicht einverstanden wäre, würde er sein Leben nicht so leichtfertig aufs Spiel setzen.

Wir fahren auf den Parkplatz, der Staub wirbelt auf, und wir parken in der Nähe des weißen Lieferwagens, den wir auf unserer Route begleiten.

Ich springe ins Auto, das wir von einem unserer vertrauenswürdigen Mitarbeiter Axel geliehen haben, und begutachte unsere Umgebung. Ich greife an mein Gürtelholster, ziehe meine Waffe heraus und überprüfe, ob sie geladen ist. Nachdem ich eine Kugel in die Kammer geladen habe, überprüfe ich den Rest meiner Waffen. Eine weitere Pistole an meinem Knöchel, eine weitere im Hosenbund meiner Jeans. Verschiedene Messer sind um meinen Körper herum befestigt.

Dominic tut dasselbe, prüft alle seine Waffen und klettert dann auf den Fahrersitz des Vans. »Bist du bereit?«, fragt er.

»Ja. Und du?«

»Lass es uns verdammt noch mal loslegen.«

Er dreht den Schlüssel, lässt den Motor an und steuert darauf zu, was immer das Schicksal für uns bereithält.

Ich ignoriere die Gedanken, die mir durch den Kopf gehen, das Bedauern über all die verlorenen Jahre mit June. Sie eitern und versuchen, sich ihren Weg zu bahnen, aber wenn ich zu ihr zurückkehren will, kann ich es mir nicht leisten, mich davon ablenken zu lassen. Ich muss scharfsinnig und wachsam sein und mich auf die bevorstehende Aufgabe konzentrieren.

Wir sind nicht länger als fünf Minuten unterwegs, als ich ein Fahrzeug entdecke, das uns folgt. Dieser Plan ist fast zu einfach, zu schnell.

»Wir haben einen in unserem Rücken.«

»Ich habe ein Auge auf ihn«, bestätigt Dominic. »Gibt es noch andere?«

»Vorerst nur der SUV. Bleib auf Kurs.«

Dom hält sich an die Geschwindigkeitsbegrenzung, während er die geplante Strecke fährt. Es ist klar, dass wir einen Maulwurf in unserer Organisation haben, wir sind nur nicht sicher, wer.

»Glaubst du, sie greifen auf der Sechsten an?«, fragt Dom.

»Ja, da würde ich es machen. Wenig Zeugen, keine Verkehrskameras.« Ich scanne weiter unsere Umgebung und achte auf den Abstand, den das Fahrzeug hinter uns einhält.

Der Kleinwagen gibt ein Zeichen, wechselt auf die andere Fahrspur und beschleunigt. Hatte ich unrecht? War dies ein zufälliges Auto auf dieser zufälligen Straße, das seinen zufälligen Geschäften nachging?

Doch als sie an uns vorbeiziehen, werden meine Zweifel durch den Lauf eines Gewehrs, das in unsere Richtung gerichtet ist, ausgelöscht.

»Dom, runter!«, schreie ich, werfe mich über ihn und greife nach meiner eigenen Waffe. Ich schieße sie aus Doms Fenster und erwische den Beifahrer des Wagens, aber nicht bevor er ein paar Schüsse in unsere Richtung abfeuert.

Dom lenkt den Van, schlingert, streift dabei fast ein geparktes Auto und drückt aufs Gaspedal. »Verdammte Mistkerle!«, spuckt er aus. »Bist du getroffen?«

»Nein.« Ich beruhige meinen Atem. »Und du?«

Das Auto, das uns angegriffen hat, wendet und verfolgt uns wieder.

»Sie versuchen, uns in die Enge zu treiben, Dom. Pass auf!« Ich ziele hinter ihm und warte darauf, dass die Mistkerle wieder in meine Sichtlinie kommen.

»Gib mir die AK!«

Unser Plan war, die schwere Artillerie aufzusparen, bis wir sie brauchen, aber die Zeit ist wohl jetzt gekommen.

Ich greife unter den Sitz, ziehe die Waffe heraus und schiebe sie zu Dom hinüber.

»Nimm das Lenkrad!«

Ich füge mich und gebe mein Bestes, um vom Beifahrersitz aus zu lenken.

Dom lässt den Druck auf das Gaspedal los und wir fallen zurück, während das Auto, das uns anfahren will, in Sichtweite kommt. Er zielt mit der AK direkt auf sie und feuert mindestens ein Dutzend Kugeln in das Auto.

Schüsse feuern zurück und ich weiche aus, um Dominic zu schützen.

»Gas, Dom!«

Er drückt das Pedal durch, während er weiter schießt, und ich reiße das Lenkrad zur Seite, um uns in eine Seitenstraße zu lenken, wo es weniger zivile potenzielle Opfer gibt.

Diese Wichser haben auf einer halbwegs belebten Straße geschossen und damit zweifellos mehr Chaos angerichtet als nötig war. Sie wollen uns tot sehen, aber das bedeutet nicht, dass auch unschuldige Menschen sterben müssen.

»Scheiße, wir haben noch zwei am Arsch, Dom.«

Er rammt mir die Waffe gegen die Brust und nimmt mir das Lenkrad ab. »Tu dein Schlimmstes, Junge. Ich werde versuchen, sie abzuschütteln.«

Denn das war nicht der Plan, zumindest nicht hier. Wir wollten sie dorthin führen, wo wir sie haben wollten, und dort angreifen, wo wir wussten, dass wir einen Vorteil hatten. Nicht mitten auf einer verdammten Straße in den Krieg ziehen.

Eines der Fahrzeuge, ein SUV mit verdunkelten Scheiben, nähert sich von der Beifahrerseite unseres Vans. Ich kurble mein Fenster herunter, schiebe die AK heraus und feuere sie direkt auf die Motorhaube. Die Kugeln prallen ab und richten nur minimalen Schaden an.

»Kugelsicher«, rufe ich Dom über das laute Straßengeräusch hinweg zu.

»Ziele auf die Reifen!«

»Ich versuche es, verdammt.« Ich drücke ab, die Schüsse hallen in meiner Brust und meinem Körper wider. Der Lärm dröhnt in meinen Ohren. Die Patronenhülsen schwirren an meinem Gesicht vorbei und versengen die Haut an meiner Wange. »Ja!«, rufe ich, als ich ihnen endlich eine Kugel in den Reifen verpasse. »Nimm das, du verdammtes Arschloch.«

Aber als mich eine Kugel trifft, weiß ich, dass ich mich zu früh gefreut habe.

Ich werde zurück in den Wagen geschleudert, meine Hand umklammert meinen Arm. Ich nehme ihn zur Seite und blicke auf das Blut, das aus der Wunde strömt. »Verdammt noch mal!«

Dominic wendet seine Aufmerksamkeit mir zu. »Ist es ein Durchschuss oder ist sie noch da drin?«

»Ich weiß es nicht, aber es tut höllisch weh.«

»Wir müssen die Blutung stoppen.« Dominic drückt aufs Gas, lenkt aber mit dem Knie, während er seine Aufmerksamkeit auf mich lenkt. »Dein Shirt, zieh es aus!«

Ich ziehe mein Shirt über den Kopf und schaffe es kaum, es um meinen verletzten Arm zu legen. »Hier.«

Dominic zerreißt den Stoff mit Leichtigkeit, seine Hände kehren für eine Sekunde zum Lenkrad zurück, um uns um den Verkehr herum zu navigieren, und dann zu mir. »Halte das!« Er umkreist die Wunde mit den Überresten meines Hemdes und bindet es dann fest zu, wobei er genug Druck ausübt, um hoffentlich die starke Blutung zu stoppen. »So, das muss reichen, bis ich uns hier rausholen kann.«

»Nein«, sage ich ihm mit zusammengebissenen Zähnen. Ich halte mich an der AK fest und starre ihn direkt an. »Wir haben das angefangen, jetzt beenden wir es. Es gibt jetzt kein Zurück mehr.«

»Du bist ein verrückter Mistkerl.«

»Danke.«

»Was haben wir? Sind uns noch zwei auf den Fersen?«

Ich werfe einen Blick in den Spiegel und beurteile die Situation. »Ja, der, den ich getroffen habe, ist nicht mehr da.«

»Warte mal, ich werde etwas Dummes tun.« Dominic verlangsamt das Tempo und lässt die Autos aufholen. In letzter Sekunde tritt er aufs Gaspedal und fährt nach links in den Gegenverkehr.

»Jesus Christus«, rufe ich, während ich mich an der Tür abstützte.

»Ich sagte doch, du sollst dich festhalten.« Dominic schaut immer wieder in den Rückspiegel und weicht dem Gegenverkehr aus.

Die Autos hupen, bremsen, und einige fahren ineinander, um uns auszuweichen.

Dom fährt weiter auf der falschen Spur, seine Hände umklammern das Lenkrad, als hinge sein Leben davon ab. Denn das tut es ja auch irgendwie.

Ich verdränge den Schmerz und konzentriere mich darauf, am Leben zu bleiben. Ich wusste, dass es gefährlich würde, aber es wäre viel einfacher, wenn ich nicht aus einer Schusswunde bluten würde. Wir sind noch nicht einmal zum spaßigen Teil gekommen, und schon bin ich am Ende meiner Kräfte. Ich weigere mich, mich von ein bisschen Blut davon abhalten zu lassen, unseren Plan durchzuziehen. Ich habe schon Schlimmeres erlebt und überlebt.

Dom fährt eine Gasse hinunter und hupt die Leute an, die sich uns in den Weg der Zerstörung stellen.

Sie springen in letzter Sekunde aus dem Weg.

Wir schneiden durch eine andere Seitenstraße, demolieren den Spiegel eines vorbeifahrenden Autos und fahren weiter.

»Sind sie noch hinter uns her?«, fragt Dom, während er durch diese Höllenfahrt navigiert.

»Ja.«

Dom tritt auf die Bremse und biegt nach links ab. Mein ganzer Körper knallt gegen die Tür, egal wie sehr ich versuche, mich abzustützen.

Ich kann nicht anders, als darüber zu lachen, dass ich wie eine verdammte Stoffpuppe herumgeschleudert werde.

»Geht es dir gut, Junge? Du drehst doch nicht wegen mir durch, oder?«

Ich lache weiter. »Nein, mir geht's gut. Ging mir nie besser.«

Ich halte mich am Griff fest und warte, bis der Wagen zum Stehen kommt. In der Sekunde, in der er anhält, springe ich mit der AK in der Hand hinaus, schlage die Tür zu und eile in eine dunkle Ecke des Lagerhauses, in das wir gerade eingefahren sind.

Dom tut zweifellos das Gleiche, greift sich sein eigenes Gewehr und bringt sich in Position.

Ich beruhige meinen Atem und versuche, mich zusammen-zureißen, auch wenn mir durch den Blutverlust etwas schwindelig wird. »Komm schon, Hayes!«, flüstere ich. Ich will es nicht, aber ich lasse zu, dass meine Gedanken zu June wandern … dem Mädchen, in das ich mich verliebt habe, als ich noch ein Kind mit gebrochenem Herzen war. Sie war damals alles für mich, und sie ist auch jetzt alles für mich. Wird sie jemals wirklich verstehen, wie viel sie mir bedeutet? Und wie sehr ich alles geben würde, damit sie in Sicherheit ist? Ich würde lieber sterben, als dass ihr jemand auch nur ein einziges Haar auf ihrem schönen Kopf krümmt. Und auch wenn er es auf eine beschissene Art und Weise zeigt, denke ich, dass Dom genau das Gleiche fühlt.

Deshalb ist er heute hier – er riskiert sein Leben, um einen Schritt weiter zu kommen und herauszufinden, wer June bedroht. Er wird nicht aufhören, bis die Scheißkerle einen Meter unter der Erde sind, und ich werde an seiner Seite sein, um es zu Ende zu bringen. Meine einzige Hoffnung ist, dass wir Erfolg haben, denn ich kann diese Welt nicht verlassen, wenn ich weiß, dass die Bedrohung immer noch da draußen ist, in den Schatten lauert und darauf wartet, dass einer von uns einen Fehler macht, damit sie beenden können, was sie angefangen haben.

Das Geräusch von Reifen dringt über den Bürgersteig, als sich die Fahrzeuge nähern. Mein Herz pocht in meiner Brust, und ich beiße mir auf die Innenseite meiner Lippe, um mich auf das Kommende vorzubereiten. Egal, was heute hier passiert, ich werde mich nicht kampflos geschlagen geben. Und ich werde jede einzelne Person ausschalten, die sich mir in den Weg stellt.

Versteckt beobachte ich, wie beide Fahrzeuge zum Stehen kommen und hinter unserem leeren Lieferwagen parken. Ich blinzle, um auf die andere Seite des Weges zu schauen, wo Dominic sein sollte. Aber genau wie ich hat er gute Arbeit geleistet und sich in der Dunkelheit dahinter versteckt.

Drei Männer steigen aus einem Fahrzeug und zwei aus dem anderen.

Fünf zu zwei. Keine guten Aussichten, aber wir haben schon Schlimmeres erlebt und es trotzdem überlebt.

Ich warte, bewege mich nicht und offenbare meine Karten noch nicht. Ich bin im Nachteil, weil ich verletzt bin, also muss ich strategisch vorgehen, wenn ich angreife.

Dominic tut dasselbe und wartet auf einen günstigen Moment.

»Verteilt euch!«, sagt einer der Männer zu den anderen. »Sie können auch zu Fuß unterwegs sein.«

»Ich habe den Beifahrer erwischt«, sagt einer arrogant.

»Das heißt aber nicht, dass du ihn umgebracht hast, Arschloch.« Der erste Typ schubst den anderen. »Komm schon, das sind nur Läufer. Befolgt die Befehle, macht sie fertig und verbrennt das Produkt. Dann können wir hier abhauen.«

»Wie auch immer.« Der Typ, der auf mich geschossen hat, hält seine Waffe in der Hand und dreht sich in meine Richtung, bemerkt aber nicht, dass ich außerhalb seiner Sichtlinie auf dem Boden lauere.

Zwei der anderen Jungs gehen in die Richtung, in der ich Dominic vermute, und die anderen beiden machen sich auf den Weg zu beiden Seiten des Wagens.

Sie greifen nach den Türen, während sich ein Lächeln auf meinem Gesicht bildet.

Ich schließe die Augen und schütze meinen Kopf vor der Explosion, die das ganze Gelände erfüllt. Der Van war so präpariert, dass er explodiert, sobald die Fahrertür geöffnet wurde. Ich bin nur verdammt dankbar, dass Dom es geschafft hat, sie in Position zu aktivieren, bevor er außer Sichtweite verschwand.

Die ganze Aktion verlief schlampiger, als wir sie geplant hatten, aber wenigstens hat das verdammt noch mal funktioniert. Und wenn wir Glück haben, wurden zwei der fünf gerade in die Luft gesprengt oder zumindest ausgeknockt, sodass wir bessere Chancen haben.

Ich blinzle durch den dichten Rauch und die Trümmer, die die Luft verpesten, und übersehe dabei völlig, dass der Typ, der in meine Richtung kam, direkt vor mir steht.

»O Scheiße!«, platze ich heraus, hebe meine Waffe und schlage ihm den Kolben auf den Kopf.

»Du Scheißkerl!«, schreit der Typ mich an. Er holt blindlings aus, packt mich an der Taille und zerrt mich auf den Beton. Wir ringen miteinander, mein Arm schmerzt bei jedem Schlag, aber mein Lebenswille ist stärker als die Qualen, die mich überwältigen.

»Dummer ... Arsch. Fucking! Fuck!« Ich schlage ihm auf den Kopf, meine Faust schmerzt, weil sein verdammter Schädel so hart ist. »Bist du ein verdammter Roboter?« Ich stöhne und angle nach seiner oder meiner Pistole, nach irgendetwas, um die Sache ein für alle Mal zu beenden.

»Du kämpfst wie eine kleine Schlampe«, spuckt er aus und schlägt mir eine Faust in die Seite.

Da sehe ich sie – meine verdammte Rettung. Ich klammere mich an den Griff, trete ihm ins Gesicht und befreie meine Hand, um die Waffe zu ergreifen, sie nach oben zu richten und ihm direkt in sein verdammtes Kinn zu schießen. Sein Kopf schnellt zurück, Blut spritzt auf mich und den Boden um uns herum, und er fällt fucking noch mal auf mich.

»Verdammt noch mal!«, stöhne ich und schiebe seinen leblosen Körper von mir weg. Ich stehe auf festem Boden und suche die Umgebung ab, wobei meine Augen sich anstrengen, durch den dichten Nebel zu sehen, der den Raum um uns immer noch ausfüllt. »Wo zum Teufel ...?« Ich entdecke einen Körper in der Nähe des explodierten Trucks, der sich vor Schmerzen windet. Ich verpasse ihm zur Sicherheit eine Kugel in den Kopf und gehe weiter.

Das sind bestätigte zwei von fünf.

Ich gehe um die Vorderseite unseres Lieferwagens herum und schieße auf den anderen Mann, der von der Explosion getroffen wurde. Er bewegte sich nicht einmal mehr, aber man kann nie ganz sicher sein. Die Hälfte seines Gesichts fehlte, und ich bin mir ziemlich sicher, dass ein Teil der Tür seine Brust aufgespießt hat, aber es sind schon verrücktere Dinge passiert, und das ist kein Risiko, das ich eingehen will.

Drei von fünf sind erledigt.

Ich halte inne, lausche und versuche, den Rest der Gruppe ausfindig zu machen. Aus dem Inneren der leeren Lagerhalle dringen Geräusche, und ich folge ihnen wie ein Hund einem verdammten Knochen. Dom hat es mit mehr als zwei Typen auf einmal aufgenommen, auf nicht-sexuelle Weise, und es ist nicht so, als hätte man ihm in den verdammten Arm geschossen. Wahrscheinlich geht es ihm gut, er lässt sich viel Zeit, um die Art von Qualen zu verursachen, zu denen nur Dom fähig ist. Trotzdem gehe ich ihm nach. Da kann ich auch gleich selbst ein bisschen Spaß haben.

Ich greife mit den Zähnen nach dem Druckverband um meinen Arm und versuche, den Stoff wieder zu straffen, nachdem ich mich mit dem Kerl mit dem harten Kopf gerangelt habe. Ich klettere eine Metalltreppe hinauf und gehe dem Lärm entgegen, wobei meine Hand einen blutigen Abdruck hinterlässt. Wenn ich nach Hause komme, brauche ich eine Flasche Aspirin und Bourbon, wenn ich eine Chance auf Linderung haben will. Meine Rippen schmerzen, und ich glaube, es kommt auch Blut aus meinem Hinterkopf.

Wie soll ich June das alles erklären?

*Oh, hey, J, mach dir nichts aus dem Blut, das ist nur ein kleines Berufsrisiko. Keine große Sache. Die Kugel? Ja, sie steckt wahrscheinlich noch in meinem Arm, aber mir geht es gut. Alles in Ordnung. Nur ein normaler Montag im Büro.*

Oder ist es Dienstag? Oder Mittwoch? Verdammt, ich weiß gar nicht mehr, welcher Tag heute ist. Sie verschwimmen alle ineinander. Keine Wochenenden oder freien Nächte. Nur ein ständiger Shitstorm an Problemen, die es zu lösen und Menschen zu töten gilt.

Als ich oben an der Treppe ankomme, bin ich außer Atem.

Zwei Männer haben Dom in die Enge getrieben, ihre Fäuste schlagen bei jeder Gelegenheit zu. Einer von ihnen wirbelt herum und tritt ihm in die Rippen. Dom stöhnt, bleibt aber wie angewurzelt stehen und wehrt so viele Schläge ab, wie er einstecken muss. Er schlägt seinen Ellbogen in das Gesicht des einen und der stolpert ein paar Meter.

»Runter!«, brülle ich. Ich drücke den Abzug der Pistole und schieße einen der Männer nieder.

Das macht vier.

Wird Dom verdammt noch mal weich, oder ist er wild entschlossen, heute zu sterben?

Ich bin ein mörderischer Verrückter, aber normalerweise kommt er auf die gleiche oder zumindest auf eine ähnliche Anzahl von Tötungen.

Noch in der Hocke auf mein Kommando hin greift Dom nach der Pistole in seiner Nähe, aber der letzte Kerl tritt sie ihm weg. Beide stürzen sich auf die Pistole und ringen darum, derjenige zu sein, der sie ergreift und das Leben des anderen beendet. Dom schlägt dem Kerl ins Gesicht und Blut und Zähne fliegen umher.

Ich suche nach einer freien Schusslinie, aber es ergibt sich keine. Ich gehe näher, aber bin nicht schnell genug. Der Mann stürzt sich auf die Waffe, dreht sich auf den Rücken und richtet sie auf Dominic.

»Nein, nicht!«, fordert Dominic.

Ich ziele, schieße ohne zu überlegen, und meine Kugel trifft den Mann zur gleichen Zeit, als Dom eine in die Brust trifft.

Das macht sechs Männer weniger.

Ich eile zu Dom hinüber und versuche, seinen Sturz auf den Beton abzufedern, aber durch meine eigenen Verletzungen bin ich nicht mehr so stark wie sonst.

Von Kopf bis Fuß rot gesprenkelt, fasst sich Dom an die Brust. »Scheiße!«, murmelt er und blickt auf die Stelle, an der er angeschossen wurde. Er tastet nach dem Loch in seinem Anzug und zieht die zertrümmerte Kugel heraus. »Die hat einen perfekten Anzug ruiniert.«

»Ich habe dir doch gesagt, dass diese Westen sehr nützlich sind.« Ich schüttle ihn und grinse.

Dom atmet aus und dreht sich zu dem toten Mann neben ihm um. »Wir hätten einen von ihnen lebend gebraucht.«

»Bist du deshalb hier oben um den heißen Brei herumgetanzt?« Ich lasse ihn los und falle auf meinen Hintern, wobei ich auf den blutgetränkten Wickel um meinen Arm schaue. »Das ist besser als tot zu sein, Kumpel. Stell dir vor, du müsstest das J erklären.«

Dom streicht sich mit der Hand durch das Haar. »Wenigstens haben wir die Leichen und ihre Fahrzeuge zum Durchsuchen. Das ist besser als nichts.«

Mein Kopf wird unscharf. »Ja, ganz sicher.« Ich lehne mich ganz zurück und schaue an die Decke. »Ich werde einfach …« Aber anstatt meinen Satz zu beenden, werde ich ohnmächtig.

# KAPITEL FÜNFZEHN – JUNE

»Kumpel, aber hast du den Thailänder in der Front Street probiert?«, fragt Magnus Simon.

Simon lacht. »Es ist gut, aber nichts im Vergleich zu drüben an der Ballard und Hazel.«

»Blödsinn!« Magnus schlingt seine Arme um meine Schulter und zieht mich zu sich heran, fast wie eine natürliche Aktion, von der er gar nicht merkt, dass er sie tut, während er so sehr in das Gespräch mit Simon darüber vertieft ist, wer das beste Essen kennt.

Es ist schon seltsam, wie gut sie miteinander auskommen, wenn man bedenkt, dass sie einander hassen.

Aber je mehr sie sich unterhalten, desto mehr haben sie gemeinsam. Sie interessieren sich für Lebensmittel, Wirtschaft und Frauen.

Okay, vielleicht nicht *Frauen*, aber eine *Frau*. Singular.

Ich habe nie nach den Verflossenen der Jungs gefragt. Ich wollte es auch gar nicht wissen. Denn egal, wie sehr ich tue, als wäre es mir egal, ich würde mich mit jeder Einzelnen von denen vergleichen. Das liegt in der verdammten menschlichen Natur, und ich will nichts damit zu tun haben.

Ich mache mir schon genug Gedanken über ihre Gefühle für mich, da muss ich mir nicht auch noch Unsicherheiten machen.

*Sarah ... Herz-Emojis.*

Ich hätte Simon anhören sollen, als er versuchte, zu erklären, wer sie ist, aber auch das wollte ich nicht wissen. Ich sollte nicht besitzergreifend sein oder auch nur im Entferntesten eifersüchtig auf eine andere Frau, die seine Aufmerksamkeit hat, aber ich würde lügen, wenn ich sagen würde, dass ich es nicht bin.

Vielleicht liegt es daran, dass Simon und ich uns von Feinden zu Freunden entwickelt haben. Unsere erzwungene Beziehung hat uns zu einer seltsamen platonischen Beziehung geformt. Aber ist das alles, was diese Gefühle sind? Platonisch? Ein Freund, der sich um einen anderen Freund sorgt?

Simon wirft einen kurzen Blick auf mich und lächelt, während er mit Magnus spricht. Er zwinkert mir zu und wendet seine Aufmerksamkeit wieder Magnus zu.

Da ist dieses Flattern in meiner Brust, das mir sagt, dass meine Freundschaftstheorie nicht stimmt.

Wir sind uns beide bewusst, dass dies nichts weiter sein kann. Es ist verboten – praktisch verdammt grenzwertig illegal. Dominic und Coen würden uns enthaupten, wenn wir auch nur daran denken würden. Magnus andererseits könnte einverstanden sein. Aber die anderen beiden wären es auf keinen Fall.

Das Garagentor öffnet sich und mein Herz bleibt stehen.

Dominic und Coen, sprich die verdammten Teufel, kommen durch die Tür, Blut und Blutspuren bedecken ihre Körper.

Ich rutsche vom Hocker an der Kücheninsel und eile zu ihnen hinüber, ohne zu wissen, auf welchen von beiden ich mich konzentrieren soll.

»Was ist passiert?« Ich starre zwischen den beiden hin und her.

Coen ist ohne Hemd, trägt aber etwas, das wie eine kugelsichere Weste aussieht. Wenigstens ist er verdammt vorsichtig.

Aber um seinen Unterarm ist ein weißer Verband mit einem roten Punkt in der Mitte gewickelt.

Ich drücke meine Hand auf Doms Brust, um mich zu vergewissern, dass er auch eine Weste trägt. »Geht es dir gut?«

Dom nickt, hält aber meinen Blick nicht fest. Stattdessen sieht er zu Magnus. »Ich dachte, alle wären schon im Bett.«

Ich schnippe mit den Fingern vor seinem Gesicht. »Hallo, ich bin hier.«

»Ich, äh …«, beginnt Coen. »Ich werde schlafen gehen.« Er deutet auf die Treppe hinter mir.

Ich hebe meinen Arm und halte ihn auf. »Nicht bevor mir jemand sagt, was los ist.«

»June.« Dominic seufzt. »Müssen wir das heute Abend bequatschen?«

Ich verschränke die Arme. »Wann dann? Hm? Du meinst morgen früh, wenn du dich aus dem Haus schleichst, bevor ich aufwache? Oder vielleicht, wenn du nach Hause kommst, nachdem ich schlafen gegangen bin? Du gehst mir nur aus dem Weg. Du antwortest nicht auf meine SMS, du machst dir nicht die Mühe, mich anzurufen. Du machst Pläne mit mir und verpasst sie, obwohl du genau weißt, wie wichtig es für mich war, dass wir Zeit miteinander verbringen. Hör zu, ich versuche hier, verdammt geduldig zu sein – bin die verständnisvolle Freundin des großen bösen Mafioso, aber du musst mir etwas geben, Dom, einen verdammten Krümel, um zu signalisieren, dass du dich immer noch kümmerst.«

Dominics Kiefer krampfen sich zusammen, und wenn ich es nicht besser wüsste, würde ich denken, dass seine Augen glitzern. Aber ich weiß es besser – und Dom ist verdammt herzlos. Seine Emotionen sind dafür reserviert, ein gnadenloser Psychopath zu sein, der nur sein endloses Streben nach Ehrgeiz im Kopf hat.

Ich bin ihm scheißegal, und das zeigt er jeden Tag aufs Neue, indem er mich immer weiter von sich stößt. Und als er wegschaut, seine Füße ihn um meinen Körper herum und in Richtung Treppe führen, bestätigt sich meine Sorge.

Wenn er so sein will, können zwei dieses verdammte Spiel spielen.

Dom verlässt den Raum und Coens Augen wissen nicht, worauf sie sich konzentrieren sollen.

Ich seufze und sehe zu ihm auf. Mein süßer, gequälter Junge ist voller Blut. »Lass mich raten«, sage ich. »Du darfst mir nichts sagen.«

»Es tut mir leid, J.« Seine Entschuldigung ist so aufrichtig, dass ich ihn am liebsten umarmen und nie wieder loslassen würde.

Ich greife nach oben und streiche mit dem Daumen über seine Wange. »Ich weiß, Co.«

Er dreht sich zu mir, beugt sich herunter und küsst meine Stirn. »Gib ihm eine Woche Zeit, okay? Dann werden wir reinen Tisch machen.« Coen lässt seinen Blick zu Magnus schweifen. »Richtig?«

Magnus nickt. »Versprochen.«

Wenigstens zwei meiner Männer wollen mich nicht ganz außen vor lassen. Wie kann es sein, dass Simon so wenig weiß, was vor sich geht? Er würde es mir ohne Frage sagen und sich einen Dreck darum scheren, was Dominic oder einer der anderen Jungs zu sagen hat. Er war immer ehrlich zu mir – in den Dingen, auf die es ankommt. Er weiß, wie sehr es mich verletzt hat, dass sie mich ausgeschlossen haben. Er würde mir auf keinen Fall Informationen vorenthalten, wenn ich dadurch unglücklich würde.

Aber ich denke, das ist der Unterschied zwischen Simon und den anderen Jungs. Simon versteht die Dunkelheit in mir und verleugnet diesen Teil von mir nicht. Nein, er hilft mir, sie zu umarmen, und fördert diese unerlaubten Tendenzen. Simon ist auf keinen Fall ein guter Kerl – er ist kein Held. Er ist der Bösewicht, der seine Hand ausstreckt und mich in die Tiefen meiner tiefsten Sehnsüchte führt, selbst wenn diese verdreht und verdammt unheimlich sind. Ich wusste es von dem Moment an, als er mir meinen Schänder brachte und bereit war, ihm sein verdammtes Herz herauszuschneiden, nur weil ich fragte, ob es möglich sei. In diesem Moment hat er bewiesen, dass er alles für mich tun würde, egal wie verrückt es ist, und das hat er mit jedem Moment, den wir miteinander verbracht haben, weiter getan.

»Bist du sicher, dass es dir gut geht?«, frage ich Coen.

»Ja«, murmelt er. »Ich komme schon klar.«

»Ruh dich aus, wir reden morgen weiter.« Ich richte mich auf und drücke meine Lippen auf seine. »Danke, dass du mir vorhin zurückgeschrieben hast.«

Dominic ist verdammt beschäftigt, aber es dauert nur zwei Sekunden, um zu reagieren. Wenn Coen in seinem Zustand dazu in der Lage ist, gibt es keinen Grund, warum Dom nicht auch dazu in der Lage sein sollte.

Coen verlässt den Raum, und ich gehe zurück zu Magnus und Simon. Die beiden stehen da, als würden sie auf Schwierigkeiten warten. Ein Haus voller gefürchteter Mafiosi und kein einziger von ihnen sieht mir in die Augen. Wenn es nach mir ginge, würde ich »Buh!« rufen, nur um zu sehen, ob sie aufspringen.

»Eine Woche?«, frage ich.

Magnus nickt und begegnet schließlich meinem Blick. »Nicht mehr lange.«

»Die Hölle kennt keinen größeren Zorn als den einer verschmähten Frau.« Ich halte inne und füge hinzu: »Oder so ähnlich.«

»In diesem Sinne, ich verschwinde jetzt«, verkündet Simon und klopft Magnus auf die Schulter. »Gut, dass ich nicht mit dir in der Hütte bin.«

Ich werfe ihm einen strengen Blick zu. »Das lässt sich einrichten.«

Simon zwinkert mir wieder zu. »Ich muss im Haus sein, bevor man mich rausschmeißen kann.«

»In einer Woche wird sich etwas ändern. Entweder du erfährst die Wahrheit und wir leben glücklich bis ans Ende unserer Tage, oder wir drei laufen zusammen weg.« Magnus zuckt mit den Schultern. »Für mich ist es eine Win-Win-Situation.«

»Warte!« Ich kichere. »Wir drei?« Ich winke zwischen uns und Simon hin und her.

Simon zieht die Augenbrauen hoch und neigt den Kopf zur Seite. »Ich werde bei allem mitmachen.«

Ist das ein Hoffnungsschimmer, den ich in seinem Gesicht entdecke?

Dominic und Coen würden das schneller auslöschen, als ihr Finger den Abzug gedrückt hätte.

Magnus zuckt mit den Schultern. »Warum nicht?« Seine Frage ist ein wenig rhetorisch formuliert.

»Okay, bevor ich aus diesem Traum aufwache, gehe ich jetzt wirklich.« Simon zeigt auf mich. »Wir sehen uns in aller Frühe, Liebes.«

»Früh vielleicht, aber nicht zu früh.«

»Keine Sorge, ich werde dich nicht wecken.« Simon geht rückwärts auf die Tür zu. »Ich werde dich einfach wie ein Serienmörder beobachten, während du schläfst.«

»Oh, das ist überhaupt nicht unheimlich.«

Simon schlüpft aus der Tür und lässt mich und Magnus zurück.

Magnus reibt mir die Schulter. »Komm, wir bringen dich ins Bett.« Er zieht mich zu sich und vergräbt mich an seiner Brust, seine Arme halten meinen Körper fest umschlossen. »Mann, ich liebe dich so verdammt sehr.« Er küsst mich immer wieder auf den Scheitel.

»So sehr, dass du bereit bist, mich zu ersticken?«, erwidere ich und genieße jede Sekunde davon.

Er lässt mich los, aber nur leicht. »Ist das besser?« Magnus neigt meinen Kopf zu sich hoch und findet meinen Mund mit seinem. Er wirbelt seine Zunge um meine und entfacht eine feurige Leidenschaft in mir.

Ich vertiefe den Kuss, während er seine Hände in mein Haar schiebt.

Magnus zieht sich zurück, sein Atem bleibt an meinem haften. »Du solltest etwas schlafen, Prinzessin.«

»Eigentlich …« Wenn er darauf besteht, ins Bett zu gehen, habe ich etwas anderes im Sinn. »Ich glaube, ich werde Dom foltern.«

»Ja? Das klingt lustig.« Magnus gähnt. »Kannst du es für mich filmen, damit ich es mir morgen früh ansehen kann?«

Ich lache und gebe ihm einen kurzen Kuss auf die Lippen. »Die Dinge, die ich im Kopf habe, sollten nicht aufgezeichnet werden.«

»Du bringst mich wirklich dazu, mir zu wünschen, ich würde jetzt nicht gegen die Müdigkeit kämpfen.« Er stützt sein Kinn auf meinen Kopf. »Ich könnte Kaffee kochen. Du könntest mir die Augen aufkleben.«

Ich entziehe mich seinem Griff, ergreife seine Hand und ziehe ihn zur Treppe. »Komm, wir bringen dich ins Bett, du Schlafmütze.«

Sein tätowierter Arm zieht mich wieder an sich, sein Körper presst sich an meinen, während wir uns auf den Weg zur Treppe machen. »Bringst du mich ins Bett?«

»Ich möchte es nicht anders haben.«

Ich beende das Gespräch mit Magnus, indem ich ihn buchstäblich auf seine Matratze stoße und die Decke über ihn ziehe. Seine Augen schließen sich, sobald sein Kopf das Kissen berührt, und es würde mich nicht wundern, wenn er schon eingeschlafen ist, bevor ich überhaupt aus dem Zimmer geschlüpft bin.

Ich schleiche auf Zehenspitzen durch den langen Flur zu

Doms Zimmer, betrete es ohne Erlaubnis und gehe direkt ins Badezimmer, wo das Wasser läuft.

Trotz des aufwendigen und teuren Hauses knarrt die Tür, als ich sie aufstoße.

Ich ziehe mein Shirt über den Kopf und lasse es auf den Boden fallen, der Dampf im Raum küsst meine nackten Brüste. Ich reiße mir die Hose herunter, ziehe sie aus und lege sie auf den Stapel mit dem Rest unserer Kleidung.

»Was machst du hier, June?«, fragt Dominic, als ich näherkomme.

»Was immer ich will.«

Er will zwar nichts mit mir zu tun haben, aber ich kann das Zucken seines Schwanzes beim Anblick meines nackten Körpers nicht ignorieren.

Dom spült sich den Rest des Shampoos aus dem Haar und dreht sich zu mir. Ich steige zu ihm unter die Dusche, meine Brustwarzen werden durch die Temperaturveränderung hart. Ich gehe direkt auf ihn zu, recke meinen Hals, um ihn anzusehen, während ich nach unten greife und seinen Schaft ergreife. Ich streichle ihn, während ich den Blickkontakt zu ihm aufrechthalte, und freue mich innerlich darüber, wie er sofort in meinem Griff wächst.

»Was machst du da?«, wiederholt er mit zusammengebissenen Zähnen.

Ich drehe mich um und drücke meinen Arsch gegen ihn, schiebe seinen Schwanz zwischen meine Beine und lasse ihn über meine feuchte Muschi gleiten. »Ich will, dass du mich fickst, Dom. Fick mich, als ob du es ernst meinst.«

Er stützt seine Hand auf meine Taille und gräbt seine Finger in meine Seite. »Ich glaube nicht, dass du das willst, June.«

Ich führe ihn zu meinem Loch und lasse die Kuppe seines Schwanzes in mich eindringen. »Du weißt nicht, was ich will, Dom, das ist das Problem.«

Er stößt mit voller Wucht in mich hinein und gibt mir genau

das, worum ich gebeten habe. Dom beugt sich über mich und hält sich an meinen Hüften fest, während er in mich stößt. Unsere Körper klatschen aneinander, die Mischung aus Tempo und Wasser spielt den perfekten Soundtrack.

Ich schiebe mich gegen ihn, nehme jeden Zentimeter seines Zorns in mich auf und greife zwischen meine Beine, umkreise meinen Kitzler zwischen meinen Fingern und stütze mich mit der anderen Hand an der Wand ab. Meine Muschi krampft sich um ihn, mein Orgasmus baut sich bereits durch die Intensität der ganzen Situation auf.

»Ist das alles, was du kannst, Dom?« Ich verspotte ihn.

Dom stößt härter in mich hinein und greift nach meiner Hand, die mich befriedigt. »Du kommst, wenn ich es dir sage.«

Ich grinse und beiße mir auf die Lippe, genieße das Glück, ihn dazu zu bringen, genau das zu tun, was ich von ihm will, ohne dass er es überhaupt merkt.

»Hör auf!«, sage ich, greife nach hinten und lege meine Hand auf seinen Bauch.

Er fügt sich sofort. »Habe ich dir wehgetan?«

Ich wende mich ihm zu, mein Blick bleibt an seinem hängen. »Da musst du dich schon mehr anstrengen.«

Das Wasser rieselt auf uns beide herab, unsere Brust hebt sich vor Leidenschaft und Angst zwischen uns. Ich liebe diesen Mann so verdammt sehr, aber verdammt, er macht mich wütend.

Sieht er nicht, dass ich mit ihm umgehen kann? Ich kann mit diesem Leben umgehen? Ich kann mit den verdammten Geheimnissen umgehen, die er vor mir hat? Wir brauchen die Distanz nicht, die Lügen, das gegenseitige Wegschieben. Wir sind zusammen besser, wir alle, und ich weiß nicht, warum er das nicht sehen kann.

Ich stütze mich mit dem Fuß auf der Bank ab und ziehe ihn zu mir heran.

Er schlingt seinen Arm um meine Taille und reibt seinen

Schwanz über meine durchnässte Muschi. Dom schiebt seinen Daumen hinein, und als er ihn herauszieht, stößt er mit seinem Schaft in mich hinein. Er führt denselben Daumen nach oben und fährt damit über meine Lippen, bevor er ihn in meinen Mund schiebt.

Ich neige ihm meine Hüften entgegen und sauge an seinem Daumen, beiße hinein, als er seine Stöße verlangsamt. Ich knabbere an der Spitze, als er ihn herauszieht. »Ich sagte, du sollst mich ficken.« Ich lasse mein Bein sinken und stoße ihn auf die Bank. »Setz dich hin und ich zeige dir, wie es geht.«

Dom ist alles andere als unterwürfig – er ist in jeder Hinsicht dominant, aber im Moment ist er Butter in meinen Händen, und er kann kein bisschen Kontrolle über mich gewinnen. Nicht, wenn ich so versessen darauf bin, ihm eine Kostprobe seiner eigenen Medizin zu geben.

Ich steige auf seinen Schoß und lasse mich auf seinen steinharten Schaft fallen. Zuerst bewege ich mich langsam, aber dann spanne ich meine Muschi an und reite ihn härter und schneller.

Mit einer Hand an meiner Taille und der anderen an meiner Brust, saugt er an meinem Nippel und nimmt ihn zwischen die Zähne.

Ich stöhne und halte mich an seinen Schultern fest, meine Ekstase steht kurz bevor.

Dom bewegt seine Handfläche von meiner Seite auf meinen Hintern. Er lässt seinen Zeigefinger nach unten gleiten, bis er auf meinem geschwollenen Loch ruht. Er übt Druck aus und dringt sanft ein.

Ich beuge mich ihm entgegen, gebe ihm die Erlaubnis und genieße das gesteigerte Vergnügen.

»Eines Tages …«, er führt seine andere Hand an meine Kehle und neigt mein Kinn zu sich, »werden wir jedes deiner Löcher füllen.« Dom schiebt die Kuppe seines Fingers in mich und lässt sie dort ruhen.

Ich beuge mich vor und stöhne, mein Gesicht liegt direkt an seinem. »Warum dort aufhören?« Weil ich schließlich drei Löcher und zwei Hände habe …

Er greift mit einer Hand in mein Haar und lenkt meine Aufmerksamkeit auf sich. »Was soll das bedeuten?«

Ich ficke ihn härter und wehre mich gegen seinen Griff. Der Schmerz heizt meinen Orgasmus nur noch mehr an. Ich reibe seinen Schaft, der Druck ist genau richtig, um gleichzeitig meine Klitoris zu treffen. Ich kralle meine Finger in seine Schultern und komme um ihn herum zum Höhepunkt, mein Körper bebt. Aber anstatt ihn zu reiten, bis er kommt, höre ich auf, mich zu bewegen, und drücke ihm einen Kuss auf die Lippen. »Genau das hier«, ich steige von ihm herunter, sein großer Schwanz pocht vor Verlangen, »ist, wie es sich anfühlt, dich zu lieben.«

Er starrt mich an, mit einem Ausdruck völliger Verwirrung auf seinem Gesicht, während das Wasser immer noch auf ihn herabfließt. »Was glaubst du, wohin du gehst? Ich bin noch nicht fertig mit dir.«

Ich kehre nicht zurück, gebe ihm nicht, was er will. Nein, ich gehe und lasse ihn dort zurück, wo er sich nach mehr sehnt und nicht versteht, warum ich ihn verlassen habe, als er mich am meisten brauchte.

Es ist schwieriger, als ich dachte, vor allem, als ich noch einen Blick auf den schönen Mann mit den silbernen Härchen in seinem Bart und Haar werfe.

Wenn es das ist, was nötig ist, um seinen Dickschädel zu überzeugen, dass sich etwas ändern muss, dann soll es so sein. Er hört nicht zu oder beachtet keine meiner anderen Taktiken, und wenn dies der einzige Weg ist, um ihm klarzumachen, dass etwas nicht stimmt, dann werde ich ihn ficken, bis seine Eier blau sind, jeden Tag in der Woche. Vielleicht werden sein Schwanz und seine Eier dann spüren, was mit meinem Herz passiert, wenn er mir ein wenig gibt, nur um es wegzunehmen.

# KAPITEL SECHZEHN – SIMON

»Warum bist du so aufgedonnert?«, frage ich June, obwohl ich genau weiß, warum. Nun, die zahlreichen Gründe.

Erstens: Es ist die erste Nacht, in der sie ihre beste Freundin Cora seit viel zu langer Zeit wiedersieht.

Zweitens: Sie versucht, jeden mit Augen eifersüchtig oder geil zu machen.

Ich bin sicher, es gibt noch mehr, aber mein Gehirn kann keine Worte finden, wenn sie so verdammt gut aussieht. Und nachdem Magnus einen Witz darüber gemacht hat, dass wir drei zusammen weglaufen könnten, geht mir die Möglichkeit, tatsächlich mit ihr zusammen zu sein, nicht mehr aus dem Kopf.

Es ist unmöglich, so verdammt unwahrscheinlich, aber trotzdem hat mein Herz von der Sekunde an, in der er es erwähnte, ein wenig härter geschlagen.

Magnus war schon immer der aufgeschlossenste Mensch in Junes Leben. Er war derjenige, der darauf bestand, sie in unsere gefährliche kriminelle Welt zu bringen, und er war der Erste, der davon überzeugt ist, dass sie damit umgehen kann. Er ist auch der Einzige, der mehr als ein zwei Sekunden langes

Gespräch mit mir führt und mich mit etwas Anstand behandelt. Ich würde nicht so weit gehen, zu sagen, dass wir Freunde sind, aber es ist definitiv ein Fortschritt gegenüber Feinden. Und mit ihm an meiner Seite habe ich ein etwas besseres Blatt in der Hand. Wenn ich ihn nur dazu bringen könnte, mir das Geheimnis zu verraten, das sie vor ihr verbergen, dann hätte ich vielleicht endlich das Druckmittel, das ich brauche, um sie davon zu überzeugen, dass sie mit mir besser dran ist.

»Wenn du vergessen hast, dass ich mit Cora ausgehe, dann werde ich deiner Erinnerung wieder auf die Sprünge helfen müssen.« June starrt mich direkt an.

Ich kann mir ein Kichern nicht verkneifen. »Was wirst du tun, Liebes?«

Sie macht mit ihrer Hand eine Pistolenattrappe und biegt ihren Daumen, um eine Schussbewegung anzudeuten.

»Dir ist schon klar, dass Waffen so nicht funktionieren, oder?« Ich greife nach ihr, ziehe sie zu mir und ergreife ihre Hand. Ich klappe ihre Finger zurück in die Position der falschen Waffe. »Diese beiden, da wäre der Abzug, nicht hier.« Ich wackle mit ihrem Daumen.

June verdreht die Augen und seufzt. »Es muss nicht anatomisch korrekt sein, Simon. Du wusstest, dass es eine Waffe ist, ich wusste, dass es eine Waffe ist.« Sie setzt mir das falsche Ding an die Brust und drückt den falschen Abzug. »Und schon bist du tot.«

»Es wäre nicht das erste Mal, dass du versuchst, etwas in mein Herz zu stoßen«, sage ich. Die Narbe ist bis heute da – knapp unter der Oberfläche meines schwarzen Button-down-Hemdes.

»Und es wird wahrscheinlich nicht das letzte Mal sein.« Sie zwinkert mir zu, und ich schwöre bei Gott, es ist, als würde meine ganze Welt in Flammen aufgehen, mit nur einem Augenzwinkern. Ich hasse diese verdammte Wirkung, die sie auf mich hat, obwohl ich nichts dagegen tun kann.

Oh, was würde ich dafür geben, meine Finger in ihr Haar zu schieben und sie ganz an mich zu ziehen. Ich würde die Nähe ihrer Haut genießen, ihren Duft, als wäre er das Einzige, das mich am Leben erhalten könnte. Ich würde meine Lippen mit ihren verschmelzen lassen und beten, dass ich mich zurückhalten könnte, sie nicht gleich hier und jetzt zu nehmen. In einer anderen Welt vielleicht, aber nicht in dieser. Zumindest nicht heute.

Also spreche ich ein stilles Gebet, dass mein Schwanz aufhört, in meiner schwarzen Hose zu pulsieren, und ein verdammtes Nickerchen macht.

June starrt mich an, dieser feurige Blick brennt ein Loch in meine verdammte Seele. »Worüber denkst du nach?«

Ich atme ein und überlege, ob ich ihr all die schrecklichen Dinge sagen soll, die ich ihr gerne antun würde, aber stattdessen atme ich aus und sage: »Du wirst es schon noch herausfinden.« Denn das ist alles, was ich wirklich tun kann. Hoffen, dass es überhaupt eine Chance gibt, dass etwas davon passiert.

Und selbst wenn das nicht der Fall ist, habe ich immer noch das hier. Ich habe immer noch uns. Nur nicht genau so, wie ich es mir wünschen würde. Aber es ist besser als nichts.

»Simon Beckett, der Scherzkeks.« Sie stößt mich mit der Schulter an und geht zur Tür. »Komm schon, wir sind schon zu spät.«

---

»*T*schüss, Alec«, ruft June dem Fahrer zu, mit dem sie sich immer wieder mit Vornamen anredet.

»Bleib hinter mir!«, gebe ich ihr auf, während ich ihr aus dem abgedunkelten Geländewagen helfe. Ich nicke Alec zum Abschied zu und scanne die Umgebung, während er wieder fährt.

»Simon …« June versucht, um mich herumzugehen, aber ich lasse es nicht zu.

Ich stehe fest auf meinem Platz und schaue auf sie herab. »Meine Regeln oder wir gehen jetzt nach Hause. Hast du mich verstanden?« Verdammt, ich hasse es, streng mit ihr zu sein, aber ist ihr immer noch nicht klar, dass ihre Sicherheit mein wichtigstes Anliegen ist? Nachdem ich sie fast verloren hätte, würde ich das auf keinen Fall noch einmal zulassen, vor allem, nachdem sich meine Gefühle zu denen entwickelt haben, die sie heute sind. Damals war es eine leichte Besessenheit, jetzt bin ich völlig von ihr eingenommen. Ich esse, schlafe und atme June und würde voll auf *Romeo und Julia* machen, wenn ihr etwas zustoßen würde.

Ich wusste, dass sie etwas Besonderes ist, aber erst seitdem ich sechs Monate an ihrer Seite verbringe, beginne ich, Teile von ihr zu entschlüsseln, die sie mit niemandem sonst teilt. Sie teilt sie nicht einmal mit mir – nicht absichtlich. Aber das ist der Vorteil, wenn man so viel Zeit mit jemandem verbringt: Irgendwann fallen die Mauern, ob man es merkt oder nicht. Man beginnt, die ungefilterte und unverfälschte Version der Person zu sehen. Man bekommt einen kleinen Einblick in das, was sie sind, ohne das Objektiv der Öffentlichkeit. Ich würde sogar so weit gehen, zu sagen, dass ich mehr über sie weiß als ihre eigenen Freunde.

Ihre Schuhgröße, ihre To-Go-Bestellung in jedem verdammten Restaurant der Stadt, die Seite des Bettes, auf der sie am liebsten schläft. Ich weiß zwar nicht, was sie im Bett bevorzugt, aber ich lerne schnell und bin bereit, alles zu tun, um ihr zu gefallen. Und deshalb habe ich, als Magnus von uns dreien sprach, nicht gezögert, sofort mitzumachen. Ob ich sie lieber für mich hätte? Ja, absolut. Aber welcher verdammte Idiot würde das nicht. Aber ich wäre ein Narr, wenn ich glauben würde, dass ich ihr genügen würde, und ich würde nie versuchen, sie in eine Schublade zu stecken, in der sie nicht sein will.

Die Fesseln, die man ihr anzulegen versucht, sind der Beweis dafür, dass sie mit ihrer derzeitigen Situation nicht zufrieden ist.

»Ich höre dich«, keucht sie und rückt ihr Shirt zurecht, um mehr von ihrer Brust freizulegen.

Ich ziehe an den Seiten ihrer Lederjacke, um sie zu bedecken.

June verengt ihren Blick. »Ernsthaft?«

»Das ist zu ablenkend, Liebes«, sage ich, denn das ist die verdammte Wahrheit.

»Hast du keine Angst vor Scharfschützen oder so?«

»Was?«

Sie deutet auf die Gebäude hinter uns. »Ich weiß nicht. Du tust so, als würde ich ermordet werden.«

Ich lache. »Du bist eine Mafia-Queen, nicht der verdammte Präsident.«

»Dann lass uns gehen. Cora hat mir vor fünf Minuten geschrieben, dass sie bereits hier ist. Zieh den Stock aus deinem Arsch und komm!« June schubst mich, aber ich bewege mich nicht.

»Oh, das war süß. Warum versuchst du es nicht noch mal?« Ich weiß, dass ich die Rolle des Bodyguards spielen soll, aber es macht Spaß, mit ihr zu albern.

»Zwing mich nicht, meine Waffe zu zücken.« June legt den Kopf schief und hebt die Brauen.

Ich verziehe das Gesicht. »Du hast keine verdammte Waffe dabei.« Ich beginne, sie abzutasten, aber sie hält mich auf.

»Hier …« Sie greift in ihre Manteltasche und holt ihre falsche Fingerpistole heraus. Sie zieht ihren Mittel- und Zeigefinger zurück. »Peng!« Dann schüttelt sie den Kopf. »Nein, das fühlt sich nicht richtig an, ich bleibe beim Daumen, tut mir leid. Peng!« Sie führt ihre Hand an ihr Kinn. »Was ist dir lieber, *Pau!* oder *Peng!*? Ich könnte auch ein *Pew Pew!* machen. Was denkst du?«

»Ich glaube … du hast den Verstand verloren.«

»Ja.« Sie schubst mich wieder. »Weil du mich den ganzen verdammten Tag hier draußen auf dem Bürgersteig stehen lässt.« June schiebt ihren Kopf um mich herum. »Während wir hier draußen stehen, sind etwa zwölf Leute reingegangen.«

»Versprich mir, dass du dich nicht davonschleichst.«

»Das war ein einziges Mal, Simon.« Sie seufzt dramatisch.

Ich verschränke die Arme vor der Brust. »Versprich es mir oder wir gehen nicht rein.«

Sie rollt heute schon zum fünfzigsten Mal die Augen. Wie die sich noch nicht in ihrem Kopf verirrt haben, werde ich nie erfahren. »Gut, versprochen.«

»Gut.« Ich grinse. »Habt einen schönen Abend. Wenn du mich brauchst, ruf einfach meinen Namen. Ich werde meine Augen nicht von dir abwenden.« Nicht einmal, wenn ich es wollte. Ich nehme ihre Hand, drehe mich um und ziehe sie dicht an meinen Rücken. Ihre Wärme durchströmt mich, und ich wünsche mir mit aller Macht, dass wir, wenn wir diese Bar betreten, in ein alternatives Universum eintreten, in dem wir zusammen sind – wirklich zusammen. Ich würde immer noch alles in meiner Macht Stehende tun, um sie zu beschützen, aber wenigstens könnte ich sie küssen, bevor sie mit ihrer besten Freundin durchbrennt.

»Simon«, flüstert sie, als wir drinnen sind.

Ich drehe mich sofort zu ihr um und checke eine potenzielle Bedrohung. »Ja, Liebes?«

»Würdest du mit uns etwas trinken?«

Mein Herz schlägt schneller, und für eine Sekunde denke ich, ich verliere jedes Gefühl für die Schwerkraft. Wie ist es möglich, dass sie mit so wenig so viel erreicht?

Am liebsten würde ich ihre Wange berühren, aber ich tue es nicht. Ich bin ihr Bodyguard, nicht ihr Freund. Ich sehe ihre blonde Freundin auf der anderen Seite des Raumes und konzentriere mich wieder auf die atemberaubende Füchsin vor mir. »Vielleicht, wenn ich den Laden durchsucht habe. Okay?«

Sie nickt, und wenn ich es nicht besser wüsste, würde ich sagen, dass ein Hauch von Enttäuschung über ihren Zügen liegt. Aber ich weiß es besser, und der einzige Grund, warum sie gefragt hat, ist, dass sie Mitleid mit mir hat, weil ich die ganze Nacht hier stehen und auf sie aufpassen muss.

Wenn sie nur wüsste, dass es keinen Ort gibt, an dem ich lieber wäre. Außer an ihrer Seite natürlich.

Ich nicke Cora zu. »Deine beste Freundin ist dort.«

June greift nach mir und überrascht mich, als sie sich an meinem Unterarm festhält. Sie drückt ihn kurz, bevor sie sich umdreht und auf Cora zugeht. Die Stelle, die sie berührt hat, brennt, auch als sie nicht mehr in der Nähe ist.

Ich bahne mir schnell, aber gründlich einen Weg durch die Bar und scanne den Ort nach allem Ungewöhnlichen, während ich June im Auge behalte. Ich schaffe es, den ganzen Ort zu überprüfen und sie die ganze Zeit zu beobachten, etwas, in dem ich mittlerweile verdammt gut bin. Ich war nicht immer der Beste bei dieser Art von Auftritt, aber ich hatte noch nie eine Person, um deren Sicherheit ich mich mehr gekümmert habe. Nichts Ungewöhnliches löst meine Simon-Sinne aus, also gehe ich zur Bar und der Barkeeper kommt sofort auf mich zu.

»Was kann ich für dich tun?«, fragt mich der Mann.

»Die beiden«, ich zeige auf Cora und June, »was immer sie bestellen, geht auf mich.«

Er blickt zu ihnen und nickt. »Klar doch.«

Ich lasse mich in der Ecke nieder, in der ich normalerweise lauere. So habe ich einen guten Überblick über die Vordertür, die Tür zum Personalbereich und den Flur, der zu den Toilettenräumen führt, von wo eine weitere Tür hinausführt.

Es dauert nur etwa zwei Minuten, bis mich ein zufällig vorbeikommendes, betrunkenes Mädchen von der anderen

Seite des Raumes anstarrt. Ich weiche ihrem Blick aus und versuche, so uninteressiert wie möglich zu wirken. Ich hätte sie erst gar nicht bemerkt, aber schließlich bin ich ja hier, um auf jede Kleinigkeit zu achten. Leider hat sich dadurch für diese ahnungslose Frau ein kleines Fenster der Gelegenheit geöffnet. Ich verrenke mir den Hals, richte meine Haltung neu aus und versuche, aus ihrem Blickfeld zu geraten. Wenn sie mich nicht sehen kann, hört sie vielleicht auf, mich anzustarren.

Sie ist beileibe nicht hässlich – manche mögen sie für konventionell attraktiv halten, aber es gibt niemanden, der June das Wasser reichen kann. Nachdem sie mir unwissentlich das Herz aus dem Leib gerissen hat, kann ich es nicht einmal mehr ertragen, an eine andere Frau auf diese Weise zu denken. Sicher, ich bemerke vielleicht jemanden, der hübsch ist, aber es hat nicht mehr dieselbe Wirkung auf mich wie früher. Es ist, als hätten mein Herz, mein Gehirn und mein Schwanz alle diesen June-Filter, den man unmöglich umgehen kann. Nicht, dass ich das überhaupt tun würde. Sie ist verdammt strahlend, und das nicht nur von außen. Sie ist witzig und charmant und freundlich, und verdammt, sie ist genauso durchgeknallt wie ich. June hat diese immense weiche Seite, aber dann diese Dunkelheit, die sie ganz verschlingen könnte, wenn sie nicht aufpasst. Sie versucht so sehr, es zu verbergen, aber das Flackern in ihren Augen ist nicht zu übersehen, wenn sie in Gefahr gerät.

June hat keine Angst vor der Gefahr, sie sehnt sich geradezu nach ihr.

Und in diesem Moment starrt sie genau darauf.

Ich halte ihren Blick fest und atme durch, während sich mein Herzschlag beschleunigt. Es hat etwas so Intimes, wenn ihre lüsternen Augen auf der anderen Seite des Raumes auf meine gerichtet sind. Sie könnte jeden anderen anschauen, und hier ist sie, konzentriert auf mich.

Cora sagt etwas und lenkt ihre Aufmerksamkeit auf sich.

Ich würde gerne bei ihren Gesprächen mit Cora dabei sein. Aber ich respektiere sie genug, um ihr etwas Privatsphäre mit ihrer Freundin zu gönnen, wenn man bedenkt, dass sie nicht viel davon hat, wenn ich die ganze Zeit da bin. Es ist eine Gratwanderung, sie zu beschützen und sie nicht dazu zu bringen, mich zu hassen.

Ihre Jungs haben schon genug damit zu tun – ich will nicht auch noch auf die Scheißliste gesetzt werden.

Ich erinnere mich an Doms blutverschmiertes Gesicht, an das Loch in seinem Anzug, das zweifellos von einer Kugel verursacht wurde. Coen war am Arm verletzt, und wenn ich raten müsste, würde ich wetten, dass er auch angeschossen wurde. Sie waren beide schmutzig und erschöpft von einem langen Kampf. Aber haben sie dafür nicht ihre Männer? Warum hatten Dominic und Coen überhaupt mit dieser Art von Situation zu tun? Es sei denn, es handelte sich um etwas, das sie keinem anderen anvertrauen. Was Sinn ergeben würde, warum es nicht allgemein bekannt ist.

Sie hatten mit einigen Lieferproblemen zu kämpfen und versuchten, die Sache unter Verschluss zu halten, aber selbst wenn das der Fall gewesen wäre, hätten sich andere qualifizierte Leute an ihrer Stelle darum gekümmert.

Was passiert in einer Woche? Sie haben June gesagt, dass sie ihr dann die Wahrheit sagen würden, aber ich weiß nicht, was in dieser Zeit passieren wird. Ich war so sehr mit ihr beschäftigt, dass ich den inneren Abläufen und der Politik der kriminellen Welt nicht viel Aufmerksamkeit geschenkt habe. Ich bleibe auf dem Laufenden, aber ich kümmere mich nur um sie und um nichts anderes. Ich habe immer noch mein kleines Team, meine Investitionen, meine Einkommensquellen. Aber abgesehen davon bin ich irgendwie von der Bildfläche verschwunden.

Ich habe das Glück, dass mir einige Leute treu geblieben sind, obwohl Dominic die Leitung übernommen hat. Manchmal ist Diskretion gefragt, wie neulich, als June auf dem Parkplatz einer Bar einen Mann erschossen hat. Ich konnte mein eigenes Aufräumkommando benachrichtigen und die Situation bereinigen, ohne einen der Jungs zu alarmieren. Es sterben ständig Menschen, und dieser Aspekt unserer Arbeit ist normalerweise nicht besonders besorgniserregend, es sei denn, es handelt sich um eine prominente Person. Und der Kerl, den June ermordet hat, war ein mieses Stück Scheiße, das wohl niemand vermissen wird.

Es war riskant, jemanden aus unserer Organisation damit zu betrauen, aber bisher ist nichts dabei herausgekommen, und ich hoffe, das bleibt auch so. Ich kann es nicht gebrauchen, dass ihre Leute mir im Nacken sitzen, weil ich sie jemanden töten ließ.

Wir haben nicht wirklich darüber gesprochen – June und ich. Sie scheint davon relativ unbeeindruckt zu sein, fast so, als ob es eine ganz normale Sache wäre, die man einfach tut. Ich bin sicher, dass eine normale Person beunruhigt wäre, aber sie und ich sind ein anderer Menschenschlag.

Wenn überhaupt, dann ist es so, als wäre eine vorübergehende Last von ihren Schultern genommen worden. Ich habe es nach der Kampfnacht bemerkt, wie sie an diesem illegalen Ort zum Leben erwachte und sich wohler fühlte, als wenn sie nur ihre üblichen Dinge unternimmt.

Ich erschaudere, als das Mädchen, das mich vorhin angestarrt hat, quer durch den Raum auf mich zu stolziert. Ich wende meinen Blick ab und hoffe, dass ich so tun kann, als wäre ich unsichtbar, aber das ist schwer, wenn ein Typ wie ich an einem Ort wie diesem ist.

»Scheiße!«, murmle ich zu niemandem außer mir selbst.

Sie stellt sich direkt vor mich. Goldblondes Haar, Titten, die sich aus ihrem engen blauen Kleid wölben, rubinrote Lippen. »Hey.« Sie stützt ihre Hand auf die Hüfte. »Willst du tanzen?«

»Nein.« Ich wende mich von ihr ab und hoffe, dass sie meine Körpersprache aufnimmt und mich in Ruhe lässt.

Ich konzentriere mich auf die dunkelhaarige Frau am anderen Ende des Raumes, die mein Herz erobert hat.

»Ich bin Carli, wie heißt du?« Sie streckt ihre Hand aus, aber ich nehme sie nicht.

»Kein Interesse.« Schließlich schaue ich kurz zu ihr. »Scheiße!«, flüstere ich wieder, als ich June beobachte, wie sie sich durch die Menge zu mir drängt.

Sie schiebt Carli im Vorbeigehen zur Seite und legt ihren Arm um meinen. »Oh, das tut mir leid«, sagt sie zu Carli und sieht dann zu mir auf. »Ich wollte dich nicht warten lassen, *Liebes*.« Das letzte Wort betont sie besonders.

Ich grinse über ihre besitzergreifende Zickigkeit. »Du weißt, ich würde ewig auf dich warten.« Die ganze Wahrheit, nicht der Hauch einer Lüge.

»Äh«, sagt Carli schließlich. »Ihr zwei seid …«, sie zeigt zwischen uns hin und her, »… zusammen?«

»Mmh, ja, warum?« June tut so, als bemerkte sie nichts, dann lacht sie. »Du hast nicht geglaubt, dass du eine Chance hast, oder?« Sie drückt mich fester an sich. »*Brad* würde das nie tun.«

»Brad?« Carli zieht die Stirn in Falten. »Ich dachte, du bist Simon.« Sie schüttelt den Kopf. »Ich muss dich mit jemandem verwechselt haben.«

»Simon?« June gluckst. »Das ist ein dummer Name.« Sie zieht mich von Carli weg und zu sich und Cora, die an einem hohen Tisch sitzen.

»Was sollte das denn?«, frage ich sie.

Sie lässt mich nicht los, sondern schiebt uns weiter durch die Menge. »Du hast unglücklich ausgesehen.« June blickt durch ihre dichten, dunklen Wimpern zu mir auf. »Hatte ich unrecht? Denn wenn ja, kann ich eine verdammt gute Flügelfrau sein.« Sie bleibt stehen. »Wir können auch wieder zurückgehen und dir ein Stück von dieser Plastik-Barbie besorgen.«

Diesmal bin ich es, der uns vorwärtstreibt. »Sei nicht dumm!«, erwidere ich. »Obwohl ...«

»Ich wusste es, du hast eine Schwäche für Blondinen.« June hält wieder an.

»Du bist wirklich völlig ahnungslos, nicht wahr?« Ich schaue zu ihr hinunter. »Was ich sagen wollte, bevor du mich unhöflich unterbrochen hast, war, dass es der beste Platz war, um alles im Auge zu behalten.«

»Ich habe dich buchstäblich eingeladen, mit uns abzuhängen. Ist es nicht die bestmögliche Option, neben mir zu stehen?«

Das hängt ganz von der Argumentation ab, aber ohne Frage, ja, absolut.

June schleppt mich den Rest des Weges zu Cora, die hektisch auf ihrem Handy herumtippt. Wütend tippt sie auf den Sendeknopf, knallt das Ding auf den Tisch und sieht auf, um uns zu begrüßen.

»Simon, wie nett von dir, dass du uns mit deiner Anwesenheit beehrst. Ich dachte schon, du würdest dich den ganzen Abend in der Ecke verstecken wie ein verdammter Psychopath.« Cora grinst und neckt mich, als ob ich nicht der gefährlichste Mann im Raum wäre.

»Ach, sei nachsichtig mit ihm, er wurde von einer Goldgräberin angegriffen.« June tätschelt meinen Arm. »So, jetzt bist du in Sicherheit.«

Ich schüttle den Kopf. »Du bist etwas anderes, weißt du das, Liebes?«

Cora stützt ihren Kopf auf ihre Hände. »Wie ist es so?« Sie starrt mich und June an.

»Was, eine Goldgräberin zu sein?« June klettert auf den Hocker, auf dem sie vorhin gesessen hat, und zieht einen weiteren danebenen hervor.

»Ach was, du bist ja praktisch ein Sugar Baby.«

»Bin ich nicht«, protestiert June. »Ich arbeite!«

LUNA PIERCE

»Sogar Mister, *der nicht dein Freund ist, aber öfter da ist als deine Freunde*, übernimmt deine Rechnung.«

June starrt mich an. »Das tust du nicht.«

Ich zucke mit den Schultern und schaue mich um, wo wir stehen. Ich mag es nicht, dass ich nicht alles sehen kann, aber wenigstens bin ich in ihrer Nähe, falls etwas passieren sollte. In den letzten sechs Monaten war ihr Leben nicht bedroht, aber man kann nie zu sicher sein. In dem Moment, in dem man hochmütig wird, passiert die Scheiße. Und bei ihr kann ich es mir nicht leisten, dumme Risiken einzugehen.

Cora wird hellhörig. »Erwartest du jemanden?«

»Nein«, antworte ich, ohne es näher zu erklären. Denn was soll ich sagen? Dass ich beurteile, ob das Leben ihrer besten Freundin bedroht ist? Ich weiß nicht, was June ihr alles erzählt hat, und ich glaube nicht, dass ich die richtige Person bin, um es anzusprechen. Ich bin ja für Ehrlichkeit, aber das sind nicht meine Geheimnisse.

»Ich dachte, du hast vielleicht einen Freund dabei.« Cora hinterfragt meine Habachtstellung nicht weiter, und ich bin dankbar, dass sie sich nicht in Dinge einmischt, über die ich nicht sprechen kann. »Hast du irgendwelche alleinstehenden Freunde, Simon?«

»Ich habe keine Freunde.« Was ich habe, sind Geschäftsbekanntschaften, mit denen ich gelegentlich etwas esse oder trinke. Niemand, dem ich vertraue oder den ich anrufen würde, wenn es nicht darum geht, Leichen zu beseitigen oder berufliche Angelegenheiten zu regeln. Ehrlich gesagt ist June die einzige Person, die ich überhaupt als Freundin bezeichnen würde, aber ich bin nicht so dumm, um zu erkennen, dass sie mich nicht in ihrem Leben haben würde, wenn ich nicht völlig bestehen würde. Was ich für sie empfinde, ist echt, was sie für mich empfindet, beruht ausschließlich auf der Gewohnheit, dass ich immer bei ihr bin.

Wenn ich verschwinden würde, bräuchte sie nicht lange, um

246

sich an ihr Leben ohne mich zu gewöhnen. Ich bezweifle nicht, dass ihr das lieber wäre, vor allem, wenn man bedenkt, wie sehr sie mich wissen lässt, dass sie meine Gesellschaft nicht mag.

»Oh, das stimmt nicht«, sagt Cora. »Du bist ein beliebter Kerl.«

Ich lache trocken. »Das bin ich nicht.«

June hat vorhin den Nagel auf den Kopf getroffen. Der einzige Grund, warum das Mädchen vorhin auf mich zukam, ist, dass sie dachte, ich sei Simon Beckett. Der berüchtigte Playboy, der einen verschwenderischen Lebensstil voller Luxus führt. Eine beschissene Scheinpersönlichkeit, die ich versehentlich erschaffen habe, als ich meine rebellische Phase durchmachte und versuchte, die Leere in meinem Leben mit Alkohol, Mädchen und Kohle zu füllen. Das hat natürlich nicht funktioniert, aber das hat die Leute nicht davon abgehalten, sich nach dem zu sehnen, was ich zu bieten hatte. Ich hatte mehr falsche Freunde, als ich gebrauchen konnte, und eine Zeit lang lebte ich davon, im Mittelpunkt der Aufmerksamkeit zu stehen. Aber selbst mit jedem bisschen Berühmtheit, das ich dadurch erlangte, war ich innerlich immer noch ein verdammt leeres Loch. Nichts konnte diese Leere beheben, und je mehr ich nahm, desto schlechter fühlte ich mich.

Und zu allem Überfluss ist das auch noch der bleibende Eindruck, den ich bei jedem einzelnen Menschen hinterlasse, mit dem ich zu tun habe. Sie denken, ich sei dieser Playboy, der keine Gefühle hat, dem alles egal ist, der keine Intelligenz besitzt, der sich aber trotzdem nur für Alkohol und Titten interessiert. Jeder unterschätzt mich, und das war einer der Hauptgründe, warum ich ihnen das Gegenteil beweisen und den Thron erobern wollte, den Dominic jetzt innehat.

Ist er für das Amt qualifiziert? Zweifellos.

Aber ich bin es verdammt noch mal auch.

Und der Thron war zum Greifen nah, bis June in unser Leben trat.

Ich hätte ihn haben können. Ich hätte alles haben können. Ich war bereit, meine Macht zu nutzen, um auch sie zu beanspruchen, aber als sie in meinen Armen drohte, zu verbluten, kam mir alles, wofür ich so verdammt hart gearbeitet hatte, unendlich unwichtig vor. Es war überwältigend, die Flut der Gefühle, die mich durchströmte. Wut. Qualen. Entsetzen.

Ich habe fast alles verloren und wusste nicht, wie ich reagieren sollte, außer ihr mein Wort zu geben, dass ich ihrem letzten Wunsch nachkommen würde. Denn wenn ich schon alles verlor, wollte ich, dass sie in ihren letzten Momenten verstand, dass ich sie gewählt hätte. Sie war mir wichtiger als der Lebensstil, das Geld, das Einzige, was mir jemals wirklich etwas bedeutet hat.

Ich hielt meine Hand an ihre Brust, als ihr Blut durch meine Fingerspitzen floss, und ließ sie mit der einzigen Chance zurück, die ich jemals haben würde, um allen zu beweisen, dass ich nicht der unreife Junge war, für den sie mich hielten.

Ich hätte sie sterben lassen können. Ich hätte darauf drängen können, dass der Rat Dominic von seinem Amt entbindet. Ich hätte sie davon überzeugen können, dass er von einer Frau abgelenkt war und für den Job nicht geeignet war.

Aber ich kannte die Anziehungskraft, die sie auf ihn ausübte, nur zu gut, denn ich spürte sie auch.

Er ist nur der ignorante Bastard, der alles für selbstverständlich hält.

»Hört zu!«, sage ich zu den Mädchen. »Ich will euch nicht stören. Ich weiß, wie lange es her ist, dass ihr euch sehen konntet.«

»Machst du Witze?« Cora lacht. »Ich habe meine gesamte Reise in vier Minuten in Worte gefasst. Und June hier ist ein Buch mit sieben Siegeln, also ist es sicher, dass wir genug aufgeholt haben, sodass du bei uns bleiben kannst.«

Ich werfe June einen Seitenblick zu und denke über meine Optionen nach. Ich will sie nicht verlassen, aber ich will mich auch nicht aufdrängen, und ich will ganz sicher nicht den eigentlichen Grund, warum ich hier bin, vereiteln – sie zu schützen.

»Alle runter!«, schreit jemand.

Zwei Schüsse ertönen.

Ich reagiere, ohne nachzudenken, schirme June mit meinem Körper ab und ziehe sie vom Stuhl unter den Tisch. Mein Herz rast, die Erinnerungen an die Nacht im Gemeindehaus kommen zurück. Ich fahre mit den Händen über sie und suche verzweifelt nach Blut.

»Mir geht es gut«, beruhigt mich June. »Simon, mir geht es gut.«

Aber ich glaube ihr nicht. Das Bild in meinem Kopf ist zu lebendig, um es abzuschütteln, und ich kann die Angst nicht unterdrücken, dass sie sterben könnte.

Cora reagiert viel langsamer als ich, kommt zu uns unter den Tisch und kauert sich neben uns.

Ich packe sie und ziehe sie zu June, wobei ich sie beide mit meinem Körper bedecke. »Bist du verletzt?«, frage ich sie.

»Nein.« Coras Brust hebt sich. »Was zum Teufel ist hier los?«

Ich schüttle den Kopf. »Ich weiß es nicht. Ein Schütze. Ich werde nicht zulassen, dass einer von euch etwas passiert, das verspreche ich.« Ich reiße mein Hemd aus der Hose und ziehe eine der Pistolen an meinem Körper heraus. Ich überprüfe, dass sie geladen ist, und drücke sie June in die Hand.

Sie sieht mich ernst an und nimmt es ernst.

»Wenn sich jemand nähert, der nicht ich ist, erschießt du ihn. Hast du mich verstanden?« Ich ziehe die andere Waffe aus meinem Knöchelholster und überprüfe das Patronenlager. »Bleibt zusammen, und was immer ihr tut, versucht nicht zu fliehen. Ihr würdet euch zu einem leichten Ziel machen.«

»Wohin gehst du?«, fragt June mich.

»Den Bastard töten.«

Cora unterdrückt ein Keuchen, aber ich ignoriere es und konzentriere mich auf die Geräusche, die sich in dieser Todesfalle abspielen. Eine Frau schreit, Füße schlurfen über den Boden, Möbel knarren, während sie bewegt werden. Panisches Geflüster macht sich breit und jemand murmelt etwas Unzusammenhängendes.

»Simon?« June begegnet meinem Blick. »Sei vorsichtig, bitte!«

Ich streiche ihr mit der Hand über die Wange, ohne Rücksicht darauf, wie verdammt unpassend das sein mag. »Das bin ich, Liebes.« Ich schiebe ihr die Waffe zu. »Du weißt, wie man sie benutzt.«

Sie nickt steif und ich drehe mich um, immer noch in der Hocke, aber ich versuche, einen besseren Blick zu erhaschen, bevor ich mich ganz erhebe.

Ein zitterndes Paar starrt mich von seinem Platz unter dem Tisch an, der uns am nächsten ist.

Ich presse meinen Finger an die Lippen, um ihnen zu signalisieren, dass sie still sein sollen, und schiebe mich zu ihnen hinüber. Ich scanne die Menge vor mir, um zu sehen, wer sich nicht vor Angst in die Hose macht. In diesem Moment entdecke ich das Paar Beine, das achtlos um die geduckten Gäste herumläuft. Ich richte meine Waffe auf ihn, kann aber keinen sauberen Schuss abgeben. Ich werfe einen Blick zurück auf June, bevor ich mich der Gefahrenzone nähere.

Ihre Hand umklammert die Waffe, aber nicht so, dass sie schwach wirkt, sondern eher so, dass sie auf alles vorbereitet ist, was auf sie zukommt. Ihr Gesicht ist starr, und ihr Körper ist darauf ausgerichtet, Cora zu verbergen.

Das ist mein Mädchen, sie beschützt die, die sie liebt.

»Du«, schreit der Schütze. »Steh auf, verdammt!« Er richtet seine Waffe auf einen dürren Mann, der sich hinter einer Frau versteckt. »Ihr beide.«

Der Mann und die Frau zögern, gehen aber auf die Forderungen des Bewaffneten ein.

Sie murmelt etwas, aber ich kann es nicht richtig verstehen.

Der Angreifer trägt gewöhnliche Kleidung. Sein Haar ist ungekämmt, und wenn ich raten müsste, hat er in letzter Zeit nicht geduscht. Ich meine, warum sollte man das tun, wenn man vorhat, in einer Bar um sich zu schießen? Seine Hände zittern, die Waffe bebt in seinem Griff.

Ich stoße einen Seufzer der Erleichterung aus. Er ist vielleicht hier, um Blut zu vergießen, aber ich bin mir ziemlich sicher, dass es nicht um June geht. Das ist nur ein sehr unglücklicher Fall davon, am falschen Ort zur falschen Zeit zu sein. Trotzdem kann ich ihn damit nicht davonkommen lassen, nicht, wenn mein Mädchen unter einem verdammten Tisch um ihr Leben fürchtet. Er hat ihren Abend ruiniert, und dafür werde ich seine ganze verdammte Existenz ruinieren.

Langsam erhebe ich mich und halte die Arme vor mir hoch. Ich verstecke die Waffe in meiner Hand und hoffe, dass er sie in seiner Hektik nicht bemerkt. »Hey, Kumpel.« Ich gehe langsam auf ihn zu.

Für den Bruchteil einer Sekunde lenkt er seine Aufmerksamkeit von dem Paar ab und sieht mich an. »Setz dich hin, du Arschloch! Das ist eine Sache zwischen denen und mir.« Er schiebt die Waffe wie eine alberne Drohung vor sich her.

»Beschimpfungen sind ein bisschen unnötig, findest du nicht auch?« Ich gehe weiter in seine Richtung und versuche, ihn dazu zu bringen, seinen Blick auf mich zu richten.

Er frisst den Köder und richtet die Waffe direkt auf mich, wobei seine Hände immer noch zittern.

»Worum geht es hier eigentlich?«, frage ich.

Der Typ reißt seinen Arm in Richtung Decke und gibt einen Warnschuss ab. »Komm nicht näher, hörst du mich, verdammt? Ich erschieße jeden hier drin.«

»Ich glaube nicht, dass du dafür genug Munition hast, Kumpel.«

»Ich …«, stottert er, während er versucht, sich etwas einfallen zu lassen, was er sagen könnte.

»Hat's dir die Sprache verschlagen?« Ich bewege mich zwei Zentimeter nach rechts und komme endlich in die Position, in die ich wollte. Ich lasse meinen Arm sinken, greife meine Waffe und drücke mit einer schnellen Bewegung ab. Die Kugel durchdringt die Brust des Mannes.

Seine Augen weiten sich und ein Ring aus Blut sickert durch sein Hemd. Der Arm, mit dem er seine eigene Waffe gehalten hat, senkt sich und seine Beine geben unter ihm nach.

Ich pirsche mich an ihn heran, die Pistole immer noch auf seine jämmerliche Gestalt gerichtet. »Warum suchst du dir nicht jemanden in deiner Größe aus?« Zur Sicherheit schieße ich ihm noch eine Kugel in die Schläfe.

In der Ferne ertönen Sirenen und erinnern mich daran, dass ich mich an einem verdammten öffentlichen Ort befinde und gerade einen Mann getötet habe. Verdammt noch mal, das wird mehr Mühe kosten als sonst.

Warme Arme legen sich um meinen Oberkörper und klammern sich an mich.

Ich hebe meinen Arm und umarme sie. »Du bist in Sicherheit, Liebes«, versichere ich ihr.

Sie sieht zu mir auf, Tränen glitzern in ihren Augen. »Ich habe mir keine Sorgen um mich gemacht, du verdammter Idiot.«

»Pst.« Ich halte sie fest und ziehe sie an mich. »Wo ist Cora?« Ich drehe mich um, wo ich sie zurückgelassen hatte, und Cora steht in meinem Schatten.

Die Leute schlurfen umher, ihre Köpfe lugen unter den Tischen hervor, um zu sehen, ob die Luft rein ist.

Die Frau, die das Ziel war, begegnet meinem Blick. »D-danke.«

Ich nicke und ergreife Coras Hand, während ich immer noch auf June fixiert bin. »Kommt schon, ihr beiden. Wir verschwinden von hier.« Ich ziehe sie zur Tür und trete gegen den Haufen Scheiße, der sie verbarrikadiert. Ich ziehe sie auf den Bürgersteig und zeige auf den SUV, der am Ende der Straße parkt.

Sofort flackern die Scheinwerfer auf und er kommt in unsere Richtung.

»Cora«, beruhige ich die Blondine und neige meinen Kopf zu ihr. »Ich bringe dich zu June nach Hause. Ich bringe dich zu June, okay? Du bist jetzt in Sicherheit. Du musst dir um nichts Sorgen machen.«

Ihre blauen Augen blinzeln ein paar Mal, und sie nickt. »Ja. Okay.«

Sie steht unter Schock, und das hier zu verarbeiten, ist nicht das Einfachste für sie. Sie muss irgendwo sein, wo sie vor der Außenwelt geschützt ist.

June legt ihre Hand um die von Cora und zieht sie zu sich.

»Wie hast du …« Cora hält inne und starrt mich an. »Woher wusstest du, wie man das macht? Warum hast du … Waffen?« Sie senkt ihren Blick auf die, die ich noch in der Hand halte, und dann auf die, die June in der Hand hält. »Du hast eine Waffe, June.«

»Ich erkläre es dir im Auto, Cor.« June gibt mir ihre Waffe und führt ihre Freundin zu dem dunklen Geländewagen.

Alec springt heraus und öffnet die Tür. Er hilft Cora hinein, dann June. Sein besorgter Blick trifft den meinen. »Ist alles in Ordnung, Sir?«

Ich ziehe mein Hemd hoch und stecke eine der Waffen in meinen Hosenbund, während ich mich auf Alecs Schulter stütze, um die andere in mein Knöchelholster zu stecken. »Ja. Wir müssen hier weg, bevor die Bullen kommen.«

# KAPITEL SIEBZEHN – JUNE

»Was soll das heißen, du hast jemanden in der Bar erschossen?« Dominic ballt seine Faust so fest, dass ich befürchte, dass er sich die Hand bricht, wenn er noch mehr Druck ausübt.

Ich stehe zwischen dem Wohnzimmer und der Küche. In dem einen Raum wird meine beste Freundin von Alec getröstet, in dem anderen überlegt Dom, ob er Simon ermorden soll. Beide sind gleich wichtig.

»Du hättest das Gleiche getan«, sagt Simon zu Dom, aber mit viel weniger Wut in der Stimme als Dom. »Er hat Junes Abend ruiniert.«

Moment mal, Simon hat den Typen *deswegen* umgebracht?

»Außerdem«, fügt er hinzu. »Er wollte gerade eine Frau und ihren Kumpel erschießen. Ich glaube, es war ein Streit zwischen Liebenden oder so.«

»Ein Streit zwischen Liebenden?« Dominic kneift den Nasenrücken zwischen die Finger. »Du hast an einem öffentlichen Ort das Feuer eröffnet, weil es ein kleines Beziehungsdrama gab?«

Ich trete vor. »Er hatte eine Waffe, Dom. Simon hat getan,

was er tun musste, um die Bedrohung zu beseitigen.« Ich seufze. »Hast du ihn nicht deshalb angeheuert?«

Er ignoriert mich und konzentriert sich auf Simon. »Und du fandest nicht, dass du bleiben solltest? Dich selbst um die Bullen kümmern? Weißt du, wie viel Kopfzerbrechen es bereiten wird, das aufzuräumen?«

»Meine Priorität war es, June sicher da rauszuholen.« Simon blickt auf mich hinab. »Sie wird immer meine Priorität sein.«

Doms Telefon summt. Er starrt es an. »Und so beginnt es.« Er nimmt es in die Hand und zeigt auf Simon. »Ich muss da rangehen. Geh verdammt noch mal nicht weg.«

Simon lehnt sich gegen den Tresen und verschränkt die Arme vor der breiten Brust.

»Du hast das Richtige getan«, versuche ich, ihn zu beruhigen.

Er zuckt mit den Schultern. »Vielleicht.«

Ich schleiche auf ihn zu und lege meine Hand auf seine Schulter. »Das hast du.«

Simon lenkt seine Aufmerksamkeit auf meine beste Freundin im anderen Zimmer. »Wie geht es ihr?«

Wenn ich ehrlich bin, bin ich unsicher, wie ich mit der Situation umgehen soll. Cora sollte so ziemlich alles wissen, was passiert ist, seit die Jungs in mein Leben getreten sind. Aber das macht Dinge wie diese schwierig. Ich weiß nicht, was ich sagen soll, was ich tun soll, wie ich sie trösten soll, wenn es mit Geheimnissen und Lügen gespickt ist. Sie ist einer der wichtigsten Menschen in meinem Leben, und die Wahrheit würde sie nur noch mehr in Gefahr bringen.

Aber wenn es für mich in Ordnung ist, sie im Dunkeln zu lassen, kann ich dann auf die Jungs sauer sein, weil sie das Gleiche tun? Ist das, was ich tue, wirklich etwas anderes?

Ich habe allerdings keine romantische Beziehung zu Cora. Ich lebe nicht mit ihr zusammen, teile keinen Raum mit ihr und meide sie, wo es nur geht. Ich schleiche mich nicht hinaus, bevor sie aufwacht, und komme nicht nach Hause, wenn sie schläft, und ich lüge nicht, wenn sie mir eine Frage stellt.

Okay, vielleicht was Miller angeht – aber das ist nur zu ihrem Besten. Miller steckt tief in der kriminellen Unterwelt, und wenn sie sich auf ihn einlässt, wird sie auch hineingezogen.

Ein großer Teil von mir begrüßt das. Eine beste Freundin zu haben, der ich mich anvertrauen kann, mit der ich ein richtiges Frauengespräch führen und *alles* erklären kann – das wäre fantastisch. Aber es wäre egoistisch von mir, und es ist in Coras bestem Interesse, sie im Dunkeln zu belassen.

»Ich weiß nicht, was ich ihr sagen soll«, flüstere ich Simon zu und sehe zu ihr hinüber.

»Du wirst es schon herausfinden.« Er schubst mich in die Richtung, in der sie und Alec zusammen auf der Couch sitzen. Sie stehen sich nahe, zu nahe, und da ich mich auf Dom und Simon konzentriere, habe ich vielleicht eine andere potenzielle Beziehung übersehen, von der ich sie abhalten muss.

Alec steckt nicht annähernd so tief in diesem Leben wie die anderen Jungs, aber er hat immer noch einen Fuß in der Tür und weiß viel mehr, als ich möchte, dass Cora es herausfindet. Er ist ein guter Kerl, aber gut ist nicht der einzige Maßstab, den meine beste Freundin verdient. Ich schätze, dass er mit seinen dunklen Augen und dem dazu passenden Haar auch in Sachen Aussehen ein paar Punkte sammelt. Das reicht aber nicht aus, um bei meiner besten Freundin eine Chance zu haben.

Ich gehe zu ihnen und lasse mich neben Cora auf die Couch sinken. »Hey, du.«

Sie zieht sich die Decke fester um die Schultern und wendet sich mir zu. »Hey.«

»Verrückte Nacht, hm?«

Cora nickt. »Ja.«

»Geht es dir gut?«

»Ja. Alec und ich haben gerade über diesen Kurs an der Universität gesprochen, den wir beide belegt haben.«

»Oh, du bist auf dem College?«, frage ich Alec.

»Ich mache gerade meinen Abschluss.«

»Cool«, sage ich, wobei ein wenig Überraschung durchscheint. »Worin?«

»Architektur.«

»Das ist geil, Alter.« Simon kommt zu uns und setzt sich neben mich auf die Couchkante.

Seine Nähe hat etwas so verdammt Tröstliches an sich.

»Danke.« Alec lächelt und wendet den Blick ab, seine Wangen röten sich.

»Aber ja, wir hatten eine Menge ähnlicher Kurse. Und ich glaube, wir waren in meinem letzten Semester im selben Wirtschaftskurs.« Cora dreht sich zu mir um. »Erinnerst du dich an diese dumme Schlampe, die meine Note immer wieder nach unten gerundet hat, obwohl ich nur einen Zehntelpunkt von einer besseren Note entfernt war?«

»Ich wollte sie für dich erstechen.«

Cora grinst. »Er hatte mit der gleichen Scheiße zu kämpfen. Hat ihn fast einen Punkt in seinem Notendurchschnitt gekostet.«

Alec räuspert sich. »Ich habe die Dekanin darauf angesprochen, und eine Woche später hat sie die Noten für alle korrigiert.«

»Ich dachte, ich würde in dem Kurs durchfallen.« Cora gluckst. »Dank dir bin ich es nicht.«

Ein Mann wurde gerade erschossen, und Cora ist bei uns zu Hause und plaudert mit einem Jungen, den sie kaum kennt, über das College. Ich weiß nicht, ob ich erleichtert oder besorgt sein soll, aber so oder so, ich will es nicht erwähnen, es sei denn, sie tut es. Ich wollte rüberkommen und ihre Unterhaltung stören, aber was für eine Freundin wäre ich, wenn ich sie dabei stören würde, sich von den hässlichen Seiten dieses Abends abzulenken?

Ich rutsche auf der Couch und drehe meinen Nacken, um

ihn zum Knacken zu bringen. Ich muss zu lange in einer komischen Position gehockt und mir etwas im Rücken verkrampft haben, denn die Enge und der Schmerz ziehen sich über die gesamte Wirbelsäule bis in den Nacken. Mein Kopf schmerzt, und ich würde alles für eine heiße Dusche und etwa zwölf Stunden Schlaf tun.

»Alles in Ordnung?«, fragt Simon mich sofort.

Ich schwöre, ich könnte seltsam atmen und er würde es merken.

»Ja.« Ich wackle ein wenig mit dem Rücken. »Ich glaube, es muss etwas knacken, aber es will nicht.«

Cora und Alec verschwenden keine Zeit damit, ihre Unterhaltung fortzusetzen und über die Professoren der Universität zu plaudern, die sie beide besucht haben.

Wäre es eine andere Nacht, würde ich meinen Hintern dazwischenschieben und sie auseinanderreißen, aber ich begrüße die vorübergehende Ablenkung, die er bringt.

»Steh auf!« Simon stupst mich an und erhebt sich auf seine Füße. »Komm her!«

Ich tue, was er sagt, auch wenn ich keine Ahnung habe, was das verdammte Aufstehen mir bringen soll.

»Dreh dich um!« Er dreht mich so, dass ich von ihm weg schaue. »Zieh die erst mal aus …« Simon zieht mir die Lederjacke über die Schultern und wirft sie auf die Couch. »Verschränke deine Arme!« Er lehnt sich dicht an mich heran, sein Atem in meinem Nacken lässt mir einen Schauer über den Rücken laufen. »So.« Er ergreift meine Unterarme und dirigiert mich genau so, wie er mich haben will. Simon schlingt seine Arme um mich und drückt sich von hinten an mich. »Entspann dich, Liebes!« Diese zwei Worte sind ein Flüstern, das nur ich hören kann.

Ich schließe die Augen, atme aus und lasse mich ganz in seine Umarmung fallen.

Er drückt mich fest an sich und hebt mich vom Boden, als

würde ich nichts wiegen. Er übt noch etwas mehr Druck aus und lehnt sich zurück.

Ein millionenfaches Knacken und Knirschen ertönt und zwingt ein Stöhnen aus meiner Brust. »O mein Gott, Simon. Das war verdammt geil.«

Er lacht und setzt mich auf den Boden. »Ich bin noch nicht fertig.« Simon dreht mich zu sich und wirft meine Arme über seine Schultern. Er schlingt seine unter meine und nimmt mich in eine riesige Umarmung. Simon verstärkt seinen Griff um mich, und mein Rücken tut so weh, wie ich es noch nie erlebt habe.

»Scheiße!«, murmle ich. »Ich glaube, ich bin gerade gestorben und im Himmel gelandet.«

Das Tor zur Garage fällt zu.

»Was zum Teufel ist hier los?«, ruft Coen, sichtlich genervt.

Simon lässt mich los, und ich bewege meine Schultern und genieße die Erleichterung der bereits vorhandenen Spannung.

Cora und Alec schauen beide in Coens Richtung, sagen aber nichts.

»Chill, Co!«, sage ich und rolle immer noch meine Arme.

»Chillen?« Coen knallt seine Schlüssel auf den Tresen neben der Tür. »Ich konnte dich bis da draußen stöhnen hören.« Er zeigt auf die Garage.

»Stöhnen?« Ich lache. »Ist das dein Ernst?« Ich zeige auf die Stelle, an der meine beste Freundin sitzt. »Glaubst du, ich bin hier im Haus und ficke Simon vor aller Augen?«

»Du sagst also, du machst es hinter verschlossenen Türen?« Coens ganzer Körper spannt sich an, und ein Teil von mir fragt sich, ob er sich selbst auflöst. Die Adern auf seiner Stirn wölben sich.

»Was ist denn in dich gefahren?« Ich gehe um Simon herum und auf meinen wütenden Freund zu.

»Eher, *wer* ist in *dich* gefahren?« Coen tritt zurück, als ich mich nähere.

»Mache keine Anschuldigungen, wenn du nicht weißt, wovon du sprichst.«

Seine Wut sickert mit jedem Wort, das er spricht, zu mir durch.

»Du denkst, ich bin dumm, nicht wahr? Denkst du, ich weiß nicht, was hier los ist?« Coen blickt zu Simon und dann wieder zu mir.

»Sag mir, du Genie, was behauptest du zu wissen? Denn ich würde es verdammt gerne hören«, schnauze ich ihn an.

Dominic stapft in den Raum. »Was zum Teufel ist hier los? Ich kann euch von meinem Büro aus hören.«

Ich strecke meine Hüfte vor und verschränke die Arme. »Coen hier wollte uns gerade aufklären.«

»Du erlaubst ein solches Verhalten?«, fragt Coen.

»Wie bitte?« Dominic erstarrt und nimmt seine Verteidigungshaltung ein.

»Du denkst, ich weiß es nicht, aber ich weiß es.« Coen starrt Simon direkt an. »Ich weiß genau, was du vorhast.«

»Kumpel, ich glaube, du reagierst über«, sagt Simon schließlich zu ihm.

»Was immer du glaubst, was hier vor sich geht, du liegst falsch.« Dominic tritt näher an Coen heran. »Ich konnte die ganze Sache hören. Er hat ihr den Rücken eingerenkt. Willst du ausgerechnet deswegen ausrasten? Wenn überhaupt, solltest du ihm danken, es klang, als hätte sie es nötig.«

»Du setzt dich jetzt für ihn ein? Ist es das, was es ist? Du hast dich Bryant angeschlossen ...«

Dom unterbricht ihn. »Dreh mir nicht die Worte im Mund herum. Wenn du weißt, was das Beste für dich ist, hältst du deine Klappe und nimmst eine verdammte Beruhigungspille.«

Coens Brustkorb hebt und senkt sich so heftig, dass ich es von meinem Platz aus sehen kann, der nur einen Meter von ihm entfernt ist. Sein ganzer Körper ist angespannt, und so

verdammt wütend habe ich ihn nicht mehr gesehen seit …
eigentlich noch nie.

»Du bist grundlos paranoid, Co«, versuche ich ihm zuzureden, obwohl ich ihn für seine dreisten Anschuldigungen am liebsten schlagen würde.

Mit Simon habe ich nie die Grenze überschritten. Sicher, wir haben geflirtet und hatten hier und da kleine Momente, aber *nichts*, was Coen andeutet. Er hat kein Recht, mich so zu behandeln, vor allem, wenn seine Zurückhaltung, all ihre Zurückhaltung, der Grund dafür ist, dass Simon und ich uns so nahe sind, wie wir es sind.

Sie haben darauf bestanden, dass Simon jede verdammte Sekunde, die sie nicht da sind, bei mir ist. Und er ist seit über sechs Monaten an meiner Seite. Etwas, das keiner von ihnen getan hat. Coen ist dumm, wenn er erwartet hat, dass sich nicht eine Art von Beziehung entwickelt hat.

»Bin ich das? Bin ich das, J?« Er kommt auf mich zu, sein wilder Blick ist auf mich gerichtet.

In all den Jahren, die wir zusammen verbracht haben, und in all den Jahren, die wir getrennt waren, hatte ich nie Angst vor dem Mann, der vor mir steht. Nicht, als wir jung waren, und nicht, als ich herausfand, dass er ein mörderischer Psychopath ist. Nicht einmal, als er eine Waffe auf mich richtete, als ich nach meiner ersten Nacht mit Magnus die Treppe hinunterging. Aber hier, in diesem Moment, wenn ich sehe, wie etwas Unbekanntes ihn verzehrt, bin ich mir nicht mehr so sicher. Der Coen, der vor mir steht, ist nicht die Version von ihm, die ich gewohnt bin, und wenn ich ganz ehrlich zu mir bin, macht er mir irgendwie Angst.

Simon kommt herum und stellt sich vor mich. »Sprich nicht in diesem Ton mit ihr.«

»Ja, und was willst du dagegen tun?« Coen kommt noch näher.

»Es reicht!«, brüllt Dominic. Er stolziert herüber und stößt

Coen mit dem Unterarm an. »Verpiss dich, *sofort*!« Er drückt seine Handfläche in Coens Brust und stupst ihn erneut an. »Komm wieder, wenn du dich beruhigt hast.«

»Scheiß drauf!« Coen schnaubt und schnappt sich seine Schlüssel vom Tresen. »Ich will sowieso nicht hier sein.« Ohne sich umzudrehen, greift er nach der Garagentür, verschwindet auf der anderen Seite und knallt sie zu.

Ich erschrecke bei diesem Geräusch und halte mir die Hand vor die Brust. Unwillkürlich steigen mir Tränen in die Augen, und es ist, als hätte Coen mir einen Teil meines Herzens herausgerissen, als er ging. Ich stehe da, weine leise und frage mich, was zum Teufel ich falschgemacht habe, um das von ihm zu verdienen.

Hat er herausgefunden, dass Simon und ich hinter ihrem Rücken irgendwelche krummen Dinger gedreht haben? Und selbst wenn, warum tut er so, als wäre das schlimmer, als mit einer verdammten Schusswunde und blutverschmiert nach Hause zu kommen? Wenn er rücksichtslos handeln und gefährlichen Scheiß machen darf, warum darf ich das nicht? Weil er ein Mann ist? Weil er es schon länger macht? Weil er dafür bezahlt wird, Menschen zu verletzen?

Nichts davon ist Grund genug, mir den Spaß zu verwehren.

Simon und ich haben uns noch nie geküsst. Wir hatten noch nie Sex, wie Coen glaubt. Stellt er meine Loyalität infrage, weil ich auch mit Dom und Magnus zusammen bin? Er hat zugestimmt, dass er mit unserer Vereinbarung einverstanden ist, aber jetzt denkt er, dass ich mit Simon herumhure, weil er verdammt unsicher ist und wilde Vermutungen anstellt?

Ich dachte, wir stünden endlich auf festem Boden, aber ich wusste nicht, dass unser Fundament brüchiger denn je ist. Ich habe versucht, ihm die Vergangenheit zu verzeihen und zu akzeptieren, dass er mich nie so verletzen wollte, wie er es getan hat, aber wenn er sich so verhält, möchte ich ihn anschreien und ihn daran erinnern, dass er derjenige ist, der *mich verdammt noch mal ... verlassen ... hat!*

Ich hatte begonnen, diese jahrzehntealte Wunde zu heilen, aber jetzt bin ich aufgerissen und blute, weil der süße Junge, der vor all den Jahren mein Herz gestohlen hat, mich wieder einmal verlässt. Er lässt mich hier zurück und fragt nicht einmal nach einer Erklärung.

»Liebes«, murmelt Simon und greift nach mir.

Ich schüttle ihn ab und wische mir über die Wangen. »Nein!« Ich drehe mich um, stürme durch den Raum und nehme die Treppe, zwei Stufen auf einmal, um so viel Abstand wie möglich zwischen mich und die anderen zu bringen. Ich kann es mir nicht leisten, vor Leuten, die mich in Stücke reißen können, auch nur einen Funken Unsicherheit von mir zu zeigen.

Dom hat mich ausgeschlossen und mich in der Dunkelheit allein gelassen.

Simon ist nur aus Pflichtgefühl da, weil er sich schlecht fühlt, weil ich fast gestorben wäre.

Cora und ich sind durch einen Keil der Geheimhaltung getrennt, von dem ich nicht weiß, wie ich ihn überwinden soll. Ganz zu schweigen davon, wie verdammt peinlich diese ganze Interaktion war. Falls sie sich jemals gefragt hat, wie dysfunktional es ist, drei Freunde zu haben, hat sie es jetzt aus erster Hand erfahren.

Keine einzige Beziehung in meinem Leben ist gesund, und ich bin nicht in der Lage, einen weiteren traurigen Blick oder abweisenden Ton zu ertragen.

In solchen Momenten frage ich mich, ob alles besser gelaufen wäre, wenn ich nie einen von ihnen getroffen hätte. Dann wäre ich wenigstens nicht diese riesige verdammte Last in ihrem Leben.

Ich schließe mich in meinem Zimmer ein, ohne mir die Mühe zu machen, das Licht anzumachen, und gehe direkt ins

Badezimmer, wo ich an der Wand hinunterrutsche und mich in die Dunkelheit setze. Ich balle meine Hände zu Fäusten, der Wunsch, das Fleisch meiner Handflächen aufzuritzen, ist stark. Ich lege meine Hände auf die Beine und grabe meine Finger in die Oberschenkel, wobei der Stoff meiner Jeans meine Haut schützt. Ich lehne meinen Kopf an die Wand und atme aus, denn das Gewicht meiner Finger reicht nicht aus, um dieses überwältigende Gefühl zu lindern. Ich fahre mir mit den Händen durch das Haar und ziehe daran, um eine andere Art von Gefühl zu erzeugen. Etwas … irgendetwas, das mich von dem Loch in meiner Brust ablenkt.

Es klopft an meiner Zimmertür.

»Geh weg!«, rufe ich demjenigen zu und hoffe inständig, dass es nicht Cora ist. Sie ist die Einzige, die es nicht verdient hat, wegen der Entfernung zwischen uns gemieden zu werden. Das allein ist meine Schuld.

Vielleicht könnte ich den Schaden, den ich in unserer Beziehung angerichtet habe, reparieren, wenn ich die Wahrheit sage.

Derjenige, der es war, hört nicht auf mich, sondern öffnet die Tür und tritt trotzdem ein.

»June?«, fragt Dominic in der Dunkelheit meines Zimmers. »Wo bist du?«

»Ich brauche etwas Freiraum, Dom, bitte.« Ich schniefe und putz mir die Nase.

Er kommt weiter auf mich zu, ohne meine Bitte zu beachten. »Oh, June.« Dom schafft es, mich durch die Dunkelheit zu finden und lässt sich vor mir auf den kalten Fliesenboden sinken. »Komm her!« Er greift nach mir, aber ich weiche zurück.

»Ich will dein Mitleid nicht, Dom. Du ignorierst mich jeden Tag, warum kannst du es nicht tun, wenn ich es wirklich will?« Ich wollte nicht, dass die Worte so hart klingen.

»Ich will dich nicht … ignorieren. Es ist nur …« Dominic

legt seine Hand auf mein Knie. »Es gehen Dinge vor sich, über die ich nicht sprechen kann.« Er seufzt. »Noch nicht.«

»Hast du deine Meinung geändert? Ist es das?« Ich kämpfe mit den Tränen, die mir weiterhin über die Wangen laufen.

»Gott, nein.« Dominic packt mich und diesmal halte ich ihn nicht auf, denn so sehr ich ihn auch nicht ausstehen kann, ich brauche ihn mehr, als dass ich ihn von mir stoßen will. Er zieht mich auf seinen Schoß und küsst mich auf die Stirn. »Niemals, June. Niemals werde ich dich nicht mit jedem Teil von mir wollen.«

Ich vergrabe mich an seiner starken Brust und lasse mich auf diese flüchtige Nähe ein.

Er streicht mir das Haar aus dem Gesicht. »Meine Liebe zu dir wird nie erlöschen, das verspreche ich dir.«

»Es fühlt sich so an«, murmle ich.

»Das tut mir leid.« Das Gewicht dieser Worte ist so verdammt schwer.

»Ich weiß nicht, wie lange ich das noch ertragen kann.« Ich lehne mich an ihn und höre auf seinen donnernden Herzschlag. »Das ist nicht das, was ich haben will.« Aber wer weiß schon, was auf ihn zukommt, wenn er eine Beziehung eingeht – geschweige denn mehrere, mit drei unglaublich komplizierten Männern?

Ich hatte nur nicht erwartet, dass es so verdammt hart sein würde. Mit der Gewalt kann ich umgehen. Die illegalen Aktivitäten. Die ganze kriminelle Seite der Dinge. Ich habe nicht mal was gegen die langen Nächte und die frühen Morgenstunden. Aber es ist, dass man mich beiseiteschiebt und mich ignoriert, als würde ich nicht existieren. Als ob ich nicht wichtig wäre. Das ist es, was wehtut. Und das ist es, was ich nicht akzeptieren kann. Sie trauen mir nicht, und das zeigt sich in jeder gedämpften Unterhaltung, die sie führen, und in der Art, wie sie sich weigern, mich in buchstäblich jeden Aspekt ihres Lebens außerhalb dieses Ortes einzubeziehen. Ich bin für sie nur wichtig, wenn ich auf den Knien bin oder mit ihrem so genannten Feind lache.

Ich habe nie darum gebeten, dass Simon ein Teil meines Lebens wird. Ich habe nie darauf bestanden, dass ich jeden verdammten Tag mit ihm verbringe. Das waren sie. Und jetzt sind sie sauer auf mich, weil ich ihn anständig behandelt habe. Weil ich eine Beziehung mit ihm habe. Eine, die rein platonisch ist. Eine, bei der ich mich frage, wie mein Leben verlaufen wäre, wenn ich ihn zuerst getroffen hätte. Aber ich käme nicht einmal auf diesen Gedanken, wenn sie mich nicht ausschließen und mich zu diesem Mann schieben würden, den sie hassen.

Wie konnten sie nicht erkennen, dass ihr ganzer Plan völlig im Arsch war?

Dann haben sie die Dreistigkeit, mich zu beschuldigen, untreu zu sein.

»Ich weiß, dass es das nicht ist«, sagt Dominic zu mir. »Das ist alles nicht fair. Und die Art, wie Hayes gerade mit dir gesprochen hat, ist völlig inakzeptabel. Um ihn kümmere ich mich später, aber im Moment bist du meine Sorge. Hast du mich verstanden?« Er drückt mich fester an sich, als würde er sich wirklich Sorgen machen.

Ich murmle eine halbherzige Bestätigung.

»Ich brauche nur ein bisschen Zeit.« Dom seufzt. »Und dann werde ich dir alles sagen, was du wissen willst. Aber bis dahin musst du mir vertrauen.«

»Dir vertrauen?« Ich setze mich auf und starre ihn in der Dunkelheit des Badezimmers an. Ich kann kaum seine Umrisse erkennen, aber wenn Blicke töten könnten, wäre er sicher tot. »Das ist alles, was ich je getan habe. Was bringt mir das, Dom? Gar nichts, verdammt.« Ich versuche, mich von seinem Schoß zu lösen, aber er hält mich fest. »Du hast dir nicht einmal die Mühe gemacht, mich wissen zu lassen, dass du mich neulich versetzen wolltest. Was glaubst du, wie ich mich da gefühlt habe? Hm? Du wusstest, wie wichtig diese Verabredung für mich war, und hast dir nicht einmal die Mühe gemacht, mich anzurufen.« Ich winde mich in seinem starken Griff. »Du hast mich mit Simon allein gelassen.«

»Es tut mir leid.« Dominic hält sich an mir fest.

»Eine Entschuldigung genügt nicht, Dom. Du hast mich verletzt. Du tust mir weiterhin weh.« Tränen kullern über meine Wangen, die Emotionen der letzten Monate kommen an die Oberfläche.

»Ich bin jetzt hier, okay?« Dom hält seine starken Arme um meinen Körper. »Ich werde es wiedergutmachen. Das werde ich.«

»Wie? Das Einzige, was ich von dir will, willst du mir nicht geben.« Ein Schluchzen durchfährt mich und macht meine Frustration noch größer. Ich will mich nicht so fühlen. Ich will nicht, dass er mich so sieht. Ich will nicht so verdammt schwach sein – und das alles nur wegen eines Mannes. Drei Männer. Die sich weigern, eines der Versprechen zu halten, die sie gegeben haben.

»So einfach ist es nicht.« Dom seufzt. »Aber ich werde das in Ordnung bringen. Ich werde alles in Ordnung bringen. Und dann werden wir glücklich bis ans Ende unserer Tage sein.«

»Und wenn es für uns zu spät ist?«

Selbst in der Dunkelheit kann ich sehen, wie sich seine Kiefer anspannen. »Für uns wird es nie zu spät sein.« Dominic legt seine große Hand auf meine Wange. »Gib mich nicht auf, noch nicht, bitte.«

In seinem Ton liegt eine Verzweiflung, eine Zärtlichkeit, die so ungewohnt ist, dass mein Herz einen Schlag aussetzen muss. Ich habe sechs Monate im Dunkeln verbracht, was ist da eine weitere Woche? Und wenn er ein weiteres Mal eines seiner Versprechen bricht, dann weiß ich mit Sicherheit, woran wir sind. Ich liebe ihn genug, um ihm das zu geben.

»Okay«, flüstere ich.

Er lehnt seine Stirn an meine. »Du bist das Einzige auf

dieser Welt, das mir etwas bedeutet. Gib mir etwas Zeit, und ich werde es dir beweisen.«

»Okay«, wiederhole ich, denn was bleibt mir anderes übrig?

Ich möchte nicht ohne ihn sein. Ich möchte auch nicht ohne Coen oder Magnus sein. Ich will nicht einmal Simon verlieren, was immer wir auch sein mögen. Er ist mein Freund. Meine Konstante. Und ohne ihn habe ich nichts mehr, worauf ich mich verlassen kann. Er war mehr als jeder andere für mich da, und vielleicht ist es nur aus Pflichtgefühl, aber es fühlt sich nach mehr an. Als ob ich ihm vielleicht auch etwas bedeute. In einer perfekten Welt würden die Jungs aufhören, so verdammt kontrollierend und distanziert zu sein, und Simon wäre immer noch da. Aber das ist die Sache mit dem Leben – es ist alles andere als perfekt.

»Ich rufe meinen Piloten an und treffe Vorbereitungen für morgen«, sagt Dominic.

»Was?«

»Ich und du. Lass uns einen Tag aus der Stadt verschwinden. Wir können in den Norden fliegen. Ich kenne eine gute Frühstückspension in Washington.«

»Washington, wie der Staat?«

»Ja, warst du schon mal da?« Er streicht mit dem Daumen über meine Wange.

»Nein, niemals.« Ich lasse den Teil weg, dass ich noch nie aus Kalifornien herausgekommen bin, geschweige denn in einen anderen Staat gereist bin.

Ich bin arm aufgewachsen, und das ist auch so geblieben, bis sie in mein Leben traten. Überleben war immer das Hauptziel, nicht Verreisen. Der einzige Grund, warum ich das Meer gesehen habe, ist, dass wir in der Nähe der Küste wohnen. Coen und ich haben dort viel Zeit miteinander verbracht, uns tagsüber die Haut verbrannt und nachts unter den Sternen gelegen.

Ich schätze, das ist einer der Vorteile, wenn man eine tote

Mutter und einen unzuverlässigen Vater hat – keine elterliche Aufsicht. Ich bin mir nicht sicher, ob mein Vater wusste, dass ich nicht zu Hause war, oder ob es ihn interessiert hätte, wenn er herausgefunden hätte, dass ich mit einem Jungen zusammen war.

Aber es war nicht irgendein Junge. Die meisten Jahre meiner Kindheit verbrachte ich mit dem blonden, blauäugigen Jungen, der sein Leben für meine Sicherheit riskiert hätte. Es hat sich nicht viel geändert, abgesehen davon, dass er sich in ein riesiges Arschloch verwandelt hat.

Ein Schauer durchfährt mich bei der Erinnerung daran, wie er mich vorhin so angestarrt hat, als ob er mich hassen würde. Ich schiebe den Gedanken beiseite und konzentriere mich auf den Mann, der mich in seinen Armen hält.

Ich bin so klein hier, versteckt in seiner Umarmung. Oh, wie sehr habe ich mich nach so viel Aufmerksamkeit von ihm gesehnt. Es ist eine andere Art, als wenn wir ficken. Sogar mit unseren Kleidern an ist das irgendwie viel intimer.

»Was denkst du?« Dom streicht mit dem Finger mein Haar hinter mein Ohr. »Willst du mit mir durchbrennen?«

Ich atme tief durch und denke über meine Möglichkeiten nach. Ich könnte nein sagen – und damit unser beider Herzen brechen – oder ich könnte ja sagen und meins aufs Spiel setzen, damit es noch einmal gebrochen wird.

»Ja …«

Ein verschmitztes Grinsen zeichnet sich auf seinem Gesicht ab.

»Aber«, füge ich hinzu, »wenn du auch nur daran denkst, mich nicht anzurufen, mich zu versetzen, werde ich dich jagen und dafür sorgen, dass du dir wünschst, mich nie getroffen zu haben.«

Dom drückt seine weichen Lippen auf meine, sein Bart schabt über mein Gesicht. »Ich würde nichts anderes von dir erwarten.«

Ich kaue an der Innenseite meiner Wange. »Ich habe Cora da draußen allein gelassen.«

»Sie ist mit Alec zusammen, es geht ihr gut.«

»Sie flirten. Das ist nicht gut.«

»Alec ist harmlos.«

»Aber er ist …«

»Er wäre nicht unser Fahrer, wenn ich ihn nicht für einen aufrechten Kerl halten würde.« Dominic versichert mir das, aber es macht mich nicht weniger misstrauisch, dass jemand aus dieser Welt in das Leben meiner lieben besten Freundin eindringt.

Das Licht in meinem Schlafzimmer geht an und jemand tritt ein. Die Beleuchtung erhellt den Eingang meines Badezimmers so sehr, dass ich sicher bin, dass Dom endlich meine geschwollenen Augen und roten Wangen sehen kann.

»Prinzessin?«, ruft Magnus durch den leeren Raum.

»Hier«, sage ich, während ich auf Doms Schoß bleibe.

Magnus steckt seinen Kopf durch die Badezimmertür, neigt ihn in die eine Richtung und dann zu uns. »Mein Gott, da seid ihr ja.« Er kniet sich neben uns hin. »Was macht ihr denn hier unten?«

Ich seufze. »Lange Geschichte.«

Magnus streckt seine Arme aus. »Ich kann das übernehmen.« Er blickt zu Dom auf. »Du wirst woanders gebraucht.« Sie tauschen einen Blick aus, als würden sie über ein Geheimnis reden, das ich nicht wissen darf.

Ich verdrehe die Augen und stehe auf, weil Dom mich endlich loslässt. Ich lege den Schalter um, um das Licht im Waschbecken anzumachen. »Scheiße!« Ich und Weinen sind keine Freunde.

Manche Mädchen sind süß, wenn sie weinen. Ich dagegen … ich bin eine Mischung aus von einem Haufen Bienen gestochen und dreizehn Jahre lang nicht geschlafen. Und mit meinem blassen Teint gibt das Karmesin eine unangenehme »*Was zum Teufel ist mit ihr passiert?*«-Reaktion.

»Morgen.« Dom zeigt auf mich im Spiegel. »Packe bis Mittag eine Tasche. Okay?«

»Lass mich nicht bereuen, dass ich Ja gesagt habe.«

Er schlendert zu mir und küsst mich auf den Kopf. »Das werde ich nicht.« Dom verlässt den Raum und Magnus kommt zu mir, packt mich an den Schultern und dreht mich zu sich.

»Wen muss ich umbringen?« Er studiert mein abgefucktes Gesicht.

»Mir geht's gut, keine Sorge, heute muss niemand sterben.« Obwohl es mir nichts ausmachen würde, Coen einen brennenden Sack Scheiße ins Bett zu legen, den er findet, wenn er nach Hause kommt.

Vielleicht schicke ich ihm eine dieser Glitzerbomben oder füge seine Telefonnummer zu jeder einzelnen Spam-Website hinzu, die ich finden kann. Vielleicht mag ich ihn im Moment wirklich nicht, aber ich kann mir nicht vorstellen, etwas zu tun, was ihm schaden würde, selbst wenn er mir das Herz aus der Brust reißen und darauf herumtrampeln würde – nicht nur einmal, sondern zweimal.

»Ich habe gehört, dass Simon heute Abend jemanden erschossen hat.« Magnus hält mich fest. »Geht es dir gut?«

Ich nicke und richte meinen verschwommenen Blick auf ihn. »Ja, warum sollte es das nicht?«

»Ähm, weil er jemanden ermordet hat, Prinzessin. Und du wurdest vor langer Zeit mal angeschossen. Das ist ein gewaltiger Trigger.« Magnus lässt mich los und greift nach einem Waschlappen, taucht ihn unter fließendes Wasser und hält ihn an mein Gesicht. Er tupft auf meine Wangen und versucht, die Wimperntusche zu entfernen, die den Lappen schwarz färbt. »Du darfst ein Mensch sein und Dinge fühlen.«

»Deshalb denkst du, ich wäre ein Wrack?« Ich nehme den

Lappen und wische mir das Gesicht noch aggressiver ab, als er es getan hat.

»Was sonst?« Er lehnt sich gegen den Tresen und beobachtet mich im Spiegel.

»Coen ist vorhin ausgeflippt.« Ich sollte es ihm nicht sagen, aber ich tue es, weil ich nicht will, dass er annimmt, dass ich wegen eines toten Typen, der mir scheißegal ist, emotional bin. Dieses Arschloch hat den Tod verdient für all das Chaos, das er verursacht hat. Und wenn Simon es nicht getan hätte, hätte ich es getan.

Magnus ballt seine Hand zu einer Faust, bleibt aber ansonsten gelassen. »Was ist passiert?«

»Er hat mich der Untreue beschuldigt.«

»Wegen Beckett?«

»Ja.«

Magnus schüttelt den Kopf. »Was für ein verdammter Idiot.«

»Genau mein Gedanke.«

»Es tut mir leid, Prinzessin.« Er steht auf, legt seinen Arm um meine Schulter und zieht mich an sich. »Das hast du nicht verdient.«

»Vielleicht habe ich das«, gebe ich zu.

Magnus klemmt seine Unterlippe zwischen die Zähne und rollt sie heraus. »Hast du mit Beckett …« Er unterbricht sich selbst. »Nein, scheiß drauf, es ist mir scheißegal, ob ihr es getan habt. Es ändert nichts an der Sache zwischen uns. Oder?«

Ich atme tief durch und wende mich ihm zu. »Damit das klar ist: Wir haben es nicht getan. Ich bin nicht romantisch an Simon interessiert. Er ist mein Leibwächter, das ist alles.«

Eine Räuspern dringt von der Tür.

Simon steht da, sein Blick ist auf mich gerichtet. »Ich war, äh …« Er reibt sich den Nacken. »Ich wollte nach dir sehen. Aber ich werde gehen.«

Er dreht sich um, um wegzugehen, und ich rufe: »Simon!« Aber er hört nicht.

»Simon«, rufe ich lauter.

Magnus legt seine Hand auf meine Schulter. »Ich glaube, du hast seine Gefühle verletzt, Prinzessin.«

Toll, als ob die Dinge nicht schon schwierig genug wären, ist er jetzt auch noch sauer auf mich.

# KAPITEL ACHTZEHN – DOMINIC

*I*ch schaue auf die Uhr, notiere mir die Zeit und wünsche mir, dass dieses Treffen ein Ende hat, damit ich mit meinem verdammten Tag weitermachen kann.

»Die Analyse ist nicht schlüssig«, sagt der Mann.

»Das ist nicht hilfreich.« Ich klopfe mit dem Finger auf den Mahagonischreibtisch. »Und nicht das, wofür ich dich bezahle.«

»Ich bitte um Entschuldigung, Sir, ich war nicht in der Lage …«

»Den Job zu erledigen, für den du eingestellt wurdest, verstehe ich.« Ich schnippe mit den Fingern und signalisiere dem Mann, der am Eingang dieses Raumes Wache steht. Ich zeige auf den Mann vor mir. »Kümmere dich um ihn.«

Der erste Mann weitet die Augen und stürzt nach vorne. »Sir, ich kann sie noch mal machen.«

»Du bist nichts weiter als eine Verschwendung meiner Ressourcen. Wenn du es hättest tun können, hättest du es beim ersten Mal getan.« Ich nicke dem anderen Typen zu. »Schaff ihn aus meinem Büro!«

Die Wache greift sich den Typen, der tritt und schreit, aber ich schenke ihm keine Beachtung und wende mich wieder dem

Papierkram vor mir zu. Lieferungen, die abgezeichnet werden müssen. Potenzielle Einnahmequellen, die meine Zustimmung benötigen. Die endlosen Aufgaben, die mit der Führung eines solchen Unternehmens einhergehen. Es gibt immer etwas, das erledigt, geprüft oder bewertet werden muss. Links und rechts tauchen Bedrohungen auf, und es gibt ständig Brände, die gelöscht werden müssen. Dieser Job ist alles verzehrend und ohne Pausen.

Aber heute weigere ich mich, das zwischen mich und mein Mädchen gelangen zu lassen.

Es ist schon genug Schaden angerichtet, und ich werde nicht dafür verantwortlich sein, uns von einer Klippe zu stürzen.

Außerdem schlagen wir zwei Fliegen mit einer Klappe, wenn wir June aus der Stadt bringen.

Ich habe eine kleine Gruppe von Leuten, die einer Spur folgen, die diese mysteriöse Situation aufklären könnte, und ich will June nicht in der Nähe haben, wenn die Scheiße losgeht. Ich bin mir nicht sicher, warum ich nicht schon früher daran gedacht habe, aber als ich sie in meinen Armen hielt und mir den Kopf zerbrach, wie ich die Dinge bewältigen könnte, dämmerte mir, dass dies der perfekte Plan war.

Ich werde da sein, um ihre Sicherheit zu gewährleisten und ihr etwas von der Zeit zu geben, die wir beide uns wünschen. Es wird eine Herausforderung sein, die Situation von einem anderen Staat aus zu managen, aber das ist die Herausforderung, die ich ertragen werde, um der Mann zu sein, den sie braucht. Vor allem, wenn es mit ihr und Coen nicht so gut läuft. Wenn dieser Bastard sich nicht bald zusammenreißt, wird er der Erste sein, der seine Beziehung zu June zerstört. Ich bewege mich auf einem schmalen Grat mit den Geheimnissen, aber in ein paar Tagen werde ich ihr endlich sagen, was los ist und warum ich getan habe, was ich getan habe. Dann wird sie verstehen, dass ich alles nur für sie tue, und wir können wieder zu dem zurückkehren, was früher war.

Ich würde lügen, wenn ich sage, dass ich sie nicht aus unseren Geschäften heraushalten möchte, aber wenn wir langfristig mit ihr zusammen sein wollen, ist das unmöglich. Ich möchte nicht, dass sie zu einer weiteren Ratsfrau wird, die ständig in Gefahr ist, nur weil sie mit einem Mann, wie wir es sind, verheiratet ist. Und da June mit vier Männern zusammen ist, ist sie nur noch mehr in Gefahr. Sie mag zwar nur mit dreien von uns eine Beziehung führen, aber Simon hat jedem in unserer Organisation klargemacht, dass er sein Leben für sie geben würde.

Mein Handy klingelt und ich gehe sofort ran. »Ja?«

»Mr. Adler. Der Jet ist aufgetankt und bereit zum Abflug. Soll ich einen Fahrer zu Ihrem Standort schicken?«

»Nein, ich werde in einer Stunde da sein.«

»Okay.«

»Ist mein Paket angekommen?«

»Ja, gerade eben.«

»Großartig, wir sehen uns dann.«

Ich trenne die Verbindung und nehme meine Schlüssel vom Schreibtisch. Vielleicht habe ich es beim letzten Mal vermasselt, aber ich weigere mich, zu spät zu kommen und wieder alles zu ruinieren. Der Laden kann einen Tag lang ohne mich auskommen, und wenn nicht, werde ich morgen die Scherben aufsammeln. Ich schlendere aus meinem Büro und ein junger Mann rennt hinter mir her, ein Klemmbrett und einen Stift in der Hand.

»Keine Anrufe mehr heute, das Wichtige auf mein Handy weiterleiten. Stell einen neuen Analysten ein, der die Daten der Lieferung durchgeht. Ermittle den Standort von Hayes und schick ihn mir sofort.«

»Ja, Sir.« Er macht sich Notizen und folgt mir den Korridor hinunter. »Und Mr. Bryant, Sir?«

Ich bleibe stehen, drehe mich zu ihm um und drücke meine

Hand auf seine Schulter. »Er darf nicht belästigt werden. Hast du mich verstanden?«

Der Mann wendet seinen Blick ab und nickt. »Ja, natürlich, Sir.«

»Gut.« Ich setze mich sofort wieder in Bewegung und gehe den Flur entlang.

»Gibt es sonst noch etwas, das ich für Sie erledigen soll, während Sie weg sind, Sir?«

Ich schließe die Tür auf und halte inne. »Die Kaffeemaschine ist kaputt. Lass das reparieren, bis ich zurückkomme.« Sechzehn Riesen und das Ding will nach einem Jahr nicht mehr funktionieren. »Ruf die Firma an, die sollen jemanden schicken.«

Ich rase durch die Stadt, überfahre jedes Stoppschild und biege bei Rot ab, ohne mich um die kleinen Gesetze zu scheren, gegen die ich verstoße. Ich tue täglich Schlimmeres – ein kleiner Verkehrsverstoß ist im Großen und Ganzen nichts dagegen. Ich beende mindestens ein Leben pro Woche, manchmal ein Dutzend. Konsequenz bedeutet für einen Mann wie mich etwas anderes. Ich stehe nicht unbedingt über dem Gesetz, ich habe es nur in der Tasche.

Als ich in der Garage parke, stelle ich fest, dass Coens Auto nicht auf seinem normalen Platz steht. Simons Auto ist da, daran habe ich mich in den letzten sechs Monaten gewöhnt. Magnus' ist es nicht, aber das wusste ich schon. Er leitet die heutige Mission und ist der Grund, warum ich mit June verreisen kann. Coen sollte diese Mission leiten, aber niemand hat von ihm gehört, seit er gestern Abend rausgestürmt ist. Als ich Magnus sagte, dass ich den Abend mit June vielleicht absagen muss, hat er sich als Freiwilliger gemeldet, um sicherzustellen, dass ich trotzdem gehen kann. Mir wäre es lieber, wenn beide den Job machen würden, aber wenn ich mich mit nur einem zufriedengeben muss, ist Magnus eine gute Alternative.

Er ist ein verdammter Verrückter, versteh mich nicht falsch, aber Magnus hat mehr Herz als Coen, was Coen zum perfekten Soldaten macht. Ich konnte mich immer darauf verlassen, dass einer der beiden es schafft, wenn es darauf ankam. Dass Coen uns im Stich lässt, ist neu und lässt mich daran zweifeln, ob ich ihn überhaupt jemals richtig gekannt habe. Das ist untypisch für ihn. Er ist eine angeschlagene Seele, aber ich hätte nie gedacht, dass er so verdammt wütend auf June wird und seine Dominanz vor ihr auf diese Weise durchsetzt.

Wenn wir nicht eine strikte Gewaltverbotsregel im Haus hätten und sie ihn nicht so sehr lieben würde, wie sie es tut, hätte ich ihm eine Kugel in den Kopf gejagt, nur wegen seines verdammten Tons.

Ich betrete unser Haus und werfe meine Schlüssel auf den Tresen. Im Erdgeschoss ist es ruhig, abgesehen von der leisen Instrumentalmusik, die im Hintergrund läuft. Ich gehe an der Küche vorbei und die Treppe zum zweiten Stockwerk hinauf. Geplapper dringt zu mir, und als ich oben ankomme, nickt mir Simon von seinem Posten vor Junes Tür aus zu.

June streckt ihren Kopf heraus und grinst. »Du bist hier.«

»Das bin ich.« Ich komme näher, Simon geht zur Seite und ich drücke meine Lippen auf ihre. »Du kannst jetzt gehen«, sage ich ihm und konzentriere mich nur auf June. »Ich muss noch ein paar Sachen packen, dann können wir los.«

Simon zögert, als würde er darauf warten, dass ich gehe. »Richtig, ja. Ähm, wir sehen uns später, Liebes.«

Ich starre ihn an, ohne es wirklich zu wollen, und beobachte, wie er winkt, den Flur verlässt und die Treppe hinunter verschwindet.

»Du musst nicht so harsch sein.« June stupst mich am Arm an.

»Wann war ich harsch?« Ich schnaufe und lege meine Hand an den Türrahmen.

»*Du kannst jetzt gehen*«, spottet sie und macht meine Stimme

278

nach.

»So höre ich mich nicht an.«

*»So höre ich mich nicht an.«* Sie tut es wieder.

Ich verenge meine Augen. »Du bist eine Göre.«

»Du magst das.« Sie grinst und will sich umdrehen.

Aber ich ergreife ihre Hand, drehe sie zu mir und drücke sie an meine Brust. »Gören werden bestraft.«

Sie blinzelt. »O nein!« Sie täuscht ihre Unschuld vor. »Wie soll ich das jemals überleben?«

»Du willst es ja nicht anders, kleines Mädchen.«

June steht auf und versucht, mich zu küssen, aber ich bleibe außerhalb ihrer Reichweite.

»Es macht keinen Spaß, wenn man seinen Willen nicht bekommt, nicht wahr?« Ich streiche mit dem Finger über ihre Wange und lege meine Hand in ihren Nacken.

Mein Schwanz pulsiert in meiner Anzughose und sagt mir, wenn ich das nicht bald beende, kommen wir zu spät zu unserem Flug. Ich stelle mir vor, wie ich sie gegen die Wand drücke, ihre Hose herunterreiße und mein Gesicht in ihrer engen kleinen Muschi vergrabe. Ich würde ihre Falten spreizen, meine Finger in ihren Honigtopf tauchen und jeden Tropfen auflecken, bis sie mich um ihre Erlösung anfleht. Und wenn sie von der Verwüstung atemlos wäre, würde ich meinen Schwanz in sie hineinstoßen und sie hemmungslos ficken, sodass sie immer wieder käme.

»Was auch immer du denkst«, haucht June gegen mich. »Tu es!« Sie greift nach unten und streichelt mich durch meine Hose. Mein Schaft reagiert und ich frage mich, wie es möglich ist, irgendetwas anderes zu tun, solange sie in meiner Nähe ist.

Ich lehne mich zu ihr, mein Mund liegt auf ihrem. »Vielleicht später.« Ich fahre mit meiner Zunge an ihrer Unterlippe entlang und küsse sie zügig, bevor ich mich umdrehe und in mein Zimmer gehe.

»Wie du willst«, murmelt sie.

Ich lenke mich schnell ab, indem ich ein paar Klamotten in eine Tasche werfe, ohne mich darum zu scheren, wie planlos ich das tue. Normalerweise bin ich bei solchen Dingen akribischer, aber je schneller wir hier wegkommen, desto schneller können wir uns den fleischlichen Gelüsten hingeben.

Nur, als ich mit dem Packen fertig bin und in ihr Zimmer zurückkehre, tobt mein Schwanz noch mehr bei dem Anblick, der sich mir bietet: June, völlig nackt, mit gespreizten Beinen und einer Hand, die an ihrer glitschigen Muschi auf und ab gleitet. Mit der anderen Hand greift sie sich an die Brust und kneift in ihre Brustwarze. Ihr Kopf lehnt sich zurück, ihre Augen sind geschlossen, ein Stöhnen verlässt ihren Mund.

Ich schlucke und beobachte sie, während ich meinen pochenden Schwanz zurechtrücke, der sich befreien will.

Sie lässt zwei Finger in ihr Loch gleiten und wölbt ihren Rücken, wobei ihre Hüften leicht wippen. June hört auf, sich zu bewegen, blickt zu mir herüber und krabbelt auf alle viere, den Hintern in die Luft gestreckt.

Ich verliere fast den Sinn für die Realität, als sie ihr Gesicht in der Bettdecke vergräbt, einen Arm hinter sich und einen unter sich ausstreckt, um ihre Klitoris zu umkreisen. Sie wimmert und das Geräusch geht direkt in meinen Schaft.

Ich streichle mich durch meine Hose und seufze. Ich schaue auf meine Uhr und zähle die Minuten, bis wir brauchen, um zum Rollfeld zu gelangen. So hatte ich mir den Beginn unserer Verabredung nicht vorgestellt, aber wer bin ich schon, dass ich diesem schönen Exemplar den Fick verweigere, den sie verdient? Schneller als mir lieb ist und besser als gar nicht.

Ich betrete ihr Zimmer, gehe direkt zum Bett und klettere zu ihr hinauf. Ich greife nach ihren Oberschenkel und lecke über ihre tropfende Nässe. Sie stöhnt lauter und bewegt sich zu mir, ein Zeichen dafür, dass es ihr recht ist, wenn ich ihre Solozeit unterbreche. Ich schiebe zwei Finger neben ihren hinein, sodass wir beide ihr enges Loch ausfüllen. Ich schiebe sie hinein und heraus und stecke noch einen hinein, um sie noch mehr zu spreizen. Ich erhebe mich auf die Knie und spreize ihr linkes Bein weiter ab, meine drei Finger ficken immer noch ihre kleine Muschi. Mit der anderen Hand greife ich nach dem Arm, der ihre Klitoris reizt, und ziehe ihn weg.

»Du kommst, wenn ich es dir sage.«

Sie wölbt ihren Rücken und streckt ihren Hintern noch weiter hinaus.

»Gutes Mädchen«, sage ich ihr. »Du bist so ein verdammt gutes Mädchen.«

June spreizt ihre Beine weiter und nimmt ihre Hand, um die Laken zu greifen.

»Aufmachen!«, befehle ich und halte meine Hand an ihren Mund.

Sie öffnet ihren Mund und ich schiebe meine Finger hinein. Sie saugt und wirbelt ihre Zunge herum, bis ich den Ansatz ihrer Kehle berühre, bevor ich sie herausziehe und sie an ihrem pulsierenden Kitzler reibe.

Ich zeige keine Gnade, als ich ihn zwischen meinen befeuchteten Fingern zerquetsche. Ich ziehe ihre Hand aus ihrem Inneren und schiebe sie zur Seite. »Du wirst dich an etwas festhalten wollen.« Ich schiebe einen weiteren Finger in sie hinein und tauche ihn tief in ihr hungriges Loch. Mein Schwanz, der immer noch in meiner Hose steckt, reibt sich an ihrem Bein und bettelt darum, befreit zu werden.

Ich bewege meine Hand hin und her und ficke sie mit den Fingern härter als je zuvor. Ich verändere den Druck auf ihrer Klitoris und genieße die Enge, als sie sich um mich krampft.

»Komm! Jetzt!«, knurre ich.

June schreit und krallt sich in die Bettlaken, ihr ganzer Körper pulsiert, als ihr Orgasmus sie überrollt. Ich lasse nicht locker, meine Finger kneifen immer noch in ihre pochende Klitoris. Ihr Höhepunkt zieht sich in die Länge und ein weiterer Lustschauer durchströmt sie. Als ihr zweiter Orgasmus noch nicht einmal zu Ende ist, löse ich meinen Griff um ihre Klitoris und knöpfe meine Hose auf.

»Dom«, wimmert sie.

»Ich bin noch nicht fertig mit dir.« Mein Schwanz springt hervor, die Kuppe ist mit Feuchtigkeit bedeckt. Ich reibe ihn über ihren saftigen, länglichen Eingang und stoße ihn hinein – alles andere als sanft. Ich umklammere ihre Hüften und stoße in sie hinein, wobei ihr Gesicht auf das Bett fällt.

June drückt ihren Körper gegen mich und spreizt ihre Beine weiter.

»Das ist es«, murmle ich. »Das ist es verdammt noch mal.« Ich pumpe härter, verlängere meine Stöße und treibe mich in sie hinein. »Du nimmst mich so gut.«

»O Gott!«, murmelt sie.

Ich stoße in sie hinein. »Wenn du schon den Namen von jemandem schreist, dann meinen!«

»Dom … Dominic.«

Mein Schwanz pocht als Reaktion darauf, bereit, sich zu erlösen und sie voll auszufüllen.

»Das ist mein braves Mädchen.«

Ich umklammere ihren Hintern, streichle ihn und schlage dann zu. Sie zuckt zusammen, sagt aber nicht, ich solle aufhören. Ich tue es noch einmal und ihre Backe färbt sich tiefrot. June stützt sich auf die Ellbogen, und ich verlangsame mein Tempo, damit sie die Position wechseln kann. Sie sitzt jetzt auf meinem Schoß, den Rücken gegen meine Brust gepresst. Sie greift nach meinen Armen, legt eine Hand auf ihre Brust und die andere auf ihren Kitzler. June bewegt sich auf und ab, ihre Muschi spannt sich an und ihr Kitzler pocht gegen meine Berührung.

Ich wiege meine Hüften und stoße aus diesem neuen Winkel in sie, mein Mund findet ihren Hals und küsst ihn. Ich fahre mit den Zähnen über die zarte Haut und beiße zu. Nicht hart genug, um das Fleisch zu brechen, aber genug, um einen Abdruck zu hinterlassen.

Sie stöhnt und ihre Brustwarze verhärtet sich zwischen meinen Fingern.

Ich kneife und rolle sie so, wie sie es mag, und ihr ganzer Körper löst sich in meiner Umklammerung. Sie zittert und spannt ihre Muschi so sehr an, dass ich befürchte, ich würde vor lauter Druck explodieren. Ich halte mich zurück, ficke sie durch ihren Orgasmus hindurch, und als sie fertig ist, lasse ich meinen Griff um sie los.

»Auf die Knie!«, befehle ich.

June gehorcht, ihr Atem geht rasend schnell, als sie sich umdreht und hinkniet. Sie leckt sich erwartungsvoll über die Lippen.

Ich streiche mit der Hand über meinen steinharten Schwanz, ihr Saft benetzt mich. Ich fasse ihren Kopf, meine Finger vergraben sich in ihrem Haar, ich neige sie zu mir und streiche mit meinen feuchten Fingern über ihre Lippen und in ihren Mund. »So schmeckt ein gutes Mädchen.« Ich ziehe sie fester an mich und gleite mit Zeige- und Mittelfinger weiter über ihre Zunge bis in den hinteren Teil ihres Mundes. Sie würgt nicht, sie nimmt einfach so viel, wie ich ihr gebe, und streichelt meinen Schaft, während ich mache, was ich will.

Wenn wir nicht unter Zeitdruck stünden, würde ich sie so lange kommen lassen, bis ihre Beine versagen.

Aber das sind wir, und das hier muss bald enden. Allerdings nicht, bevor ich ihren hübschen kleinen Mund gefickt habe.

Ich nehme meine Finger weg und ziehe meinen Schwanz aus ihrer Hand. »Aufmachen!« Das Gleiche, was ich ihr vorhin gesagt habe, aber dieses Mal werde ich sie mit mehr als nur zwei Fingern ausfüllen. June lässt ihre Zunge über ihre Lippen gleiten und wirbelt sie dann über die Kuppe meines Schafts. Sie stöhnt und schließt die Augen, aber ich ziehe sie an ihrem Haar und neige sie zu mir.

»Sieh mir in die Augen!«, befehle ich und führe meinen Schwanz in ihren eifrigen Mund. »So ist es brav.« Ich wiege mich hin und her, wobei ich es ihr anfangs leicht mache. Aber in dem Moment, in dem sie den Dreh raushat, nimmt sie mehr von mir, bis ich hinten an ihre Kehle gelange, und ihre Augen tränen mit jedem Zentimeter, den sie schluckt. Ich halte mich an den Seiten ihres Kopfes fest, meine Finger mit ihrem Haar verflochten, und zwinge sie auf meinen Schwanz. Ich stoße in ihre Kehle und sie protestiert kein bisschen. Stattdessen öffnet sie sich weiter und streicht mit ihrer Zunge über den unteren Teil meines Schwanzes. June stützt sich mit einem Arm ab und umklammert mit dem anderen den Ansatz meines Schafts, umkreist mich und zieht mich fester an sich. Sie stöhnt, und viel kann ich nicht mehr tun, um verdammt noch mal nicht zu zerbrechen.

»Du magst es, wie ich dich ausfülle, nicht wahr, mein hübsches Mädchen?«

»Mmm«, murmelt sie gegen meinen Schaft, und die Vibration ihrer Stimme bringt mich fast um den Verstand.

»Du fühlst dich so verdammt gut an.« Ich ficke ihren Mund noch tiefer. »Das machst du so gut.«

June stöhnt und das wird mir zum Verhängnis. Ich stoße noch einmal in sie und schieße meine Ladung in ihren Hals. Ich ziehe mich zurück, um ihr die Möglichkeit zu geben, verdammt noch mal zu atmen und auf ihrem hübschen kleinen Gesicht zu kommen. Sie schluckt und leckt sich über die Lippen, ihr Mund ist hungrig nach dem letzten Tropfen von mir.

Ich atme aus und lasse die Glückseligkeit durch mich hindurchfließen, mein Schwanz pocht immer noch in ihrem Mundwinkel.

Sie wischt sich über die Wange und taucht ihre Finger in den Mund. »Mmm.«

Ich schüttle den Kopf. »Du bist etwas ganz Besonderes.« Ich atme aus und lehne mich auf meinen Fersen zurück.

»Ja, aber du liebst mich dafür.«

Es gibt eine Million Gründe, warum ich diese schöne Frau vor mir liebe, und dieser steht ganz oben auf der Liste.

June stützt sich auf ein Kissen und reibt mit ihren feuchten Fingern über ihre immer noch nasse Muschi. »Willst du noch mal?«

Ich grinse sie an und ein Brummen entweicht meiner Brust. »Machst du Witze?«

Sie neckt ihren Eingang und spreizt sich für mich. »Was denkst du denn? Mache ich Witze?« Ihr lüsterner Blick verlässt meinen nicht.

Ich lasse meine Aufmerksamkeit zwischen ihr und ihrem glitzernden rosa Zentrum hin und her huschen. »Wir werden so spät dran sein.« Ich pirsche mich vorwärts, drücke meine Lippen auf ihre und schiebe meinen bereits härter werdenden Schwanz zurück in sein Zuhause – tief in sie hinein.

# KAPITEL NEUNZEHN – JUNE

*D*ominic und ich kommen endlich an dem Ort an, den ich für einen Flughafen gehalten habe, aber es ist nicht das, was ich erwartet habe, nicht wirklich. Statt langer Sicherheitsschlangen und einer Menge müder Menschen, die darauf warten, an Bord zu gehen, fahren wir direkt auf die Landebahn, steigen aus dem abgedunkelten SUV und gehen direkt zu einem kleinen Flugzeug. Klein ist sehr relativ, wenn man bedenkt, dass Flugzeuge im Allgemeinen verdammt groß sind. Ich dachte, wir fliegen erster Klasse oder so, nicht in einem verdammten Privatjet.

»Hier entlang«, sagt Dominic, während er meine Hand hält und meine Tasche über seine Schulter wirft. Er reicht sie an den Mann weiter, der am Fuße einer Treppe steht, die zum Flugzeug hinaufführt.

»Guten Tag, Mr. Adler.« Der Mann nickt ihm zu.

»Frances«, begrüßt Dominic ihn. »Das ist June, sie wird mich heute begleiten.«

Frances zieht seinen Hut. »Das Vergnügen ist ganz meinerseits, Miss June. Bitte lassen Sie mich wissen, wenn ich Ihnen behilflich sein kann.«

»Äh, danke«, sage ich, unsicher, wie ich diesen Mann begrüßen soll. Es gibt so viele zufällige Leute, mit denen ich durch die Arbeit der Jungs in Kontakt komme, und sie schauen mich alle schief an, wenn ich versuche, mich mit ihnen anzufreunden und mich um Dinge wie ihre verdammten Geburtstage zu kümmern. Den von Alec habe ich immer noch nicht herausgefunden, und er fährt mich fast jeden Tag herum. Ich muss ihn einfach selbst fragen und damit klarkommen, dass die Jungs deswegen sauer auf mich sind – nicht, dass ich mich durch eine einfache Frage in Gefahr bringe.

Mir ist klar, dass sie Angestellte sind, aber sie sind immer noch menschliche Wesen. Und es ist nicht so, dass sie für besondere Anlässe oder Feiertage freibekommen. Das Mindeste, was ich tun könnte, wäre, ihnen eine Weihnachtskarte zu schicken oder so.

»Geh!«, sagt Dom zu mir. »Ich bin direkt hinter dir.«

Ich klammere mich an das kalte Metall des Geländers und steige die Treppe hinauf. Es knarrt unter mir, und je mehr ich mich vom Boden entferne, desto unsicherer werde ich. In der Vergangenheit hatte ich nie ein Problem mit Höhen. Früher sind Co und ich auf Dächer geklettert, um die Sterne zu beobachten, und einmal wurden wir fast verhaftet, nachdem wir den örtlichen Wasserturm bestiegen hatten. Wir konnten hinuntersteigen, bevor die Bullen kamen, aber es war verdammt knapp. Die Idioten hatten ihre Blaulichter und Sirenen eingeschaltet, und wir konnten sie schon von Weitem sehen, sodass wir genug Zeit hatten zu fliehen.

*Coen.* Erinnerungen an ein anderes Leben – an einen anderen Jungen. Ich sollte ihm nicht vorwerfen, dass er sich verändert hat, aber was ist, wenn die neue Version von ihm etwas ist, mit dem ich nicht leben kann? Der Gedanke, eine Liebe zu verlieren, an der ich so lange festgehalten habe, verursacht einen heftigen Schmerz in meiner Brust. Früher dachte ich, es gäbe nichts, was wir nicht durchstehen könnten, aber ich bin mir da nicht mehr so sicher.

Ich steige in das Flugzeug und drehe mich nach rechts, da ich nicht vorhabe, dieses Ding zu fliegen. Ich werfe einen Blick auf das Cockpit, aber all die Knöpfe und Regler lösen sofort Panik in mir aus. Wie kann man sich nur merken, wofür die alle da sind? Ich schätze, das ist wie beim Autofahren, oder? Als ich klein war, konnte ich mit den Hebeln, dem Lenkrad und der Gangschaltung nichts anfangen. Aber jetzt mache ich es ohne Mühe. Vielleicht schreckt mich die Vorstellung, ein Flugzeug zu steuern, nur ab, weil ich keine Ahnung habe, wie man das macht. Und auf unbekanntem Terrain kommen unweigerlich unangenehme oder irrationale Gedanken auf.

Als würde ich vom verdammten Himmel fallen.

Dom legt seine Hand auf meinen Rücken und führt mich weiter hinein. »Setz dich, wo immer du willst.«

»Irgendwo?« Ich schaue mir meine Möglichkeiten an. Es gibt zahlreiche Einzelsitze mit einem polierten Tisch, der sie von einem anderen Sitz trennt. Es gibt ein paar Doppelsitze und dann Sofas im hinteren Teil des Flugzeugs. Ich wusste gar nicht, dass Flugzeuge Sofas haben. Wie kann es sein, dass ich vor einem Jahr von einem Schluck Alkohol bei *Jack's* und einer Packung Ramen gelebt habe, und jetzt überlege ich, welchen Luxus ich auf meinem Privatflug mit meinem Mafiaboss-Freund vorziehen würde?

Das Leben ist verdammt seltsam.

Dom taucht seinen Kopf ins Cockpit und plaudert mit dem Piloten, während ich eine Entscheidung treffe.

Ich entscheide mich für einen der Doppelsessel, weil es mir ein vernünftiger Kompromiss zu sein scheint – zwischen dem Einzelsitz und dem Sofa. Eine Art goldener Mittelweg. Dom könnte mir gegenüber oder neben mir sitzen. Wir könnten verdammt noch mal Reise nach Jerusalem spielen, wenn wir wollten.

Ich lasse mich auf das samtige Leder sinken und genieße, wie verdammt bequem es ist.

Frances erscheint an meiner Seite und erschreckt mich ein wenig. Seine Hände sind verdammt ordentlich übereinander gefaltet, als er sagt: »Möchten Sie ein Getränk, Miss June?«

»Ja, äh, sicher. Und nur June ist gut.«

»Mit Vergnügen, June. Was darf es sein? Ich könnte Ihnen einen feinen Merlot bringen, oder vielleicht einen Shiraz. Ich habe einen wunderbaren Bordeaux, den ich persönlich in Frankreich ausgesucht habe. Ich habe Mr. Adlers *Hawks Mark* gekühlt.«

»Den nehme ich, bitte. Einen Schluck!«

Frances grinst. »Ah, ähnliche Vorlieben, wie ich sehe.«

Ich lächle höflich, obwohl mir eine billige Flasche Bourbon lieber gewesen wäre als die von Dom bevorzugte Tausend-Dollar-Flasche. Versteh mich nicht falsch, er ist verdammt lecker, aber auch verdammt teuer. Ich glaube nicht, dass ich mich jemals an diesen verschwenderischen Lebensstil gewöhnen werde. Obwohl es schön ist, sich keine Gedanken darüber machen zu müssen, woher meine nächste Mahlzeit kommt oder ob ich genug arbeiten kann, um meinen Teil der Miete zu bezahlen. Geldsorgen habe ich bei den Jungs nicht. Sie bestehen darauf, dass ich von allem nur das Beste habe, auch wenn ich mich mit *Off-Brand-Scheiße*, wie Magnus es nennen würde, zufriedengebe.

Aber ich brauche ihr Geld nicht, und das ist auch nicht der Grund, warum ich mit ihnen zusammen bin. Alles, was ich will, ist ihre Liebe, und in letzter Zeit war die das Schwerste, was sie mir geben konnten. Ich würde all den verschwenderischen Mist gern gegen mehr Zeit mit ihnen tauschen, aber ich weiß, dass das nicht möglich ist. Ich hätte nur nicht gedacht, dass es so schwierig sein würde. Das sollte es auch nicht sein. Ich wollte ein Teil ihrer Welt sein. Ich sollte ihnen bei den täglichen Aufgaben helfen und ihnen Ratschläge geben, wie sie ihr

Imperium vergrößern und ausbauen können. Mir wurde gesagt, dass ich ihre Königin sein würde, aber ich fühle mich nur wie ihre heimliche Geliebte, die kaum ein bisschen ihrer Aufmerksamkeit bekommt.

Sie sagen mir, dass es sich ändern wird, dass es besser wird, aber was ist, wenn das nur eine Lüge ist, um mich länger bei der Stange zu halten, ohne dass sie mir wirklich versprechen, dass die Dinge anders werden? Was ist, wenn wir nie wirklich das versprochene Happy End bekommen?

Frances kommt aus der Tür zurück, hinter der er im hinteren Teil des Flugzeugs verschwunden war. Er hält zwei Gläser in der Hand. Er stellt sie beide vor mir auf den Tisch. »Sind Sie hungrig? Oder möchten Sie, dass ich auf Mr. Adler warte?«

»Mir geht's gut, danke, aber er hat vielleicht Hunger.« *Besonders nach den Sex-Kapaden, die wir hatten, bevor wir herkamen.* Diesen Teil lasse ich allerdings aus. Frances muss nichts von den schmutzigen Dingen wissen, die Dom erst vor einer halben Stunde mit mir gemacht hat.

Mein Körper kribbelt noch immer von Doms Berührungen, meine Muschi schmerzt von der Beanspruchung, die sie einstecken musste.

Dom gibt es mir normalerweise mit seinen dominanten Possen im Schlafzimmer richtig. Ich nehme alles auf wie das gute Mädchen, das ich bin, aber verdammt, ich mag es, seine Knöpfe zu drücken und die Göre zu sein, die ich im Herzen wirklich bin.

»Sehr wohl, Miss June.« Frances deutet in die Richtung, aus der er gekommen ist. »Zur Toilette geht es da lang, und wenn Sie etwas brauchen …« Er zeigt mir einen kleinen Knopf an der Seite meiner Armlehne. »Drücken Sie einfach den.«

»Danke.« Ich möchte ihn wieder wegen meines Namens korrigieren, aber ich dränge ihn nicht dazu. Formalitäten scheinen irgendwie sein Ding zu sein.

Dom verlässt schließlich den vorderen Teil des Flugzeugs und kommt auf uns zu. Er ergreift Frances' Schulter. »Franc, Mann. Wie geht es dir? Wie geht's der Familie?«

Frances lächelt warmherzig. »Es geht mir wunderbar, danke, Mr. Adler.«

»Das ist schön zu hören. Und Ihr Enkelsohn? Wie ist der Prozess gelaufen?«

»Wir haben eine große Verbesserung festgestellt, Sir. Ich kann Ihnen nicht genug danken.« Frances' Augen glänzen.

Dom drückt ihn noch einmal fest an sich. »Zögern Sie nicht, mir Bescheid zu sagen, wenn sich etwas ändert oder Probleme auftreten. Ich werde Sie anrufen.«

»Sie sind ein guter Mann, Mr. Adler.«

Die beiden tauschen ein stummes Nicken aus und Frances geht zum vorderen Teil des Flugzeugs.

Ich hebe eine Augenbraue zu Dom. »Was sollte das denn?«

Mein Dom, ein guter Mann? Skrupelloser, mörderischer, eiskalter Dom …

Dom greift nach seinem Glas Bourbon. »Er hatte ein Problem und ich habe es gelöst, keine große Sache.«

»Klingt, als wäre es eine sehr große Sache, Dom. Was hast du getan?«

»Sein Enkel hat Krebs. Ich habe mich dafür eingesetzt, dass er an einer Studie teilnimmt, an der er sonst nicht teilgenommen hätte.« Dom lässt sein Glas auf den glänzenden Tisch sinken und dreht es in der Hand. »Der Junge sollte nicht sterben müssen, nur weil er nicht die Mittel hat.«

Ich strecke mich über die Oberfläche und ergreife seine Hand mit meiner. »Das war sehr nett von dir, Dom.«

Sein Blick wandert nach oben und ein Grinsen zeichnet sich auf seinem hübschen Gesicht ab. »Komme nicht auf dumme Gedanken, ich bin kein netter Kerl.« Er fährt sich mit der anderen Hand durch den Bart und lehnt sich zurück, wobei er immer noch meine Hand hält.

»Warum tust du so, als wärst du es nicht?«

»Ich tue nicht nur so. Manchmal tue ich gute Taten, aber das ändert nichts daran, wer ich bin, June. Du bekommst vielleicht eine Seite von mir zu sehen, die niemand sonst kennt, aber setze das nicht eine Sekunde lang damit gleich, dass ich freundlich oder edel oder *gut* bin. Ich bin ein *schlechter* Mensch. Das war ich immer und werde ich immer sein.«

Warum versucht er so sehr, mich davon zu überzeugen, dass er keine positiven Eigenschaften hat?

Diese Theorie von Gut und Böse ist genau das – eine Theorie. Kein Mensch ist von Natur aus das eine oder das andere. Wenn man gute Dinge tut, wird man nicht zu einem guten Menschen, und wenn man schlechte Dinge tut, wird man nicht schlecht. Ich habe beides getan, und ich neige eher zur dunklen Seite der Dinge, aber ich bezweifle, dass einer der wenigen Menschen in meinem Leben mich als schlecht bezeichnen würde. Das ist das Einzige, was wirklich zählt – wie die Menschen, die dir am nächsten stehen, dich und die Dinge, die du getan hast, sehen. Wenn sich die Menschen dafür entscheiden können, dich zu lieben, obwohl sie wissen, was du alles Schreckliches getan hast, wie kann ein Mensch dann wirklich böse sein? Oder vielleicht ist das Böse einfach so verlockend, dass es sie blind für die Verderbtheit macht.

Motorengeräusche erfüllen die Kabine und eine Sekunde später bewegen wir uns langsam von unserem Platz.

»Wir werden gleich starten«, sagt Frances, als er an uns vorbeigeht.

Dom greift in seine Tasche und holt ein surrendes Telefon heraus. »Scheiße, da muss ich rangehen.« Er drückt sanft meine Hand. »Ich bin gleich wieder da.«

Sollte er das Ding nicht in den Flugmodus versetzen? Ist der verdammte Knopf nicht genau deshalb da? Weil wir in einem *Flugzeug* sind.

»Adler«, antwortet er auf den Anruf. Er geht in den hinteren

Teil des Flugzeugs, wo ich die Worte, die er in den Hörer spricht, nicht mehr verstehen kann.

Mein Herz klopft heftiger, und ich halte mich am Sitz fest, da mich die Anwesenheit meines starken Mannes nicht mehr einlullt. Stattdessen muss ich an die endlose Liste der Dinge denken, die schiefgehen könnten. Ich hätte mir vor einem Monat niemals *Final Destination* mit Magnus ansehen sollen. Die Vorstellung, wie die Seite des Flugzeugs aufbricht und mein Körper von den rotierenden Dingern herausgesaugt und verstümmelt wird, füllt meinen Kopf. Sind das die Triebwerke? Was passiert, wenn wir einen Vogel treffen? Oder eine verdammte Gans?

Ich werde in meinen Sitz gedrückt, als das Flugzeug an Geschwindigkeit gewinnt. Ich schließe die Augen, meine Finger graben sich in den teuren Ledersitz. Zumindest glaube ich, dass er aus Leder ist. Ich kenne mich nicht wirklich mit Polstern aus. Es sieht irgendwie aus wie Leder, aber es ist viel weicher und samtiger, als man es bei Leder vermuten würde.

*Das ist es, konzentriere dich auf die verdammte Sitzpolsterung, um dich von der lächerlichen Vorstellung des Todes durch einen Flugzeugabsturz abzulenken.* Ich wurde schon an einen Stuhl gefesselt und von einem Mann gefoltert, dessen Identität ich nicht kannte, und doch ist das hier irgendwie noch schrecklicher.

Eine warme Hand ergreift meine und löst meine Hand vom Sitz. Dom legt seinen Arm um meine Schulter und drückt mich an seine Brust.

»Ich wusste nicht, dass du Angst vorm Fliegen hast«, sagt er leise.

»Ich auch nicht.« Ich lehne mich an seinen Körper und erinnere mich daran, dass Dom mich nie hierhergebracht hätte, wenn er wirklich glauben würde, ich sei in Gefahr. Schließlich behauptet er, das sei seine größte Sorge – meine Sicherheit.

»Ich habe dich, es gibt nichts, wovor du Angst haben musst.« Er küsst mich auf den Scheitel und sein Bart kitzelt mich.

Ich atme seinen Moschusduft ein und genieße die Wärme seiner Umarmung. Dom ist nicht oft sehr sanft, aber in letzter Zeit hat er mich mehr gehalten, als ich erwartete, und ich bin so verdammt dankbar dafür.

Die Dinge waren hart, mit all den Geheimnissen, aber es sind Momente wie dieser, die mich hoffen lassen, dass wir es tatsächlich schaffen könnten.

Das Flugzeug findet in seine horizontale Lage am Himmel, und ich atme erleichtert auf, weil ich einen Teil des Fluges überstanden habe. Jetzt muss ich mich um die Zeit in der Luft und die Landung kümmern. Ich schlucke die Erinnerung herunter, dass wir das auch auf dem Rückweg tun müssen.

Ich löse mich von Doms Brust und streiche mein Haar hinter das Ohr.

»Bist du noch nie geflogen?« Dom hält seine Hand auf meinem Rücken.

Ich schüttle den Kopf. »Nein.«

»Oh, June. Es … es tut mir leid.« Er streift mit seiner Handfläche über meine Wange. »Ich hätte den Anruf nicht annehmen sollen.«

»Schon in Ordnung.« Woher sollte er wissen, dass ich beim Fliegen ein großes Baby sein würde? Ich wusste es nicht einmal, bis wir mit einer Milliarde Meilen pro Stunde auf einer Landebahn in den Himmel geschleudert wurden. Mir dreht sich der Magen um, wie unmöglich es ist, dass wir überhaupt hier oben sind. »Mir geht's gut.«

Dom beugt sich vor und greift nach dem Glas, das mir am nächsten steht. »Hier, trink das.« Er drückt es mir in die Hand. »Aber trink nicht viel mehr. Durch die Höhe wirst du dich betrunkener fühlen, als du wirklich bist. Das sollte reichen, um deine Nerven zu beruhigen.«

Ich nippe an der goldenen Flüssigkeit und lasse mich wieder auf meiner Seite des Sitzes nieder. »Wer war am Telefon?«

»Einer meiner Assistenten. Kleines Feuer, das gelöscht

werden musste. Nichts, worüber man sich Sorgen machen müsste.«

Eine allgemeine und vage Antwort, wie alle anderen, die er mir gibt. Man sollte meinen, ich hätte inzwischen aufgehört zu fragen, aber ich klammere mich an die Hoffnung, dass er irgendwann offen und ehrlich darüber spricht, was ihn fast seine ganze Arbeitszeit kostet.

Normalerweise würde ich an dieser Stelle eine kluge Bemerkung machen, aber die habe ich nicht drauf. Nicht, wenn wir so viele Meter in der Luft sind und ich ihm nicht entkommen kann. Aus einem Flugzeug zu springen, steht nicht gerade auf meiner Wunschliste.

Ich nicke und trinke noch einen Schluck von dem Bourbon. »Ich wusste nicht, dass du einen Privatjet hast.« Ich wechsle das Thema, denn wenn ich es nicht tue, werde ich darüber schmoren, wie geheimnisvoll er ist.

Dominic greift nach seinem eigenen Glas. »Mmh. Ich habe ihn vor einer Weile gekauft.«

Meine Augen weiten sich. »Oh, er gehört dir tatsächlich. Ein ganzes Scheißflugzeug.«

»Neben einigen Häusern in den Vereinigten Staaten und einer Villa in Portugal.«

»Das ist nicht dein Ernst.« Ich starre ihn an.

»Warum sollte ich deswegen lügen?« Dom stellt das Glas wieder hin.

Das ist eine berechtigte Frage. Warum sollte er deswegen lügen? Aber wie konnte ich das nicht wissen? Er ist so ein verdammt verschlossenes Buch, und ich frage mich nur, was ich sonst noch nicht über ihn herausgefunden habe.

»An manchen Tagen habe ich das Gefühl, dich überhaupt nicht zu kennen.«

»Was meinst du?« Dom neigt seinen Körper zu mir.

»Du kennst jeden *meiner* Schritte.« Ich lasse die Dinge weg, die Simon und ich hinter ihrem Rücken tun. Aber wenn sie mich nicht so verdammt oft ausschließen würden, würde ich diesen Scheiß vielleicht nicht mit ihm machen. »Und ich habe keine lange Vorgeschichte. Ich habe Kalifornien noch nie verlassen, geschweige denn ein Haus in einem anderen Land gekauft.«

»Ich kaufe dir ein Haus, wo immer du willst.«

Ich seufze. »Darum geht es mir nicht, Dom.«

»Was ist es dann?«

»Was ich sagen will, ist, dass du verschlossen bist. Du erzählst mir so gut wie nie etwas über dich. Ich erfahre es in diesen lässigen Momenten, in denen du zufällig sagst, dass du ein Haus in Frankreich hast.«

»Portugal.«

»Das Gleiche.« Ich werfe meine Hand hoch. »Ich weiß nicht einmal, ob ich sie auf einer Karte unterscheiden könnte.«

»Nun, Portugal liegt westlich von Spanien.«

»Für einen wirklich klugen Mann bist du manchmal ganz schön dumm, Dom.«

Er kneift die Augen für einen kurzen Moment zusammen, dann entspannt er sie wieder. »Was möchtest du wissen, June? Frag mich alles!«

»Abgesehen von der Arbeit, natürlich.«

»Natürlich.«

»Wie bist du ins Leben gestartet? Das hat nichts mit der Arbeit zu tun. Und die Geschichte von Magnus und Coen kenne ich schon.«

»Ich bin einfach großgeworden.« Dom nippt wieder an seinem Bourbon.

»Tolle Geschichte.«

Wir geraten in eine kleine Turbulenz und ich greife versehentlich nach Doms Bein.

»Kein Grund zur Sorge.« Er legt seine Hand auf die meine. »Was meine Entwicklung angeht, so begann sie eigentlich schon, als ich noch ein Kind war. Ich kann mich nicht an eine

Zeit erinnern, in der es anders war. Ich lebte in einer Familie, die Männer formte, und ich habe sie vergöttert. Franklin hatte von klein auf das Potenzial in mir gesehen. Er machte mich zu dem Sohn, den er nie hatte, und in gewisser Weise war er wie eine Vaterfigur für mich. Aber auch wenn seine Methode die einzige war, die ich kannte, stellte ich seine Autorität immer wieder infrage. Es gab viele Momente, in denen ich dachte, er würde mich verstoßen und sich jemand anderen suchen, den er zu seinem Schützling formen könnte, aber ich konnte ihn immer wieder zurückholen. Franklin war intelligent und ein verdammt guter Geschäftsmann, so viel ist sicher. Aber er war auch stur, hitzköpfig und verdammt paranoid.«

Ich bin ganz still und hoffe, dass Dom, wenn ich mich nicht bewege, vielleicht nicht merkt, dass er zu viel erzählt, und er weitererzählt.

»Ich wusste, dass ich, wenn ich meine Karten richtig ausspiele, seine Nachfolge antreten würde, sobald er in den Ruhestand geht, ich habe nur nicht damit gerechnet, dass es so schnell passieren würde. Es geschah abrupt und ohne dass alles geregelt war. Das machte die Dinge kompliziert und gab anderen die Möglichkeit, auf das ein Auge zu werfen, wofür ich mein ganzes Leben lang gearbeitet hatte. Wie auch immer, du weißt, wie es endete, aber wie es angefangen hat? Nichts Verrücktes – nur ein Kind, das auf der falschen Seite der Stadt aufgewachsen ist und die Chance ergriff, der Armut und Obdachlosigkeit zu entkommen.«

»Ich … ich hatte ja keine Ahnung«, gestehe ich, als er nicht weiterspricht. »Was ist mit deinen Eltern?«

Dom zuckt mit den Schultern. »Ich habe sie nie kennengelernt. Sie haben mich weggegeben, als ich noch ein Baby war. Mit der Familie, die ich erwähnte, meine ich nicht meine Blutsverwandten. Wir alle wissen, dass Familie viel mehr ist als DNA. Meine Familie war ein älteres Überbleibsel des kaputten Systems, die falschen Freunde, welche, die älter waren als ich,

Mitläufer oder Soldaten oder einfach Leute, die für Geld alles tun würden. Ich hing bei jeder Gelegenheit mit ihnen ab. Einige von ihnen nahmen mich auf, als ich nirgendwo anders hinkonnte. Es dauerte nicht lange, bis ich aufmerksam wurde und herausfand, wer Franklin war. Der Rest ist Geschichte.«

Es ist kein Wunder, dass Dom ein grausamer Bastard ist – er hatte buchstäblich keine andere elterliche Figur in seinem Leben als einen psychotischen Kriminellen, der ein Kind manipulierte und einer Gehirnwäsche unterzog, damit es der Organisation beitrat. Er hatte nie eine liebevolle Mutter oder einen beschützenden Vater gehabt.

Ich mag eine verkorkste Kindheit gehabt haben, aber wenigstens habe ich einige Erinnerungen an die Zeit vor dem Tod meiner Mutter. Sie war das Licht meines Lebens und auch das meines Vaters, aber als sie starb, hinterließ sie nichts als Dunkelheit, die uns alle verschluckte. Mein Vater griff zu Alkohol und ich versteckte mich im Schatten, während der Alkohol ihn in etwas verwandelte, das er schließlich nicht mehr kontrollieren konnte. Mein erwachsenes Ich hat Verständnis für seinen Verlust, aber er hätte sein Kind nie vernachlässigen dürfen, und das ist unverzeihlich. Ich war nie sicher, geliebt oder umsorgt gewesen, bis der ebenso gebrochene blonde, blauäugige Junge auf dem Friedhof auftauchte. Ich spürte seinen Verlust aus einer Meile Entfernung und wusste, dass nur er meine Qualen des Verlustes verstehen konnte.

Es wäre hart zu sagen, dass ich mich mit dem Tod meiner Mutter im Stich gelassen fühle, aber genau so war es. Ich wurde ausrangiert, den Wölfen vorgeworfen und musste für mich selbst sorgen. Ich war ein Kind und hatte niemanden, auf den ich mich verlassen konnte. Ich stahl das Kleingeld aus den Manteltaschen meines Vaters und lief barfuß die Straße hinunter, um im örtlichen Supermarkt so viele Lebensmittel zu kaufen, wie ich konnte. Gelegentlich kaufte er Lebensmittel ein, aber meistens nur Bier und

Chips, nichts, womit ein heranwachsendes Kind überleben konnte. Ich durchwühlte die Mülltonnen hinter den Geschäften, um nach etwas Essbarem zu stöbern. Einer der Ladenbesitzer in der Nähe meines Hauses hatte Mitleid mit mir, und wenn er abgelaufene Waren zum Müll brachte, ließ er sie auf der Treppe stehen, anstatt sie in die Mülltonnen zu werfen. Es war nicht viel, aber dieser Akt der Freundlichkeit half mir über eine Zeit hinweg, in der ich nicht sicher war, ob ich es schaffen würde oder nicht.

Die Kinder in der Schule machten sich über mich lustig, weil ich das kostenlose Mittagessen bekam, aber das war meine einzige Chance auf eine warme Mahlzeit, und die wollte ich mir auf keinen Fall entgehen lassen.

Ehrlich gesagt habe ich erst Jahre später erkannt, wie beschissen es mir ging. Denn wenn man ein Kind ist und nur das eine kennt, denkt man nicht, dass es auch anders laufen kann. Die Erinnerungen an meine Mutter verblassten zu etwas, das so lange zurücklag, dass ich zu bezweifeln begann, dass sie jemals wirklich existiert hat. Das Einzige, was sie in dieser Dimension festhielt, waren ein paar der Polaroids, die ich unter meiner Matratze versteckt hielt.

In einer betrunkenen Nacht hat mein Vater ihre Kleidung im Vorgarten angezündet. Er redete davon, dass er mit ihrem Geist lebte und die einzige Möglichkeit, sie loszuwerden, darin bestand, ihre Sachen zu verbrennen. Er riss jedes Bild von der Wand, schnappte sich alles, was auch nur im Entferntesten mit ihrer Zeit bei uns zu tun hatte, und zündete es an.

Ich rannte zur Schublade im Wohnzimmer, als er nicht hinsah, und schnappte mir ein paar Fotos, drückte sie fest an meine Brust, während ich aus dem Haus floh und mich im Gebüsch nebenan versteckte. Ich beobachtete mit angehaltenem Atem, wie die Polizei kam und ihn verhaftete. Sie durchsuchten das Haus, und ich kann nur vermuten, dass sie mich gesucht haben, und ich sah ihn drei Tage lang nicht.

Ich war sechs Jahre alt, und diese Erinnerung ist nur eine der wenigen, die mir lebhaft im Gedächtnis geblieben sind.

Der Rest ist ein wirres Durcheinander, bei dem ich mich frage, ob ich überhaupt anständige Erinnerungen an meine Kindheit habe. Oder vielleicht hat mein Verstand Mist gebaut und die guten statt der schlechten Erinnerungen verdrängt.

Aber auch wenn ich dachte, dass es mir schlecht ging, kann ich mir nicht vorstellen, wie es gewesen wäre, in eine kriminelle Organisation einverleibt zu werden, bevor ich lesen lernen konnte. Dom mag jetzt ein tolles Leben haben, aber er hat dabei so viel verloren. Seine Kindheit, seine Unschuld, sein Selbstbewusstsein.

Ich habe das Glück, dass er fähig ist, mir seine Liebe zu geben. Trotz seiner Erziehung hat Dom Momente, in denen er sanft, freundlich und gut ist. Ich sehe, was er für andere tut, ohne eine Gegenleistung zu erwarten. Als er Magnus und Coen unter seine Fittiche nahm ... sicher hatte er einen größeren Plan für sie, aber er hätte jeden von ihnen töten können. Als er seinen Anruf abbrach, weil er sah, dass ich während des Starts eine Panikattacke hatte. Als er während unserer ersten großen Begegnung ins Badezimmer stürmte, um mich vor diesem widerlichen Betrunkenen zu retten, der sich mir aufdrängen wollte. Er hätte das alles nicht tun müssen. Er hätte wegschauen und sein Leben weiterführen können, ohne einzugreifen.

»Hast du jemals versucht, sie zu finden? Deine Eltern?«

Doms Kiefer spannen sich an. »Ja, das habe ich tatsächlich.« Er wendet den Blick ab, als würde er eine Erinnerung wachrufen.

»Konntest du sie finden?«

Er schüttelt langsam den Kopf. »Sie waren schon lange tot, als ich herausfand, wer sie waren.«

Ich nehme seine Hand in die meine. »Es tut mir so leid, Dom.« Ich bin nur allzu vertraut mit dem Schmerz des Verlustes.

Frances nähert sich aus dem hinteren Teil des Flugzeugs und lenkt uns von der Schwere dieses Gesprächs ab. »Mr. Adler, soll ich für Sie und Miss June etwas zum Essen bereiten?«

Dominic schaut auf seine teure Uhr. »Nein, ich denke, für den Moment ist alles in Ordnung.« Er sieht mich an. »Es sei denn, du möchtest etwas.«

»Nein, ich will nichts.« Der Gedanke, etwas zu essen, während man in dieser fliegenden Todesfalle festsitzt, ist völlig unattraktiv. In letzter Zeit hatte ich generell keinen großen Appetit, aber hier oben ist er definitiv nicht vorhanden.

»Etwas Wasser wäre allerdings schön«, bittet Dom.

Frances neigt den Kopf und blinzelt langsam, wie er es immer zu tun scheint, bevor er sich abwendet und auf dem Absatz kehrtmacht und in die Richtung verschwindet, aus der er gekommen ist.

»Ich …« Ich versuche, die richtigen Worte zu finden, weiß aber, dass nichts richtig sein wird, also sage ich das Erste, was mir einfällt. »Ich wollte nicht so ein sensibles Thema ansprechen.«

Dom drückt meine Hand und schenkt mir schüchternes Lächeln. »Das ist ein ganzes Leben her. Kein Grund zur Aufregung.«

»Aber danke, dass du es mit mir geteilt hast.« Es ist vielleicht nicht seine ganze Vergangenheit, aber ich spüre bereits, wie der Abstand zwischen uns schrumpft, während ich mehr über diesen mysteriösen, älteren Mann erfahre, den ich liebe. Vielleicht wusste meine Seele bereits, dass wir ein ähnliches Trauma haben, dass unsere Dunkelheiten ähnlich sind und ich irgendwann einen der Gründe aufdecken würde, warum wir uns zueinander hingezogen fühlen.

»Ich will nicht so sein«, murmelt Dominic. »Ich weiß, es ist schwer, mit einem Mann wie mir zusammen zu sein.«

Es bricht mir das Herz, wenn ich sehe, wie diese verletzliche Seite in ihm zum Vorschein kommt.

»Vertrauen ist nichts, was man umsonst gibt, vor allem, weil es in diesem Beruf viele Verräter und intrigante Bastarde gibt.« Dom nimmt einen weiteren Schluck von seinem Bourbon.

»Du hast Coen und Magnus ...« Ich studiere die harten Linien in seinem reifen Gesicht. »Du hast mich.«

Doms ernster Blick bohrt sich in meinen. »Fürs Erste.«

Ich seufze und halte seine Hand fester. »Für ...«, beginne ich, aber er hält mich auf.

»In letzter Zeit sind viel unvorhergesehene Dinge geschehen, June. Ich will nicht, dass unser Leben so verläuft. Aber es gibt Dinge, die meine Aufmerksamkeit brauchen, und bis ich mich um sie kümmere, will ich, dass du weißt, dass nichts davon meine Gefühle für dich schmälert. Wir stoßen dich nicht weg, wir wollen dich nur in Sicherheit bringen. Das versichere ich dir.«

Es ist nicht so, dass ich ihm nicht glaube, aber ich verstehe einfach nicht, warum es so sein muss. Was könnte denn so schlimm sein, dass sie es mir nicht sagen könnten? Ich weiß bereits von ihrer gefährlichen Welt, von den Problemen, die sie in letzter Zeit hatten, was könnte da noch los sein? Und was hat das alles mit meiner Sicherheit zu tun? Es sei denn, es gibt eine direkte Bedrohung für mein Leben, die sie nicht preisgeben. Aber wer zum Teufel würde meinen Tod wollen? Ich könnte leicht als Schachfigur benutzt werden, um einen meiner Männer zu kontrollieren, aber das ist ein Risiko, das wir alle kannten, als ich mich mit ihnen einließ.

»Ich brauche noch etwas Zeit, June.« Dominic fährt mit seiner Hand über meine Wange.

»Okay«, flüstere ich, denn was soll ich sonst sagen? Sie haben mich in eine Ecke gedrängt, aus der ich nicht mehr herauskomme. Der einzige Ausweg ist, die Sache zu beenden.

Dom atmet aus und lächelt sanft. »Danke.«

Und weil ich alles tun würde, um die Dynamik dieses

Gesprächs zu verändern, frage ich: »Was ist deine Lieblingsfarbe?«

»Was?« Er legt den Kopf schief.

Ich stupse ihn spielerisch an. »Ihre Lieblingsfarbe, Sir?«

»Äh, ich weiß nicht. Vielleicht grün.«

»Grün ist eine tolle Farbe«, erwidere ich. »Lieblingsessen?«

»Das sind schwierige Fragen, vielleicht sollten wir stattdessen lieber wieder über mein Geschäft reden.«

Ich kichere. »Komm schon, das kann doch nicht so schwer sein.«

»Nun, wenn es um die Art der Küche geht, würde ich sagen … französisch.«

»Wie Pommes frites?«

Das entlockt ihm ein weiteres Grinsen. »Du bist so unkultiviert, dass es mir in der Seele wehtut.«

»Was?« Ich schubse ihn. »Ich kann nichts dafür, ich habe keinen Privatjet, der mich zu Pommes frites fliegt, wann immer ich sie will.«

»Das ist kein französisches Essen, Schätzchen. Ich rede von Croissants, Ratatouille, Beef Bourguignon. Einfache Zutaten, die zu etwas Schönem und Schmackhaftem verarbeitet werden. Das ist Kunst, wirklich.«

»Ich wusste nicht, dass du so ein Kenner bist.«

»Es gibt eine Menge Dinge, die du nicht über mich weißt.«

»Ich weiß. Warum glaubst du, dass ich dich mit dummen Fragen belästige?«

»Na gut.« Dom zieht meine Beine auf seinen Schoß. »Was ist dein Lieblingsessen?«

»Pizza.«

Dom schüttelt den Kopf. »Ich mache mir Sorgen um dich.«

»Was ist falsch an Pizza?«

»Nichts, wir müssen nur deinen Horizont erweitern. Wir werden Italien auf die Liste der Orte setzen, zu denen wir dich bringen werden.«

»Du wirst mich betäuben müssen, bevor ich einen Flug über den Ozean nehme.«

Doms Handy summt in seiner Tasche, aber er ignoriert es. »Ich würde nicht zulassen, dass dir etwas zustößt.«

»Naturgewalten und Unfälle kann man nicht kontrollieren. Was wäre, wenn ein Motor ausfällt oder so?«

»Das ist gar nicht so schlimm, wie du vielleicht denkst. Außerdem ist der Serge darauf trainiert, mit solchen Situationen umzugehen.«

»Sergeant?«

»Mein Pilot, ja.«

Er sagt es, als rede er von einem Hemd, das im Schrank hängt, so verdammt lässig, dass er einen verdammten Piloten hat. Werde ich mich je an so etwas gewöhnen?

»Okay, nächste Frage.«

Dom atmet tief ein und spannt sich an. »Ich bin bereit.«

»Hättest du lieber ... Füße anstatt Hände oder Hände anstatt Füße?«

Er blinzelt ein paar Mal, fast so, als würde er überlegen, ob ich den Verstand verloren habe. »Hände anstatt Füße.«

»Warum?«

»Weil ich mit meinem Fuß keine Waffe abfeuern kann. Zumindest habe ich es noch nie versucht.«

Ich muss lachen. »Du würdest einen Weg finden, das hinzukriegen.«

»Das ist mein Job.«

Doms Handy vibriert wieder, diesmal an meinem Bein.

»Musst du rangehen?«

»Ja.« Aber er greift noch nicht danach. »Spielt es eine Rolle, wenn ich nicht *will*?«

»Ja.« Ich ziehe meine Füße von seinem Schoß. »Geh, und komm schnell zurück, bevor mir noch mehr komische Sachen einfallen, die ich dich fragen kann.«

Er erhebt sich von seinem Platz und sofort zerreißt es mir das Herz, dass er nicht da ist.

»Adler«, grüßt er die Person am anderen Ende der Leitung.

Ich kippe den Rest meines Bourbons herunter und versuche, mich auf eine andere Weise zu wärmen. Ich drehe mich zum Fenster und drücke meine Knie an die Brust, während ich die Erde so weit unten betrachte. Ein paar Wolken flattern vorbei, und ich stelle mir vor, wie es wäre, meine Hand auszustrecken und zu spüren, wie sie zwischen meinen Fingern hindurchgleiten.

So fühlt sich die Liebe an – etwas, das da, aber nicht greifbar ist, das man nicht festhalten kann, das flüchtig ist und sich mit der Veränderung des Luftdrucks auflöst. Eine Verführung, die dir vorgaukelt, dass du etwas haben könntest, das aber immer unerreichbar ist.

Ich schließe die Augen und stelle mir vor, wie Dom mit seinem Anruf fertig wird und seine Arme sich um mich schlingen. Ich stelle mir vor, dass Magnus auch hier ist – sein wunderschönes Lächeln erhellt das ganze Flugzeug. Meine Gedanken schweifen zu Coen, und obwohl ich sauer auf ihn bin, weil er mich so behandelt hat, will ich ihn immer noch bei mir haben. Ich glaube, das werde ich immer, egal, was passiert. Ich hasse mich dafür, aber es ist schwer, sich gegen die Anziehungskraft zu wehren, die wir aufeinander ausüben.

Ich will das nicht, aber in diesem imaginären Szenario ist Simon auch hier. Seine Anwesenheit gibt mir Trost und ein Gefühl der Vollkommenheit.

Es dauert nicht lange, bis ich mich in Doms Armen schmiege und mich von seinem Komfort in den Schlaf wiegen lasse.

*N*ach der Landung wartet ein Fahrzeug auf der Rollbahn auf uns. Es ist irgendwie seltsam, ein Flugzeug zu verlassen und sofort in einen verdunkelten Geländewagen zu steigen. Es ist, als wären wir Berühmtheiten oder beim Geheimdienst, oder beides.

Dom hält seine Hand während der gesamten Fahrt zu unserem Ziel auf meinem Oberschenkel. Ich weiß nicht, wie lange ich noch warten muss, und es ist mir auch egal. Einfach nur hier bei ihm zu sein, ist genug. Weg von der Stadt, die ihn verschlingt, und dem Ort, der sich mit jedem Tag schwerer anfühlt.

In der Ferne erheben sich Berge, die von üppigem Grün durchzogen sind. Die Luft sieht hier klarer aus, ich wünschte, ich könnte das Fenster herunterkurbeln und sie einatmen, um neues Leben in meine Lungen zu bringen.

»Es ist wunderschön«, sage ich zu niemandem im Speziellen.

»Das ist es wirklich.« Dom legt seinen Arm um meine Schultern und zieht mich zu sich heran.

So bleiben wir eine gefühlte Ewigkeit und irgendwie doch nicht lange genug. Der Chauffeur lenkt uns auf eine Schotterstraße, und nach ein paar Minuten auf dem gewundenen Weg kommen wir an einem malerischen Gebäude an. Ich war mir nicht sicher, ob es noch atemberaubender sein könnte, aber als ich aussteige, bin ich von der herrlichen Aussicht an diesem Ort überwältigt.

»Wow!« Ich starre in die Ferne auf das offene Wasser vor mir.

Das Gebäude liegt in Küstennähe, und soweit ich in beide Richtungen sehen kann, ist nichts anderes in Sicht. Die Bäume versperren den Blick auf mögliche benachbarte Orte, so dass das Gebäude völlig allein dasteht.

Es ist ganz typisch für Dom, dass er sich etwas so Abgelegenes aussucht. Er ist ein Mann der Abgeschiedenheit, und er hat vor, sich diese bei jeder Gelegenheit zu verschaffen, und wenn das nicht möglich ist, macht er es trotzdem.

»Lass mich raten!«, sage ich und schaue zu ihm hinüber. »Das gehört dir auch?«

Dom grinst, schüttelt aber den Kopf. »Nein, aber das liegt nicht daran, dass ich nicht wollte.« Er nickt der Frau zu, die auf uns zukommt. »Es bleibt in der Familie, wurde von Generation zu Generation weitergegeben.«

»Ich bin überrascht, dass du es dir nicht mit Gewalt genommen hast«, sage ich nur teilweise sarkastisch.

»Sie sind zu nette Leute.«

»Dominic«, begrüßt ihn die Frau mit rosigen Wangen, ihr drahtiges graues Haar flattert im Wind. Sofort richtet sie ihren Blick auf mich. »Du hast eine … Frau mitgebracht.« Sie ergreift meine Hände und hält sie fest. Ihr Gesicht ist freundlich und unschuldig, zeigt aber zarte Falten fortgeschrittenen Alters.

»Priscilla, das ist June. June, Priscilla«, stellt Dom uns vor.

»Es ist so schön, dich kennenzulernen, meine Liebe.« Sie hält weiterhin meine Hände. »Wie schön, dass du hier bist.«

»Danke, Ihr Anwesen ist absolut atemberaubend.«

»Komm!« Sie zieht mich mit sich. »Ich werde dir alles zeigen.«

»Cill«, ruft Dom hinter uns her.

Ich werfe einen Blick über meine Schulter, als sie mich mit sich zieht, Dom zuckt mit den Schultern und lässt es geschehen. Ich schätze, das ist ein Fall, in dem mein Leben nicht in Gefahr ist, also erlaubt er ihr, mich zu entführen.

»Ich sage gerne, dass hier der Himmel, die Berge und das Wasser zusammentreffen, um diesen unglaublich magischen Ort zu schaffen.« Priscilla zeigt um das Gebäude herum. »Hinter jeder Ecke gibt es üppige Gärten. Und dort drüben«, sie deutet in die Ferne, »ist ein Lavendelfeld. Riechst du das?« Sie holt tief Luft und atmet aus. »Ich liebe es hier einfach.«

Ich atme die Luft ein und genieße, wie rein sie ist.

»Ihr beide werdet in der Lavendel-Suite wohnen, aber ihr könnt euch hier frei bewegen. Ihr könnt herumlaufen und euch verlaufen.« Sie drückt meine Hand und lächelt mich an. »Du wirst immer zurückfinden, keine Sorge. Schließ einfach die Augen und lausche dem Wasser, es wird dich nach Hause führen.«

Wir gehen einen steinernen Weg, der an dem massiven Gebäude entlangführt.

Die Landschaftsgestaltung ist makellos, mit üppigen Rasenflächen, leuchtenden Blumen und perfekt gestutzten Sträuchern. Jeder Abschnitt ist mit Präzision gestaltet und zeigt, wie viel Liebe zum Detail in jeden Aspekt dieses Ortes gesteckt wurde.

Ich sehe mir das Gebäude an und bemerke die vielen Fenster mit Blick auf das stille Wasser.

»Überall auf dem Grundstück stehen Fahrräder. Nimm dir einfach eines und erkunde alles, wenn du dich dazu berufen fühlst. Fühl dich ganz wie zu Hause, okay, June?«

»Das werde ich, danke.« Ich gehe mit ihr weiter und frage mich, wie dieser Ort noch schöner werden kann. Es ist kein Wunder, dass Dom hierherkommt, um unterzutauchen. Das hier ist nichts im Vergleich zu seinem täglichen Leben. Zu Hause ist es dunkel, gefährlich und düster. Hier scheint alles möglich zu sein, oder zumindest kann man sich lange genug ablenken, um es zu glauben.

»Läufst du mit meinem Mädchen weg?« Dom holt uns ein und verschränkt seine Finger mit meinen.

»Ich habe ihr die Azaleen noch nicht gezeigt«, erklärt Priscilla.

»Ich fürchte, die werden warten müssen. Ich muss sie für eine Weile entführen.« Dominic zerrt mich von ihr weg, aber sie lässt mich mit einem warmen Lächeln auf dem Gesicht los.

»Ich bin einfach froh, dass du hier bist, June. Es ist schön, Dom mit jemand anderem als seinen beiden Jungs zu sehen.«

Ich kichere. »Coen und Magnus?«

Priscilla nickt. »Ich liebe sie, aber es ist an der Zeit, dass Dom sich eine Dame zulegt.«

Wenn sie nur wüsste, dass ich nicht nur Doms Frau bin, sondern auch die der anderen beiden. Aber ich erwähne es nicht, weil ich nicht weiß, wie sie auf so etwas reagieren würde. Mehrere Freunde zu haben, ist nichts, was in unserer Gesellschaft schnell akzeptiert wird. Laut Cora gibt es dafür ein ganzes fiktives Subgenre, aber das bedeutet nicht, dass diese süße alte Dame hören will, dass ich drei brutale Mafia-Freunde habe.

»Ich werde Russ bitten, euch etwas aufs Zimmer zu schicken, damit ihr bis zum Abendessen durchhaltet.«

»Danke, Cill«, Dom legt seinen Arm um meine Taille und hebt mich vom Boden.

»Danke für die Führung«, sage ich, als er mich spielerisch wegzieht. Sobald wir außer Hörweite sind, stoße ich ihn in die Seite. »Lass mich runter, du großer Dummkopf.«

Dom wirft mich über seine Schulter und schlägt mir kräftig auf den Hintern.

Ich schlage meine Fäuste leicht gegen seinen Rücken. »Lass mich los, du Riese!«

»Wir müssen an deiner Selbstverteidigung arbeiten.« Dom geht weiter mit Leichtigkeit auf sein Ziel zu.

»Ich habe Simon gebeten, mich zu trainieren, aber er hatte die Ausrede, dass du ihn für meine Sicherheit eingestellt hast.« Ich beobachte, wie der Boden kopfüber vorbeizieht und frage mich, wie viel Blut mir bereits in den Kopf gestiegen ist.

»Um dich zu beschützen, ja. Aber es wäre nützlich, ein paar Fähigkeiten zu haben.« Dom schiebt mich schließlich über seine Schulter und stellt mich auf einer Veranda ab.

Ich blinzle, um meine Sicht zu beruhigen. »Vielleicht könnte ich lernen, wie man mit einer Waffe schießt.« Richtig, nicht halbherzig, wie ich es in der Vergangenheit getan habe. Ich habe kürzlich jemanden getötet, also muss ich nicht ganz so schlecht darin sein. Zugegeben, ich habe aus nächster Nähe geschossen. Wie hätte ich das vermasseln können? Nur, Dom weiß das nicht, und ich werde es ihm nicht sagen und diesen unglaublich romantischen Ausflug ruinieren.

»Nach dir.« Dom stößt die Tür auf, damit ich eintreten kann.

Als ich die Suite betrete, fällt mein Blick sofort auf das riesige Bett, das an der Wand steht. Gegenüber ist eine schicke Couch vor einem riesigen Fenster mit Blick auf das Meer in der Ferne. Üppiges Grün füllt den Blick aus dem Fenster, wo sich eine große Terrasse um die Vorderseite des Zimmers wickelt. In der einen Ecke befindet sich ein Kamin, in der anderen ein großer Whirlpool, der hoffentlich für uns beide groß genug ist. Zwei Türen befinden sich an gegenüberliegenden Wänden und sind, wie ich vermute, ein Kleiderschrank und ein Badezimmer.

»Es ist wunderschön, Dom.«

Er kommt zu mir. »Das hast du schon gesagt.«

Ich werfe ihm einen strengen Blick zu. »Ich kann nicht glauben, dass du mir das vorenthalten hast.«

»Ich war seit über einem Jahr nicht mehr hier oben. Ich hatte es ehrlich gesagt vergessen, bis ich gestern auf die Idee kam. Ich dachte, wir könnten beide einen Tapetenwechsel gebrauchen.« Dom schlendert zum Tisch mit einem Eimer voller Eis und einer Flasche. Er holt sie heraus, füllt zwei Gläser und bringt eines zu mir. »Auf uns!«

Ich nehme es ihm ab und stoße mein Glas mit seinem an. »Auf uns!« Die sprudelnde Flüssigkeit kitzelt auf meiner Zunge. Es ist nicht gerade mein Lieblingsgetränk, aber verdammt, es schmeckt teuer.

Dom und ich ficken im Bett, wir ficken an der Wand und wir ficken auf dem Tisch, auf dem der edle Champagner stand. Wir machen eine Pause, um etwas von der Wurstplatte zu essen, die uns gebracht wurde, und dann machen wir uns auf den Weg ins Bad und ficken in der Dusche, wobei meine Beine nachgeben, als ich zum wohl zwanzigsten Mal heute zum Höhepunkt komme.

»Hast du mich hierhergebracht, um mir das Hirn rauszuficken, Dom?« Ich lehne meinen Kopf an seine Brust und entspanne mich, während das Wasser in Kaskaden auf uns herabstürzt.

Er streicht mir das Haar aus dem Gesicht und küsst mich auf die Stirn. »Das war nicht unbedingt mein Plan, aber ich wäre nicht böse darüber.«

»Ich auch nicht.« Ich grinse.

»Hast du Hunger?« Dom lässt seinen Finger langsam von meiner Brust zu meiner Mitte wandern. Er gleitet über meinen Schlitz und lässt ihn dort ruhen.

»Auf mehr Sex? Ich weiß nicht, ob ich das aushalten kann.«

Dom spreizt meine Falten und lässt seinen Finger kreisen. »Auf Abendessen.«

Ich neige meinen Kopf zu ihm hinauf. »Ich glaube, wir beide haben eine unterschiedliche Definition von Abendessen.«

Er presst seine Lippen auf meine und spaltet sie mit seiner Zunge. Er stößt in meinen bereits durchnässten Eingang und grinst, als ich mich um ihn zusammenziehe. Sein Schwanz pulsiert gegen meinen Rücken, während er seine Finger immer wieder in meine Muschi ein- und ausführt und Druck auf meine Klitoris ausübt.

Er küsst mich tiefer, und ohne auch nur einen Gedanken daran zu verschwenden, steigert sich meine Lust noch einmal. Meine Brustwarzen werden unter dem sprudelnden Wasser hart, und Dom fingert an meinem gierigen Loch, bis ich um ihn herum zum Höhepunkt komme und in seinen Mund keuche.

»Verdammter Mist!« Ich wimmere, mein Körper zittert unter seiner Macht.

Dom hinterlässt einen sanften Kuss auf meine Lippen und hebt seine Finger, um sie zu seinem Mund zu führen. Er lutscht an ihnen und saugt meine Säfte ab. »Du schmeckst himmlisch.«

Ich bewege mich von seiner Brust weg und drücke mich mit dem Rücken gegen die Wand. »All-you-can-eat-Buffet.« Ich spreize meine Beine. Gerade als ich denke, dass ich genug habe, überkommt mich ein unendliches Verlangen, das unmöglich zu stillen ist.

Und zum Glück ist Dom bereit, mir so viel zu geben, wie ich nehmen kann. Seine Libido ist unübertroffen, und ich frage mich, wie sein Sexleben aussah, bevor wir uns kennenlernten. Ich will nicht daran denken, dass er mit anderen Frauen zusammen war, aber wie zum Teufel hat er all seine fleischlichen Gelüste vor mir befriedigt?

Priscilla hat den Eindruck erweckt, als hätte Dom nie eine Frau hierhergebracht. Dieser besondere Ort wurde nie dadurch befleckt, dass er jemand anderen an diesen romantischen Ort brachte – Magnus und Coen, aber keine andere Frau.

Dom kommt auf mich zu, geht in die Knie und streicht mit seinem Bart von meinem Knöchel bis zur Mitte meines Körpers. Er lässt sein Gesicht in der Nähe meiner Muschi schweben und streckt seine Zunge aus, um sie neckisch über meine Falten gleiten zu lassen. Er schlingt seine Lippen um meine immer noch schmerzende Klitoris und taucht seine Zunge in mein Loch. Dom vergräbt sich in mir und nutzt seine Arme, um meine Beine zu umschlingen und mich festzuhalten, während er seine Vorspeise verzehrt. Er hat zwar ein Abendessen erwähnt, aber vielleicht ist das nur sein erster Gang. Wir haben schon unzählige Male gefickt, seit wir hier sind, aber was ist schon ein weiteres Mal?

Meine Muschi ist wund von seinem unablässigen Eindringen, aber irgendwie ist sie noch nicht ganz befriedigt. Dom leckt und saugt an jedem Zentimeter meiner empfindlichen Stellen und stöhnt gegen mich. Tief, guttural, und schickt

Schockwellen durch meinen Körper. Ich halte mich an seinem Haar fest und führe ihn näher heran, sodass sein Gesicht noch mehr eintaucht. Es ist ein Wunder, dass er noch atmen kann. Aber ich würde es ihm zutrauen, dass es ihm scheißegal ist, ob er da unten lebt oder stirbt.

»June«, murmelt er und schaut zu mir hoch. »Kannst du noch einmal mit mir umgehen?« Er lässt einen Finger in mein Loch gleiten und schiebt ihn sanft hin und her. »Du bist schon so geschwollen. Ich will dir nicht wehtun.«

»Mach dir keine Sorgen um mich.« Ich finde die Kraft, in die Knie zu gehen und ihn nach hinten zu schubsen. Ich steige auf seinen Schoß, lege meine Hand um seinen Schaft und reibe ihn an meiner schmerzenden Muschi.

»Bist du sicher?« Er streicht mir das nasse Haar von der Wange.

Ich setze mich auf seinen Schwanz und lehne mich zurück. »Ich bin sicher.«

Dom nimmt meine Brustwarzen zwischen seine Finger, bevor er seine Hände nach unten gleiten lässt und meine Taille umgreift. Er bewegt seine Hüften auf und ab und wird noch härter in mir. Er sieht mich intensiv an, seine Augen hinterlassen eine brennende Spur. »Du bist so verdammt schön.«

Ich fahre mit meinen Fingern durch sein Haar und lege sie in seinen Nacken. Ich beuge mich hinunter und flüstere ihm ins Ohr: »Fick mich wie ein gutes Mädchen.«

Doms Griff um mich wird fester und er legt eine Hand auf meinen Hinterkopf. Er trifft meine Lippen mit seinen, mit einer Intensität, die vor einem Moment noch nicht da war. Zuvor hat er es mir leicht gemacht, aber jetzt, mit meiner Erlaubnis, entfesselt er seine wahre Natur. Eine, von der ich mir nicht wünsche, dass er sie unterdrückt. Dom schafft es, seinen Arm um meine Taille zu legen und mich hochzuheben, während er sich aufrichtet. Er drückt mich gegen die Wand und stößt in mich, ohne sich zurückzuhalten.

Ich klammere mich fest um seinen Hals und nehme jeden Zentimeter, den er mir gibt.

»Du nimmst mich wie ein braves Mädchen, June.« Dom stößt fester in mich hinein. »Ich werde deine kleine Muschi zerstören.«

»Ja?« Ich stöhne durch den wonnigen Schmerz seines Schwanzes, der mich weiter dehnt.

Dom ist nicht nur lang, er ist auch verdammt umfangreich, und meine Pussy liebt jedes Stück seines dicken und prallen Schafts.

»Verdammt, du bist so eng an mir.« Dom drückt mich fest an sich und vergräbt sich tief in mir.

»Das ist es, genau da«, rufe ich. »Scheiße! Hör nicht auf!«

Wir kommen zur gleichen Zeit und bleiben aneinanderkleben, bis unsere Atemzüge gleichmäßiger werden.

Ich atme aus und lehne meinen Kopf an seine Schulter. »Was trägst du?«

Er löst sich von mir. »Jetzt gerade? Dich.«

Ich gebe ihm einen kurzen Kuss. »Nein, ich meine zum Abendessen.«

»Mein William-Westmancott-Anzug.«

»Nur dein Anzug hat einen Vor- und Nachnamen.«

Dom gleitet aus mir heraus und setzt mich auf dem gekachelten Duschboden ab. »Ich habe meinem Anzug keinen Namen gegeben. Das ist der Designer.«

»Oh!« Ich lache. »Das ergibt mehr Sinn.« Ich steige unter das Wasser, das immer noch warm ist, und frage mich, wie groß der Warmwasserspeicher sein muss, dass er seine Wärme nicht verloren hat.

»Keine Sorge.« Dom spült sich ab, zum wiederholten Mal. Jedes andere Mal führte dazu, dass wir wieder Sex hatten. »Ich habe etwas für dich einfliegen lassen.«

Ich ziehe eine Augenbraue hoch. »Was soll das überhaupt bedeuten?«

Er küsst mich, bevor er aus der Dusche steigt und mich in Ruhe fertigmachen lässt. »Es bedeutet, dass ich an alles denke.«

Ich drehe den Wasserhahn zu und werde von meinem starken Mann begrüßt, der mit einem Handtuch auf mich wartet. Er reibt es über meinen Körper, um mich abzutrocknen, und wickelt es dann um mich.

»Ich habe ein Kleid mitgebracht«, sage ich.

»Ja, aber du brauchtest ein neues.«

»Das andere habe ich nur einmal getragen.«

»Dann ist es alt.« Dom nimmt mein Kinn in seine Hand. »Du verdienst das Beste vom Besten. Lass dich von mir verwöhnen!«

Und er verwöhnt mich auch. Alle Jungs tun das – sogar Simon. Seit ich in ihr Leben getreten bin, habe ich für nichts mehr bezahlt – abgesehen von einem gelegentlichen Essen, das ich heimlich bezahlen musste. Aber sie haben meine Heimlichtuerei durchschaut und fast sofort damit begonnen, die Rechnung zu übernehmen und mir jede Möglichkeit zu nehmen, das Geld auszugeben, das ich ja verdiene. Es ist nicht viel, aber es gehört mir. Etwa eine Woche nach dem Vorfall mit dem Rat kam Dom in mein Schlafzimmer und legte eine schwarze American-Express-Karte auf meinen Nachttisch. Er sagte mir, dass ich, wenn es mir besser ginge, alles kaufen könnte, was ich wollte, und bestand darauf, dass ich alle meine Einkäufe entweder mit dieser Karte oder mit dem Bargeld, das sie mir geben würden, tätigen sollte, wenn sie sich nicht schon selbst darum kümmerten.

Sie bestehen meist nicht nur darauf, dass ich nichts bezahle, sondern sie sorgen auch dafür, dass ich das beste Regal, das Neueste und die beste Qualität bekomme, ganz gleich, was es ist. Sie haben Zugang zu allem, was ich mir wünschen könnte, aber letzten Endes sind sie das Einzige, was mir wirklich wichtig ist. Und das war für mich am schwierigsten zu erreichen. Ehrlich gesagt glaube ich, dass es einfacher wäre, um ein Haus in Spanien zu bitten.

Dom lässt mich im Badezimmer zurück, damit ich mein Haar trocknen und mich mit einer Lotion eincremen kann. Ein paar Minuten später folge ich ihm in den Hauptraum, wo er gerade sein Hemd zuknöpft. Mein Blick wandert von ihm zu dem langen Kleid, das an einem Kleiderbügel im offenen Schrank gegenüber baumelt.

»Was denkst du?«, fragt er.

Ich gehe langsam darauf zu und staune, wie verdammt schön es ist. Jedes andere Kleid, das ich besitze, ist auf seine Weise schön, aber dieses ist so schön, dass mein Herz wehtut.

»Ich habe vor einiger Zeit deine Maße genommen, um eine Maßanfertigung von Givenchy anfertigen zu lassen, aber ich habe einige Gefallen eingefordert, damit es heute Abend fertig ist.«

»Dom.« Ich lege meine Hand auf mein Herz und drehe mich zu ihm um. »Ich liebe es.« Meine Augen glänzen wegen der Liebe hinter dieser Geste. Er wollte, dass dieser Abend etwas Besonderes wird, und verdammt, wenn er das nicht geschafft hat. Er mag in letzter Zeit viel Mist gebaut haben, aber er hätte sich nicht so viel Mühe gegeben, wenn ich ihm nicht wichtig wäre. Wenn das Wir ihm nicht wichtig wäre.

»Passend für eine Königin.« Dominic streicht mir eine Strähne meines nassen Haares hinters Ohr.

»Ich liebe dich«, sage ich ihm. Nicht wegen des Kleides. Nicht wegen dieser Reise. Sondern weil er sich in seinem chaotischen Terminkalender Zeit genommen hat, um mir endlich genau das zu geben, was ich will. Was ich brauche.

Ich glaube, das hat er auch gebraucht.

Und was noch wichtiger ist: Er hat mir etwas gegeben, ohne dass ich es gemerkt habe – Hoffnung.

Die Hoffnung, dass wir diesen Albtraum gemeinsam überstehen können.

# KAPITEL ZWANZIG – MAGNUS

»*U*nd, wie war's?« Ich stoße June in die Seite und kitzle sie.

Sie wackelt unter mir hervor. »Ich werde auf dein Bett pinkeln, wenn du nicht aufhörst.«

»Klingt pervers.« Ich necke sie weiter.

»Magnus Bryant.« June gibt mir einen Klaps auf den Arm. »Warum kenne ich deinen zweiten Vornamen nicht?«

»Den werde ich nie verraten.« Ich lache wie ein Idiot und klettere auf sie, drücke sie ins Bett und halte ihre Hände über ihren Kopf. Ich drücke ihr Küsse auf das ganze Gesicht und den Hals. »Ich habe dich so sehr vermisst, Prinzessin.«

June versucht, mich abzuwehren, aber es nützt nichts. Stattdessen schafft sie es, mir einen noch größeren Ständer zu verpassen, als ich ohnehin schon hatte. »Es war gut, es war toll«, platzt sie schließlich heraus. »Wenn du aufhörst, mich zu quälen, erzähle ich es dir.«

Ich seufze, lasse ihre Hände los und mich neben ihr auf die Matratze plumpsen. »Gut«, sage ich und ziehe das Wort in die Länge.

June stützt sich auf ihren Ellbogen ab und wendet sich mir

zu. »Es war sehr romantisch. So gar nicht Dom-like. Er hat dieses maßgeschneiderte Givenchy-Kleid anfertigen lassen. Er hatte ein Candlelight-Dinner vorbereitet, das, o mein Gott, köstlich war. Hast du schon mal Ente gegessen? Ich meine, so traurig, aber auch so verdammt lecker.« Sie beißt sich auf die Lippe und erinnert sich an mehr von dem Abend. »Wir haben getanzt.« Sie sieht mich direkt an. »Dom und langsames Tanzen, weißt du?«

Ich grinse sie an und erfreue mich an dem Glück, das aus ihr herausströmt. Es ist ein seltsames Gefühl, wenn ein anderer Mann das eigene Mädchen verwöhnt, aber weil es June ist, möchte ich, dass sie alles Glück dieser Welt hat. Sie hat es verdient, auch wenn es nicht mit mir ist.

»Dann haben wir in diesem verdammten Riesen-Jacuzzi gebadet. Es war so entspannend, dass ich eingeschlafen und fast ertrunken bin.«

Meine Augen weiten sich. »Was?«

June nickt. »Ja, Dom sagte, er dachte, ich würde nur chillen, aber dann bin ich an seiner Brust hinunter ins Wasser gerutscht.« Sie muss lachen. »Er hat mich zwar nicht ganz untertauchen lassen, aber es war trotzdem verdammt lustig.«

»Ich bin sehr froh, dass du nicht gestorben bist.«

»Hmm, was noch?« Ihre Augen leuchten auf, als ob sie sich an mehr erinnern würde. »Das Frühstück am nächsten Morgen, du hättest es geliebt. Die besten Waffeln aller Zeiten. Und sie hatten diesen Honig, von dem Priscilla sagte, er sei aus der Gegend. Er war mit Lavendel angereichert.«

»Du hast also Cill getroffen?«, frage ich.

»Ja. Sie hat mich sofort entführt, als sie mich ins Visier genommen hat. Dom musste mich buchstäblich packen und wegtragen.«

»Sie ist ein Brüller.«

»Ich habe es dort geliebt.« June begegnet meinem Blick.

»Wir sollten mal wieder hinfahren. Wir alle.« Doch dann ändert sich ihre Stimmung leicht, was ich sofort erkenne.

»Was ist?«

»Hast du was von Co gehört?«

»Ja.« Ich schlucke die unangenehme Wendung hinunter, die unser Gespräch genommen hat, aber ich weigere mich, sie anzulügen. »Er war letzte Nacht mit mir unterwegs.«

»Das ist …« June versucht, das Wort zu finden, das sie benutzen will. Schließlich entscheidet sie sich für: »Gut.« Sie studiert mein Gesicht und verengt ihren Blick. »Warte!«

Ich blinzle sie an. »Was?«

»Bist du geschminkt?« Sie leckt an ihrem Daumen und wischt über meine Wange, wobei zweifellos der verdammte blaue Fleck zum Vorschein kommt, den ich versucht habe zu verbergen. »Was zum Teufel ist das, Magnus?«

»Ich … ich wollte nicht, dass du dir Sorgen machst.«

»Sorgen?« Sie sieht mich an. »Was versteckst du noch?« June hält meine Hand fest und untersucht die geschwollenen und lila Knöchel, die sich unter meinen Tätowierungen verbergen.

»Du solltest den anderen sehen«, lache ich und versuche, die Situation zu entschärfen.

»Magnus.« Sie starrt mich an. »Ihr seid in letzter Zeit in so gefährliche Sachen verwickelt wie schon lange nicht mehr. Co und Dom kamen neulich Abend total zerstört rein und jetzt das? Glaub nicht, dass ich Doms geprellte Brust nicht bemerkt habe. Woher zum Teufel kommt das? Und Co, wurde er niedergestochen oder so? Er blutete stark durch seinen Armverband.«

»Hm …« Ich will nicht lügen, aber ich kann ihr nicht wirklich die Wahrheit sagen. Wenn sie wüsste, dass Dom und Co angeschossen worden sind, würde sie durchdrehen. Aber so, wie sie mich jetzt ansieht, ist sie vielleicht schon kurz davor.

»Warum kannst du zur Abwechslung nicht einfach mal ehrlich zu mir sein, Magnus? Ich weiß, dass du es willst.«

»Versprich mir, dass du nicht ausflippst, Prinzessin!«

»Ich werde dich abstechen, wenn du es mir nicht sagst.« Sie schlägt mir auf die Schulter.

Ich lehne mich näher an sie heran und senke meine Stimme. »Sie wurden angeschossen.« Sofort fällt mir eine Last von der Brust. »Aber es geht ihnen gut, wirklich. Sie trugen beide Schutzwesten. Deshalb hatte Dom auch den blauen Fleck auf der Brust. Aber das ist nichts, worüber du dir Sorgen machen musst. Bitte sag nichts.«

Junes Nasenflügel blähen sich auf, und einen Moment lang stelle ich mir vor, wie heißer Dampf aus ihren Ohren aufsteigt. Aber es dauert einen Moment, bis ihre Entschlossenheit nachlässt. »Danke für deine Ehrlichkeit.«

»Danke, dass du mich nicht umgebracht hast.« Ich beuge mich vor und küsse ihre Nasenspitze.

»Und wo warst du mit Co gestern Abend?«

»Ich habe etwas erledigt, während du und Dom weg wart.«

»Ja?«

Ich nicke. »Ja, er dachte, es wäre sicherer, als wenn du bei ihm wärst.«

»Wer dachte das?«

»Dom, ähm.«

»Moment mal! Lass mich das klarstellen.«

Mein Herz rast, als mir klar wird, dass ich es vielleicht gerade vermasselt habe. Ich habe ein Geheimnis ausgeplaudert und jetzt fliegen sie mir alle aus dem Mund. Das ist der Grund, warum es sich nicht lohnt, mit den Menschen in deinem Leben unehrlich zu sein. Ehrlichkeit ist die beste Strategie. Ich bin eine schlechte Lügnerin, und obwohl ich eine verdammt gute Pokerspielerin bin, ist mein Bluffgesicht für die, die ich liebe, ein Scheiß.

»Dom hat mich aus der Stadt gebracht, damit du und Co dieses Ding durchziehen könnt?«

Ich kaue auf der Innenseite meiner Lippe. June hat hundertprozentig recht, aber wenn ich das bestätige, wird sie mit Sicherheit ihren verdammten Verstand verlieren. Es ist nicht so, dass Dom keine Zeit mit ihr allein verbringen wollte, aber er hat es definitiv so eingerichtet, um ihre Sicherheit zu gewährleisten, während Hayes und ich einer Spur nachgegangen sind.

»Ich habe doch recht, oder?« June blickt mir verzweifelt in die Augen und versucht, die Wahrheit herauszufinden. Aber sie und ich wissen beide, dass mein Schweigen viel lauter spricht als Worte.

»Prinzessin ...«

»Dieser verdammte Mistkerl!« June setzt sich auf und ballt ihre Hand zu einer Faust. »Ich werde ...«

Ich lege meine Handfläche auf ihren Rücken, aber sie schreckt zurück.

»Fass mich jetzt nicht an, Magnus. Ich will dir nicht wehtun.«

Ich rutsche an den Rand des Bettes. »Du wirst mir nicht wehtun, Prinzessin.«

Ihre Kiefer spannen sich an. »Ich bin nicht böse auf dich, aber ich muss mich anstrengen, meine Fassung wiederzuerlangen.«

Hayes kommt zur falschen Zeit an meiner Tür vorbei.

June stürzt vom Bett, bevor ich sie packen kann, und ruft ihm nach. »Wo zum Teufel willst du hin?«

»Können wir das ein anderes Mal machen, J?« Hayes geht weiter den Flur entlang.

»Nein.« Sie klammert sich an seine Schulter und versucht, ihn an sich zu ziehen.

Er bleibt auf der Stelle stehen, und ich bewege mich in ihre Richtung, nur für den Fall, dass ich eingreifen muss. Ich kenne June gut genug, um zu wissen, dass sie das nicht auf sich beruhen lassen wird, und ich möchte nicht zwischen sie und das kommen, was sie Hayes sagen will.

»Wo warst du gestern?«, fragt sie.

Mit dem Rücken zu ihr sagt er: »Aus.«

»Wirklich, Co? Das ist es, was du sagen willst? Du benimmst dich wie ein Arschloch und verschwindest dann für einen Tag, und das ist alles, was ich bekomme? Keine Entschuldigung. Keine Erklärung. Kein gar nichts.«

Hayes dreht sich langsam zu ihr um, sein Gesicht ist endlich zu sehen. Geprellt, geschwollen und mit Schnitten an Stirn und Lippe.

»Was ist mit deinem Gesicht passiert?« Ein Hauch von Sorge liegt in ihrem Ton.

»Ich werde das nicht tun, J.«

Aber das bisschen Sorge, das sie hatte, wird schnell von Wut ausgelöscht. »Verdammt gut, ich auch nicht.« Sie dreht sich auf dem Absatz um und stürmt an mir vorbei den Flur entlang.

»Was glaubst du eigentlich, wohin du gehst?«, ruft Coen ihr hinterher.

Aber June streckt den Mittelfinger hoch. »Aus!«

Ich eile hinter ihr her und falle fast die Treppe hinunter, bei dem Versuch, sie einzuholen.

»Liebes«, begrüßt Simon sie. »Was ist los?« Er hält sich an ihren Schultern fest und versucht, sie aufzuhalten. »Hey, sieh mich an. Was ist los?«

»Ich brauche einfach etwas Freiraum.«

Simon lässt sie ohne zu fragen frei. »Okay.« Er lässt seine Aufmerksamkeit kurz zu mir schweifen und konzentriert sich dann wieder auf sie. »Lass uns etwas Luft schnappen.«

»Nein«, platzt es aus ihr heraus. »Nicht du.« Sie dreht sich zu mir um. »Nicht du.« Und sie zeigt in die Richtung, aus der wir gekommen sind. »Und ganz sicher nicht er. Ich brauche fünf verdammte Minuten für mich. Ich verlange nicht viel. Um Himmels willen, lasst mich einfach in Ruhe. Ihr alle.«

Mein Herz schmerzt, aber ich wusste, dass dies kommen würde. Der Moment, in dem sie keinen von uns mehr um sich haben will. Sie bittet nur um fünf Minuten, aber wie lange wird es dauern, bis sie es länger oder dauerhafter haben will?

June stürmt durch das Garagentor und schlägt es hinter sich zu.

Ich schleiche in Richtung der Stelle, an der sie verschwunden ist, aber Simon unterbricht mich. »Ich glaube, du solltest hierbleiben«, sagt er mir.

»Geh mir verdammt noch mal aus dem Weg, Beckett!«, murmle ich nur Zentimeter von seinem Gesicht entfernt.

»Sie ist wütend auf euch, nicht auf mich. Ich bin nicht derjenige, der sie ständig anlügt. Es ist besser, wenn ich gehe.«

Ich hasse es, dass er recht hat, aber das hat er verdammt noch mal. June hat zwar gesagt, sie sei nicht wütend auf mich, aber das heißt nicht, dass es stimmt. Ich bin genauso schuldig wie Hayes und Dominic, weil ich June im Ungewissen gelassen habe und all diese Geheimnisse und Distanz in mir trage. Simon war die ganze Zeit für sie da und hat nichts anderes getan, als die Wunde zu heilen, die wir immer wieder aufreißen. Sosehr ich sie auch trösten möchte, es ist möglich, dass ich alles nur noch schlimmer mache.

»Geh verdammt noch mal!«, sage ich ihm. »Beeil dich, bevor sie zu weit kommt!«

# KAPITEL EINUNDZWANZIG – JUNE

*D*ominic hat mich angelogen. Mehr, als er es normalerweise tut. Er hat ausgenutzt, dass ich so gerne mit ihm allein sein wollte, und mich so manipuliert, dass ich dachte, er wolle tatsächlich mit mir weggehen.

Er hat mich gefickt. Wieder und wieder und wieder. Und was schließlich den Nagel in den sprichwörtlichen Sarg schlug, war, dass ich merkte, dass all das Ficken nur dazu diente, mich von seinen Hintergedanken abzulenken. Wie es sich für ihn gehört, hat er einen. Er ist hinterhältig, intrigant und macht mich zu Tode wütend.

Ich eile durch das Tor, bevor es sich schließt, und schlüpfe auf den Bürgersteig hinaus. Die Nachtluft ist kühl und warm zugleich, aber mit der Luftverschmutzung der Stadt durchzogen. Es ist ganz anders als in Washington, so viel ist sicher.

Ich stampfe mit den Füßen auf dem leeren Bürgersteig herum und versuche, das ganze Erlebnis abzuschütteln. Ich kann nicht glauben, dass ich auf Doms Scharade hereingefallen bin. Ich habe jede Minute davon verschlungen und dachte, ich wäre ihm nicht egal. Dass er unsere gemeinsame Zeit vermisst und etwas davon haben wollte, um sich bis zu dem von ihm erfundenen Scheißtermin über Wasser zu halten.

War die Sache, dass er mich noch eine Woche warten ließ, echt oder eine weitere seiner ausgeklügelten Lügen, um mich davon abzuhalten, ihn um die Wahrheit zu bitten?

War irgendetwas davon echt? Oder war ich für ihn nur ein Spiel? Eine Aufgabe, die er bewältigt hat und die ihn nicht mehr stört?

»Liebes, warte!«, ruft mir Simon aus den Schatten zu.

Ich erschrecke beim Klang seiner Stimme – ich war so in meinem eigenen verdammten Kopf versunken, dass ich nicht gehört habe, wie er zu mir gerannt kam, um mich einzuholen.

»Lass mich in Ruhe, Simon, bitte!« Ich gehe weiter die schummrige Straße hinunter.

»Tut mir leid, Liebes. Das geht nicht.« Er kommt zu mir an die Seite. »Du kannst stinksauer sein. Ich werde dir nicht widersprechen, aber du musst es an meiner Seite sein.«

»Ich kann nicht denken, wenn du dabei bist«, schreie ich ihn an. »Ihr seid alle ...« Ich zeige auf ihn. »Du.« Ich stoße meinen Finger in seine Brust. »Das ist verdammt ablenkend.«

»Ähm, na ja. Wie bitte?« Simon schlendert neben mir her, seine Schritte sind langsam im Vergleich zu meinen abgehackten, kurzen Schritten. Es ist fast so, als würde sein Tempo das meine beleidigen, weil meine Beine viel kürzer sind als seine.

»Ich möchte nicht darüber reden.«

»Dann lass uns nicht reden.«

»Es macht mich einfach so wütend.«

»Ich dachte, du wolltest nicht darüber reden?« Er blickt zu mir.

»Ich bin total verrückt. Ich weiß nicht, was ich will.«

Simon reißt die Arme hoch. »Das ist in Ordnung.«

»Weißt du, wo sie letzte Nacht waren?« Ich bleibe stehen und schaue ihn an, studiere jedes einzelne Merkmal, das ich in seinem schönen Gesicht erkennen kann, um zu sehen, ob er lügt.

»Nein. Und du?«

Ich seufze. »Nein. Aber es war etwas Dubioses.« Ich verschränke die Arme vor der Brust. »Dom hat mich aus der Stadt gebracht, damit sie das erledigen konnten.« Ich halte wieder inne. »Wo warst *du* letzte Nacht?«

»Beruhige dich, Liebes. Ich habe den neuen Keanu-Film gesehen und ein verdammtes Schaumbad genommen. Um zehn war ich im Bett.«

Ich verenge meinen Blick und werte seine Worte aus – die Tonlage seiner Stimme. Ich habe genug mit Simon zu tun, um zu wissen, wann er lügt. Da ist dieses unbedeutende Zucken seiner Lippen und manchmal ändert sich seine Stimmlage ganz leicht. Es ist nicht viel, aber ich erkenne es. Und davon sehe ich gerade nichts. Er hat mich noch nie wegen irgendetwas Großem angelogen, nur wegen dummer Sachen, wie zum Beispiel, dass er ein bestimmtes Essen mag oder dass er etwas bevorzugt. Nichts, bei dem es um Leben und Tod geht oder das mich dazu bringen würde, mein Vertrauen in ihn zu verlieren.

»Ich schwöre«, fügt Simon hinzu.

»Nun«, fahre ich fort, »ich bin froh, dass du einen Abend für dich hattest.«

»Du weißt, dass ich lieber bei dir gewesen wäre.«

Ich beobachte ihn von der Seite. »Ich bin heute schon genug belogen worden, Simon.«

Simon legt seinen Arm um meine Schulter und drückt mich an seine Brust. »Du hast mir verdammt gefehlt, Liebes.« Er drückt mich fest an sich und lässt mich dann los, um die Grenze nicht noch mehr zu überschreiten.

»Ob du es glaubst oder nicht, ich habe dich auch irgendwie vermisst.« Ich stoße ihn mit meinem Ellbogen an. »Aber wenn du es jemandem erzählst, werde ich dich umbringen.«

Er tut so, als würde er den Mund verschließen und den

Schlüssel ins Gebüsch werfen. »Meine Lippen sind versiegelt, Liebes.«

Scheinwerfer erhellen die Straße und Simon hält seine Waffe fest, während ein Auto vorbeifährt. Es fährt die Straße hinunter und verschwindet aus unserem Blickfeld.

»Du bist heute Abend furchtbar nervös«, stelle ich fest.

»Nun, du gerätst immer wieder in gefährliche Situationen, Liebes.«

»Vielleicht liegt es an den Männern, die ich um mich habe.«

»Zweifellos, aber ich denke, wir wissen beide, dass du auf der Suche nach Ärger bist.«

»Offensichtlich.« Ich streiche mit den Fingern über die Blätter des Baumes, an dem ich vorbeikomme, und reiße eines ab. »Apropos.« Ich zupfe an dem Blatt, das ich in der Hand halte. »Können wir wieder etwas unternehmen? Eine Runde mit dem Bike fahren oder so?«

Simon hält sich die Hand vor die Brust und keucht. »Benutzt du mich, Liebes?«

Ich pruste. »Benutzen, ausnutzen, was auch immer. Wir haben Spaß zusammen, streitest du das ab?«

»Überhaupt nicht.« Simon lässt seine Hand fallen und tut so, als wäre er verletzt. »Aber es ist nur eine Frage der Zeit, bis einer deiner Freunde es herausfindet und der Sache ein Ende setzt. Was, wenn sie jemanden anheuern, der mich ersetzt? Dann hast du es mit einem knallharten Kerl zu tun, der keine Persönlichkeit hat.«

»Du hast Persönlichkeit?«

Simon zuckt mit den Schultern. »Ich bin der coolste Mensch, den ich kenne.«

»Das hättest du wohl gern.«

Eine weitere Reihe von Scheinwerfern erhellt die Straße und rast an uns vorbei, nur dieses Mal lenken sie mich von den anderen ab, die von rechts auf uns zukommen, und von denen, die hinter uns auf den Bürgersteig fahren und uns den Weg komplett versperren.

Ein Mann springt aus einem der Fahrzeuge und Simon greift nach seiner Waffe, aber es ist zu spät, der Mann wirft ihn zu Boden und schlägt ihm ins Gesicht, sodass er bewusstlos liegen bleibt.

Ich beobachte entsetzt, wie der Mann, den ich gerade noch aufgezogen habe, regungslos am Boden liegt. Ich drehe mich, um die Person, die auf mich zukommt, zu schlagen, aber ich treffe sie nicht. Mehrere Kerle überwältigen mich und drücken mir ein Tuch ins Gesicht, so wie es schon bei meiner Entführung vor Monaten abgelaufen ist. Ich kralle mich an meinen Angreifern fest, kratze mit den Fingern über ihre Haut, aber es nützt nichts, denn womit auch immer der Stoff getränkt ist, macht mich innerhalb von Sekunden bewusstlos.

*J*ch wache in einem benebelten Zustand auf, meine Augen blinzeln und versuchen verzweifelt, durch die schwache Beleuchtung zu sehen. Ich ruckle mit meinen Händen, aber sie sind an die Armlehnen des Stuhls gefesselt, auf dem ich sitze. Auch meine Beine sind an dem Stuhl befestigt. Alle meine Gliedmaßen werden an ihrem Platz gehalten. Meine Schuhe knirschen auf dem Linoleum, das den Boden bedeckt. Ich nehme meine Umgebung in Augenschein und richte meinen Blick schließlich auf jemanden vor mir.

Der schöne Mann, mit dem ich in den letzten sechs Monaten fast jeden Tag verbracht habe, ist ebenfalls an einen Stuhl gefesselt. Sein Gesicht ist blutverschmiert von dem Schlag auf seinen Kopf und seine Nase ist verbogen, als wäre sie gebrochen. Sein Kopf hängt schlaff herunter, und ich habe mir nie mehr gewünscht, ihn zu berühren. Ich starre auf seine Brust und halte meinen Atem an, um zu erkennen, ob sie sich hebt und senkt. Seine Atmung ist flach, aber ich seufze erleichtert, weil ich sehe, dass noch Leben in ihm ist.

Eine einzelne Glühbirne baumelt zwischen uns und spendet nur wenig Licht, um den unheimlichen Raum zu erhellen. Der metallische und schmutzige Geruch lässt mich glauben, dass wir uns in einem Industriegebäude befinden. Ich halte inne und lausche aufmerksam, in der Hoffnung, irgendeinen Hinweis darauf zu bekommen, wo wir sind. In der Ferne höre ich Wasser, und in dem Moment, in dem ich es erkenne, nehme ich die schwächste Spur davon in der Luft auf.

»Ah, ich sehe, die kleine Schlampe ist wach«, ruft ein Mann, der auf mich zukommt.

»Warum bindest du mich nicht los und sagst das noch einmal?« Ich wehre mich gegen die Fesseln.

»Das ist verdammt süß.« Er kommt in mein Blickfeld. Sein Haar ist ein Chaos, verfilzt und durcheinander. Sein ranziger Atem verdreht mir den Magen. Er hält ein Messer in der Hand und richtet es auf mich.

Ich schlucke die Vertrautheit der Situation herunter. Dieselbe Art, mich zu entführen. Dieselbe Art von Waffe, um mich zu foltern. Wenn ich meinen Angreifer nicht schon getötet hätte, würde ich behaupten, dass dies das Werk desselben Mannes ist. Aber ich habe ihm die Kehle durchgeschnitten und sein Blut mit mir nach Hause getragen, bis ich es abgeduscht und ihn und diese Erfahrung den Abfluss hinuntergespült habe. Das war die Nacht, in der etwas in mir zum Leben erwachte. Simon hat es miterlebt, während ich die Klinge durch den Hals des Mannes schnitt. Meine Männer versuchen zu ignorieren, was in mir erwacht ist, aber diese Art von Dunkelheit lässt sich nicht leugnen. Je mehr man versucht, sie auszulöschen, desto bösartiger wird sie.

Und jetzt bin ich hier, Auge in Auge mit einer Kopie des Mannes, den ich getötet habe. Meine Vergangenheit kehrt zurück, um mich heimzusuchen und zu testen, ob ich es noch einmal hinausschaffe oder nicht. Nur bin ich dieses Mal nicht dasselbe schwache Mädchen. Nein, ich bin eine sadistische Schlampe, die so viel Wut in sich trägt, dass sie diesen ganzen Ort niederbrennen könnte.

Ich muss nur abwarten und mir überlegen, wie ich Simon und mich hier rausholen kann.

»Komm her!«, rufe ich, als er sich von mir entfernt und auf Simon zugeht. »Ich dachte, wir wollten ein bisschen Spaß haben.«

Aber er hört nicht zu. »Du musst erst deinen Freund aufwecken.« Er sticht Simon mit der Spitze seiner Klinge in die Wange, bis ihm das Blut den Hals hinunterläuft und er wieder zu sich kommt.

Simon keucht und windet sich, und innerhalb einer Sekunde sind seine Augen auf meine gerichtet. Eine Million Emotionen blitzen auf seinem Gesicht auf, und ich erkenne jede Einzelne von ihnen. Besorgnis. Wut. Zorn. Sie kämpfen darum, ihren Platz im Rampenlicht einzunehmen. »Lass sie gehen und nimm mich!«

Ich verenge meinen Blick auf ihn. *Verdammte Scheiße!*

Der Mann lacht. »Ich werde nichts dergleichen tun. Das wäre ja ein Zwei-für-Eins-Deal, und ich werde nicht wegen eines armseligen Feilschens den Kürzeren ziehen.«

»Du willst sie nicht. Sie ist niemand für dich.« Simon bettelt weiter. »Ich kann dir geben, was du willst. Geld. Autos. Frauen. Alles, was du willst, sag es, es gehört dir. Lass sie einfach gehen.«

»Glaubst du, ich bin deinetwegen hier, mein Sohn?« Er gluckst trocken. »Der Schlag gilt ihr, nicht dir, Schönling.« Er zieht seinen Arm zurück und schlägt Simon mit der Faust ins Gesicht. »Und jetzt halt die Klappe, bevor ich dir die Zunge herausschneide.«

Damit hatte ich dem anderen Kerl gedroht, bevor ich fragte, ob ich ihm das Herz aus der Brust schneiden dürfe. Simon war der Erste, der sich meldete und es für mich tun wollte. Letztendlich haben wir die Theorie nie ausprobiert, aber bei diesem Kerl würde ich das ganz sicher gerne tun.

Ich zapple weiter und versuche, eine Schwachstelle in seinem Plan zu finden. Aber weder meine Hände noch meine Beine rühren sich von der Stelle. Dieser Wichser wollte nicht denselben Fehler machen wie der andere Mann, der es gewagt hatte, mich als Geisel zu nehmen.

»Das wirst du mir büßen. Du weißt nicht, mit wem du dich hier anlegst.« Ich spucke den Mann an, als er nahe genug herankommt.

Er schlägt mich mit dem Handrücken und lässt das Blut aus meiner Nase hinunter und auf meine Brust tropfen. Er führt die Spitze der Klinge nach unten und schneidet durch den Stoff meines Shirts, sodass noch mehr von mir zum Vorschein kommt, als ohnehin schon zu sehen war.

»Ich bringe dich um, verdammt!«, schreit Simon ihn an. »Fass sie verdammt noch mal nicht an, sonst reiße ich dir jeden einzelnen deiner Finger ab und schiebe sie dir in die Augenhöhlen.«

»Ist das so?« Er blickt zu Simon und dann zu mir. »Was denkst du?« Er stellt sich hinter mich, packt mit der Faust mein Haar und hält die Klinge fest an meinen Hals.

»Sieh mich an, Liebes!«, flüstert Simon. »Sieh mich einfach an! Sieh mich weiter an!« Seine Augen schimmern im hellsten Grün, das ich je gesehen habe, und er starrt mich an, als hinge mein Leben davon ab. Denn das tut es in gewisser Weise auch.

Vielleicht ist es gar nicht so schlimm zu sterben, wenn er das Letzte ist, was ich sehe. Der einzige Mann, der mir wirklich die Wahrheit gesagt hat und alles getan hat, um mich zu beschützen. Meine Männer behaupten zwar das Gleiche, aber alles, was sie getan haben, hat mich mit jedem Tag mehr und mehr verletzt. Ihr Betrug ist es, der mich überhaupt erst aus dem verdammten Haus getrieben und mich und Simon an diesen schicksalhaften Ort geführt hat.

Wenn ich heute sterbe, dann klebt mein Blut an ihren Händen. Nicht an denen dieses Mannes. Die Männer, die behaupteten, nur mein Bestes im Sinn zu haben, und mich dennoch wegstießen, bis ich buchstäblich vor ihnen davonlief.

Und jetzt stehe ich hier, starre in die Augen ihres Feindes und spüre nichts als verdammten Hass in meinen Knochen.

Hass auf die Lügen.

Hass auf die Entfernung.

Hass, weil sie mich glauben ließen, dass sie etwas sein würden, dem sie niemals gerecht werden könnten.

Und vielleicht war das meine Schuld, weil ich diesen Druck auf sie ausgeübt habe oder weil ich unrealistische Erwartungen hatte, aber ich habe von Anfang an deutlich gemacht, dass ich keine Beziehung wollte, und sie haben darauf bestanden. Sie haben mir vorgegaukelt, dass ich für sie an erster Stelle stehe, und sie haben mir damit nur recht gegeben.

Coen hat mir einen Gefallen getan, als er mich vor einem Jahrzehnt im Stich gelassen hat. Er hat mich in meinem Glauben bestärkt, dass nichts Gutes von Dauer ist. Ich habe das zum ersten Mal erlebt, als meine Mutter starb und ich mein Herz davor verschloss, jemals wieder verletzt zu werden. Ich war jung, aber ich wusste, dass ich mich vor dem Schmerz schützen musste, den ihr Verlust in mir hinterließ. Aber als ich den gebrochenen Jungen auf dem Friedhof sah, der dasselbe Trauma hatte wie ich, beschloss ich, ihm eine Chance zu geben. Ich ließ ihn an mich heran, weil ich an die Liebe glauben wollte, und als er in dem Lastwagen verschwand und nicht mehr zurückkam, erstarrte mein Herz mehr als je zuvor.

Ich hätte es dabei belassen sollen. Abgehärtet und abgeschirmt gegen Fürsorge, Gefühle und Vertrauen. Das habe ich so lange getan, aber als die Männer in mein Leben traten und mein Herz von den Toten zurückholten, setzte ich dummerweise dasselbe Vertrauen in diese drei Männer und gab ihnen eine gigantische Chance, mich schlimmer zu ruinieren, als ich es je zuvor gewesen war.

Ich versprach mir damals, niemals jemanden so zu verletzen, aber jetzt habe ich die einzige Person verraten, die jemals für mich da gewesen ist, während des ganzen Herzschmerzes – mich. Nicht nur das, sondern ich habe mich selbst auf einem Silbertablett serviert.

Ein Teil von mir fragt sich wirklich, was passiert wäre, wenn ich Simon zuerst getroffen hätte. Hätte ich ihm dieselbe Chance gegeben, die ich ihnen gegeben habe? Hätten er und ich auf dem Thron gesessen, die Organisation gemeinsam regiert, um uns herum Chaos angerichtet und uns bedingungslos geliebt? Oder hätte ich ihn ausgegrenzt? Hätte er nie Interesse gezeigt, weil ich kein Objekt gewesen wäre, das er Dominic wegnehmen musste, um ihn zu stürzen? Vielleicht will er mich nur, weil er mich nicht haben kann.

Aber wenn ich ihm in die Augen schaue, so verzweifelt und verzweifelt darauf bedacht, dass meine Augen die seinen nicht verlieren, dann stelle ich alles infrage.

»Liebes, ich bin hier.«

Simons Arme und Beine sind an einen Stuhl gefesselt, und irgendwie ist es, als wäre er direkt bei mir und würde mich umarmen, obwohl er gefesselt ist. So viel von seiner Liebe strömt zu mir herüber, dass ich sie wie einen schützenden Mantel um mich trage, der mich vorübergehend vor den Gefahren dieses Raumes abschirmt.

»Liebes?«, spottet der Mann. »Ha ha ha!« Er zieht die Spitze der Klinge über meine Wange und schneidet eine dünne Schicht meiner Haut auf. Das Blut rinnt hinunter, warm und klebrig.

»Dominic wird dich dafür verdammt noch mal ausnehmen.«

Er lacht. »Ich habe Schutz von höherer Stelle. Dominic Adler kann mir nichts anhaben.«

Das Telefon klingelt, und ich zucke zusammen, als ich es höre.

Der Mann stößt meinen Kopf nach vorne, lässt mich los und wendet seine Aufmerksamkeit dem läutenden Gerät zu. »Bronco, hier.«

Wer zum Teufel nennt sein Kind Bronco? Oder ist das ein bescheuerter Spitzname, den er sich selbst gegeben hat, um cool zu sein? Wie auch immer, er ist verdammt dumm.

»Liebes«, ruft Simon mir zu. »Ich werde dich hier rausholen.«

»Wenn ich nur …« Ich kämpfe mit meiner rechten Hand und dem Seil, das sie an den Stuhl bindet. Es franst nur leicht aus, aber mehr als zuvor. Ein minimaler Fortschritt, aber immerhin ein Fortschritt.

Simon wackelt mit seinem Stuhl und ruckelt ihn näher zu mir.

Doch als ich einen Blick zur Seite werfe, stelle ich fest, dass er nicht versucht, näher an mich heranzukommen, sondern an den Tisch mit den Waffen neben mir. Messer in verschiedenen Längen und Größen, zwei Handfeuerwaffen, verschiedene Werkzeuge, die in eine Garage gehören, nicht hierher.

Wenn ich nur meine Hand befreien und meinen Arm ausstrecken könnte und versuchen, irgendetwas aus dem Arsenal dieses kranken Mannes zu greifen. Vielleicht hätte ich dann eine Chance, uns hier rauszuholen.

Ich schaue hinter mich und versuche, unseren Entführer ins Visier zu nehmen. Ich kann ihn nicht sehen, aber ich höre seine gedämpfte Stimme. Ich drehe mein Handgelenk hin und her, das Seil reibt meine Haut auf. Ich beiße die Zähne zusammen und kämpfe mich durch den unangenehmen Schmerz.

»Ich habe fast ein Bein frei«, sagt Simon. »Warte!«

Ich halte inne und beobachte ihn, wie er seinen Stuhl zur Seite kippt und das Ding fast umkippt, während er sein Bein nach unten manövriert und das Stuhlbein aus der Halterung schüttelt, die ihn festhält.

»Ich habe es verdammt noch mal verstanden«, jubelt der Kerl leise.

»Liebes, du musst dasselbe tun.« Simon lehnt sich auf die andere Seite, diesmal mit Hilfe seines befreiten Beins, aber er wird von dem Mann unterbrochen, der auf uns zu schlendert.

»So, so, so. Ich habe neue Befehle bekommen.« Er seufzt und blickt zwischen uns hin und her. »Ich soll den Jungen töten und meinen Spaß mit dir haben.« Er schlendert zu der Auswahl an Waffen hinüber. »Ich schätze, eine Kugel in den Kopf wäre effektiv.« Er schnappt sich die Waffe und zieht den Schlitten zurück.

»Warte!«, rufe ich ihm zu.

Er wendet sich mir zu und hebt eine Augenbraue. »Ja?«

»Lass ihn gehen und du kannst mit mir machen, was du willst.«

»Oh, Süße, ich werde sowieso mit dir machen, was ich will.« Ein Grinsen überzieht sein ekelhaftes Gesicht.

»Aber«, werfe ich ein, bevor er sich Simon zuwenden kann. »Ich werde kooperieren.« Mir läuft es kalt den Rücken herunter, wenn ich zulasse, dass dieser Mann mir etwas antut, aber wenn es das ist, was ich tun muss, um Simon zu retten, wird es das alles wert gewesen sein.

Simon hat in den letzten sechs Monaten alles in seiner Macht Stehende getan, um mich zu beschützen, jetzt habe ich die Chance, mich zu revanchieren.

»June«, Simon starrt mich direkt an. »Denk nicht einmal daran!«

»Es ist okay.«

»Hm, es wäre ganz lustig, zur Abwechslung mal eine Willige zu haben.« Der Mann mustert mich von oben bis unten, sein Blick ist heiß und abschätzend.

»Warum legst du nicht die Waffe weg und kommst her?« Ich

schaue ihn mit meinen besten Fick-mich-Augen an, obwohl ich bei seinem Anblick am liebsten kotzen würde. »Komm schon, es wird sich für dich lohnen.«

Er kommt mir entgegen und frisst mir aus der Hand, während er die Waffe auf den Tisch legt und zu mir schreitet.

»Fass sie bloß nicht an!«, schreit Simon.

Der Mann streckt seine Hand aus und starrt mich unverändert an. »Um dich wird man sich gleich kümmern, mein Sohn.«

Ich blicke durch meine dichten Wimpern auf den ekligen Kerl vor mir. »Komm her!«

Er legt beide Hände auf die Armlehnen meines Stuhls und beugt sich zu mir herunter. Sein Atem riecht sauer und mir dreht sich der Magen noch mehr um.

Ich warte darauf, dass er noch näher kommt.

Nahe genug, um meinen Kopf nach hinten zu lehnen und den dann direkt auf seinen zu stoßen, sodass seine Nase durch den Aufprall zerquetscht wird und das Blut über sein Gesicht läuft. Ich reiße meine Hand von den Fesseln los, an denen ich gearbeitet hatte, und stoße den Kerl auf den Betonboden. Ich strecke meinen verdammten Arm so weit wie möglich aus, aber ich kann die Waffen nicht greifen, die sich gerade außerhalb meiner Reichweite befinden.

Simon handelt gleichzeitig, stürzt nach vorne und wirft sich und seinen Stuhl auf den Mann, wobei ein Teil des Holzrahmens nachgibt, aber nicht genug, um ihn vollständig zu befreien.

Ich folge seinem Beispiel und werfe mich auf den Waffentisch. Ich stoße mit der Hand dagegen und kippe ihn um, während ich mit einem lauten Knall auf den Boden falle. Ich schlage mit dem Schädel auf die harte Oberfläche und blinzle durch die Sterne, die sich in meinem Blickfeld bilden. Ich suche verzweifelt nach einer Waffe in meiner Reichweite und entscheide mich für ein kleines Messer, das nur wenige Zentimeter entfernt liegt.

Simon und der Mann ringen auf dem Boden, beide stoßen Obszönitäten aus, die ich nicht ganz verstehen kann.

Ich grabe meine Finger in den Beton und schleppe mich zum Messer. Schließlich halte ich es fest und befreie sofort meine andere Hand. Dabei schneide ich mir das Handgelenk auf, weil ich mich so schnell wie möglich befreien will.

Der Mann stößt sein Knie in Simons Brust, drückt ihn zu Boden und schlägt ihm ins Gesicht. Er holt zu einem weiteren Schlag aus, denn Simons Händen sind immer noch am Stuhl befestigt.

Ich fahre mit dem Messer über meine Fußfessel und befreie erst das eine und dann das andere Bein. Ich springe auf die Männer zu und stoße das Messer in den Rücken des Kerls, der auf Simon sitzt, und ziehe es wieder heraus. »Lasst ihn verdammt noch mal los!«, schreie ich.

Bronco fällt vor Schmerzen zur Seite, und ich befreie Simon aus seinen Fesseln.

Das Geräusch eines Fahrzeugs lässt mein Herz schneller schlagen.

»Wir haben Besuch«, sage ich zu Simon.

Er nimmt mir das Messer ab, sobald ich eine seiner Hände aus der Umklammerung befreit habe, und macht sich an der anderen zu schaffen.

»Du verdammte Schlampe.« Bronco packt mein Haar und reißt mich von Simon weg.

Meine Augen tränen, als er mich festhält, und ich versuche, mich zu befreien, aber sein Griff ist zu fest.

Er wirft mich auf den Beton und lässt mich los, klettert dann aber auf mich und drückt meine Arme mit seinen Knien fest. »Ich werde deinen Freund dazu bringen, zuzusehen, während ich mich an dir vergreife, du kleine Fotze.« Er legt seine Hand um meine Kehle und drückt zu.

Meine Sicht verschwimmt, und ich ringe nach Luft, und das Ende scheint so verdammt nah.

»Nur über meine verdammte Leiche.« Simon kommt aus dem Nichts und reißt Bronco von mir, schlägt ihn nieder und stößt dem Arschloch das Messer, das ich bei ihm gelassen habe, in die Kehle. Er hebt mich vom Boden und starrt mir in die Augen. Sein smaragdgrüner Blick ist ein Trost für all den pochenden Schmerz, der mich durchströmt. »Liebes, wir müssen hier weg.«

Eine Autotür schlägt zu, dann noch eine. Mindestens zwei Personen sind jetzt auf dem Weg zu uns.

»Ich bringe euch beide um«, wimmert Bronco von seinem Platz auf dem Boden, wo er verblutet.

Ich stürze zu ihm hinüber, ziehe das Messer aus der sprudelnden Wunde und steche es wiederholt in seine Brust. »Du … wirst … nie … wieder … etwas … tun!« Jedes Wort ein weiterer Einschnitt in seinen Oberkörper. »Du … verdammter … Bastard.«

Simon packt mich an den Schultern und zerrt mich von ihm weg.

Ich werfe die blutige Klinge auf den Mann und drehe mich zu Simon um, wobei mir das Rot über die ganze Vorderseite läuft. Er verschränkt seine Finger mit meinen, ohne sich darum zu scheren, dass ich blutverschmiert bin, und zieht mich weg. »Komm schon, Liebes!«

Wir rennen los, aber nicht bevor die Leute von draußen das Gebäude betreten und uns entdecken. »Schnell, sie entkommen.«

Einmal dem Tod zu entkommen, mag möglich gewesen sein, aber wie groß ist die Chance, dass wir es in derselben Nacht noch einmal schaffen?

# KAPITEL ZWEIUNDZWANZIG – SIMON

Ich halte June fest und renne so schnell, wie ihre Beine uns tragen können.

Ein Schuss ertönt und ich werfe meinen Körper über ihren.

Wir stürmen durch eine Tür in die Nacht, die ganze Gegend ist stockdunkel, nur der Mond spendet uns ein wenig Licht.

»Hier entlang«, flüstert June.

Wir schleichen hinter Frachtcontainern entlang und drängen weiter vorwärts, um so viel Abstand wie möglich zwischen uns und diese Menschen zu bringen.

Noch ein Schuss ertönt, aber dieses Mal nicht in unserer Nähe. Wir müssen diese Arschlöcher tatsächlich abhängen.

»Wo zum Teufel sind wir?«, fragt June.

»Kann ich nicht sagen, noch nicht. Diese verdammten Lagerhäuser sehen alle gleich aus.«

Wir schlängeln uns an dem Lagercontainer entlang und halten am Ende inne.

Ich stecke meinen Kopf hinaus, um mich zu vergewissern, dass die Luft rein ist und nicke, damit wir weiterlaufen können.

»Ich höre Wasser«, sagt June leise.

»Ich auch.«

»Könnten wir ein Boot stehlen?«

»Ja.« Ich schlucke heftig. »Vielleicht.« Ich bin kein großer Fan von offenen Gewässern, aber wenn es nötig ist, in ein Boot zu steigen, um sie von hier wegzubringen, würde ich es sofort tun.

»Hier drüben!«, schreit jemand. »Da ist eine Blutspur.«

Ich packe June an den Schultern und ziehe sie zu mir. »Sie sind in der Überzahl und ich habe keine Waffe. Wir müssen fliehen, Liebes.«

Sie nickt. »Zusammen?«

Ich ziehe ihre Hände zu meinen Lippen und küsse ihre Knöchel. »Zusammen.«

Wir sprinten los, umrunden einen weiteren Container und schlängeln uns durch dieses Industrie-Labyrinth.

Staubige Luft peitscht über meine Wange und der Schnitt, den mir das Arschloch zugefügt hat, brennt. Zum Glück hat June ihm den Garaus gemacht, denn sonst hätte ich ihn aufgespürt und ihn für das, was er ihr angetan hat – und was er vorhatte –, ausgeweidet.

*Bronco*, erinnere ich mich. Ein Name, der einen Hinweis darauf gibt, wer diesen Bastard angeheuert hat, um mein Mädchen zu entführen und zu foltern. Wer auch immer dafür verantwortlich ist, wird verdammt noch mal bezahlen – mit seinem verdammten Leben.

Ich werde diese Stadt in Schutt und Asche legen, um die Person zu finden, die es gewagt hat, sie mir wegzunehmen.

Niemand denkt daran, ihr etwas anzutun, und kommt damit durch.

Das offene Wasser kommt in Sicht. Für den Bruchteil einer Sekunde zögere ich, aber ich dränge weiter vorwärts. Wir laufen am Rande des Wassers entlang und suchen verzweifelt nach einem Ausweg. Irgendetwas, das uns vor den Männern, die uns mit Gewehren verfolgen, in Sicherheit bringt.

Eine Kugel zischt an meinem Kopf vorbei, und ich stelle

mich hinter June, um sie vor einem Angriff zu schützen. Es ist mir egal, ob ich sterbe, solange sie entkommen kann, das ist das Einzige, was zählt.

Wir laufen näher an den Rand des Wassers heran und nutzen die wenigen kleineren Lagercontainer, die den Bereich säumen, um uns vor Kugeln zu schützen, die von der Seite auf uns zukommen könnten. Es ist kein wirklicher Schutz, aber besser als nichts.

Nur sind nicht nur unser Rücken und unsere Seite verwundbar.

Und als ein Mann von vorn auf uns schießt, Junes Schulter streift, sie herumwirbelt und über die Kante der Werft ins Wasser stürzt, tue ich das Einzige, was mir einfällt – ich springe hinterher.

# KAPITEL DREIUNDZWANZIG –
## JUNE

D as Letzte, was ich sehe, als mein Kopf unter Wasser
taucht, ist Simon, der mir hinterher springt.

Simon – der Mann, der Angst vor Wasser hat und nicht
schwimmen kann.

Meine Schulter schreit von der Kugel, die mich gestreift hat,
aber das ist nichts im Vergleich zu der Panik, die mich durchströmt, weil ich weiß, dass Simon hier irgendwo ist und um sein
Leben kämpft.

Ich durchbreche die Wasseroberfläche und atme keuchend
ein, während ich verzweifelt die Oberfläche nach einem
Zeichen von ihm absuche. Ich danke einem Gott, an den ich
nicht wirklich glaube, dass er uns in die Nähe einer Ladezone
geschickt hat und uns die Docks sozusagen als Versteck vor den
Männern, die uns verfolgen, gegeben hat.

Aber all das wird nicht von Bedeutung sein, wenn ich ihn
nicht finden kann.

Ich tauche unter, wobei sich mein Blut zweifellos um mich
herum sammelt, und starre in die Dunkelheit, um ihn zu
entdecken. Ich schwimme im Kreis und ignoriere den Schmerz,
der meinen Körper durchströmt. Ich werde jeden Zentimeter

dieser verdammten Bucht absuchen, um ihn zu finden, oder ich werde bei dem Versuch sterben. Ihn zurückzulassen ist keine Option.

Ich steige wieder nach oben und suche und schaue. Mein Herz schlägt schneller, als die Füße der Männer sehe, die über den Steg neben uns schlurfen.

Da entdecke ich ihn, mit dem Gesicht nach unten, sein Körper treibt auf dem Wasser.

Ich schnappe nach Luft und schwimme schneller als je zuvor auf ihn zu, lege meinen Arm um ihn und ziehe ihn außer Sichtweite und unter den Pier. Das ist alles, was ich tun kann, und mit dem Adrenalin in meinen Adern schaffe ich es. »Simon«, flüstere ich und streiche ihm das Haar aus dem leblosen Gesicht. »Bleib bei mir, Simon!«

»Ich habe die Schlampe erschossen!«, ruft einer der Männer. »Wenn sie noch nicht über dem Wasser ist, ist sie verdammt noch mal tot.«

»Das weißt du doch gar nicht, Harold.«

*Harold.* Ein weiterer Name, der auf die Liste der zu tötenden Männer gesetzt wird.

Ich drücke Simon fest an meine Seite und halte ihn über Wasser, während ich den Atem anhalte und darauf warte, dass sie gehen. Wenn ich jetzt versuche, Simon wiederzubeleben, wird das nur Aufmerksamkeit auf uns lenken und dafür sorgen, dass wir beide sterben.

»Sie sind beide weg. Jetzt lasst uns die Sauerei aufräumen, die sie angerichtet haben. Wir werden ein Team schicken, um ihre Leichen zu bergen, damit wir bezahlt werden können.«

Ein ganzes Leben vergeht, aber schließlich beschließen sie zu gehen.

Eine ganze Minute lang rühre ich mich nicht, und als ich es dann tue, kullern stumme Tränen über meine Wangen. Ich schüttle Simons schlaffen Körper und ziehe uns unter dem Steg hervor. Ich versuche, ihn hochzuheben, aber aus diesem Winkel

343

ist das unmöglich. Ich bin nicht stark genug, um ihn ohne fremde Hilfe aus dem Wasser zu ziehen.

»Simon!« Ich klopfe ihm auf die Brust und stemme mich mit den Füßen in den Schlamm. »Verlass mich nicht, verdammt!« Ich schlage fester zu, die ganze Wucht meiner schwachen Faust trifft ihn. Ich halte mich mit einer Hand an der Kante des Piers fest, und mit einem Arm unter seinem, um ihn aufrecht zu halten, hole ich tief Luft und presse meine Lippen auf seine, um ihm Luft in die Lungen zu pumpen.

Mein verletzter Arm gibt nach und er entgleitet meinem Griff. Ich kämpfe mich durch den Schmerz und halte ihn wieder fest. »Simon, bitte! Komm zurück zu mir!« Ich schniefe durch das Schluchzen, das aus mir heraussprudelt. »Ich werde alles tun, aber bitte verlass mich nicht!«

Simon zuckt zusammen, seine Augen wandern hin und her. Er spuckt Wasser aus und hustet, sein Blick ist verzweifelt, als das Leben endlich in ihn zurückkehrt.

Ich breche in weitere Tränen aus und habe Mühe, ihn festzuhalten. »Simon.«

»Liebes«, murmelt er und greift nach oben, um sich an der Mole festzuhalten. »Ich dachte, ich hätte dich verloren.«

»Ich dachte, ich hätte *dich* verloren!« Ich weine.

Die Tränen spritzen uns ins Gesicht.

»Wo sind sie hin?«

»Sie sind weg«, sage ich atemlos.

»Lass uns von hier verschwinden.« Simon klettert als Erster heraus, seine durchnässten Kleider kleben an seinem Körper. Er streckt seine Hand aus und bietet sie mir an. Ich nehme sie und lasse mich von ihm aus dem Wasser ziehen, denn ich glaube nicht, dass ich es allein geschafft hätte. Mein linker Arm hängt an der Seite und Blut läuft aus der Wunde.

»Jesus Christus, Liebes!« Simon drückt seine Handfläche darauf. »Du musst kurz Druck ausüben.«

Ich nicke.

Er nimmt seine Hand weg und zieht sein Shirt über den Kopf, sodass seine muskulöse obere Hälfte zum Vorschein kommt. Simon zerreißt den Stoff und bindet ihn um meinen Bizeps, um die Blutung zu stoppen. »Hier, das sollte reichen, bis ich dich zu einem Arzt bringen kann.«

»Okay«, ist alles, was ich sage, weil mir gerade zu viele Dinge durch den Kopf gehen, um mich auf ein einziges zu konzentrieren.

Ich dachte, wir würden sterben. Ich dachte, Simon würde sterben. Ich dachte, ich würde seinen toten Körper über dem Wasser halten und er nie wieder zu mir zurückkommen.

Aber in diesem Moment wurde mir klar, dass ich ohne ihn nicht leben kann. Und das allein lässt mich mit verdammten Schuldgefühlen zurück. Ich wollte nie so fühlen. Es ist verboten. Simon ist der Feind meiner Freunde und mein Leibwächter. Das hier sollte nichts anderes sein.

Ich bin mir nicht einmal ganz sicher, ob es sich um romantische Gefühle handelt, aber was auch immer es ist, ich kann mir nicht vorstellen, in einer Welt zu leben, in der es ihn nicht gibt.

Hat er sich so gefühlt, als ich in seinem Schoß verblutet bin? Hilflos, verängstigt, wütend.

»Kannst du laufen?« Er festigt seinen Griff um meine Schultern und schaut mir in die Augen. Tränen kullern über meine Wangen, und ich kann nichts tun, um sie aufzuhalten.

»Hast du irgendwo anders Schmerzen? Was ist los?« Simon sucht wild nach einer anderen Quelle für meine Qualen.

»Ich ... ich ...«

»Was ist los, Liebes?«

»Lass uns von hier verschwinden«, sage ich. Ich habe keine Zeit, einen Nervenzusammenbruch zu erleiden, wenn die, die uns den Tod wünschen, immer noch so nah sind und noch mehr auf dem Weg sind. Es wird nicht lange dauern, bis ihr Bergungsteam eintrifft und uns sehr lebendig vorfindet.

»Zusammen?« Er wischt mit seinen Daumen über meine Wangen.

»Zusammen.«

Simon verschränkt seine Hand mit meiner und führt uns aus dieser Todesfalle. Wir gehen ein paar Minuten schweigend, bis wir an eine Straße kommen.

»Komm schon, Liebes. Ich glaube, ich weiß, wo wir sind.« Simon zerrt mich über die leere Straße und auf einen Bürgersteig. Er nimmt eine Abkürzung durch ein Wohnviertel und führt uns durch Hinterhöfe, anstatt die Straße hinunter. Ich werde langsamer, als die Energie meinen Körper verlässt. Ich will es nicht, aber ich stolpere über meine eigenen Füße.

Simon fängt mich auf, bevor ich auf den Boden fallen kann. »Wir können eine Pause machen, Schatz. Hier!« Er schiebt mich zu einem Picknicktisch in irgendeinem Garten. Er kniet sich vor mich und stützt seinen Kopf auf mein Bein. »Das ist alles meine Schuld.«

Ich blinzle ihn an. »Was?«

Simon blickt zu mir auf. »Ich hätte dich beschützen müssen. Ich habe dich im Stich gelassen, Liebes. Und das tut mir so leid.«

»Würdest du aufhören, dir die Schuld zu geben?« Ich neige sein Gesicht zu meinem herauf. »Das ist nicht deine Schuld. Wenn überhaupt, dann ist es meine. Ich bin diejenige, die weggelaufen ist. Du wurdest meinetwegen verletzt. Weil ich wütend wurde und weggelaufen bin wie ein Kind und Abstand verlangte. Verdammt, es ist genauso sehr meine Schuld.« Ich holte tief Luft, um meine rasenden Nerven zu beruhigen. »Ich bin diejenige, der es leidtut, Simon. Ich habe dir deinen Job nicht gerade leicht gemacht.«

»Meinen Job?« Simon lehnt sich zurück. »Ist es das, was du denkst, was das hier ist? Dass ich meinen Job mache? June, Liebes, ich würde alles für dich tun.«

»Wegen deiner Verpflichtung mir gegenüber, ja. Ich weiß.«

»Nein.« Er schüttelt den Kopf, sein Haar ist immer noch tropfnass. »Wenn du auch nur eine Sekunde lang glaubst, dass das mit etwas anderem zu tun hat als mit meinen Gefühlen für dich, dann irrst du dich.«

»Deine Gefühle für mich?« Ich lache. »Simon, du bist gezwungen, mit mir zusammen zu sein. Und der einzige Grund, warum du denkst, dass du mich willst, ist, dass du mich nicht haben kannst.«

»Ist das so?« Simon steht auf und streicht sich mit der Hand über das Gesicht. »Ist das der Grund, warum ich mehr über dich weiß als jeder andere?«

Ich seufze. »Weil du auf mich aufpasst. Das ist dein Job.«

»Es ist meine Aufgabe, die Qualen zu bemerken, die du in den letzten sechs Monaten empfunden hast? Dass du wegen des Stresses, unter dem du stehst, abgenommen hast. Dass du fast jede Nacht Albträume hast und das Einzige, was das Zittern stoppt, ist, wenn ich mich in dein Zimmer schleiche und dich in meine Arme nehme. Es ist meine Aufgabe, zu erkennen, dass du die Farbe Grün allen anderen vorziehst und dass roter Lippenstift dir noch mehr Selbstvertrauen gibt, als du ohnehin schon hast? Ist es meine Aufgabe zu erkennen, dass du ein größeres Herz hast, als du zugibst, und dass du, obwohl du nach außen hin eine wütende Zicke bist, eine hoffnungslose Romantikerin bist? Allein in der Natur zu sein, beruhigt deinen wilden Geist, und ein Messer in der Hand zu halten, ist deine Art, damit fertigzuwerden, dass du die Kontrolle an ein Arschloch verloren hast, das dich als Geisel genommen hat.«

Er geht wieder in die Knie und legt seine Hände um meine. »Denkst du, ich sehe nicht den Kampf, wenn du mich ansiehst? Diesen flüchtigen Moment, in dem du überlegst, wie dein Leben verlaufen wäre, wenn du mich zuerst getroffen hättest? Glaubst du, ich mache mir nicht jeden Tag Vorwürfe, weil ich weiß, dass ich derjenige hätte sein können, den du anstelle von ihnen liebst? Glaubst du, ich würde mir nicht jedes Mal das Hirn wegpusten, wenn sie dich berühren, weil ich genau weiß, dass ich dieses Glück nie haben werde? Aber ich entscheide mich dagegen, denn das hier, was auch immer das ist, ist besser als gar nichts.«

»Simon, ich ...«

Er holt tief Luft und atmet aus. »Ich würde nie von dir verlangen, dass du dasselbe fühlst, aber stelle nicht einen Moment lang infrage, dass meine Liebe zu dir auf so etwas Dummes wie einem Job beruht. Ich werde für diese Arbeit nicht bezahlt. Sie haben es versucht. Aber ich weigere mich. Ich tue es, weil ich die Vorstellung nicht ertragen kann, dass jemand anderer jeden Tag mit dir verbringt. Es gibt niemanden, dem dein Leben mehr am Herzen liegt als mir, und ich habe dich enttäuscht. Das tut mir so verdammt leid, Liebes.«

Das ist der Moment, in dem ich endlich all die monatelang aufgestaute Anspannung ablege, meine Lippen auf seine drücke und die Süße seines Kusses schmecke. Ich würde meine Finger in sein Haar wickeln und mich von ihm an mich ziehen lassen, unsere Körper würden nach einem gefühlten Leben des Drängens und Verlangens aufeinanderprallen.

Aber ich kann nicht. Nicht jetzt. Nicht, wenn es immer noch so falsch ist, diese Grenze zu überschreiten.

Simon schlingt seine Hand um meine. »Komm schon! Wir haben nur noch ein kleines Stück zu gehen.«

# KAPITEL VIERUNDZWANZIG – MAGNUS

Mein Telefon klingelt, und obwohl es eine unbekannte Nummer ist, gehe ich sofort ran. »Bryant.«

»Wir sind an einer Tankstelle an der Ecke Britton und Marley.« Simons Stimme ertönt aus dem Hörer. »Schick einen Wagen und ruf einen Arzt. Uns geht es gut, aber June braucht medizinische Hilfe.«

Er trennt die Verbindung und ich greife nach meinen Schlüsseln und eile zur Tür.

»Wer war das?«, ruft Hayes. »Waren sie es? Ich komme mit dir.«

Ich drehe mich zu ihm um und bleibe wie angewurzelt stehen. »Nein, das wirst du verdammt noch mal nicht. Du hast schon genug getan.«

Er und Dominic sind der Grund dafür, dass June überhaupt gegangen ist, und trotz meines besseren Standes bei ihr habe ich genauso viel zu der Situation beigetragen wie sie. June ist meinetwegen verletzt, und ich kann nicht zulassen, dass er die Dinge noch schlimmer macht.

Ich ziehe die Waffe aus meiner Seite und halte sie an

Hayes' Stirn »Wenn du dich auch nur einen verdammten Zentimeter bewegst, blase ich dir auf der Stelle das Hirn weg.«

Seine Augen verengen sich, als würde er überlegen, ob ich es ernst meine oder nicht.

Aber ich war mir noch nie in meinem Leben so sicher.

»Ich bluffe nicht«, füge ich hinzu. »Ich fordere dich verdammt noch mal heraus.«

»Gut.« Hayes weicht zurück und geht mir aus dem Weg.

Ich eile aus der Tür und steige in mein Auto, drücke eine Reihe von Knöpfen – einen, um den Motor zu starten, einen anderen, um eine Nummer zu wählen. Der Lautsprecher in meinem Auto ertönt, als ich den Rückwärtsgang einlege und das Gaspedal durchdrücke. Meine Reifen drehen durch, und ich drehe den Wagen herum und schalte in den Vorwärtsgang.

»Dr. Murphy«, antwortet der Mann am anderen Ende der Leitung.

»Ich brauche Sie im Haus. Es ist dringend. Ich habe keine weiteren Informationen, außer dass es nicht lebensbedrohlich ist.«

»Ich bin unterwegs.«

»Danke«, sage ich, lege den Hörer auf und konzentriere mich darauf, mit einer Million Meilen pro Stunde zu der Kreuzung zu fahren, an der sie sich laut Simon befinden. Ich breche alle möglichen Verkehrsregeln, überfahre rote Ampeln, biege in Einbahnstraßen ab und überhole illegal Autos. Ich hupe, während ich mich durch den Gegenverkehr schlängle und auf die richtige Straßenseite zurückweiche. Meine Reifen schleudern über den Asphalt, als ich in die letzte Straße einbiege, die mich zu der Tankstelle führt, an der die Liebe meines Lebens wartet. Ich stoppe abrupt und steige aus, bevor ich den Wagen vollständig in die Parkposition gebracht habe. Trotz des noch laufenden Motors renne ich in das Geschäft und suche verzweifelt nach June.

Sie steht da, einen Arm an der Seite, mit dem anderen hält sie sich den Bauch und starrt mich an.

Ich stürze auf sie zu und nehme sie in den Arm. »Prinzessin!«

»Magnus«, haucht sie, und es ist, als würden sich meine Lungen wieder mit Leben füllen, während sie meinen Namen sagt.

»Bringen wir sie hier raus«, sagt Simon zu mir.

Ich ignoriere nicht, dass er seinen Arm um sie gelegt hat und sie festhält. Aber in diesem Moment zählt nichts mehr als die Tatsache, dass es ihr gut geht.

»Was zum Teufel ist passiert?«, frage ich, als wir auf die Tür zugehen.

Simon winkt dem Angestellten zu. »Danke, dass wir das Telefon benutzen durften, Boston.«

Der Mann nickt und macht weiter mit dem, was er gerade tut, unbeeindruckt von der Dringlichkeit der Situation. Aber ich schätze, auf dieser Seite der Stadt passieren täglich verrücktere Dinge.

»Hast du den Arzt angerufen?«, fragt Simon, während er sich an der Beifahrertür festhält und sie öffnet.

Ich lege meine Handfläche auf Junes durchnässten Rücken und helfe ihr auf den Sitz. Ich schließe die Tür und wende mich Simon zu. »Ja. Er ist auf dem Weg.« Ich greife nach meiner Pistole. »Wenn du leben willst, solltest du anfangen zu reden.«

Simon streicht sich mit der Hand durch sein Haar. »Ihr habt sie verärgert und sie ist gegangen. Ich bin ihr nachgelaufen. Wir sind ein Stück gegangen, dann wurden wir von mehreren Fahrzeugen überrumpelt. Sie brachten uns zu einem Lagerhaus in der Nähe von Crescent Valley.« Er deutet in die Richtung. »Wir sind beide an Stühle gefesselt aufgewacht, und so ein Bastard namens Bronco ... kommt dir dieser Name bekannt vor?«

Ich schüttle den Kopf und beiße die Zähne zusammen.

»Der Kerl hatte die gleiche Vorgehensweise wie Vincent.« Simon blickt weg, als würde er sich an einer Erinnerung festhalten. »Wir haben es geschafft, uns zu befreien, aber erst, als er schon angefangen hatte.« Er deutet auf die Wunde an seiner Wange. »Wir sind gerannt, sie haben auf uns geschossen. June wurde am Arm getroffen und fiel ins Wasser. Ich sprang ihr nach, aber …«

Ich erinnere mich an die Geschichte über seine Schwester. Sie ist ertrunken, als sie beide Kinder waren, bei einem verrückten Unfall. Wenn Junes Lebensgefahr ihm nicht schon Angst machte, dann sicher auch ihr Beinahe-Tod.

»Tut mir leid, Beckett.«

June klopft an das Fenster, um uns auf sich aufmerksam zu machen.

»Wir werden zu Hause weiter darüber reden. Steig ins Auto!«

Ich eile herum, springe auf den Fahrersitz, greife nach dem Thermostat und drehe es so weit auf, wie es geht. Ich schalte Junes Sitzheizung ein und drehe sie ebenfalls auf volle Pulle. Alles, was ich tun kann, um sie von dem Schauer zu befreien, der sie durchströmt. Ich greife nach ihrem Sicherheitsgurt und ziehe ihn über ihre Brust und unter den Arm, den sie eng an ihren Körper drückt.

Der Stoff ist rot gefärbt, aber er hält zweifellos das Blut auf, das aus der Wunde fließt. Es war die richtige Entscheidung von Simon, sein Shirt auszuziehen und es um die Schusswunde zu binden. Und es ist nur eine Frage von Minuten, bis unser Arzt die Wunde begutachten und sie richtig behandeln wird. Das und der frische Schnitt an ihrer Wange und die Haut, die an beiden Handgelenken aufgerissen ist. Sie muss sich gegen ihre Fesseln gewehrt haben, und so wie die Schnitte auf ihrer Haut aussehen, hat sie eine Klinge benutzt, um sich zu befreien. Wäre das Simon oder jemand anderer gewesen, wäre das Muster aus der entgegengesetzten Richtung gekommen, nicht so wie jetzt aussehen.

*Nein*, mein Mädchen hat um ihr Leben gekämpft und sich vor ihrem Peiniger gerettet. Und den Spuren auf ihrer Stirn nach zu urteilen, muss sie dem Arschloch auch noch eine Kopfnuss gegeben haben.

Simon hat auch seinen Anteil an Beulen, blauen Flecken und Schnittwunden, aber die von June sind ebenso offensiv wie defensiv. Sie wollte nicht kampflos untergehen, und obwohl es mir ein Loch in die Seele reißt, dass sie zu diesem Mittel greifen musste, bin ich so verdammt dankbar für ihre Stärke.

Ich eile zurück durch die Stadt, aber dieses Mal halte ich mich an ein paar mehr Gesetze. Ich fahre immer noch zu schnell und überfahre Stoppschilder, aber ich tue es mit mehr Vorsicht, um ihr Leben nicht noch mehr in Gefahr zu bringen. Wir fahren in die Einfahrt und ich parke das Auto wieder auf seinem Platz in der Garage.

Der Arzt trifft kurz nach uns ein, sein Timing ist perfekt.

»Wer ist das?« June wirft einen Blick in den Spiegel.

»Dr. Murphy. Erinnerst du dich noch an ihn?«

»Was fährt er denn?« Sie starrt weiter, bis er aus dem Fahrersitz steigt und sich ihr nähert.

»Er hat einen neuen Geländewagen, kein Grund zur Sorge, Prinzessin.« Ich nehme ihre Hand und schnalle sie los.

»Wer ist noch da?« Sie sieht zu mir auf.

»Hayes war hier, als ich ging«, sage ich ihr.

»Ich will nicht mit ihm reden. Ich will ihn nicht sehen.«

»Ich glaube nicht, dass das möglich ist, Prinzessin.«

Ein anderes Fahrzeug fährt hinter dem Arzt in die Einfahrt und kommt in die Garage.

Dom springt aus seinem Geländewagen und rennt zu uns. Er reißt fast die Beifahrertür aus meinem Auto, um zu June zu gelangen. »Du!«, knurrt er Simon auf dem Rücksitz an. »Du warst das, verdammt!« Er geht auf den hinteren Teil meines Autos zu, und June streckt die Hand aus, um ihn aufzuhalten.

»Dominic. Wenn du weißt, was gut für dich ist, wirst du keine weitere verdammte Bewegung machen.« June streckt ihre Füße aus und stemmt sie auf den Boden. Sie steht wackelig, bleibt aber aufrecht.

Ich stürze hinaus, um sie zu beruhigen. »Lass ihn in Ruhe, Dom. Ohne ihn hätte es noch schlimmer kommen können.«

June schiebt sich zwischen Simons Tür und Dom und drängt sich mit ihrer kleinen Gestalt dazwischen, um Dom daran zu hindern, etwas Dummes zu tun. »Geh mir aus dem Weg!«, sagt sie. Sie starrt ihn mit einer Kraft an, die jeden Mann in Angst und Schrecken versetzen könnte.

Dom tritt überraschenderweise einen Schritt zurück und lässt ihr den gewünschten Freiraum.

Sie schlurft aus dem Weg und öffnet mühsam die Tür.

Ich lasse es sie tun und beobachte erstaunt, wie Beckett vom Rücksitz meines Autos aussteigt.

»Lasst ihn durch oder ich gehe.« June marschiert auf das Haus zu.

Ich fordere Simon auf, uns zu folgen, und stelle mich hinter sie, um Dominic den Weg zu versperren. Wir wissen nicht, was er tun wird, und es ist nicht der richtige Zeitpunkt für ihn, völlig durchzudrehen. Wir hängen ohnehin schon am seidenen Faden, und wir können es uns nicht leisten, dass er June in den Abgrund stürzt. Er hat schon genug angerichtet, und es ist ein Wunder, dass sie überhaupt noch hier ist. Sie hat mehr Geduld als eine verdammte Heilige.

Ich sehe Coen, sobald June die Tür öffnet.

Seine Augen weiten sich und sein ganzes Gesicht spannt sich an. »Was zum Teufel ist passiert?«

Das entspricht ziemlich genau dem, wie ich auch reagiert habe. Obwohl ich nicht weiß, ob ich so eine harte Falte zwischen meinen Augenbrauen hatte. Ich bin vielleicht ein paar

Jahre älter als er, aber verdammt noch mal, unser Job macht ihm verdammt viel mehr Stress. Vielleicht gehe ich aber auch nur anders mit meinem Stress um als er.

»Geh zur Seite, Hayes!«, rufe ich ihm zu, bevor er noch mehr Ärger machen kann.

Wir alle versammeln uns in dem großen Raum zwischen Wohnzimmer und Küche. Es ist definitiv der am meisten frequentierte Teil des Hauses, da er sich in der Nähe der Garage befindet und die meisten unserer Lebensmittelvorräte enthält. In unserer Küche im zweiten Stock befinden sich die meisten unserer Notrationen und alles, was nicht in diesen Kühlschrank passt, aber es ist selten, dass jemand dort oben etwas anderes tut, als sich mitten in der Nacht einen Drink oder einen Snack zu holen, weil er zu faul ist, die Treppe hinunterzugehen.

June fühlt sich zu Simon hingezogen, und er zu ihr. Es ist klar, dass er der Einzige ist, mit dem sie zusammen sein will, und das kann ich ihr überhaupt nicht verübeln. Aber das lässt mein Herz nicht weniger schmerzen.

Ich gehe weiter ins Haus und stelle mich neben Simon, um eine Art Puffer zwischen ihm und dem Rest der Idioten zu bilden. Wenn jemand am wenigsten geneigt ist, ihn zu ermorden, dann bin das wohl ich. Es ist nicht so, dass ich nicht ab und zu daran gedacht hätte, aber er hat sich in den letzten sechs Monaten bewährt, und der Hass, den ich damals gegen ihn hegte, ist zu einer fernen Erinnerung verblasst.

Im Moment ist er noch erträglich.

Und wenn ich angesichts unserer minimalen Interaktionen so für ihn empfinde, ist es kein Wunder, dass June Gefühle für ihn entwickelt hat. Die beiden verbringen fast jeden Tag zusammen. Er kann bei ihr ganz er selbst sein, auch wenn er die Rolle des Bodyguards spielt. Er muss sie nicht belügen oder betrügen. Ehrlich gesagt würde ich am liebsten mit ihm tauschen und meine Rolle in der Organisation aufgeben, um jeden wachen

Moment mit ihr zu verbringen. *Zur Hölle, auch alle schlafenden Momente.*

Ich hasse es, das Haus zu verlassen, bevor sie wach ist, und zurückzukommen, wenn sie schon schläft. Ich gehe immer noch in ihr Zimmer und gebe ihr einen Gutenmorgen- und Gutenachtkuss, aber das ist nichts im Vergleich dazu, wenn sie in meinen Armen einschläft oder aufwacht. In manchen Nächten lege ich mich zu ihr ins Bett, aber da ich weiß, wie schwierig es für sie ist, richtig einzuschlafen, möchte ich sie nicht noch mehr stören, als ich es ohnehin schon tue. Und manchmal brauche ich länger, als mir lieb ist, um mir das Blut unter den Fingernägeln wegzuschrubben und mich von den Dingen zu reinigen, zu denen mich mein Job zwingt. Es fühlt sich falsch an, mit einem Engel ins Bett zu schlüpfen, wenn ich nichts als ein Teufel bin.

»Wer braucht meine medizinische Hilfe?« Dr. Murphy bricht das peinliche Schweigen.

Alle zeigen auf June, die an Ort und Stelle verharrt, ihr Arm hängt schlaff an der Seite, getrocknetes Blut bedeckt die Haut um Simons behelfsmäßige Aderpresse.

»Nun gut.« Murphy nähert sich ihr. »Können wir irgendwohin gehen, wo wir ungestörter sind?«

»Ja«, sagt June. »Hier entlang.« Sie dreht sich um, aber nicht bevor sie Simons Hand ergriffen hat und ihn mit sich in den Flur zieht.

Ich spüre die Spannung, die von Dominic und Hayes ausgeht, aber keiner von ihnen unternimmt etwas dagegen. Sobald die drei aus dem Blickfeld verschwunden sind, drehen sie sich zu mir um.

»Details, sofort!«, knurrt Dominic.

Ich seufze und erinnere mich an die Informationen, die Simon mir gegeben hat. »Nun, sie ist verdammt sauer auf dich, um es mal so zu sagen.«

»Warum?« Dom zieht die Stirn in Falten. »Vorhin war alles gut. Wir haben uns gestern gut amüsiert.«

»Ja, bis sie herausfand, dass du sie aus der Stadt geholt hast, damit Co und ich das verdammte Gebäude in die Luft jagen konnten.«

»Du hast ihr von …«

Ich halte meine Hand hoch, um ihn aufzuhalten. »Nein, nicht die Details. Sie weiß nur, dass etwas vorgefallen ist.«

»Warum zum Teufel solltest du es ihr sagen?« Dominic ballt seine Hand zu einer Faust.

Ich schaue darauf hinunter und dann zu ihm. »Du musst dich verdammt noch mal zusammenreißen, Kumpel. Du bist derjenige, der darauf besteht, sie ständig zu belügen. Und jetzt bist du sauer, weil ich mit einer verdammten Wahrheit herausplatzte. Nein!« Ich schüttle den Kopf. »Ich habe dir von Anfang an gesagt, dass du ehrlich zu ihr sein sollst, Dom. Das ist deine verdammte Schuld. Gib mir nicht die Schuld für diese Scheiße.«

Hayes räuspert sich. »Aber jetzt erkläre mir, wie es davon, dass sie sauer auf Dom ist, zu dem, was zum Teufel auch immer passiert ist, kommen konnte!«

Ich schließe meine Augen und atme tief ein. Als ich sie wieder öffne, spreche ich jedes einzelne Wort aus, das Simon mir gesagt hat. Sie hören aufmerksam zu, bis ich fertig bin.

»Wer auch immer es war, er steht in Verbindung mit dem ursprünglichen Mordauftrag gegen sie.«

»Nein, Scheiße. Sherlock!« Ich ziehe die Stirn in Falten. »Ist das wirklich alles, was du aufgeschnappt hast?«

Dominic sagt nichts, stattdessen scheint er in Gedanken versunken zu sein, als würde er versuchen, die Puzzleteile zusammenzusetzen.

»Du musst ihr die Wahrheit sagen.« Ich verschränke meine Arme. »Du wirst sie verlieren, wenn du es nicht tust. Wir alle werden sie verlieren.«

»Ihr die Wahrheit worüber sagen?«, fragt June, als sie den Raum betritt. Um ihren Bizeps ist ein neuer, ordentlicher Verband gewickelt und ihr Gesicht und ihre Arme sind mit verschiedenen Pflastern bedeckt. Simon folgt ihr, auch seine Wunden hat der Arzt versorgt. Trotzdem ist er immer noch ohne Shirt und nass.

»Warum ziehst du dich nicht um?«, biete ich an. »In meinem Zimmer gibt es bestimmt etwas, das dir passen würde. Bediene dich!« Ich nehme Blickkontakt mit June auf und bitte sie, mich noch ein paar Minuten mit den Jungs allein zu lassen. »Ihr solltet beide aus diesen Klamotten raus, bevor ihr euch noch erkältet.«

Sie starrt mich eine lange Sekunde an, und ich befürchte, dass diese einfache Bitte mich auf die Shit-Liste, auf der Dom und Co stehen, setzen wird, ein Ort, von dem es unmöglich scheint, zu entkommen.

»Gut.« Sie klammert sich an Simon und zieht ihn zur Treppe, die beiden lassen uns hier beim Arzt zurück.

Murphy kommt zu uns und stellt ein Fläschchen auf den Tresen. »Sie muss in den nächsten sieben Tagen vier davon täglich einnehmen. Und ich möchte die Wunde in ein paar Tagen überprüfen, um sicherzustellen, dass es keine Anzeichen einer Infektion gibt. Ihr könnt sie im Auge behalten. Ihr wisst, worauf ihr achten müsst. Wechselt den Verband nach vierundzwanzig Stunden, wenn er nicht nass oder schmutzig wird. Und zögert nicht, mich anzurufen, wenn ihr irgendwelche Fragen oder Bedenken habt.« Murphy seufzt und deutet auf Coen. »Und wie sieht es mit deiner Verletzung aus?«

Coen zuckt mit den Schultern. »Ist in Ordnung, ich hatte schon Schlimmeres.«

Murphy geht trotzdem auf ihn zu. »Lass mich mal sehen.« Er zieht den Verband ab und neigt den Kopf, um ihn zu untersuchen. »Mehr geschwollen, als mir lieb ist. Nimmst du die Antibiotika, die ich verschrieben habe?«

»Ja, schon.«

»Es ist nicht die Wunde, um die ich mir Sorgen mache. Es ist die Infektion, die danach kommen kann.« Murphy wendet sich an uns alle. »Das ist nicht unser erstes Rodeo, Jungs. Lasst nicht zu, dass euch das hier umbringt.« Murphy schließt seine kleine Arzttasche und geht zur Tür. »Ich melde mich wieder.«

Als er endlich weg ist, sage ich: »Toller Typ, dieser Murph.«

»Ja«, stimmt Dominic zu. »Aber ich glaube nicht, dass dies der richtige Zeitpunkt oder Ort für das Gespräch ist, das du vorschlägst.«

»Wann dann?« Ich klammere mich an den Tresen der Arbeitsplatte. »Nach dem, was heute Nacht passiert ist …? Es ist der verdammte Beweis dafür, dass June durch unser Schweigen nur noch mehr in Gefahr ist. Wenn sie die Bedrohung gekannt hätte, wäre sie vielleicht nicht rausgestürmt. Sie hätte sich oben in ihrem Zimmer in Sicherheit gebracht, anstatt nach draußen zu stürmen, damit unsere Feinde sie sich nicht schnappen können.«

»Ich kann nicht glauben, dass ihr beide damit einverstanden seid, dass er jetzt mit ihr da oben ist«, sagt Hayes.

Ich neige meinen Kopf zu ihm. »Tut mir leid, hast du den Teil verpasst, wo er ihr das Leben gerettet hat, zweimal? Es ist mir egal, ob die beiden oben ficken, solange sie in Sicherheit ist, das ist das Einzige, was zählt.«

Coen steht von seinem Platz auf und kommt zu mir, bis er direkt vor mir steht. »Sag das noch mal, wenn du dich traust.«

Ich drücke meine Brust gegen seine. »Stell mich nicht auf die Probe, Hayes. Ich bin schon länger auf der Welt als du, und du hältst dich vielleicht für diesen verdammten Billy, aber du hast dir das selbst eingebrockt.«

Coen greift in seinen Hosenbund und zieht seine Pistole heraus, aber er ist zu langsam, denn ich habe meine ebenfalls gezogen.

»Es reicht!«, schreit Dominic und schlägt mit den Fäusten auf den Tresen. »Pistolen … runter! Wozu haben wir eigentlich Regeln, wenn ihr sie nicht befolgt?« Er stellt sich zwischen uns und drückt uns mit seinen Unterarmen auseinander. »Kein verdammtes Töten im Haus.«

Ich senke meine Waffe. Nicht, weil er es verlangt, sondern weil er recht hat. Mit dieser Art von Chaos will ich mich an einem Ort wie diesem nicht befassen. Das ist einer der Gründe, warum wir diese verdammte Regel überhaupt erst aufgestellt haben. Blut hinterlässt Flecken und es ist verdammt schwer, sie wieder herauszukriegen. Und abgesehen von den wenigen Leuten, die wir in unser Haus lassen, um verschiedene Dinge zu erledigen, würden wir es vorziehen, keine Aufräumtruppe hier zu brauchen.

»Gut.« Coen schnaubt und steckt seine Waffe ein.

»Was soll die Aufregung hier unten?« June kommt die Treppen hinunter. Sie trägt ein übergroßes T-Shirt und eine meiner Jogginghosen. Ich wusste schon immer, dass sie sie am liebsten trägt, aber jedes Mal, wenn ich sie sehe, springt mein Herz fast aus der Brust. *Mein Mädchen.*

Simon folgt ihr wie ein verdammtes Hündchen. Er ist auch in meinen Klamotten, aber es hat nicht denselben Effekt auf mich, wie wenn sie in ihnen steckt.

»Ich denke, alle sollten sich setzen.« Ich weise auf die Sitzecke hin. »Ich mache uns allen einen Drink.«

»Bryant«, knurrt Dominic.

»Ich bin fertig, Kumpel. Ich mache das nicht mehr mit. Es wird Zeit, dass wir reinen Tisch machen.«

Wenn wir sie verlieren, verlieren wir sie, aber sie wird endlich die Wahrheit erfahren.

# KAPITEL FÜNFUNDZWANZIG –
## JUNE

Ich habe Schmerzen am ganzen Körper, von Kopf bis Fuß, aber das ist nichts im Vergleich zu dem Gefühl, das mich durchströmt, als die Männer, von denen ich dachte, dass sie mich lieben, mich bitten, Platz zu nehmen, und mir erzählen, dass die Person, die letztes Jahr den Anschlag auf mich in Auftrag gegeben hat, die die Kette von Ereignissen in Gang gesetzt hat, die dazu geführt hat, dass ich mit ihnen zusammen bin, immer noch da draußen ist.

»Was?«, frage ich und verstehe nicht ganz. »Ich dachte, du hättest herausgefunden, wer es war, und sie alle getötet.«

Dominic reibt sich den Nacken. »Wir hatten den Eindruck, dass wir das hatten.«

»Wie konntest du nur so einen Fehler machen?« Ich schaue zwischen den Männern im Raum hin und her und richte meinen Blick auf den schönen, verletzten Mann neben mir. »Wusstest du davon?«, frage ich Simon.

Aber dem schockierten Gesichtsausdruck von Simon nach zu urteilen, hatte auch er keine Ahnung.

Er schüttelt den Kopf. »Warum wolltet ihr mir das nicht sagen? Wie konntet ihr nur denken, dass das keine wichtige

Information ist? Ich bin ihr verdammter Bodyguard, um Himmels willen.«

»Ich habe das Gefühl, euch nicht zu kennen«, flüstere ich und meine Aufmerksamkeit wandert von Dom zu Coen und dann zu Magnus. »Ich wusste, dass ihr es mir sagen wolltet. Aber ich verstehe nicht, warum ihr es nicht getan habt. Ihr hättet es mir sagen können.« Tränen steigen mir in die Augen, aber ich hoffe, dass sie an Ort und Stelle bleiben.

Ich werde nicht weinen, nicht hier und nie wieder. Ich habe zu viele verdammte Tränen wegen dieser Männer vergossen, wegen eines verdammten Lebens, um das ich nie gebeten habe. Ich wurde hineingezogen, eine unfreiwillige Teilnehmerin, die ihr Herz vor diesen Männern entblößte, nur um dann zur Seite geschoben zu werden, als ich sie am meisten brauchte. Aber ist es nicht das, worüber sie sich Sorgen gemacht haben? Dass ich nicht gut reagieren würde. Gebe ich ihren Bedenken nach, indem ich wütend auf sie bin? Wie hätten sie auch eine andere Reaktion von mir erwarten können? Soll ich etwa dankbar sein, dass sie mir dieses große Geheimnis vorenthalten und mich beiseitegeschoben haben, während sie selbst mit einer solchen Situation fertigwerden mussten?

Sie haben mein Leben jeden Tag in Gefahr gebracht, während sie sich weigerten, mir zu sagen, dass mein Angreifer noch da draußen war. Sicher, ich habe vielleicht den Mann ermordet, der mich verletzt hat ... alle beide, aber sie waren nur Marionetten, deren Fäden von jemandem gezogen wurden, der viel unheimlicher ist.

»Es ist meine Schuld«, gibt Dominic zu. »Ich bin der Grund, warum Bryant es dir nicht früher gesagt hat. Ich habe verlangt, dass er den Mund hält. Er hat nur Befehle befolgt.« Er setzt sich aufrecht auf seinen Stuhl. »Das Gleiche gilt für Hayes. Ich habe beiden befohlen zu schweigen.«

»Ich hätte es dir gesagt, Liebes. Wenn ich es gewusst hätte, versprochen.« Simons kleiner Finger zuckt, als wolle er die Hand ausstrecken und mich berühren, aber er tut es nicht.

»Ist das nicht verdammt praktisch?«, platzt Coen heraus. »Er ergreift eine verdammte Gelegenheit, wenn er eine sieht.«

»Gibt es etwas, was du verdammt noch mal sagen möchtest?« Ich stehe auf und richte meine Aufmerksamkeit auf den schönen blonden Jungen, den ich nicht mehr erkenne. »Was zum Teufel ist los mit dir?« Ich zeige hinter mich. »Was hat Simon dir angetan, dass du ihn so verdammt sehr hasst?«

Coen erhebt sich. »Du weißt genau, was er getan hat. Was du getan hast.«

Meine Brust hebt sich vor Wut. »Verdammt, sag es, Coen!«

»Ich muss es nicht sagen.« Er starrt auf mich herab. »Wir alle wissen, dass du den Feind gefickt hast.«

Ich war noch nie jemand, der sich von seinen Gefühlen leiten lässt, nicht einmal in einer häuslichen Situation. Bei einer Schlägerei in einer Bar vielleicht. Wenn jemand einem meiner Freunde droht, ganz sicher. Wenn ich gekidnappt werde und keine andere Wahl habe, auf jeden Fall. Aber niemals mit meinem Partner.

Als ich meine Hände ausstrecke und mit aller Kraft gegen Coens Brust stoße, erkenne ich mich selbst nicht mehr wieder. Schmerzen durchzucken meinen linken Arm und wenn ich mich nicht irre, ist eine meiner Nähte gerissen. Ich lasse den Arm zur Seite sinken, weil ich keine andere Wahl habe, und stoße ihn erneut mit dem rechten Arm. »Wie kannst du es wagen?«

Ich habe ihn kaum aus dem Gleichgewicht gebracht, aber er kam langsam genug auf mich zu, dass Simon herumspringen und sich vor mich stellen konnte.

»Wenn du sie auch nur anrührst, breche ich dir das Genick«, sagt Simon.

»Ach, du hältst dich für einen harten Kerl.« Coen schubst Simon.

Simon bleibt standhaft und rührt sich nicht von der Stelle. »Nimm deine verdammten Hände von mir, Hayes.«

»Verdammt noch mal, hört ihr endlich auf damit!?« Dominic knallt sein Glas auf den Tisch.

Magnus legt seine Handflächen auf meine Schultern und führt mich von der Konfrontation weg. »Komm schon, Prinzessin! Setz dich!«

Dominic streicht sich mit der Hand über den Bart. »Hör zu, wir sind alle gestresst, alle angespannt, wie auch immer du es nennen willst. Aber wenn es noch einen verdammten kindischen Ausbruch gibt, bist du raus. Erledigt. Das war's. Ich werde nicht tolerieren, dass du June so respektlos behandelst.« Dom richtet seinen ernsten Blick auf mich. »Aber ich denke, du bist es uns allen schuldig, uns zu sagen, ob du mit Beckett schläfst.«

»Hey«, ruft Magnus. »Das geht uns nichts an.« Er richtet seinen Blick auf mich. »Du musst darauf nicht antworten, Prinzessin.«

»Ich werde für sie antworten«, unterbricht Simon. »Ihr seid die schlechtesten Profiler aller Zeiten. Wir ficken nicht. Haben wir noch nie. Wir haben uns nur einmal geküsst.«

»Nun …«, mische ich mich ein.

»Siehst du!«, ruft Coen aus. »Ich wusste es, verdammt!«

»Wovon träumst du?« Ich neige meinen Kopf zu ihm und schaue dann Simon an. »Ich habe dich wiederbelebt, als ich dachte, du wärst ertrunken.«

Simon führt seine Finger an seine Lippen. »Ich musste ertrinken, damit du mich küsst?«

»Es war kein Kuss«, rufe ich durch den ganzen Raum. »Es ging um Leben und Tod. Ich hätte das auch mit einem Fremden gemacht.« Ich atme aus, ziehe meinen Arm zu mir und halte ihn mit der anderen Hand fest. »Aber Magnus hat recht, es geht dich nichts an. Vor allem jetzt, nach allem, was ich wegen dir durchmachen musste. Ich habe diese Grenze bei Simon nie überschritten, weil ich versucht habe, respektvoll zu sein, aber es scheint, als hätten wir hier keine gemeinsame Sicht der Dinge. Über unsere Beziehung oder mein verdammtes Leben.«

Ich greife nach dem Glas Bourbon, das mir gegenüber steht, und trinke es in einem Zug aus.

»Setzt euch auf eure verdammten Hintern oder ich gehe«, sage ich zu Simon und Coen, vor allem aber zu Coen. »Ihr könnt alle verdammt froh sein, dass ich noch hier bin.« Ich deute mit dem Daumen auf die Garage. »Ich könnte durch diese Tür gehen und nicht zurückblicken, aber ich bin hier, weil ich euch liebe. Nicht, weil ihr mich liebt, sondern weil ich mich verdammt noch mal entschieden habe, euch zu lieben.« Ich lasse meinen Blick durch den Raum gleiten und bleibe sogar kurz auf Simon stehen. »Wenn ihr nicht wollt, dass ich verschwinde, darf es keine weiteren Lügen geben. Wenn ich euch eine Frage stelle, beantwortet ihr sie, und zwar wahrheitsgemäß.«

Ich weiß nicht, was in mich gefahren ist, aber ich habe genug davon. Genug von den Lügen, dem Betrug, davon, beiseitegeschoben werden. Das ist der Moment, in dem sie mir endlich zeigen, ob sie sich wirklich sorgen, und der Moment, in dem ich entscheide, was ich damit anfangen werde.

Zu gehen wäre einfach, aber zu bleiben, bedeutet mehr Arbeit. Nichts Gutes im Leben ist jemals einfach, aber sollten die Dinge wirklich so verdammt schwierig sein?

»Was willst du wissen, Prinzessin? Ich werde dir alles sagen, was du wissen willst.« Magnus drückt meine Schulter.

»Alles. Ich will alles wissen. Fang von vorne an!«

Die Jungs lassen sich schließlich wieder auf ihren Plätzen nieder. Simon an meiner Seite und Coen auf dem Stuhl gegenüber von Dom, der mir gegenüber sitzt.

Sie tun ihr Bestes, oder das, was ich für ihr Bestes halte, um mich Stück für Stück zu informieren. Es ist eine Menge an Informationen, die sich über mehr als sechs Monate angesammelt haben. Sie erzählen, wie sie die Leute das erste Mal gefunden haben, wie sie glaubten, die Bedrohung beseitigt zu haben, und Simon erzählt sogar, dass er sich sicher war, dass sie die Verantwortlichen ausgeschaltet hatten.

»Moment mal!«, wende ich ein. »Wenn jemand in der Lage war, eine so gute Vertuschung zu inszenieren, muss er in der Organisation weiter oben sein, oder? Seit wann weißt du von so einer Scheiße nichts?« Ich richte meinen Blick direkt auf Dom.

Dom nickt. »Ganz genau. Deshalb habe ich Lorenzo Savini hinzugezogen.«

»Wer ist das?«

»Er ist ein Söldner mit besonderen Fähigkeiten. Er kennt fast jeden Anschlag, der in Auftrag gegeben wird, und weiß, wann und wo er stattfindet. Die brisanten Details, die nicht allgemein bekannt sind.«

»Warum? Warum hat er all diese Informationen?«

»Weil er gut ist.« Dominic trinkt noch einen Schluck von seinem Bourbon. »Er kann jeden verschwinden lassen. Er ist nicht die Art von Person, die man gegen sich haben möchte.«

»Ist er dann überhaupt für irgendjemanden?«

Dom schüttelt den Kopf. »Nein, eigentlich nicht. Obwohl, er hat was gegen Frauen und Kinder.«

»Ist er ein sexistisches Schwein oder so?«

»Nein, ich habe mich falsch ausgedrückt. Er tötet keine Frauen oder Kinder, es sei denn, es ist absolut notwendig. Und er mag es nicht, wenn Männer ihre Macht gegen eine Frau missbrauchen.«

»Interessant, dass ein Serienmörder Moral hat, aber fahre fort.«

»Er untersucht den Auftragsmord an dir. Es war schwierig, den Auftraggeber ausfindig zu machen, was nur unseren Verdacht bestätigt, dass es jemand aus den Tiefen der Organisation war.«

Simon meldet sich zu Wort. »Aber du sagtest, dass an der Ostküste die gleichen Angriffe stattfinden, unabhängig von der offensichtlichen Besessenheit für June.«

Dominic nickt. »Kryptische Informationen darüber, sich zu nehmen, was ihnen gehört. Das ist das Gegenteil von dem, was uns gesagt wurde.«

»Und, was wäre das?«, frage ich, als er nicht weiterspricht.

»Dass sie sich nehmen, was *uns* gehört.« Dom seufzt. »Zuerst habe ich die Angriffe nicht mit dem in Verbindung gebracht, was mit dir passiert ist. Ich war überzeugt, dass wir diese Bedrohung beseitigt haben. Aber die Informationen wurden immer konkreter. Es gab welche, in denen die Dinge beschrieben wurden, die Vincent mit dir gemacht hat. In anderen ging es um bestimmte Kleidung, die du getragen hast, oder um die Art, wie du dein Haar trägst. Ich habe die Informationen geheim gehalten, weil ich nicht wusste, wem ich trauen kann. Ich war mir nicht sicher, wer der Maulwurf ist, aber es muss jemand sein, der uns nahe steht. Ich war sicher, dass es weder Hayes noch Bryant war, und …« Dom sieht Simon an. »Nun, nachdem Beckett alles für dich aufgegeben hat, habe ich nie infrage gestellt, dass er es ist.«

»Wenigstens mit einer Sache hast du recht«, sage ich zu Dominic. »Aber du hattest unrecht, weil du es mir nicht gesagt hast. Von allen Leuten, die es hätten wissen müssen. Ist dir nicht klar, wie oft ich mich möglicherweise in Gefahr begeben habe, weil du mir nicht gesagt hast, dass jemand meinen Tod will? Ich nahm an, dass das dazugehört, wenn man mit euch drei zusammen ist, aber das hier ist etwas ganz anderes. Das ist etwas Persönliches.«

»Ich sehe den Fehler jetzt ein«, gibt Dominic zu.

»Aber das ist noch nicht alles, oder?«

Dominics Kiefer spannen sich an, als ob er etwas zurückhalten würde.

»So funktioniert die Wahrheit nicht«, sage ich. »Du kannst es dir nicht aussuchen.«

Dom weicht meinem Blick aus. »Es ist komplizierter als das, June.«

»Sprich nicht so herablassend mit mir.« Ich zeige auf Coen und Magnus. »Du hast vielleicht die beiden dazu gebracht, dir zu gehorchen, aber der Unterschied zwischen ihnen und mir ist, dass ich keine Angst vor dir habe.«

Magnus legt seine Hand auf meinen Oberschenkel. »Prinzessin, sei bitte nicht so streng mit ihm.«

Ich schiebe seine Hand weg. »Nein, ich war nachsichtig mit euch allen, als ihr es verdient habt. Sechs Monate habt ihr mir das vorenthalten. Was verheimlichst du noch?« Ich konzentriere mich auf Coen. »Du wirfst mir ständig vor, ich würde Simon ficken. Vielleicht projizierst du, dass du etwas am Laufen hast, wovon ich nichts weiß. Du kannst mir doch nicht ernsthaft weismachen, dass all die langen Nächte und frühen Morgenstunden nur deinem Job dienen.«

Der Blick aus Coens blauen Augen wandert nach oben und trifft meinen. »Das würde ich nie tun.«

»Und weißt du was, ich glaube dir verdammt noch mal. Aber wie fühlt es sich an, wenn man für etwas beschuldigt wird, das man nicht getan hat?«

»J …«

Ich strecke meine Hand aus. »Ich bin nicht daran interessiert, was du zu sagen hast, Coen.«

Simon bleibt still und ruhig neben mir, wie ein Kind, das sich in seinem Zimmer versteckt, während seine Eltern sich streiten. Er versucht, sich unauffällig zu verhalten, bis es Zeit für ihn ist, die Flucht zu ergreifen.

»Ich glaube, ich brauche etwas Zeit, um das zu verarbeiten. Um herauszufinden, was ich mit dieser Information, mit dieser Situation anfangen soll.« Mir schwirrt der Kopf vor lauter Fragen, und wenn ich nicht bald eine Pause mache, werde ich von der Erschöpfung des Tages, die auf mich einstürzt, ohnmächtig.

Schließlich ergreift Simon das Wort. »Du gehst doch nicht, oder?«

»Nein, ich verlasse euch nicht. Ich gehe jetzt ins Bett. Ich muss für eine Weile allein sein.«

»Okay«, haucht er.

Ich stehe von der Couch auf und schaue jeden der Männer an, die ein Stück meines Herzens besitzen. »Wir werden morgen weiter darüber reden.« Ich entscheide mich für Simon. »Bringst du mich in mein Zimmer?«

Seine Augen weiten sich, bevor er sich erhebt. »Äh ja, natürlich, Liebes.«

Ich ignoriere die wütenden Blicke der anderen Jungs und verlasse den Raum. Ihr Geflüster erfüllt den Raum, als Simon und ich die Treppe erreichen. Mehr Geheimnisse, kein Zweifel.

Simon legt mir auf dem Weg nach oben seine Hand auf den Rücken und lässt sie die gesamte Zeit über da liegen. Vor meinem Zimmer bleiben wir stehen, und als ich mich zu ihm umdrehe, schlinge ich ohne zu zögern meine Arme um seinen Oberkörper und vergrabe mein Gesicht in seiner Brust.

Er versteift sich leicht, aber dann wird seine Entschlossenheit schwächer. »Liebes …« Simon zieht mich an sich und drückt seine Wange an meinen Kopf.

Ich atme in ihn hinein und seufze. »Tut mir leid, ich brauchte das.«

Und so, wie er mich festhält, glaube ich, dass er es auch gebraucht hat.

»Ich habe mir heute große Sorgen gemacht«, sage ich zu ihm. »Ich dachte, ich hätte dich verloren.« Ich versuche, die Erinnerung an Simons Körper, der mit dem Gesicht nach unten im Wasser treibt, zu verdrängen, aber das Bild hat sich in mein Gedächtnis eingebrannt. Noch nie in meinem Leben habe ich solche Angst empfunden. Nicht einmal, als ich dem Tod direkt in die Augen blickte.

»Ich gehe nirgendwohin, Liebes.« Er reibt kleine Kreise auf meinem Rücken und küsst mein Haar. »Niemals.«

»Es tut mir wirklich leid«, flüstere ich ihm zu. »Wegen allem.«

»Pst.« Er kippt mein Kinn zu sich hoch. »Bitte hör auf, dich zu entschuldigen.« Simon lässt seinen Blick zu meinen Lippen hinuntergleiten, seine Aufmerksamkeit verweilt viel zu lange.

Mein Herz schlägt schneller, und ich schlucke bei der Möglichkeit, die zwischen uns schwebt. Ist es das? Ist dies der Moment, in dem wir endlich diese Grenze überschreiten? Wenn wir sie überschreiten, werden wir nie wieder zurückkönnen.

Doch als Simon mir einen sanften Kuss auf die Stirn drückt, löst sich der Moment in Luft auf.

»Ruh dich etwas aus, Liebes. Ich werde hier sein, wenn du aufwachst.«

Ich tue, was er sagt, aber nur, weil ich zu verdammt erschöpft bin, um zu protestieren. Durch den Schlafmangel und den anstrengenden Tag ist mein Energielevel auf einem absoluten Tiefpunkt angelangt. Und wenn ich ganz ehrlich bin, weiß ich auch nicht, was ich heute gegessen oder getrunken habe. Nur sage ich das nicht laut, weil ich weiß, dass Simon darauf bestehen würde, dass ich etwas esse, und obwohl ich es wahrscheinlich tun sollte, will ich es nicht. Nicht, wenn ich mich lieber in meinem Bett vergrabe und darauf hoffe, dass ich, wenn ich aufwache, diesen Albtraum los bin.

Ich klettere in mein riesiges Bett und ziehe die Decke ganz über mein Gesicht und frage mich, wie lange es dauern würde, bis ich darunter ersticke. Als es zu heiß wird, ziehe ich sie von mir und stoße einen übertriebenen Seufzer aus. Ich drehe mich auf die Seite, zucke zusammen und lege mich auf die andere Seite. Verdammte Schusswunde! Hoffentlich ist es das letzte Mal, dass ich in diesem Leben angeschossen wurde.

Mindestens ein oder zwei Stunden vergehen, während ich unablässig immer wieder einschlafe und wieder aufwache und mich frage, ob ich jemals richtig schlafen kann. Ich lecke mir über die Lippen, mein Mund ist verdammt trocken. Ich stoße die Decken weg und gleite aus dem Bett. Auf Zehenspitzen schleiche ich aus meinem Zimmer, um mir in der Küche am Ende des Flurs etwas zu trinken zu holen.

Aber als ich unwissentlich gegen etwas Festes stoße, bleibe ich stehen und lasse mich auf den Boden sinken, um zu spüren, wogegen ich gelaufen bin.

»Liebes, was ist los?«, murmelt Simon im Halbschlaf.

»Was zum Teufel machst du hier draußen?«, flüstere ich.

»Schlafen.« Er gähnt und setzt sich ganz auf. »Was machst du denn hier draußen?«

»Ich wollte mir etwas zu trinken holen, aber …« Ich taste in der Dunkelheit herum. »Du hast nicht mal eine Decke oder so. Bist du verrückt?«

»Ja, wahrscheinlich.«

»Komm schon!« Ich strecke meine Hand aus und stehe auf. »Du kommst mit mir.«

»W… was?«

»Ich sagte, komm schon!«

»Ich darf nicht …«

»Es ist mir egal, was du nicht darfst. Wir ficken nicht, du kommst nur zum Schlafen rein. Ich weigere mich, dich im Flur schlafen zu lassen wie einen Hund.«

»Liebes, mir geht es gut, wirklich. Es ist nicht das erste Mal …«

»Simon Beckett, ich lade dich in mein Bett ein, lehne mein Angebot nicht ab!«

Innerhalb von Sekunden steht er auf. »Lass mich dir erst was zu trinken holen. Was willst du?«

»Ich kann es mir selbst holen. Geh ins Bett!«

»Hey«, sagt er und streicht mit seiner Hand über meine Wange. »Zusammen?«

Ich lehne mich an ihn und lächle. »Zusammen.«

Wir gehen den Rest des Flurs nebeneinander, nehmen schweigend ein Glas aus dem Regal und füllen es mit Wasser.

Ich nehme einen Schluck und biete ihm auch etwas an. Es hat etwas Intimes, weil unsere Lippen denselben Becher berühren. Als wir fertig sind, gehen wir den Weg zurück, den wir gekommen sind, und im Haus ist kein anderes Geräusch zu hören, nur das leise Trippeln unserer Schritte auf dem Holzboden.

Ich lege mich ins Bett und rutsche so weit an die Seite, dass Simon Platz hat.

»Bist du sicher?«, fragt er mich. »Ich sollte nicht ...«

»Was sollen sie tun? Mich erschießen?« Ich tätschle die Stelle neben mir.

»Über so etwas macht man keine Witze.« Simon atmet aus und streift seine Schuhe ab. Er lässt sich auf die Matratze sinken und streckt den Arm aus. »Wenn ich schon sterbe, kann ich es auch genießen. Komm her!«

Ich grinse und schmiege mich an ihn, lege meinen Kopf zwischen seinen Kragen und sein Kinn.

»Liegst du bequem, Liebes?«

Ich murmle in mich hinein, wobei meine Augen schon von Sekunde zu Sekunde schwerer werden.

Er legt seine Hand auf meine Taille statt auf meinen Arm, wobei er darauf achtet, nicht an meinen Verband zu stoßen. Simon fährt mit dem Finger über meine Stirn und streicht mir das Haar hinters Ohr. Er küsst meine Schläfe. »Gute Nacht, Liebes.«

»Gute Nacht, Simon.«

Und zum ersten Mal, seit ich mich erinnern kann, schlafe ich ohne Albträume.

# KAPITEL SECHSUNDZWANZIG – COEN

*I*ch habe es versaut. Und wie. Und alles, was ich tue, gräbt das Loch nur noch größer und größer, ohne dass ich eine Chance hätte, mich jemals wieder herauszuziehen.

Ich habe die Dinge mit June ruiniert. Und während sie mir immer mehr entgleitet, spüre ich, wie meine Menschlichkeit mit ihr zur Tür hinausfliegt.

Wenn es nur einen Weg gäbe, die Zeit zurückzudrehen. Ich würde mit den Fingern schnipsen und wieder auf dieser Straße sein und niemals zu meinem Vater in den Truck steigen. Ich würde verlangen, bei ihr zu bleiben. Ich würde ein Machtwort sprechen und darauf bestehen, dass er allein geht. Er wäre so oder so gestorben, er hätte mich nicht bei sich gebraucht. Ich hätte seine Ermordung nicht miterleben müssen. Ich hätte nicht Teil dieser Welt werden müssen. Ich hätte nicht die letzten Jahre meiner Jugend an ein Leben voller Verbrechen verlieren müssen.

Aber das ist die Realität – ich war nur ein Kind. Und jetzt bin ich hier und gebe diesem Kind die Schuld für meine jetzige Situation.

Ich hätte die Entscheidung treffen können, sie zu finden und ihr zu sagen, warum ich sie verlassen habe. Ich hätte die Dinge wieder in Ordnung bringen können und wir hätten dort weitermachen können, wo wir aufgehört haben. Aber ich habe mich entschieden, wegzubleiben. Ich habe das getan, nicht jemand anderer. Und ich habe mich entschieden, auf Abstand zu bleiben, bis es keine andere Wahl mehr gab. Schon als sie sich mit dieser Handvoll Wildblumen neben mich setzte, wusste ich, dass ich das Schlimmste in ihrem Leben sein würde. Und ich würde lügen, wenn ich behaupte, dass ich nicht glaube, dass ein Teil von mir das alles absichtlich sabotiert, weil ich von Anfang an wusste, dass ich nie gut genug für sie war. Wenn ich sie einfach wegstoße, wird sie nie die Wahrheit darüber erfahren, wer ich bin und was ich getan habe. Ich würde sie nicht ruinieren, korrumpieren oder sie zu etwas formen, das sie nicht ist. Ich könnte sie vor einem Leben voller Qualen bewahren, wenn ich alles für mich behalten würde. Sie würde die Dunkelheit nicht sehen müssen, wenn ich sie für uns beide trüge.

Aber so sehr ich mich auch bemühe, nichts, was ich tue, hält die Dunkelheit davon ab, ihre Nähe zu suchen.

Sie hasst mich, und ich kann es ihr nicht verdenken. Ich würde mich auch hassen. Für die Vergangenheit, für die Gegenwart und für die Zukunft, die ich ihr nie geben kann. Ich weiß nicht, wie ich der Mann sein kann, den sie verdient, weil ich nicht in der Lage bin, gut zu sein.

Sie ist alles für mich, aber für sie bin ich nichts.

June wäre besser dran gewesen, wenn sie mich nie getroffen hätte. Dann hätte ich nie ihre Vorstellung von Liebe ruiniert, ich hätte ihr nie das Herz gebrochen, und es hätte sie nie auf den Weg gebracht, uns zu finden. Vielleicht hätte sie sich in einen netten Kerl verliebt, einen zuverlässigen Kerl, jemanden, der sie lieben und beschützen könnte. Wirklich sicher, geschützt vor diesem Leben voller Verbrechen, dem wir niemals entkommen können.

Bryant macht Dom und mir immer wieder klar, dass Simon

besser für sie ist als wir, aber er ist genauso korrupt wie wir. Und nach dem, was letzte Nacht passiert ist, ist er nicht in der Lage, sie zu beschützen.

Ich kann nicht essen. Ich kann nicht schlafen. Ich kann verdammt noch mal nicht funktionieren, wenn ich weiß, dass ich es so sehr versaut habe. Bis zu dem Punkt, dass ich die Person, die mich im Spiegel anschaut, nicht mehr erkenne. Ich möchte nicht diese Version von mir sein, aber es gibt nichts, was ich tun kann, um diese Version von mir davon abzuhalten, die Kontrolle zu übernehmen. Meine einzige Rettung ist das Wissen, dass es da draußen jemanden gibt, der für das, was er ihr angetan hat, bezahlen wird. Ich werde es mir zur Lebensaufgabe machen, June die Gerechtigkeit zu verschaffen, die sie verdient, und dann werde ich in den Schatten verschwinden, um nie wieder gesehen oder gehört zu werden. Ich weigere mich, sie weiter zu belästigen. Ich kann es nicht ertragen, zuzusehen, wie sie das Vertrauen in mich – in uns – verliert.

Sie ist ohne mich besser dran, und dafür werde ich sorgen, sobald ich meine Rache bekommen habe.

Ich kann es nicht mehr ertragen, sie in die Arme eines Mannes gleiten zu sehen, der ihr besser geben kann, was sie braucht, als ich es kann. Es geht nicht einmal um Eifersucht – ich habe mich daran gewöhnt, sie zu teilen. Es geht um die Erkenntnis, dass ich nicht die richtige Wahl für sie bin. Und vielleicht ist das der Grund, warum ich Simon so sehr hasse. Weil er sie auf eine Art und Weise liebt, wie ich es nie kann.

Die Dinge, die ich getan habe, sind nicht wiedergutzumachen – dessen bin ich mir wohl bewusst. Aber es gibt eine Sache, die ich tun kann, und das ist, den Bastard zu töten, der dafür verantwortlich ist, dass das einzige Mädchen, das ich je geliebt habe, verletzt wurde.

Selbst wenn es mich umbringt, werde ich dafür sorgen, dass es erledigt wird.

. . .

*J*une geht die Treppe hinunter, Beckett folgt ihr auf dem Fuße.

Er hat in ihrem Bett geschlafen, und obwohl wir ihn alle vor zwei Tagen dafür umgebracht hätten, lassen wir es dabei bewenden. June hat es gestern Abend selbst gesagt, wir haben Glück, dass sie noch hier ist. Und wenn es Simon sein muss, damit wir ihr nahe sein können, werde ich diese Bedingungen akzeptieren.

Sie legt ihren Arm an die Seite und geht weiter, um etwas Abstand zwischen uns und die beiden zu bringen.

Simon und June auf der einen Seite, Dom, Magnus und ich auf der anderen.

Eine Linie im Sand.

»Ich habe darüber geschlafen«, sagt sie mit rauer Stimme, die von der langen Nacht herrührt. »Ich bleibe. Unter einer Bedingung.«

»Welche, Prinzessin?« Magnus platzt sofort damit heraus und kann es kaum erwarten, das zu tun, was sie von uns verlangt.

Ich verinnerliche genau dasselbe Gefühl, ohne darauf zu reagieren. Dom tut zweifellos dasselbe.

»Ihr lasst mich helfen.« Sie blickt zwischen uns hin und her. »Ihr lasst mich helfen, herauszufinden, wer mich tot sehen will.« June kaut auf der Innenseite ihrer Lippe. »Entweder das, oder ich verschwinde von hier und komme nie wieder zurück.«

# KAPITEL SIEBENUNDZWANZIG – JUNE

D ie Jungs sind mit meinen Bedingungen einverstanden, verlangen aber, dass ich mir mindestens einen Tag Zeit nehme, um mich von meinem traumatischen Erlebnis zu erholen. Eigentlich wollten sie eine ganze Woche, aber wir haben uns auf einen Tag geeinigt.

»Wir müssen den Eindruck erwecken, dass uns das, was passiert ist, nicht stört«, sagte ich ihnen.

Wer auch immer Simon und mich angegriffen hat, setzt darauf, dass wir vor Angst zittern und befürchten, es könnte wieder passieren. Und es ist nicht so, dass wir das nicht tun, aber das ist nicht die Fassade, die wir zeigen.

Sie werden erwarten, dass wir verunsichert sind und die Kluft zwischen uns noch größer wird. Jeder in der Organisation weiß, dass unsere gesamte Beziehung auf wackligen Beinen steht. Man sieht uns fast nie zusammen. Und wenn ich mich in der Öffentlichkeit zeige, bin ich meistens mit Simon zusammen. Das muss jedem verdächtig vorkommen, der Augen und Verstand hat.

Ich möchte, dass jeder, der zuschaut, sieht, wie wir alle fünf miteinander auskommen und uns völlig normal verhalten. Nun, so normal wie eine kriminelle polyamore Beziehung sein kann. Simon ist nicht mein Freund, und wir haben die Grenze immer noch nicht wirklich überschritten, aber nachdem ich ihn fast verloren hätte, ist mir klar, dass er so viel mehr ist als nur mein Bodyguard. Die Zeit wird zeigen, was daraus wird, aber im Moment ist er ein Teil dieser Familie, ob die Jungs das wollen oder nicht.

*Nicht fucking verhandelbar.*

»Willst du Bram anrufen oder soll ich das machen, Prinzessin?« Magnus führt mich durch die Garage zu seinem Auto.

»Das habe ich schon«, antworte ich. »Er klang besorgt, sagte aber, ich solle mir so viel Zeit nehmen, wie ich brauche.«

»Er ist ein guter Mann, dieser Bram.« Magnus öffnet die Beifahrertür und wirft einen Blick auf den Mann hinter mir. »Kommst du, Beckett?«

Simon ist nicht von meiner Seite gewichen, außer um zu duschen oder auf die Toilette zu gehen. Er ist nicht einmal nach Hause gegangen, sondern hat sich stattdessen Kleidung und andere Dinge von Magnus geliehen. Ich wage zu behaupten, dass sich zwischen den beiden eine Freundschaft anbahnt.

»Ja.« Simon rutscht auf den Sitz hinter mir. »Sind die Scheiben verstärkt?« Er klopft mit dem Fingerknöchel gegen das Glas.

»Mmh.« Magnus schließt die Tür und schlendert zur Fahrerseite hinüber. »Dom und Hayes haben gesagt, sie würden uns dort treffen.«

»Das ist das erste Mal, dass ich das Büro sehe.« Ich fummle an einem Faden meiner Jeans herum.

»Vereinte Front, richtig?« Magnus drückt den Startknopf seines Wagens und fährt rückwärts aus der Garage. Dann legt er seine Handfläche auf meinen Oberschenkel.

Die Fahrt durch die Stadt dauert nicht allzu lange, und ich verbringe die meiste Zeit damit, aus dem Fenster zu starren und darüber nachzudenken, wie diese ganze Sache schiefgehen könnte.

Was ist, wenn der Maulwurf anwesend ist? Was ist, wenn die Person, die meinen Tod wünscht, dort ist? Was ist, wenn ich etwas Dummes sage oder mich dumm verhalte und mich oder meine Männer blamiere? Was ist, wenn ich nicht das Zeug dazu habe, in ihre Welt zu passen?

Was, wenn Winnie doch recht hat und ich es nicht schaffe?

Vielleicht könnte ich sie in dieser Situation um Rat fragen? Ich bin sicher, dass sie in ihrer Zeit als Ratsvorsitzende und Ehefrau des früheren Chefs der Organisation mit zahlreichen Morddrohungen konfrontiert wurde.

Aber es ihr zu sagen, würde ihr Details geben, die die Männer nicht mit jedem teilen wollen. Und wenn sie herausfindet, dass Dominic nicht in der Lage ist, die Dinge selbst zu regeln, würde das nicht die Frage aufwerfen, ob er für den Job geeignet ist oder nicht?

Nein, wir müssen die Sache selbst in die Hand nehmen und beweisen, dass Dominic das Zeug dazu hat, dieses Unternehmen zu führen.

Magnus navigiert uns in ein sicheres Parkhaus und findet einen Platz in der Nähe des Ausgangs. »Warte hier!«, sagt er zu mir und steigt aus. Simon folgt ihm, und die beiden bleiben etwa eine Minute lang draußen stehen, bevor sie sich meiner Tür nähern.

Simon öffnet meine Tür und streckt seine Hand aus. »Meine Liebe.«

Ich nehme sie dankbar an und steige aus. »Ist die Luft rein?«

»Für den Moment, ja.« Magnus lässt seinen Blick über die offene Fläche schweifen.

»War nur Spaß.«

Gibt es oft Leute, die versuchen, sie zu erschießen, bevor sie überhaupt hineingehen?

»Das wusste ich.« Magnus lacht. Er hält die Augen offen, als wir das Gebäude betreten und durch eine Eingangstür mit Schlüsselcode gehen. Seine Wachsamkeit lässt etwas nach, als wir drinnen sind, aber er hält die Augen offen.

Magnus ist normalerweise der sorgloseste meiner Männer, macht immer Witze und ärgert Dom, indem er endlos beim Lieferservice bestellt. Er ist derjenige, der die Stimmung auflockert, wenn die Dinge angespannt sind, und er ist die Stimme der Vernunft, während Dom und Coen hartgesottene Arschlöcher sind. Im Moment ist Magnus jedoch eher angespannt, als ob ein Schalter umgelegt worden wäre und er jetzt im Arbeitsmodus ist.

Das ist ziemlich heiß. Was ich eigentlich nicht für möglich gehalten hätte. Magnus Bryant ist schon ein supersexy Bad Boy, aber das ist etwas ganz anderes. Und mit Simon hinter mir und Magnus vor mir bin ich von verführerischem Testosteron umgeben.

Meine Absätze klackern auf dem Boden, als wir uns einen Weg durch das Gebäude bahnen. Stimmen dringen durch den Korridor, als wir endlich unser Ziel erreichen. Die Anwesenden verstummen und strecken ihre Köpfe vor, um einen Blick auf uns zu erhaschen, während wir an ihnen vorbeigehen. Magnus scheint sie nicht zu beachten, aber aus diesem Blickwinkel kann ich mir nicht sicher sein. Die wenigen Leute, mit denen ich Blickkontakt aufnehme, schauen schnell weg, als ob sie in Flammen aufgehen würden, wenn sie mich zu lange anstarren. Ich folge Magnus einen weiteren Flur entlang und sehe Coen und Dom, die in einem großen Raum mit riesigen Fenstern auf uns warten. Ihre Lippen bewegen sich, aber ich kann kein Wort von dem verstehen, was sie sagen.

Coen schenkt mir seine Aufmerksamkeit und lenkt sie dann wieder auf Dom, so wie es die anderen getan haben. Wenigstens weiß ich, warum er mich ignoriert.

Ich würde mich auch ignorieren, wenn ich ein Riesenarschloch wäre.

In der Mitte des Raums steht ein großer Konferenztisch, und an den Wänden sind verschiedene Schränke aufgestellt. In der hinteren Ecke befindet sich eine kleine Küchenzeile. Alles ist sehr steril und aufgeräumt, und wenn ich raten müsste, hatte Dom ein gewisses Mitspracherecht bei der Gestaltung des Raums. Ihm geht es nur um Qualität und Effizienz, und das hier ist genau seine Art von Kontrolle.

Die Tür fällt hinter Simon zu und schließt uns fünf hier ein.

»Schalldicht«, sagt Magnus und schlendert hinüber, um einen Stuhl am Kopfende des Tisches herauszuziehen. »Prinzessin.«

Ich schaue mich noch einmal um, bevor ich zu ihm gehe und mich auf den Stuhl setze. »Was machen die Leute da draußen?« Ich neige meinen Kopf in Richtung der Büros, in denen irgendwelche Leute sitzen.

»Meistens Buchhaltung, finanzielle Dinge. Investitionen. Betriebswirtschaftliche Dinge.«

»Interessant.« Ich richte mich ein und ziehe meinen Blazer zurecht. Das Ding drückt auf meinen Verband, aber ich schaffe es, ihn zu lockern. Ich hätte ihn gar nicht getragen, aber die Jungs hielten es für das Beste, die Schusswunde zu verbergen, damit niemand mehr Grund hat, sich zu fragen, warum zum Teufel ich hier bin.

Dominic nimmt den Platz gegenüber von mir ein. Er knöpft sein Jackett auf und schaut in meine Richtung. »Wir haben eine Fülle von legalen Geschäften, falls du sich das fragst.«

»Das tue ich tatsächlich.« Ich werfe einen Blick durch das große Fenster. »Ich dachte eigentlich, du würdest für deinen Lebensunterhalt Menschen töten.«

»Das tun wir auch, Prinzessin.« Magnus sitzt zu meiner Linken.

Simon nimmt den Platz zu meiner Rechten und Coen geht den Tisch hinunter und sucht sich einen Platz neben Dominic.

»Brauchen wir einen Raum mit einem so großen Tisch? Mir

kommt es vor, als wärt ihr eine Ewigkeit entfernt. Muss ich schreien oder könnt ihr mich hören?« Ich halte mir die Hände vor den Mund, aber bevor ich etwas sagen kann, unterbricht mich Dom.

»Dies ist der einzige schall- und kugelsichere Raum mit allen Annehmlichkeiten, um uns alle unterzubringen.« Er nickt in Richtung einer geschlossenen Tür. »Dort gibt es eine Toilette, falls du eine brauchst.« Er schaut auf seine Uhr. »Johnny sollte in etwa einer halben Stunde hier sein.«

»Johnny Jones?«, frage ich.

Er nickt unverblümt. »Der Anführer an der Ostküste. Kennst du ihn?«

»Irgendwie schon, aber nicht wirklich. Ich habe ihn ein paar Mal mit Claire getroffen, als sie noch hier lebte. Sie und Cora standen sich näher als ich, aber er war immer in der Nähe. Er lauerte in den Schatten, weißt du. Ich, äh, ich konnte es nicht glauben, als er starb. Oder als ich herausfand, dass er noch am Leben ist.« Ich kichere. »Ich dachte, mein Leben wäre kompliziert.«

Magnus mischt sich ein. »Er ist ein guter Kerl.«

Ich begegne Doms Blick. »Aber Dom sieht das nicht so?«

Magnus seufzt und lehnt sich auf seinem Stuhl zurück. »Dom ist unmöglich zufriedenzustellen.«

Dom räuspert sich. »Dom ist sehr wohl im Raum.«

Ich neige meinen Kopf zur Seite. »Oh, du magst es nicht, wenn man über dich redet, als wärst du nicht im Raum?« Ich grinse ihn an.

»Hab's verstanden.« Er rollt mit seinen schönen Augen.

»Wenn du Johnny nicht magst, warum kommt er dann?«, frage ich.

»Sie haben eigene Ermittlungen angestellt, um herauszufinden, wer für diese Angriffe verantwortlich ist«, erklärt Dom.

»Hast du jemals daran gedacht, dass sie den Ostküsten-

Sektor einbeziehen, um dich abzulenken?« Ich reibe mein Kinn an der Schulter.

»Ja«, sagt Dominic. »Das ist eine Möglichkeit.«

Ich beuge mich vor. »Diese Person kennt intime Details über die inneren Abläufe beider Organisationen, richtig?«

Magnus legt seine Hände auf den Tisch und steht auf. »Kaffee?« Er lässt seinen Blick umherschweifen und richtet ihn dann auf Simon. »Kannst du mir helfen?«

»Sicher.« Simon erhebt sich von seinem Platz und die beiden gehen hinüber zur Küchenzeile in der Ecke.

»Ja«, macht Dominic da weiter, wo er aufgehört hat. »Diese Art von geheimen Informationen zu bekommen, wäre unglaublich schwer, wenn nicht sogar unmöglich zu bekommen.«

»Wer hat diese Möglichkeit?«

Er schüttelt langsam den Kopf. »Das ist es ja gerade. Keiner. Ich diskutiere nicht mit dem Osten und sie nicht mit mir. Seit dem letzten Jahr sind wir Rivalen.«

»Aber jetzt nicht mehr?«

»Die Dinge haben sich – wie soll ich sagen? – weiterentwickelt, seit die Führung gewechselt hat.«

»Und was denkst du?« Ich starre Coen an.

Es dauert eine Minute, bis er merkt, dass ich mit ihm rede, aber dann zuckt er mit den Schultern. »Ich glaube, ich würde gerne denjenigen töten, der es ist.«

»Du und ich, Kumpel«, ruft Magnus von der anderen Seite des Tisches.

»Was, wenn es sich nicht um eine einzige Person handelt? Was, wenn es eine Gruppe ist, die zusammenarbeitet?« Eine Idee zündet in meinem Kopf. »Simon, wärst du in der Lage gewesen, das durchzuziehen?«

Seine Augenbrauen heben sich beim Klang seines Namens. »Ähm, vielleicht, aber ich bezweifle, dass ich in der Lage gewesen wäre, die Informationen von der Ostküste zu bekommen. Warum?«

»Weil das so ziemlich jeden ausschließt, der auf einer niedrigeren Stufe steht als du, richtig? Ihr habt erwähnt, dass ihr die Person, die mich entführt hat, für euren Rivalen haltet, aber was, wenn es nicht so ist? Ich meine, nicht so, wie ihr denkt. Was ist, wenn ihr das alles falsch seht?«

Simon stellt eine Tasse Kaffee vor mich hin. »Mit einem Eiswürfel, wie du es magst.«

»Danke.« Ich lächle zu ihm hoch.

»Und das ist ein gutes Argument«, sagt er, bevor er sich wieder Magnus zuwendet.

»Denn es scheint weniger um den Anspruch auf den Thron zu gehen als vielmehr darum, beide Seiten zu sabotieren. Ist das ein Feind? Jemand, dem ihr irgendwann einmal in die Quere gekommen seid. Vielleicht jemand, der einmal für beide Seiten gearbeitet hat? Johnny war früher ein Läufer für Franklin, jetzt ist er der Anführer der Ostküste. Es scheint nicht völlig abwegig, dass jemand Zugang zu beiden Seiten hat.«

Dominic fährt sich mit der Hand über den Bart und denkt über meine Theorie nach. »Aber Johnny war ein Laufbursche. Er hatte keinen Zugang zu den inneren Abläufen. Obwohl ...«

»Was? Du kannst mich doch nicht einfach so hängen lassen.« Ich nehme einen vorsichtigen Schluck von meinem Kaffee und warte, bis Dom fertig ist.

»Erinnert ihr euch an den großen Kerl, der für Frank gearbeitet hat? Wie hieß er doch gleich?« Dom zermartert sich das Hirn, während er versucht, sich zu erinnern.

»Da müssen Sie schon etwas genauer werden, Chef«, sagt Magnus.

»Er hat Brantley mit allen Mitteln bekämpft.«

»Josey«, verkündet Coen.

Dom schnippt mit den Fingern und zeigt auf Coen. »Genau, Josey.« Er nickt. »Er hat bis zur Umstrukturierung eine Weile für Franklin gearbeitet. Jetzt arbeitet er für Johnny.«

Simon meldet sich zu Wort. »Viele Menschen haben die Seite gewechselt, als sie merkten, dass sie dafür nicht umgebracht werden würden. Wisst ihr, wie viele Menschen von ihren Familien vertrieben wurden, aber nach Franklins Tod den Weg zurückfanden? Die Liste ist zu lang, um sie zu verfolgen.« Er stellt eine Tasse Kaffee vor Dom hin. »Außerdem ist Josey Johnnys rechte Hand. Er würde das nicht tun. Das wäre so, als würde man mich beschuldigen, es getan zu haben.«

Dom blickt zu ihm. »Hast du?«

Simon seufzt und entfernt sich. »Offensichtlich nicht.«

»Was ist mit der Gruppe, die ihr für verantwortlich haltet? Gibt es jemanden, den ihr befragen könnt?« Ich versuche, jeden möglichen Ansatzpunkt zu finden, um die Sache aufzuklären. Es muss etwas geben, woran sie noch nicht gedacht haben. Deshalb habe ich darauf bestanden, hier zu sein – um auf dem Laufenden zu sein und bei der Lösung dieses Rätsels zu helfen.

Coen sieht mich nicht an, als er sagt: »Wir haben alle umgebracht.«

»Okay, das war's dann wohl mit dieser Spur.«

»Die Santorinis haben immer zwielichtige Sachen gemacht, aber das hat mich nie gestört«, sagt Magnus.

»Wer hat davon profitiert, dass wir sie losgeworden sind?«, frage ich die Jungs.

»Wir«, antwortet Dominic. »Sie waren abtrünnig und haben unseren Einfluss auf die Polizei geschmälert. Unzählige Straftaten wurden zwischen ihnen ausgetragen. Ich war froh, als sie weg waren.«

»Die Organisation hat also profitiert. Wer wusste sonst noch von ihren Machenschaften?« Ich verfolge jede Spur, die mich zu Antworten führen könnte.

»Alle.« Dominic nippt an seinem Kaffee und wendet sich an Magnus. »Ist da was Stärkeres drin?«

Magnus grinst und greift in einen Schrank, um eine Flasche Bourbon herauszuholen. »Irgendwo ist es immer fünf Uhr.« Er schnappt sich eine Handvoll Gläser aus dem obersten Regal, zieht den Korken mit den Zähnen aus der Flasche und spuckt ihn auf den Tresen. Er schüttet etwas in jedes Glas und verteilt die Gläser am Tisch. Zuerst an Dom, dann an Coen, dann an mich.

Simon hebt seine Hand. »Danke!«

»Bist du sicher?«, drängt Magnus.

»Ich bin sowieso eher ein Tequila-Typ.« Simon blickt mich kurz an.

»Sie sind hier«, murmelt Coen, während er sich von seinem Platz erhebt.

Es klopft an der Tür, eine Sekunde später wird sie geöffnet und Johnny Jones tritt ein, quicklebendig und gesund. Er ist nicht ganz so, wie ich ihn in Erinnerung habe. Damals wirkte er eher deprimiert, als wäre das Leben aus ihm herausgesaugt worden.

Sein schokoladenbraunes Haar fällt ihm in die Stirn und hellgrüne Augen huschen durch den Raum und mustert jeden von uns. Keine Sekunde später folgt ihm Claire, seine Frau, in den Raum.

Ich erhebe mich und begrüße sie auf halbem Weg, wobei wir uns beide die Arme entgegenstrecken.

»J!«, ruft sie.

»Claire.« Ich umarme sie und ignoriere den stechenden Schmerz in meinem Arm bei dieser Umarmung.

Wir haben vielleicht nicht viel Zeit miteinander verbracht, bevor alles passiert ist, aber wenn man dieses Leben zusammen führt, weiß man diese Freundschaften noch mehr zu schätzen. Ich habe außer Gwyneth keine andere Frau, mit der ich reden kann. Und sie ist nicht gerade meine erste Wahl. Wenn ich jemanden in meinem Alter haben kann, der versteht, wie es ist, in diese Welt eingeführt zu werden, dann fühle ich mich nicht so allein. Wenn Claire nur öfter an der Westküste wäre, hätte ich vielleicht nicht so sehr mit dieser Situation zu kämpfen.

»Du siehst umwerfend aus«, sage ich und berühre ihr Haar. »Bist du blonder geworden?«

Sie grinst und nickt. »Ich dachte, ich bringe mal etwas Abwechslung rein.« Sie streichelt meine Schultern. »Und sieh dich an, du trägst ja richtige Designerklamotten.« Claire verengt ihren Blick auf die Männer hinter mir. »Wie ich sehe, kümmert ihr euch um mein Mädchen.«

Magnus legt seinen Arm um meine Taille. »Dein Mädchen? Ich dachte, sie gehört mir.« Er küsst mich auf die Wange und lässt mich dann los, um sie zu umarmen. »Claire. Wie geht es dir?«

»Mir geht es gut, Maggie.« Sie stupst seine Schulter an. »Machst du immer noch Ärger?«

Er grinst und nickt. »Du weißt ja ...« Magnus streckt Johnny seinen Arm entgegen. »Mr. Jones.«

Johnny und Magnus geben sich die Hand.

Ich spüre die gewichtige Präsenz des restlichen Raumes, während wir unsere lässigen Formalitäten austauschen.

Dominic räuspert sich ein wenig zu aggressiv. »Sollen wir anfangen?«

Claire legt ihren Arm um meinen und führt uns zum Tisch hinüber. Sie lehnt sich dicht an mich heran und flüstert mir ins Ohr: »Wir müssen uns bald treffen und quatschen.« Sie sieht Simon an und zwinkert mir zu, bevor sie meine Hand tätschelt und sich selbst neben meinen Bodyguard setzt.

»Wollt ihr Kaffee? Bourbon?« Ich werfe einen Blick in den Küchenbereich, wo ich keine Ahnung habe, was es sonst noch gibt.

»Was trinkst du?« Claire stützt sich auf ihre Ellbogen, um in meine beiden Tassen zu schauen. »Trinkst du Kaffee und Bourbon? Das ist genau mein Ding.«

Johnny schlendert zu uns und küsst Claire auf den Kopf. »Ich hole dir etwas, Babe.«

Claire ergreift Johnnys Hand, und die beiden halten sich fest, bis er nicht mehr in Reichweite ist. Pure, verdammte Liebe strahlt von ihnen aus und es macht mich so neidisch, dass sie einander so nahe sind. Ich frage mich, wie es ist, wenn man keine Geheimnisse voreinander hat. Bedingungslos zu lieben, voll und ganz, ohne Hemmungen.

Sie haben so viel zusammen durchgemacht und es scheint, als könne sie nichts auseinanderbringen. Die Probleme, die auftauchen, scheinen sie nur noch näher zusammenzubringen und ein unzerbrechliches Band zu schmieden.

»Ich zeige dir alles«, sagt Magnus zu Johnny, als sie sich auf den Weg machen, um die Getränke zu holen.

»Hey, tut mir leid, dass ich zu spät komme.« Miller betritt den Raum und trägt eine große Papiertüte mit einem Logo, die nur von einem Ort stammen kann. »Aber ich habe Donuts dabei.«

Wenigstens bin ich nicht die Einzige, die *Bram's Diner* liebt. Mein Herz schmerzt ein wenig, weil ich weiß, dass ich nicht mehr dorthin zurückkehren werde, bis sich die Dinge wieder beruhigt haben, aber ich bin dankbar, dass er meinen Platz für mich freihält. Ich muss nicht arbeiten, und den Jungs wäre es auch lieber, wenn ich es nicht täte, aber ich bin gern im Diner. Ich bin nicht gerade ein geselliger Mensch, so viel steht fest, aber das *Bram's* hat einfach etwas, das sich wie ein Zuhause anfühlt. Er war der erste Mensch, der nett zu mir war, ohne eine Gegenleistung zu erwarten, und dafür werde ich ihm ewig zu Dank verpflichtet sein.

»Ich habe gehört, dass du im Osten ein Café betreibst«, sage ich zu Claire.

Sie lächelt und nickt. »Ja. Der Kaffee ist nicht ganz so gut wie der von Bram, aber ich arbeite daran.« Claire nimmt die

Tasse, die Johnny ihr reicht. »Es ist, als ob er ihn mit Liebe macht oder so.«

Johnny rutscht auf den Sitz neben ihr und öffnet die Tasche, die Miller mitgebracht hat. »Danke, Kumpel.«

Ich sitze am Kopfende des Tisches, schaue mich im Raum um und frage mich, ob es so ist, wenn man Freunde hat. Wie eine Gruppe von Menschen, die Dinge über dich wissen, die du sonst nicht teilen kannst. Ein verbotenes Geheimnis, das wir für uns behalten, weil es uns alle nur in Gefahr bringen würde. Es ist ja nicht so, dass niemand die Wahrheit über diese Männer und ihre kriminellen Machenschaften kennt, aber es ist nicht gerade allgemein bekannt.

Ich beiße mir auf die Innenseite der Lippe, während ich zusehe, wie Miller die Donuts herumreicht. Ich habe Cora angelogen und ihr gesagt, Miller sei tabu. Aber was wäre, wenn sie auch hier sein könnte und einen Zusammenhalt erleben würde, der seinesgleichen sucht? Ist es fair von mir, ihr das vorzuenthalten, wenn die Wahrheit uns einander vielleicht noch näher bringen und ihr eine Chance auf Liebe geben könnte?

Aber was wäre, wenn Miller sie in Stücke reißen würde? Was, wenn sie mehr Probleme mit ihm hätte als ich mit meinen Jungs? Was, wenn er Feinde hat? Was, wenn sie mit ähnlichem Mist konfrontiert wäre wie ich und nicht stark genug wäre, um dem zu entkommen, wie ich es tat? Aber wer bin ich, um infrage zu stellen, ob Cora stark genug ist oder nicht? Steht es mir zu, ihrem Leben Grenzen zu setzen, wenn sie diejenige ist, die diese Risiken eingehen will?

Claire hat es geschafft und ist durch die Hölle gegangen, um mit dem Mann zusammen zu sein, den sie liebt.

Und hier bin ich, der lebende Beweis dafür, dass es möglich ist, diese dunkle und gefährliche Welt zu überwinden.

Aber da mein Leben noch auf dem Spiel steht, sollte ich

vielleicht nicht so schnell sagen, ob ich das Zeug dazu habe oder nicht.

»Claire ist eine unglaubliche Detektivin.« Johnny streicht ihr das Haar von der Wange. »Sie hat mir geholfen, mehr Rätsel zu lösen, als ich zählen kann. Wenn jemand herausfinden kann, wer für das, was hier passiert, verantwortlich ist, dann sie.«

Miller lässt sich zwischen Magnus und Coen nieder und beißt in einen Donut. Die Krümel fallen auf die Serviette, die er in der Hand hält. Er wirkt so … anders, als man es von jemandem erwarten würde, der sich in dieser Branche so gut auskennt. Er ist nicht muskulös oder tätowiert wie Magnus. Oder groß und furchteinflößend wie Dom. Simon strahlt eine *»Ich bin hier, um alles niederzuwalzen«*-Energie aus. Sogar Coen hat dieses mörderische Starren in seinem Surferboy-Äußeren. Und Johnny, nun ja, er hat auf jeden Fall einen Bad-Boy-Touch. Für Claire ist er ein Softie, aber er ist der Anführer einer ganzen Verbrecherbande. Und dann ist da noch Miller. Er sieht gut aus, das ist sicher, aber ihm fehlt diese psychopathische Aura, die die anderen Jungs haben. Er scheint auch zu jung zu sein, um alles zu überblicken, was er tut. Trotzdem würde ich ihm nicht in die Quere kommen, denn die, die *so* aussehen, sind meist die Schlimmsten von allen.

Miller ist die Büchse der Pandora – voller Geheimnisse, die darauf warten, enthüllt zu werden.

Und wenn ich überhaupt in Betracht ziehe, ihn in die Nähe meiner besten Freundin zu lassen, muss ich erst einmal nachforschen. Aber das an einem anderen Tag. Vielleicht kann ich eines Tages Claire aushorchen und herausfinden, was sie über den geheimnisvollen Mann denkt, der der Berater ihres Mannes ist. Heute haben wir ein größeres Problem zu lösen.

»Konntet ihr keinen der angeheuerten Männer erfolgreich verantwortlich machen?« Claire führt die Tasse an ihre Lippen und nippt an ihrem Kaffee. Sie sieht Johnny an und flüstert: »Mmm, Zimt.«

Er zwinkert ihr zu, als Dom das Wort ergreift. »Nein, aber soweit ich weiß, habt ihr das auch nicht.«

»Nein, haben wir nicht. Wir waren nahe dran, aber ein Mann hat sich die Zunge abgebissen, sie verschluckt und ist erstickt, bevor wir ihn verhören konnten.«

Mich schaudert es bei dem Gedanken, dass ich so verzweifelt wäre, mein eigenes Leben zu beenden. Tat er es, weil er dachte, dass die Foltermethoden zu extrem wären oder die Auswirkungen zu groß wären, wenn er redete?

Wie auch immer, solche drastischen Maßnahmen machen das Ausmaß der Situation deutlich. Wenn diese Person bereit war, zu sterben, anstatt zu sprechen, haben wir es hier mit jemandem zu tun, der sehr einflussreich ist.

»Du bist länger dabei als alle anderen an der Ostküste«, sage ich zu Miller. »Und in den Notizen steht, dass du etwas mitgenommen hast. Hast du eine Ahnung, was das sein könnte?«

»Luciano war ein rücksichtsloser, aber fairer Mann. Er hat nicht viel dem Zufall überlassen. Wenn er einen Feind hatte, hat er ihn entweder eliminiert oder auf seine Seite gezogen.« Miller tupft sich mit der Serviette den Mund ab und sieht Johnny kurz an. »Franklin hingegen machte sich bei jeder Gelegenheit Freunde zu Feinden. Er regierte grausam und böswillig. Seine Liste der Feinde erstreckt sich über alle Küsten und Kontinente.«

»Wer auch immer es war, er will beide Seiten zerstören und mich mit in den Abgrund reißen.«

»Wer sagt denn, dass *du* keine eigenen Feinde hast?«, schlägt Miller vor.

Ich lache. »Weil ich ein Niemand bin. Das Einzige, dessen ich mich schuldig gemacht habe, ist, eine Schlampe zu sein.«

Simon schiebt mir einen Donut zu. »Das hat nichts mit ihr zu tun.«

»Da wäre ich mir nicht so sicher«, meint Claire. »Eine Sache ist sicher. Sie sind hinter dir her, weil sie denken, dass du allein und schutzlos bist oder zumindest nichts ahnst.«

Ich schiebe den Donut aus dem Weg, aber Simon schiebt ihn zurück. Ich stütze mich auf meine Ellbogen. »Ich höre zu«, sage ich.

»Iss!«, flüstert Simon.

Ich breche ein Stück davon ab und stecke es mir in den Mund. »Zufrieden?«

Er grinst und nickt.

»Was wäre, wenn …« Claire blickt sich im Raum um und sieht meine Männer an. »Und hört mich an, bevor ihr mir das Wort abschneidet. Was ist, wenn wir June als Köder benutzen?«

»Auf keinen Fall«, meldet sich Dominic als Erster zu Wort.

»Das wird nicht passieren«, sagt Coen.

Magnus und Simon tauschen einen Blick aus, als ob sie telepathisch miteinander sprechen würden.

Johnny greift nach Claires Hand. »Ich weiß nicht …«

»Ich bin dabei«, verkünde ich.

»Nein!« Dominic starrt mich direkt an.

»Das ist nicht deine Entscheidung.« Ich starre verdammt noch mal direkt zurück. Nach allem, was er mir angetan hat, werde ich ihm auf keinen Fall die Entscheidung überlassen. Hier geht es um mein Leben, nicht um seins.

»Du bist verletzt«, wendet Coen ein.

*Verdammter Mistkerl!*

»Mir geht es gut.« Ich bewege meinen linken Arm und lasse ihn kreisen. »Siehst du?« Bemerkt er die Anspannung meiner Kiefer oder die Art und Weise, wie ich ihn nicht ganz ausstrecken kann, ohne dass der Schmerz mich durchbohrt?

Wahrscheinlich nicht, er ist in letzter Zeit ziemlich unaufmerksam.

Simon hingegen sieht alles. Auch die Dinge, die ich ihm nicht zeigen will. Und die Dinge, die ich nicht einmal selbst weiß.

»Nur wenn wir bestimmte Sicherheitsmaßnahmen ergreifen können«, schlägt Simon vor.

Denn natürlich ist er derjenige, der mir das zutrauen würde.

»Auf jeden Fall«, bestätigt Claire. »Ich würde die ganze Zeit bei ihr sein. Ich habe schon einige Geiselsituationen erlebt. Ich weiß, worauf ich achten muss.«

»Claire …« Johnny richtet sich auf seinem Sitz auf, um Claires Aufmerksamkeit zu erregen. »Das ist verrückt.«

Sie lächelt sanft und streichelt seine Wange. »Wir haben schon Verrückteres getan.«

»Das gefällt mir nicht«, mischt sich Magnus schließlich ein. »Aber es könnte dumm genug sein, um zu funktionieren.«

Jetzt, da ich weiß, dass eine Bedrohung unmittelbar bevorsteht, kann ich mich tatsächlich darauf vorbereiten. Ein Privileg, das mir nicht zuteilwurde, da die Jungs darauf bestanden haben, mich im Dunkeln zu lassen. Wenn ich gewusst hätte, was da vor sich geht, hätte ich den Bastard vielleicht am Leben gelassen, anstatt ihn zu töten. *Bronco.* Was für ein bescheuerter Name.

»Wartet!«, platze ich heraus, als sich eine Erinnerung meldet. »Ich erinnere mich an einen anderen Namen von neulich.« Ich krame in den Erinnerungen dieser schrecklichen Nacht, um herauszufinden, was es war. »Harold.« Ich blinzle zu der Gruppe, die mich anglotzt. »Einer der Männer hieß Harold. Und der andere Typ, Bronco.«

»Ich lasse Savini das checken, um zu sehen, was er finden kann. Ich werde ihm die Namen geben«, sagt Dominic. Er sieht auf seine Armbanduhr. »Apropos, ich habe gleich eine Besprechung.«

Natürlich hat er das. Während wir endlich alle zusammen sind, geht er. Natürlich! Wie können wir eine einheitliche Front zeigen, wenn er nicht einmal anwesend ist?

»Es wird nicht lange dauern.« Dominic begegnet meinem Blick. »Ich werde nur die Vorspeisen vermissen.«

Mein Herz flattert. Ist das seine Art, eine gemeinsame Basis zwischen uns zu finden? Eine Art von Kompromiss? Es ist nicht viel, und er wird noch viel tiefer graben müssen, aber im Moment funktioniert es.

»Es geht also klar?« Claire füllt die peinliche Stille.

»Ja«, antworte ich, bevor es jemand anderes tut.

»Okay.« Claire lehnt sich vor und stützt ihre Ellbogen auf den Tisch. »Wir müssen uns einen Ort aussuchen, an dem sie denken, dass du verwundbar bist. Wo die Sicherheitsvorkehrungen lax sind und die Chance groß ist, dass sich jemand Zugang zu dir verschafft. So, dass man es leicht übersehen kann, aber nicht so sehr, dass sie dich nicht mitnehmen können, wenn sie den Schritt wagen.«

»Ich kenne den perfekten Ort.« Ich atme tief durch und bereite mich auf die Möglichkeit vor, dass das alles schon bald vorbei sein könnte.

Vielleicht werde ich dann glücklich bis an mein Lebensende.

Aber da wir wissen, wie die Dinge in dieser Welt laufen, ist die Chance, dass alle von uns es lebendig überstehen, nicht groß.

# KAPITEL ACHTUNDZWANZIG – SIMON

*I*ch hasse das alles.

Der einzige verdammte Silberstreif ist, dass ich in ihrer Nähe sein kann. Das ist nicht viel anders als an jedem anderen Tag, aber jetzt ist alles anders. Sie ist entspannter mit mir. Weniger auf der Hut. Wir haben nicht mehr gemacht als ein bisschen unschuldiges Kuscheln. Meine morgendliche Latte, die sich an sie gepresst hat, war nicht gerade unschuldig, aber abgesehen davon war alles sehr jugendfrei. Glücklicherweise bin ich vor ihr aufgewacht und konnte es unter Kontrolle bringen, bevor sie merkte, dass mein Schwanz gegen ihr Bein drückte.

Ihr kleiner, warmer Körper schmiegte sich perfekt an den meinen, und wie sollte ich dem Verlangen widerstehen, das sich in meiner Leiste sammelte, während ich sie endlich in meinen Armen hielt?

Dennoch geht es mir bei ihr nicht in erster Linie darum, mit ihr Sex zu haben. Nein, einfach nur in ihrer Nähe zu sein. Ihren Atem auf meiner Haut zu spüren, sich in ihrem Duft zu suhlen und zu wissen, dass sie mich vielleicht, nur vielleicht, irgendwann so will, wie ich sie brauche.

»Du siehst strahlend aus, Liebes.« Ich schaue ihr bewundernd zu, wie sie sich im Kreis dreht und auf mich zukommt.

»Meinst du?« Sie bleibt vor dem Ganzkörperspiegel in ihrem Zimmer stehen. »Ist das nicht zu viel?«

Das schwarze Kleid schmiegt sich an den richtigen Stellen an sie und überlässt fast nichts der Fantasie, aber es reicht aus, um ihr genau das zu geben, was sie braucht. Schutz, Tarnung und ein Aussehen, bei dem niemand ihre Absichten infrage stellen wird. Sie ist angezogen, um zu töten – im wahrsten Sinne des Wortes.

Der Plan ist, sich anzupassen. Aber ich bin mir nicht sicher, ob June das schaffen könnte, selbst wenn sie es versucht.

»Nicht genug vielleicht.« Ich lache und schließe den Raum zwischen uns. Ich greife in meine Tasche und ziehe eine lange, dünne Schachtel heraus. »Ich habe etwas für dich.« Ich öffne die Schachtel und drehe sie ihr zu.

Ihre Augen weiten sich und ihr Mund bleibt offen stehen. Sie blickt von der Halskette zu mir. »Simon, sie ist wunderschön. Das hättest du nicht tun müssen …«

»Sei still, Liebes!« Ich ziehe die Kette aus ihrem samtigen Bett. »Dreh dich um!« Ich lege sie ihr um den Hals, während sie ihr Haar hochhält. Ich schließe sie und meine Finger streifen dabei ihre Haut. Ich lege meine Hände auf ihre nackten Schultern und drehe sie in Richtung des Spiegels. »Wie findest du es?«

June streift die zierliche Roségoldkette, die knapp unterhalb ihres Schlüsselbeins liegt. Genau in der Mitte sitzt ein tropfenförmiger Smaragd mit einem viertelkarätigen Diamanten auf dem grünen Stein. Er ist schlicht, unaufdringlich, aber verführerisch und strahlend.

»Es ist perfekt, Simon. Danke.« Sie begegnet meinem Blick im Spiegel.

Ich ordne ihr Haar und küsse ihre Schulter. »Genau wie du, meine Liebe.«

Claire erscheint in der Tür und sieht aus, als könnte sie ebenfalls Herzen brechen. »June, heilige Scheiße!« Sie betritt den Raum. »Du gibst mal wieder alles!«

Die beiden umarmen sich, und niemand würde auf die Idee kommen, dass sie sich als Köder für einen Verbrecher hergeben wollen. Verdammt, wenn ich es nicht besser wüsste, würde ich annehmen, dass sie nur einen Mädelsabend machen.

Sogar Cora macht mit, um die ganze Sache glaubhafter zu machen.

Sie weiß nicht, was vor sich geht, weil alle beschlossen haben, dass dies das Beste ist. Sie würde nicht nur riskieren, den Plan zu verraten, sondern es würde auch Raum für ein Gespräch eröffnen, das für unser Zeitfenster zu lange dauern würde. Wir wollen zuschlagen, solange die Dinge noch so frisch sind, und das bedeutet, es jetzt zu tun.

# KAPITEL NEUNUNDZWANZIG – JUNE

*C*ora schreit förmlich auf, als sie sieht, dass Claire mit mir in der Limousine sitzt.

»Halt die Klappe! Ich wusste nicht, dass du in der Stadt bist.« Cora schlingt sofort ihre Arme um Claire und drückt sie fest an sich.

»Überraschung!« Ich drücke sie auch.

Möchte ich meine beste Freundin in Gefahr bringen? Auf keinen Fall. Aber die Tatsache, dass die ganze Zeit verstrichen ist, ohne dass sie gefährdet wurde, sagt mir, dass derjenige, der diesen Scheiß macht, nicht daran interessiert ist, sie mit einzubeziehen. Es ist ein Risiko, das ich bereit bin einzugehen, um diese ganze Nacht glaubwürdiger zu machen.

Wir unternehmen oft Frauenabende. Und es ist kein Geheimnis, dass wir drei Freundinnen sind. Ausgehen ist etwas, das völlig im Rahmen unserer üblichen Norm liegt. Und die Tatsache, dass Claire in der Stadt ist, ist die perfekte Ausrede, um sich zu treffen.

Vor einer Woche hätte ich diese Umstände noch nicht einmal infrage gestellt.

Warum sollte das jemand anders tun?

Und da Simon seit über sechs Monaten ununterbrochen bei mir ist, ändert sich das auch heute Abend nicht. Er wird in der Nähe bleiben, zusammen mit Johnny. Nichts davon ist potenziell beunruhigend für jeden, der uns vielleicht beobachtet. Der Rest der Männer ist in Position. Sie lauern in ihren jeweiligen Ecken und warten auf das, was passieren könnte.

Die Hälfte von uns mag diesen Plan hassen, aber wir waren uns noch nie so einig wie heute Abend. Und vielleicht ist das endlich der Vorteil, den wir brauchen, um diesen Bastard ein für alle Mal auszuschalten.

Cora und Claire machen auf dem Weg durch die Stadt Small Talk. Johnny mischt sich hier und da ein, wenn er etwas beitragen kann.

Ich blende den größten Teil der Unterhaltung aus und lehne mich an den starken Mann neben mir, hake meinen kleinen Finger in seinen ein und genieße diesen einfachen, aber intimen Griff.

Simon wirft seinen Arm um meine Schultern und zieht mich zu sich heran. Er ersetzt seinen kleinen Finger durch seine andere Hand und umschließt meine Handfläche vollständig mit seiner. In solchen Momenten fühle ich mich in der Lage, alles zu überwinden, was diese dumme Welt mir vorsetzt.

Die Limousine kommt im *Haven District* vor Coras Lieblingsbar zum Stehen. Einen Moment später öffnet sich die Tür, und Alec begrüßt uns auf der anderen Seite. Simon tritt zuerst hinaus, begutachtet die Umgebung und greift dann nach mir. Ich erlaube ihm, mir zu helfen und mein Kleid zurechtzurücken, sobald ich auf dem Bürgersteig stehe.

»Bist du sicher, dass ich gut aussehe?« Cora folgt mir und wirft einen Blick auf ihr Outfit.

Sie trägt eine durchsichtige schwarze langärmelige Bluse, die locker an ihrem Oberkörper hängt und darunter einen schwarzen Push-up-BH entblößt. Ihre schwarze Satinhose schmiegt sich eng an ihre Kurven, und die Absätze, die sie trägt, lassen ihre Beine noch länger und ihren Hintern noch fester erscheinen. Ihr goldenes Haar fällt in lockeren Wellen auf die Schultern.

Alec räuspert sich. »Du bist, äh, wunderschön.« Er vermeidet den Blickkontakt, als könnte er dafür getadelt werden, dass er mit ihr spricht.

»Danke, Alec.« Sie grinst und ihre Wangen erröten.

Simon lehnt sich dicht an Alec heran und flüstert ihm etwas ins Ohr.

Alec nickt heftig und wartet, bis der Rest unserer Gruppe die Limousine verlassen hat, bevor er die Tür schließt. Er und Cora tauschen einen schüchternen Blick aus.

Sobald er außer Sichtweite ist, sagt sie zu mir: »Er ist so süß.«

Ich stoße sie mit dem Ellbogen an und lächle. »Er spielt nicht einmal in deiner Liga, Schätzchen.«

»Ach was, ich glaube nicht an Ligen.« Sie schlingt ihren Arm um meinen, und ich ignoriere den Schmerz, der immer noch von der Schusswunde ausgeht, die von einem fleischfarbenen Verband verdeckt wird, den unser Hausarzt mitgebracht hat. Er wirkt so perfekt, dass Cora ihn gar nicht bemerkt.

Der Club vibriert vor Energie und lauter Musik, als wir uns ihm nähern. Meine Absätze klacken auf dem Pflaster in einem Tempo, das dem meines Herzens entspricht. Stetig. Kalkuliert. Vorbereitet. Was auch immer diese Nacht bringt, wir werden es gemeinsam bewältigen.

Johnny umgeht die verdammt lange Schlange vor der Bar und führt uns direkt zum Türsteher. Der riesige Kerl wirft einen Blick auf uns und öffnet die Tür, sodass Claire in den boomenden Laden eintreten kann. Wir folgen ihr hinein und werden sofort von einem jungen Mann mit einem Klemmbrett begrüßt. »Hier entlang«, sagt er.

Simon nickt zustimmend und legt seine Hand auf meinen Rücken, um mich zu führen. Seine Berührung wandert ein

Stückchen weiter, bis sie genau auf meiner Hüfte ruht. Sie ist elektrisierend und einladend und völlig ablenkend.

Der Mitarbeiter führt uns zu einem abgesperrten Bereich. Er hebt die Absperrung an, um uns durchzulassen, und sichert sie dann hinter uns.

»Heilige Scheiße!«, sagt Cora. »Ich war noch nie im VIP-Bereich.« Sie dreht sich einmal im Kreis und lässt sich auf die Plüschcouch plumpsen. Dieses Mädchen hat keine Ahnung, was sie alles verpasst. Wenn ihre beste Freundin nur in den sauren Apfel beißen und ihr die Wahrheit darüber sagen würde, womit ihre Männer ihren Lebensunterhalt verdienen, dann könnte Cora vielleicht auch einen Vorgeschmack auf dieses Leben bekommen.

»Wenn Sie noch etwas brauchen, zögern Sie nicht«, sagt der Kerl zu Simon.

»Sieh dir all diese Flaschen an!« Cora wühlt sich durch die riesige Auswahl auf dem Tisch in der Mitte unseres kleinen Bereichs. »Wer bezahlt das?«

Simon reibt sich den Nacken. »Ich bin, äh, Miteigentümer.«

»Von diesem ganzen verdammten Club?« Sie wirft ihre Arme dramatisch in die Höhe.

»Das wusste ich nicht«, flüstere ich ihm zu. Es gibt so viele Dinge über jeden meiner Männer, die ich nicht weiß. Zum Beispiel die Tatsache, dass Dominic mehrere Häuser im ganzen Land und eines im Ausland besitzt. Er hat auch einen verrückten Privatjet. Was für Geheimnisse verbergen Coen und Magnus?

»Ja, das ist keine große Sache«, sagt Simon zu Cora. »Trink, was immer du willst.«

Cora schnappt sich die Flasche Tequila und zieht den Korken heraus. Sie schenkt fünf Kurze ein und reicht jedem von uns einen. »Einen Toast.«

Claire lächelt sie an. »Worauf stoßen wir an, Cor?«

»Auf Freunde.« Cora hält ihr Glas in die Luft. »Die besten Freunde.«

»Auf Freunde!«, sagen wir gemeinsam und schlürfen die warme Flüssigkeit.

Hitze breitet sich auf meiner Brust und in meinem Bauch aus. Ich lasse mich auf dem Platz neben ihr nieder, während sie ihr Glas wieder auffüllt. »Willst du dich heute Abend betrinken?«

»Du auch! Nur so kann ich dich dazu bringen, mit mir zu tanzen.« Cora füllt mein Schnapsglas nach.

»Du weißt, dass ich kein Tequila-Mädchen bin.« Ich nehme ihn, denn ich will keine ungewollte Aufmerksamkeit erregen, und schlucke den Inhalt herunter.

Cora schenkt auch in Claires leeres Glas ein. »Ich bin wirklich so froh, dass ihr beide hier seid. Dass wir hier sind. Ich habe das gebraucht. Mehr als ihr ahnt.«

Es zerreißt mir das Herz, dass ich in letzter Zeit nicht so eine gute Freundin war, wie Cora es verdient hat. Ich habe mich so sehr auf alles konzentriert, was in meinem Leben vor sich geht, dass ich ihrem Leben keine Aufmerksamkeit geschenkt habe. Nur weil mich jemand tot sehen will, heißt das nicht, dass ihre Probleme weniger wichtig sind als meine.

»Was ist denn los, Cor?«, frage ich und schlucke die Schuldgefühle herunter, eine beschissene Freundin zu sein.

Sie seufzt. »Schon gut. Alles ist gut.«

Aber das könnte nicht weiter von der Wahrheit entfernt sein. Ich schätze, meine Männer und ich sind nicht die Einzigen, die Geheimnisse haben.

»Sprich mit mir, Cora Bora.« Claire trinkt ihren Shot und stellt das Glas auf den Tisch.

Simon und Johnny sitzen am anderen Ende unseres abgesperrten Bereichs und führen ein Gespräch. Aber von der Musik, die hier dröhnt, überträgt sich kein bisschen von dem, was sie sagen, auf uns. Simon zwinkert mir zu und mein Puls beschleunigt sich. Ich zwinge mich, den Blick abzuwenden und mich auf meine beste Freundin zu konzentrieren.

»Nur das Übliche. Die Arbeit. Das Leben. Jungs. Familie. Du weißt schon.« Cora zuckt mit den Schultern und malt ein Lächeln in ihr schönes Gesicht. »Aber heute Abend geht es darum, dass wir unsere Sorgen vergessen, oder?« Sie schenkt sich noch einen Drink ein und kippt ihn hinter.

Ihre Augen leuchten auf, und ich folge ihrem Blick und sehe Alec auf uns zukommen. Cora ergreift meinen Arm und greift nach Claire. »Würdest du mich umbringen, wenn ich ihn zum Tanzen auffordere? O mein Gott, ich werde es tun.« Cora erhebt sich und rückt ihre Brüste zurecht. »Ich gehe tanzen.«

Und bevor eine von uns sie aufhalten kann, geht Cora selbstbewusst zu ihm, ihre Körper getrennt durch das Seil zwischen ihnen. Sie wechseln ein paar Worte und offenbar überzeugt sie ihn, denn er löst die Absperrung und lässt sie durch.

Alec wirft einen Blick über die Schulter zu Simon, der ihm einen Daumen nach oben zeigt.

Simon wendet sich mir zu und sagt: »Es ist okay.«

Ich atme tief ein und seufze. »Ich hasse es, sie im Dunkeln zu lassen.«

»Ich auch.« Claire lehnt sich in der Couch zurück, wirft ihren Arm über die Lehne und dreht sich zu mir um. »Ich war nicht oft genug hier, um mit ihr zu reden. Weißt du das? Und es gibt so viele unvorhersehbare Variablen. Es könnte das Beste oder das Schlimmste für sie sein.«

»Das ist auch mein Gedanke. Ich komme mir egoistisch vor, wenn ich es ihr nicht sage, aber ich wäre auch egoistisch, wenn ich es ihr sage. Es ist scheiße, niemanden zum Reden zu haben. Sie ist meine beste Freundin, und sie tappt völlig im Dunkeln. Ein Teil von mir möchte, dass sie unwissend bleibt, um sie zu beschützen.«

»Ja«, sagt Claire. »Aber das ist nicht immer die beste Wahl.«

Sie dreht sich weiter zu mir um. »Ich habe es meiner besten Freundin Rosie erzählt.«

Meine Augen weiten sich. »Ohne Scheiß? Wie ist es gelaufen?«

»Nun«, Claire atmet aus, »ich war dazu gezwungen, wirklich. Sie wurde im Krieg gefangen genommen und wäre fast gestorben. Zu diesem Zeitpunkt hatte ich keine andere Wahl. Wir haben eine schwierige Zeit durchgemacht, aber ich glaube, das hat uns näher zusammengebracht.«

»Wow, ich hatte ja keine Ahnung.«

Claire schnappt sich eine der Wasserflaschen vom Tisch, dreht den Deckel ab, nimmt einen Schluck und dreht sich wieder zu mir. »Wir alle haben unseren Anteil an Geheimnissen, um die zu schützen, die wir lieben.«

»Auch du und Johnny?«

Claire lacht. »Besonders ich und Johnny.« Sie schüttelt den Kopf und lächelt. »Der Scheiß, den wir uns gegenseitig vorenthalten haben, war unfassbar. Und es gibt immer noch Zeiten, in denen ich Informationen aus ihm herausschütteln muss. Eine Beziehung wie unsere ist nicht ohne Komplikationen.«

*Komplikationen.* Ist es das, was meine Jungs und ich gerade durchmachen? Ist es nur eine natürliche Schwierigkeit, die dadurch verschlimmert wird, dass ich mit mehreren Männern zusammen bin, die außerdem ein riesiges Verbrechersyndikat leiten? Ich habe ehrlich gesagt noch nie eine Beziehung geführt. Selbst wenn das also normal wäre, wüsste ich es nicht. Es *fühlt* sich nicht wie die Scheiße an, die alle anderen durchmachen. Aber wer bin ich, dass ich solche Vermutungen anstelle?

»Ich hatte keine Ahnung«, sage ich. »Ich dachte, bei euch beiden wäre alles in Butter.«

»Oh, das ist es. Es gibt nichts, was sich zwischen uns stellen könnte. Aber das heißt nicht, dass wir nicht durch die Hölle gegangen sind, um hierherzukommen. Wir hatten beide Geheimnisse, einige viel dunkler und gefährlicher als andere.

Bei einigen hatte ich keine Ahnung, wie wir sie jemals überwinden würden.« Claire kaut auf ihrer Lippe. »Aber irgendwann kommt der Punkt, an dem man eine Entscheidung treffen
muss. Du musst entscheiden, ob es sich lohnt, alles zu riskieren,
in der Hoffnung, dass es funktioniert. Die Liebe ist mächtiger,
als du denkst, J. Und wenn man genug davon hat, gibt es nichts,
was man nicht erobern kann.«

Claire wirft einen kurzen Blick über ihre Schulter auf
Johnny.

Ich denke über ihre Worte nach und lasse sie auf mich
wirken. Wenn es darum geht, was ich für meine Männer
empfinde, gibt es keinen Mangel an Liebe, aber was ist, wenn
ich die Einzige bin, die ihr Herz hergibt? Allein schaffe ich das
nicht. Nicht, wenn sie mich bei jeder Gelegenheit wegstoßen,
nur um mich dann wieder an sich zu ziehen, wenn ich schon
mit einem Fuß aus der Tür bin. Sie ziehen mich gerade so weit
zurück, dass ich bei der Stange bleibe, und lassen mich
abdriften, wenn es wieder an der Zeit ist. Wir können so eine
Beziehung nicht aufrechterhalten. Und ich kann nicht mit der
geistigen Verwirrung umgehen, die das mit sich bringt.

Simon hat recht – diese Situation hat mich mehr beeinflusst,
als ich mir eingestehen will. Ich habe Gewicht verloren. Ich war
ängstlicher und deprimierter als sonst. Ich habe mir selbst
Schaden zugefügt, wenn ich etwas fühlen wollte. Und ich habe
mich nur dann einigermaßen friedlich gefühlt, wenn ich jemand
anderem Schmerz zugefügt habe. Eine Dunkelheit hat sich über
mich gelegt, und ich habe unterschätzt, wie intensiv sie ist.

»Hat Johnny jemals an dir gezweifelt?«, frage ich. »Zum
Beispiel daran, ob du das Zeug dazu hast, in dieser Welt zu
leben?«

Claire nickt. »Ja. Mich hat das auch genervt. Vor allem, weil
ich mich mehr als einmal bewährt habe.«

»Genau.« Ich strecke die Hand aus und greife ihren Unterarm. »Die machen den gleichen Scheiß mit mir.«

»Oh, und ich bin sicher, dass es noch schlimmer ist, wenn sie zu viert sind.«

Ich ziehe meinen Arm weg und streiche mein Haar hinter das Ohr. »Drei. Simon und ich sind nicht zusammen.«

»Hätte mich auch täuschen können. Der Typ ist verliebt in dich.«

Mein Herz klopft wie wild in meiner Brust. »So offensichtlich?«

»Ich bin mir ziemlich sicher, dass er gerade versucht, ein Loch in meinen Kopf zu starren, um einen Blick auf dich zu werfen.« Claire kichert und stellt ihre Wasserflasche auf den Tisch, sodass ich sehe, dass Simon genau das tut.

Ich greife nach oben und streife mit den Fingern an der Kette entlang über die Narbe auf meiner Brust, die zu der Eintrittswunde in meinem Rücken passt und die in der Nacht entstand, als ich beim Versuch, Simon zu töten, angeschossen wurde.

Seine Männer taten nur, was sie für richtig hielten, aber Coen und Simon sorgten dafür, dass kein einziger Verantwortlicher für meine Nahtoderfahrung einen weiteren Tag lebte. Ich erfuhr erst nach meiner Operation von Coens Amoklauf, und es dauerte einige Monate, bis ich hörte, dass Simon den Mann, der den Abzug betätigt hatte, eliminiert hat.

Er ist in jener Nacht geflohen und hat sich durch eine Hintertür hinausgeschlichen, als der Aufruhr in der Ratsvilla ausbrach. Dieser Mann hätte nie eine Waffe haben dürfen, aber er hatte sie. Und als er sah, wie ich den Dolch in Simons Brust stoßen wollte, schoss er mir in den Rücken.

Zum Glück für mich hat er nicht so gut gezielt. Wäre er ein bisschen weiter links gestanden, hätte er meine Lunge direkt getroffen. Aber der Chirurg konnte den Schaden beheben und mich zusammenflicken, bevor ich an meinem eigenen Blut ersticken konnte.

»Hey«, sage ich zu Claire. »Hast du schon mal die Ratsfrauen getroffen?«

Claire rollt mit den Augen. »Hochnäsige Schlampen mit zu viel Geld und Ego, wenn du mich fragst.«

»Es ist, als ob du meine Gedanken lesen würdest.«

»Ich bin so froh, dass das nur eine Sache der Westküste ist. Warum sie diesen Frauen Macht geben, werde ich nie erfahren.«

Ich habe immer gedacht, dass es eine ziemlich seltsame Einrichtung ist. Den Ehefrauen die Macht zu geben, massive Entscheidungen für die Organisation zu treffen. Einige von ihnen haben nicht einmal das Wissen über die inneren Abläufe, das über das Oberflächliche hinausgeht. Es scheint nicht richtig zu sein, aber wer bin ich, diese Bedenken zu äußern, wenn ich selbst kaum etwas weiß?

Claire ist nicht viel älter als ich, aber angesichts ihrer engen Beziehung zum Anführer der Ostküste ist sie sachkundig genug, um diese Art von Meinung zu haben.

»Angeblich«, fährt Claire fort. »Franklins Frau war diejenige, die sich damals für Johnny eingesetzt hat. Aber irgendetwas kam mir bei ihr immer seltsam vor. Ihre Beweggründe, weißt du?«

»Es tut mir so leid, was er euch angetan hat.« Ich schüttle den Kopf. »Ich habe Geschichten gehört, und ich weiß nicht, wie viel davon wahr ist, aber die Scheiße, die er euch angetan hat … es ist schrecklich.«

Claire richtet sich auf. »Franklin war ein kranker Mann. Die Welt ist ohne ihn ein besserer Ort.«

»June!«, ruft jemand von der anderen Seite des Raumes.

Ich suche die Menge ab, um diejenige zu finden, und habe die schöne Blondine im Visier, mit der wir gekommen sind. Cora hebt die Arme und winkt uns wie wild zu, dann fordert sie uns auf, sich ihr anzuschließen.

»Wir werden gerufen«, sagt Claire und schaut zu unserer gemeinsamen Freundin.

»Bist du bereit?«, frage ich sie, während ich aufstehe.

Sie steht auf und rückt ihren eng anliegenden schwarzen Body zurecht. »Dafür geboren, Baby.«

Ich gieße Tequila in ein paar der Gläser und fülle sie mit einem Spritzer Orangensaft auf, bevor ich mich durch den Rest des Angebots wühle, um etwas zu finden, das mir besser schmeckt.

Simon kommt zu mir und holt eine Flasche *Hawk's Mark* unter dem Tisch hervor. »Ist es das, wonach du suchst, Liebes?«

Johnny kommt ebenfalls, schlingt seine Arme um Claires Taille und küsst sie von hinten auf die Wange. »Ich liebe dich«, flüstert er, aber laut genug, dass ich es hören kann. Ihre Lippen treffen auf seine, und ich richte meine Aufmerksamkeit auf den Mann vor mir.

»Ja. Woher weißt du das?« Ich stehe auf und stelle mich ihm gegenüber.

»Weil ich dich kenne.« Simon öffnet die Flasche und gießt etwas von der goldenen Flüssigkeit in mein leeres Glas, sein verführerischer Blick lässt mein Herz noch mehr pochen.

»Möchtest du auch etwas?« Ich halte inne und füge dann hinzu: »Trinken.«

Er zwinkert und schüttelt den Kopf. »Mir geht's gut, Liebes.«

Ich gebe Claire einen der Tequilas und biete Johnny einen weiteren an. Den letzten nehme ich für Cora und klemme ihn mit meinem Drink zwischen die Finger, sodass meine andere Hand frei bleibt, um Simon zu umarmen.

Wir gehen als Gruppe aus dem abgesperrten Bereich hinaus und in die Menschenmenge hinein. Ich bin schon unzählige Male hier gewesen und hatte nie den Eindruck, dass Simon ein Teil des Clubs gehört. Ich nahm einfach an, dass ihn alle so behandeln, weil er so ist, wie sie. Es gibt in dieser Stadt keinen

Ort, an den einer dieser Männer gehen kann, ohne dass er besondere Aufmerksamkeit erhält.

Simons Hand schlängelt sich an meiner entlang, während ich uns zu Cora und Alec führe, die am Rand der Tanzfläche stehen.

Sie strahlt, als wir uns nähern, und nimmt dankbar das Glas entgegen, das ich ihr gebe, wobei sich ein Glanz über ihr strahlendes Gesicht legt. Cora trinkt einen Schluck und bietet ihn Alec an. Er wirft einen Blick auf Simon, der ihm knapp zunickt. Muss er jeden seiner Schritte erst mit Simon absprechen, bevor er handelt? Alec war nicht Teil des Plans, aber ich bin froh, dass er hier ist, um ein Auge auf Cora zu haben. Während Johnny sich auf Claire und Simon auf mich konzentriert, ist es gut, dass Alec hier ist und auf sie aufpasst.

Mit nur einem Glas in der Hand nippe ich an dem dekadenten Bourbon.

»Komm schon!«, schreit Cora über die dröhnende Musik hinweg. Sie nimmt Alec an der Hand und zieht ihn durch die Menge.

Der Rest von uns folgt ihr zu einem Platz in der Mitte der Tanzfläche. Die Lichter flackern und färben sich in einen dunkelblauen Farbton. Ich drehe mich zu Simon um, sein Körper liegt dicht an meinem.

»Willst du mit mir tanzen?«, rufe ich ihm zu.

»Willst du, dass ich es tue?« Simon hebt eine Augenbraue.

Ich nehme noch einen Schluck von meinem Bourbon und nicke.

Er grinst und sein starker Griff findet meine Taille, zieht mich an sich und wiegt mich im Takt. Es dauert nicht lange, bis wir unseren Rhythmus gefunden haben und tanzen, als wären unsere Körper füreinander geschaffen. Ich drehe mich in seiner Umarmung, mein Hinterteil drückt gegen seine Vorderseite. Ich lege meine Hand um seinen Nacken und halte ihn ganz nah bei mir. Seine Hüften bewegen sich mit meinen, sein Schwanz ist nur durch unsere Kleidung von mir getrennt.

Seine Hände gleiten über meinen Körper und erforschen ihn vorsichtig.

So bleiben wir für eine kurze Ewigkeit. Cora und Alec tanzen ein paar Meter von uns entfernt. Coras Arme sind um Alecs Hals geschlungen, seine Hände halten sich an ihrer Taille fest. Ich drehe mich, um einen Blick auf Johnny und Claire zu erhaschen, die sich ebenfalls im Takt bewegen. Ihre Münder liegen aufeinander, eine feurige Leidenschaft zwischen ihnen, wie sie kein anderes Paar an diesem Ort kennt. Ihre Liebe ist stark genug, um diesen ganzen Ort in Flammen zu setzen. Ich wende mich wieder Simon zu und sehe zu ihm auf.

»Was ist los, Liebes?«, fragt er mich, und sein Blick ist besorgt.

Ich starre in seine smaragdgrünen Augen. »Ich will nichts bereuen.«

Simon streicht mit den Fingerknöcheln über meine Wange. »Was könntest du denn bereuen?«

»Nicht ja zu sagen.« Ich schlucke und lasse meine Aufmerksamkeit für eine kurze Sekunde auf seine Lippen schweifen.

»Ja zu was?«

»Zu dir.«

Für einen Moment wird es ganz still, die Geräusche klingen gedämpft und verschwinden im Hintergrund. Alle sind weg, bis auf uns. Nur ich und dieser wunderbare Mann, der alles für mich getan hat, seit ich ihm begegnet bin. Der erklärt hat, dass ich ihm gehöre, bevor ich überhaupt seinen Namen kannte. Der geschworen hat, für immer zu warten. Und der alles aufgegeben hat, nur um mich ins Leben zurückzubringen. Der Typ, den alle für einen arroganten Playboy halten, ist einer der nettesten und rücksichtsvollsten Männer, die mir je begegnet sind. Er stellt meine Bedürfnisse über seine, und er war für mich da, als es sonst niemand war.

»Was willst du, Liebes?« Simon bewegt unsere Körper im Rhythmus des fernen Taktes.

»Dich.« Ich strecke mich höher. »Ich will dich.« Und gerade jetzt, während die ganze Welt zusieht, weigere ich mich, die Gelegenheit zu verpassen, diesen Schritt zu tun.

»Liebes ...« Simon zögert.

»Wir bekommen vielleicht keine weitere Chance, Simon.« Ich schwebe mit meinem Gesicht näher heran.

Er lehnt seine Stirn an meine. »Ich will nicht, dass das der Grund ist, warum du mich küsst.«

Ich streife meine Nase an seiner. »Du weißt, dass das nicht der Grund ist.« Ich lege meine Hände um seinen Hals, halte das Glas Bourbon kaum noch fest und trete näher an ihn heran. »Küss mich, Simon!«

Und weil er mir immer gibt, was ich will, presst er seine Lippen auf die meinen, verschmilzt erst sanft mit mir, wird dann aber immer heftiger. Er neigt seinen Kopf zur Seite und teilt meine Lippen mit seiner Zunge. Er hält eine Hand an meiner Taille, die andere greift an meine Schädelbasis und winkelt mich zu sich heran. Er stöhnt in meinen Mund, und ich schwöre bei Gott, wenn wir nicht mitten auf dieser verdammten Tanzfläche wären, würde ich mir die Kleider vom Leib reißen, um ihm so nahe zu kommen wie nur irgend möglich.

Er schiebt sein Knie zwischen meine Beine und bewegt uns weiter im Takt, wobei sein Mund den meinen nicht zu verlassen wagt. Er vertieft den Kuss und zieht seinen Griff an meiner Seite fester. Ich reibe mich an seinem Oberschenkel und mein Inneres verkrampft sich durch den Druck, den er auf mich ausübt.

Simon drückt auf meinen Rücken und übt mehr Druck zwischen meinem schmerzenden Zentrum und seinem Bein aus. Er fährt mit seiner Zunge an meiner entlang und beißt auf meine Unterlippe. »Liebes«, haucht er in mich hinein. »Du bist süßer, als ich es mir vorgestellt habe.« Er küsst mich wieder, aber diesmal ist es weich und sanft und nicht wie das Inferno vor wenigen Augenblicken. Aber obwohl es nicht so heftig ist, ist es auf seine eigene Art intensiv. Und als er mich genau richtig auf sein Bein zieht, komme ich zum Orgasmus, genau hier im Chaos dieses Nachtclubs. Sein Mund trägt die Hauptlast des Stöhnens, das mich verlässt. Er streift ein paar sanfte Küsse auf meine Lippen und dann auf meine Nase und grinst triumphierend.

Ich keuche atemlos und tue so, als hätte ich mich nicht gerade so sehr an seinem Bein gerieben, dass ich in der Öffentlichkeit zum Höhepunkt gekommen bin. Meine Wangen erröten bei dem Gedanken, dass einer meiner Freunde mich dabei beobachtet hat, wie ich mich an Simons verdammtem Oberschenkel befriedigt habe.

»Niemand hat es bemerkt, Liebes.« Simon streicht mir das Haar von der Wange und legt die Strähne hinter mein Ohr. Er lehnt sich zu mir und flüstert: »Aber wenn du eine Show willst, können wir ihnen eine bieten.«

»Simon!« Ich gebe ihm spielerisch einen Klaps und richte mein Kleid, bevor ich mich ganz aufrichte. Meine Beine knicken leicht ein, aber ich kann mich wieder aufrichten.

Das war definitiv nicht Teil des Plans.

Und ganz ehrlich, ich sollte nicht weiter darüber nachdenken, denn das würde mich nur von dem ablenken, was wir hier zu erreichen versuchen.

Es war berauschend, aber es ist verboten und nicht in Ordnung. Ich habe eine Grenze überschritten, die ich nicht mehr zurücknehmen kann, und mein Handeln wird Konsequenzen haben. Nicht nur bei mir und Simon, sondern auch bei meinen Männern. Sie haben deutlich gemacht, was sie für ihn empfinden, und ich habe mir trotzdem genommen, was ich wollte. Wir haben nie wirklich über die Exklusivität unserer offenen Beziehung gesprochen, nicht in allen Einzelheiten, aber Simon war immer ihr Feind.

Das ist ein Gespräch für einen anderen Tag. Eines, an dem mein Leben nicht mehr so sehr auf dem Spiel steht und an dem ich bereits darüber nachgedacht habe, wie ich mit den Dingen umgehen will, die sie mir in den letzten Monaten angetan haben. Ich mag mit ihnen daran arbeiten, aber das bedeutet nicht, dass ich verzeihen oder vergessen kann, wie sehr das, was sie getan haben, uns geschadet hat.

Ich werfe einen Blick auf Claire und neige meinen Kopf zu einem verdächtig aussehenden Kerl. »Ich glaube, wir haben einen an der Angel«, sage ich Simon.

Seine Kiefer spannen sich an und die Unbekümmertheit, die ihn gerade noch umfing, ist nicht mehr da. »Du weißt noch, was ich dir beigebracht habe, oder?«

Ich nicke und blicke in seine faszinierenden grünen Augen. »Ich schaffe das.« Ich lasse ihn los und kippe den Rest des Bourbons hinunter, lasse mein Glas bei ihm und halte Claires Hand fest, um sie wegzuziehen, bevor Cora merken kann, dass wir gehen.

Simon hält seinen Blick auf mir, bis die Menge ihn verschluckt.

»Glaubst du, das ist unser Mann?« Claire beugt sich vor und fragt mich, wobei sie kurz hinter uns blickt.

Der Mann, den ich entdeckt habe, folgt uns, nur wenige Meter hinter uns. Wir gehen den Flur entlang in Richtung Waschräume und locken ihn durch den schummrigen Korridor. Er beschleunigt sein Tempo, und mir wird ganz kribbelig bei der Nähe. Der geheimnisvolle Mann greift in sein Jackett und ich bereite mich auf den vertrauten Stoff vor, der über mein Gesicht gepresst wird und mich bewusstlos macht. Ich schaue zu ihm, als er neben mir steht, und sage zu ihm: »Verschmier mir bloß nicht mein Make-up.«

»Was?« Er neigt den Kopf, als er vorbeigeht. »Hast du mit

mir geredet?« Er zieht sein Handy aus der Tasche und wartet nicht auf eine Antwort von mir, als er in die Herrentoilette schlüpft.

»Wow!« Ich lache und greife Claires Arm. »Da habe ich mich verdammt geirrt.«

Claire zuckt mit den Schultern. »Ich kann nicht anders, alle Männer sehen unheimlich aus.« Sie deutet auf die Tür zur Damentoilette. »Ich gehe pinkeln, wenn wir schon hier hinten sind. Kommst du mit?«

»Denkst du, ich lasse dich allein?« Ich folge ihr ins Bad, wo es überraschenderweise keine Warteschlange gibt.

Claire geht direkt in eine Kabine und ich trete vor den Ganzkörperspiegel. Ich bin gerade dabei, mein Kleid zu richten, als ein anderes Mädchen ins Bad kommt. Ich zucke zusammen, als sie eintritt, aber meine Entschlossenheit lässt nach, als ich sehe, wie sie zu einem Waschbecken neben mir geht.

»June?«, sagt sie zu mir.

Der Lärm aus dem Club dringt bis hierher und lässt mich aufhorchen. Ich drehe mich zu ihr um, nicke und trete ein Stück näher. »Ja?«

»Hör zu!« Sie überbrückt die Lücke und senkt ihre Stimme. »Ein Typ hat mir einen Tausender gegeben, damit ich hier reinkomme und dir sage, dass er deiner hübschen blonden Freundin eine Kugel verpasst, wenn du nicht von hier verschwindest und den Gang runtergehst.«

*Cora.*

»W... was?« Ich stottere und wende meinen Blick zu der Kabine, in die Claire gegangen ist.

»Er sagte, wenn du nicht allein kommst, tötet er alle deine Freunde, angefangen mit ihr.«

Und weil ich auf gar keinen Fall Coras Leben riskieren will, tue ich genau das, was dieses Mädchen sagt, und verschwinde, bevor Claire etwas merkt.

# KAPITEL DREISSIG – COEN

»Was soll das heißen, du hast sie *verloren*?« Ich schubse Bryant. »Du warst für die Beobachtung zuständig.« Ich zeige wütend auf Dominic. »Was zum Teufel hast du gemacht, als sie entführt wurde?« Ich schaue Beckett nicht einmal an, denn wenn ich es täte, würde ich ihn umbringen, nur weil er seine schmutzigen Hände an sie gelegt hat.

»Erklär mir noch einmal, was passiert ist.« Johnny hält Claires Schultern.

Claire schüttelt ihn ab. »Sie dachte, es wäre dieser Typ. War er aber nicht. Also gingen wir auf die Toilette. Ich ging in eine Kabine, und als ich wieder rauskam, war sie weg. In der Kabine neben mir war noch jemand, aber sie kam nach mir raus. Ich habe unter jeder Kabine nachgesehen, bevor ich hierher geeilt bin, um euch zu finden.«

»Ich lasse mein Team in diesem Moment alles durchkämmen.« Dominic packt Bryants Schulter. »Du kommst mit mir.«

Beckett will etwas sagen, aber Dom unterbricht ihn. »Ihr zwei durchkämmt das Haus noch einmal.« Er zeigt auf mich und Beckett. »Ihr findet etwas verdammt Sinnvolles zu tun, anstatt euch gegenseitig umzubringen.«

Sie lassen mich und Beckett in dieser Gasse zurück. Mein Wunsch, das zu tun, was Dom gesagt hatte, ist stärker denn je.

Beckett rennt in die entgegengesetzte Richtung.

»Was glaubst du, wohin du gehst, verdammt?«, rufe ich ihm hinterher.

»Unser Mädchen zurückholen.« Er bleibt nicht stehen, sondern stapft weiter die feuchte Gasse hinunter.

Ich eile zu ihm hin, packe ihn am Arm und halte ihn auf. »Was zum Teufel soll das bedeuten?«

Er dreht sich langsam zu mir um. »Wenn du mich noch einmal anfasst, jage ich dir eine verdammte Kugel in den Kopf. Wenn du versuchst, mich dazu zu bringen, noch eine weitere Sekunde damit zu verschwenden, sie da draußen, verängstigt und allein und sich selbst zu überlassen, werde ich ...«

»Ja, ich hab's verdammt noch mal verstanden. Der große, böse Simon Beckett.« Ich werfe meine Hände hoch. »Wie lautet der Plan, Sherlock?«

Beckett klopft auf seine Brust. »Die Halskette, die sie trägt. Sie hat einen Peilsender.«

»Warum habe ich das nicht gewusst?«, frage ich, gebe ihm einen Schlag auf den Arm und folge ihm in die Richtung.

»Weil es dich nichts angeht. Es war meine Versicherung, weil ich diesem verdammten Plan, den ihr euch ausgedacht habt, nicht traute.« Beckett blickt in beide Richtungen, bevor er links abbiegt und in eine andere Straße läuft. Er greift in seine Tasche und holt einen Schlüsselanhänger heraus. Er drückt einen Knopf, und in der Ferne flackern Lichter an dem Backsteingebäude entlang. »Wenn du mit mir kommst, solltest du dich besser beeilen, verdammt.« Beckett sprintet Richtung Auto los.

Ich renne ihm hinterher, verzweifelt auf der Suche nach irgendeiner Spur, die er hat, und dankbar, dass er so gut vorbereitet ist, dass ihm etwas eingefallen ist und uns nicht. Das ist nur ein weiterer Punkt, an dem ich sie im Stich gelassen habe, und er ist als Sieger hervorgegangen. Es ist schwer, auf die Beziehung, die sich zwischen ihnen entwickelt, wütend zu sein. Wenn überhaupt, dann bin ich auf mich wütend, nicht auf ihn.

Beckett reißt die Beifahrertür auf und greift in das Handschuhfach seines Wagens. Er holt ein Handy heraus und drückt eine Reihe von Tasten, das Ding leuchtet auf und auf dem Bildschirm blinkt ein Punkt.

»Ist sie das?« Ich werfe einen Blick über seine Schulter.

»Ja.« Er drückt das Telefon erleichtert an seine Brust und schaut es noch einmal an. »Sie fährt auf der Fifth nach Süden.«

»Fährst du oder ich?«

Er drückt mir das Gerät in die Hand. »Ich. Du kannst mir den Weg weisen.« Er hält inne, bevor er es loslässt. »Lass mich das verdammt noch mal nicht bereuen, Hayes.«

»Wir wollen beide dasselbe.« Ich entreiße ihm das Gerät aus seinem Griff. »Das hier beenden.«

Ich meine nicht nur die Bedrohung für ihr Leben. Ich meine die Angst, die ich ihr zufüge. Aber ich kann mich nicht aus ihrer Welt befreien, bevor ich nicht sicher weiß, dass sie in Sicherheit ist. Bis dahin werde ich alles in meiner Macht Stehende tun, um ihr zu helfen und ihr Glück zu finden. Und dann werde ich aus dem Weg gehen und ihr eine Chance geben, genau das zu bekommen. Es gibt keine Möglichkeit, meine Sünden zu sühnen, und das Beste, was ich für sie tun kann, ist zu gehen. Ich würde ihr nur einen Bärendienst erweisen, wenn ich weiter bei ihr bliebe. Ich sehe den Abscheu in ihrem Gesicht, wenn sie mich ansieht. Oder wenn sie meinen Blick nicht erwidert. Sie hasst mich, und ich mache ihr keinen Vorwurf. Das werde ich nie. Nicht für alles, was ich ihr angetan habe. Vor all diesen Jahren und bis heute. Ihr größter Fehler war es, sich an diesem Tag auf dem Friedhof neben mich zu setzen. Jedes bisschen Licht, das sie mir einhauchte, wurde nur aus ihr herausgesaugt. Ich habe sie lange genug benutzt, und ich weigere mich, sie weiter auszunutzen.

Beckett lässt die Reifen seines Volvos quietschen, als er auf die Hauptstraße schießt und uns in den Verkehr einfädelt. Er rast durch die Stadt, weicht Autos aus und fährt weit links, um den schnellstmöglichen Weg zu nehmen. Er hupt, wenn wir hinter zwei Fahrzeugen stecken bleiben, und fährt schließlich auf dem Bürgersteig, um sie zu umgehen.

»Westlich von Beachwood«, sage ich, während ich den blinkenden roten Punkt auf dem Display mit aller Konzentration beobachte. »Was zum Teufel ist in dieser Richtung?«

»Das Lagerhaus vielleicht? Da haben sie uns das letzte Mal erwischt.« Beckett drückt auf das Gaspedal und rast über eine rote Ampel, ein Sattelschlepper hupt uns an und streift fast unser Hinterteil.

»Sie sind jetzt auf der Casa Bella.« Ich starre auf das leuchtende Rot und warte, dass es sich bewegt.

»Komm schon, du verdammter Schwanzlutscher!« Beckett schreit ein Auto an und weicht ihm aus. »Verdammter Mistkerl!« Er streift einen geparkten Geländewagen, fährt aber weiter, ohne sich um die Verkehrsverstöße zu scheren.

»Immer noch auf der Casa, bewegt sich langsam nach Norden.« Wohin zum Teufel wollen die? Ich versuche, an irgendwelche Orte dort oben zu denken, wohin wir einen Gefangenen nehmen könnten, aber ich komme nicht drauf. Wir wagen uns nicht so weit in die Wohngebiete hinein. Wir halten uns eher in den Außenbezirken der Stadt auf, wo niemand die Schreie oder die Elektrowerkzeuge hören kann, mit denen wir die Leute foltern.

»Warte!«, sagt Beckett, aber er setzt seinen Gedankengang nicht fort. Stattdessen drückt er stärker aufs Gas und starrt direkt nach vorne, das Lenkrad umklammernd. »Ich weiß, wohin sie fahren.«

Er schaut mich an, als hätte er einen verdammten Geist gesehen.

»Wohin fahren sie, Beckett?« Mein Herz klopft bei der Anspannung.

»Ruf Dom an, *sofort*, und sag ihm, er soll nach Castleberry Court kommen.«

»Nein«, sage ich fassungslos – kaum noch ein Flüstern.

»Wohin fahren sie sonst, verdammt noch mal, Hayes?« Er lenkt uns in eine Seitenstraße und schleudert uns auf die Hauptstraße. Die Federung des Wagens knickt unter uns ein und versucht, die Wucht seines Zorns abzufangen. »Kontaktiere jeden in einem Umkreis von zehn Meilen, dem vertraust, und lass alle sofort kommen.«

Aber was, wenn ich *niemandem* vertraue? Was ist, wenn die einzige Person, von der ich glaube, dass ihre Sicherheit Priorität hat, mit mir in diesem Fahrzeug sitzt?

Ich schreibe eine kurze Gruppennachricht an Dom, Bryant und Johnny.

**Ich: Castleberry Court. JETZT!**

»Das ergibt absolut Sinn«, sagt Beckett. »Die ganze verdammte Zeit.«

Wie konnten wir nur so verdammt dumm sein?

»Kannst du nicht schneller fahren?« Ich umklammere das Gerät und brauche es nicht mehr anzusehen, jetzt, da wir wissen, wohin sie fahren. Mein süßer verdammter Engel ist dabei, von dieser dunklen und gefährlichen Welt zerstört zu werden, vor der ich sie nicht schützen konnte.

»Es liegt nicht an mangelnder Anstrengung.« Beckett nimmt Kurs auf eine Reihe langsamerer Autos und rast über die Kreuzung, an der sie angehalten haben. Hupen, schleudernde Reifen und Fahrzeuge, die uns ausweichen, stoßen zusammen.

Sirenen ertönen und nur einen Augenblick später tauchen sie hinter uns auf.

»Fahr verdammt noch mal weiter, werd' nicht langsamer!«,

sage ich zu Beckett und greife in meine Tasche, um mein Handy herauszuholen. Ich drücke eine der Nummern in meiner Kontaktliste.

»Officer Bradshaw«, antwortet der Mann.

»Der Typ, der einen Volvo verfolgt, ruf ihn zurück!«

Bradshaw seufzt. »Du bringst mich um, Hayes.«

»Glaub mir, das werde ich, wenn du ihn nicht zurückrufst. Dich und jeden verdammten Mensch, den du liebst.«

»Du kannst nicht einfach einen Polizisten bedrohen, Hayes.«

»Ich habe es getan und ich werde es wieder tun.« Ich presse meine Kiefer zusammen, und die nächsten Worte aus meinem Mund sind etwas, worauf ich nicht stolz bin. »Wie alt ist deine Tochter? Sechzehn? Es wäre eine Schande, wenn …«

»In Ordnung«, unterbricht er mich. »Ich verstehe. Betrachte es als erledigt.«

Ich lege den Hörer auf und warte darauf, dass er seine verdammte Arbeit macht.

»Das war ein Tiefschlag, selbst für dich, Hayes.« Beckett wirft mir einen Seitenblick zu.

Ich hätte die Drohung nicht wahr gemacht, aber das müssen weder Bradshaw noch Beckett wissen.

»Verzweifelte Zeiten …« Ich konzentriere mich auf den Weg, der vor uns liegt. »Wie sollen wir da reinkommen, das ist doch eine verdammte Festung.«

»Ich könnte mit dem Auto durch das Eingangstor fahren.«

»Das ist nicht dein Ernst.« Ich starre ihn an.

»Todernst!« Er lenkt uns um ein anderes Auto herum und tritt auf die Bremse, um einen Zusammenstoß mit einem anderen Auto zu vermeiden, und rast dann direkt an ihnen vorbei.

»Was hast du an Feuerkraft hier drin?« Ich öffne das Handschuhfach, stehe aber mit leeren Händen da.

»Unter dem Rücksitz.« Beckett neigt seinen Kopf nach hinten.

Ich klettere auf die Knie und greife in den Fond des Wagens, um die Sitzbank hochzuklappen. Ich schiebe mich durch die Öffnung und trete dabei versehentlich ein wenig gegen Beckett.

»Komm schon, Mann, pass auf deine Füße auf!« Er schlägt gegen mein Bein.

Ich knie mich hin und schaue mir die Auswahl an Waffen an. Es ist nicht viel, aber es ist mehr, als ich noch vor einer Minute dachte. Ich schiebe mir eine Pistole in den vorderen Hosenbund und eine weitere in den hinteren, in der Nähe der Pistole, die dort bereits im Holster steckt. Ich verstecke einen Dolch in meiner Socke und ein Springmesser in meiner Hosentasche. »Ist es das, wofür ich es halte?« Ich ziehe eine kleine schwarze Schachtel heraus und schaue Beckett an.

»Ja, macht es dir was aus? Ich möchte lieber noch nicht sterben.« Er reckt den Hals, um einen besseren Blick auf die verbleibende Auswahl zu werfen. »Mein Gott, konntest du nicht etwas für den Rest von uns aufheben?«

Ich werfe ihm eine Pistole und ein Messer in den Schoß. »So. Zufrieden?«

Er stützt sich mit dem Knie ab und schiebt die Pistole an die gleiche Stelle, an der ich meine versteckt habe. »Das mit dem Tor war kein Scherz.« Beckett nickt in Richtung der Straße vor uns. »Ich würde mich an deiner Stelle anschnallen.«

Ich bewege mich so schnell wie möglich, werfe mich auf den Sitz und greife nach dem Sicherheitsgurt. Ich habe ihn kaum angelegt, als Simon uns von der Straße ablenkt und über die Wiese fährt.

Er stößt seinen Fuß ganz auf das Pedal und ruft: »Das wird verdammt wehtun.«

Sein niedlicher kleiner Volvo kracht direkt in das Tor des Geländes, zu dem wir wollen, bremst ab und schleudert uns beide mit Wucht nach vorn. Die Airbags lösen aus und seine Hupe ertönt. Ich sehe für eine Sekunde Sterne und kämpfe gegen den Gurt, der sich nicht öffnen lässt.

»Alles klar?« Ich huste und schneide das Ding durch, das mich festhält.

Simon bewegt sich nicht, und zum ersten Mal, seit ich den Scheißer kenne, mache ich mir Sorgen, dass er tot sein könnte. Ich schüttle seine Schulter und sein Kopf kippt nach vorn.

*Oh Scheiße, June wird mich umbringen.*

Aber ich atme erleichtert auf, als er sich zu mir umdreht und Blut von seiner Stirn zu seinem Kinn fließt.

»Du sahst schon besser aus«, sage ich.

Er spuckt Blut auf sein Armaturenbrett. »Ich sagte doch, dass es wehtun würde.« Beckett schnallt sich ab und stößt seine Tür auf. »Ich kann mich nicht bewegen, verdammt. Mein Bein ist eingeklemmt.«

»Verdammt noch mal, Beckett.« Ich ziehe mich über die Rückbank des Wagens und steige auf seiner Seite aus. Wir wissen nicht, wie schnell der Sicherheitsdienst hier sein wird, und wenn wir nicht innerhalb von Sekunden nach dem Eindringen auf das Gelände sterben wollen, müssen wir uns verdammt beeilen.

»Du tust so, als ob ich mich absichtlich festgefahren hätte.« Er stößt an sein Bein, aber es rührt sich nicht.

Ich reiße seine Tür auf und fummle an seinem Knöchel herum. »Ich bin viel näher an deinem Schwanz, als mir lieb ist.« Ich stoße mein Gesicht in die Seite, um einen besseren Blickwinkel auf seinen Fuß zu bekommen. »Ich hab's.« Ich ziehe ein bisschen zu stark, und als sein Fuß herausrutscht, fällt Simon aus dem verdammten Auto und auf mich, wobei er mich auf den Boden wirft.

»Hör zu, ich weiß, dass ich dich im Moment toleriere, aber das ist nicht das, was ich mir vorgestellt habe.« Ich schiebe ihn von mir weg.

»Für eine Sekunde war es fast so, als hättest du einen Sinn für Humor.« Simon wischt über seine Hose und greift nach dem Messer, das ich ihm gegeben hatte. »Wo ist die Schachtel?«

Ich hole sie vom Rücksitz und reiche sie ihm. »Was hast du dir vorgestellt?«

»Pures ... fucking ... Chaos.« Simon greift hinein, holt eine Granate heraus, reicht sie mir und nimmt die andere, die in der Schachtel steckt, mit. »Weißt du, wie man die benutzt?«

Ich rolle mit den Augen. »Das ist nicht mein erstes verdammtes Rodeo.«

»Du hast höchstens drei bis fünf Sekunden Zeit, um das Ding loszuwerden. Lass es nicht zu lange in der Hand, sonst bläst es dir den Arm weg.«

»Ich habe dir gesagt, dass ich damit klarkomme.«

Beckett humpelt aus dem Auto und hockt sich hinter einen Busch. »Wir müssen von hier verschwinden.«

»Folge mir!« Ich laufe im Zickzack zum Haus und halte ab und zu an, um meine Umgebung zu überprüfen.

Eine Gruppe von schwarz gekleideten Männern mit Sturmgewehren rennt auf das rauchende Auto am Eingangstor zu.

»Glaubst du, dass du das Ding so weit werfen kannst?«, frage ich Beckett.

»Ich habe mal Football gespielt.« Er reißt den Stift heraus und lässt die Granate durch die Luft fliegen. Sie prallt auf dem Boden neben dem Auto auf und explodiert ein paar Sekunden später.

Einige der Männer werden getroffen, aber durch den Rauch und die herumfliegenden Trümmer kann ich nicht genau sagen, wie viele.

»Wie lange dauert es, bis wir Verstärkung kriegen?« Beckett blickt zu mir.

»Kommt darauf an, wer fährt.« Ich zucke mit den Schultern. »Es könnte zehn Minuten dauern.«

»Das ist zu lange.« Er seufzt und kratzt mit den Zähnen an der Lippe. »Hier ist der Plan.« Beckett zeigt auf die Granate, die ich immer noch in der Hand halte. »Wir werden sie finden,

LUNA PIERCE

dann wirst du sie werfen und mir genug Zeit verschaffen, um
sie zu befreien. Du kannst uns Deckung geben.«

»Einen Scheiß werde ich.«

Beckett umfasst meine Schultern und sieht mir fest in die
Augen. »Coen. Du bist ein besserer Schütze als ich. Und du bist
Junes erste Liebe. Hast du mich verstanden?«

Ich verenge meinen Blick. »Was hat das damit zu tun?«

»Dich einmal zu verlieren, hat sie in ein kaltherziges Miststück verwandelt. Was glaubst du, wird passieren, wenn sie dich
wieder verliert?« Beckett schüttelt den Kopf. »Das lasse ich
nicht zu.«

»Aber ich dachte ...«

»Du hast falsch gedacht.« Beckett zieht eine seiner Pistolen
heraus und überprüft das Patronenlager. »Ich liebe sie mehr als
alles andere, aber das bedeutet, dass ich ihr gegenüber nicht
egoistisch sein kann.« Er streckt seine Hand aus. »Gib mir das
Taschenmesser.«

Ich ziehe es aus meiner Tasche, und er reißt es mir aus der
Hand, geht an der Hausfassade entlang und späht in die Fenster.

Ich beeile mich, aufzuholen und meinen Kopf wieder ins
Spiel zu bringen. Ich hätte nie erwartet, dass er das sagt. Dass er
ihre Wünsche über seine stellt, von denen er annimmt, dass es
ihre sind. Sieht er denn nicht, dass er der bessere Mann ist?
Dass sie mit ihm zusammen sein sollte und nicht mit mir? Er
hat es gerade bewiesen, als er sagte, dass er bereit ist, sein Leben
anstelle von meinem zu riskieren. Eines Mannes, den er mehr
als alles andere hasst. Er würde sein Leben aufs Spiel setzen, um
mir eine Chance mit ihr zu geben, anstatt mit ihm.

Ich kann ihr nicht einmal die Wahrheit sagen, und er ist
bereit zu sterben, damit ein anderer Mann mit ihr zusammen
sein kann.

»Dort!« Beckett zeigt durch ein Fenster. »Da ist sie.« Bevor
ich ein weiteres Wort sagen kann, rennt er davon und flitzt um
die Hausecke.

Er rüttelt an der Türklinke und macht dann eine Bewegung, als würde er etwas werfen. Das ist seine Art, mir zu sagen, dass ich den Plan durchziehen soll, und da er keine Zeit mehr vergeuden will, kann ich nichts anderes tun, als mitzumachen.

Beckett nickt und gibt mir grünes Licht, die Tür öffnet sich knarrend, während er sie festhält.

Ich ziehe den Stift aus der Granate, renne in die Richtung zurück, aus der wir gekommen sind, und halte sie viel zu lange fest, bevor ich sie mit aller Kraft so weit werfe, wie ich kann. Sie explodiert eine Sekunde, nachdem ich sie losgelassen habe, und ich werfe mich auf den Boden, um der Wucht der Explosion zu entgehen. Ein Teil der Fassade zerbricht, Teile davon fallen auf den Boden und treffen mich. Was für eine verdammte Ablenkung, ich habe ein Loch in den zweiten Stock des verdammten Hauses gesprengt.

Ich rapple mich auf und sprinte dorthin, wo ich Beckett zurückgelassen habe. Ich springe durch die Tür und renne in die Richtung, in der sie vermutlich sind. Dort sehe ich ihn, wie er neben June kniet und mit dem Messer in der Hand die Fesseln durchschneidet, die sie am Stuhl festhalten.

Ihr Blick wandert zu mir, und für den Bruchteil einer Sekunde denke ich, dass alles gut gehen wird. Aber als ich eine Bewegung in meinem Umfeld wahrnehme und mich umdrehe, um zu sehen, dass Gwyneth Sharp eine Waffe auf Simon fucking Beckett richtet, tue ich das Einzige, was mir einfällt.

Ich renne los. Ich bewege meine Beine stärker als je zuvor und stürze vor, um ihn und June aus dem Weg zu schubsen. Ein Schuss ertönt und Angst durchströmt mich. Angst, dass ich es nicht rechtzeitig geschafft habe. Angst, dass ich das Falsche getan habe. Angst, dass ich June nur noch mehr in Gefahr bringe.

Aber als ich an meiner Brust hinunterblinzle und das Blut sehe, das sich in der Wunde sammelt, wird mir klar, dass ein

Teil dieses Plans funktioniert hat. Der Mann, den June liebt, ist in Sicherheit – aber dieser Mann bin nicht ich.

Und das ist eine Realität, die ich in mein nächstes Leben mitnehmen werde. Denn so viel Ärger ich ihr auch zugefügt habe, den Schmerz, die Qualen und den Kummer, so konnte ich ihr wenigstens das geben.

Meine Wiedergutmachung.

Ich tausche mein Leben gegen Simon Becketts.

# KAPITEL EINUNDDREISSIG – JUNE

»Nein, nein, nein«, heule ich und lasse mich auf die Knie fallen, die harte Oberfläche zerkratzt sie, aber das ist mir egal. Solange Blut aus einer Wunde in Coens Brust rinnt. »Verdammt, Co. Du darfst mich nicht so zurück-lassen.« Ich drücke meine Hand auf das Loch.

»J ...«, murmelt er, wobei ihm das Rot aus dem Mund spritzt. »Es tut mir so, so leid.«

»Nein«, rufe ich. »Nicht auf diese Weise, Coen. So darfst du dich nicht entschuldigen.« Tränen kullern mir über die Wangen, und ich blicke auf, sehe Simon mit erhobenen Händen, Gwyneth hält die Waffe auf ihn gerichtet.

»Er sollte es nicht sein«, sagt sie, als ob mich das irgendwie beruhigen würde. »Es sollte keiner von ihnen sein. Du solltest es sein.« Sie richtet die Waffe auf mich, dann aber sofort wieder auf Simon, als er sich ihr nähert. »Du kannst nicht einfach in dieses Leben spazieren und so viel Anarchie verursachen, wie du es getan hast. Du darfst nicht mehrere Freunde haben. Das ist nicht *natürlich*.«

»Du ... du willst mich tot sehen, weil ... wegen *ihnen*? Du verdammte Schlampe.« Ich schüttle den Kopf. »Du hast mich entführen und foltern lassen, weil …«

Was ergibt das alles für einen Sinn? Warum spielt es eine Rolle, dass ich eine Beziehung mit drei verschiedenen Männern habe? Ich dachte, es ginge ihr um die Stärkung der Rolle der Frau und darum, diese Organisation besser zu führen als zuvor. Oder war das nur eine Lüge, um mich dazu zu bringen, ihr zu vertrauen? Damit sie sich einen Weg in meine Gegenwart bahnen und mir das falsche Gefühl von Freundschaft geben konnte, um mich noch mehr zu verarschen.

»Co.« Ich nehme ihn in die Arme, der Boden um uns herum ist blutverschmiert. »Bitte, bleib bei mir!« Meine Tränen fallen auf sein schönes Gesicht. Das Gesicht, das ich schon eine Million Mal geküsst habe. Das Gesicht, von dem ich nie dachte, dass ich es wiedersehen würde, als sein Vater mit ihm weggefahren ist. Das Gesicht, das sich verändert und in etwas verwandelt hat, das ich vor Tagen nicht mehr erkannt habe, aber jetzt das Gesicht ist, das ich mir nicht vorstellen kann, nie wiederzusehen. »Co!«, schluchze ich. »Hör zu, wir können das durchstehen, okay? Diese Scheiße, die wir durchgemacht haben. Wir schaffen das schon.« Ich verschlucke mich fast an meinen Worten. »Ich weiß nicht wie, aber du musst mir glauben. Wir werden es schaffen. Du und ich. Vergiss nicht, wir sollten gegen den Rest der Welt antreten. Das war einmal so. Es kann wieder so sein. Du musst nur noch ein bisschen länger durchhalten.« Ich bewege meine Hand und Blut fließt um sie herum. Ich schiebe sie wieder auf die Wunde. »Ich bin noch nicht fertig damit, sauer auf dich zu sein, Co.«

Vorhin habe ich überlegt, ob ich nicht einfach gehen sollte, wenn das alles vorbei ist. Ich war mir nicht sicher, ob ich bleiben könnte, weil sie nichts anderes getan haben, als mich wegzustoßen. Aber durch Claires Worte wurde mir klar, dass es nie einfach werden würde. Für sie und Johnny war es das nicht, und sie sind nur zu zweit. Warum hatte ich jemals erwartet, dass die Dinge nicht so verdammt schwer sein würden? Ich hätte nie daran denken dürfen, aufzugeben, nicht wenn ich noch so viel Kampfgeist in mir habe. Ich weiß, dass Simon das will. Magnus will es. Dom muss seinen Mann stehen und eine Entscheidung darüber treffen, was er will, aber Coen … Coen hat gerade bewiesen, dass all meine Zweifel falsch waren, als er sich vor eine Kugel warf, um Simon Beckett zu retten – seinen erklärten Feind. Den Mann, den er mehr als alles andere hasst.

Wenn Coen sich ändern kann, kann Dom das vielleicht auch. Und wenn das möglich ist, ist es vielleicht auch möglich, herauszufinden, wie wir zusammen sein können. Mit allen von uns. Denn ich kann ohne keinen dieser Männer leben. Nicht einmal ohne Coen, den Mann, an dem ich heute Morgen am meisten gezweifelt habe.

Als Coen die Explosion auslöste, fielen ein paar Teile der Decke herunter und lenkten Gwyn lange genug ab, um Simon die Möglichkeit zu geben, die Seile zu durchtrennen, die mich festhielten. Es war einfach nicht genug Zeit, um uns hier rauszuholen, bevor sie merkte, dass es ein Ablenkungsmanöver war. Und wenn Coen nicht dazwischen gesprungen wäre, wären wohl eher ich oder Simon verblutet als er.

»Nimm die Waffe runter, Gwyneth!«, fordert eine Stimme.

Ich blinzle durch meine Tränen hindurch und sehe Johnny Jones durch die Tür treten, durch die auch Simon und Coen gekommen sind.

Johnny kommt weiter in den Raum, und sie zielt auf ihn.

»Du!«, platzt sie heraus.

»Ich habe dich nie gemocht«, sagt Johnny.

»Ohne mich wärst du tot.«

»Das bedeutet nicht, dass ich dich mag.«

»Du hast mir Franklin weggenommen.« Ihre Hände zittern, während sie die Pistole in der Hand hält und den Finger am Abzug hat.

Ich vertraue nicht darauf, dass sie nicht aus Versehen einen von ihnen erschießt, weil sie so verdammt alt und dumm ist.

Johnny stellt sich vor Simon und versperrt ihr die Sicht auf ihn. »Franklin war eine Schande, und das weißt du. Er hat den Tod verdient. Ich habe mich gefreut, als ich sah, wie die Kugel durch seinen Schädel schlug.«

Simon weicht aufgrund der neuen Ablenkung langsam zurück und stürzt dann zu mir herüber. Gwyn wendet ihre Aufmerksamkeit uns zu, konzentriert sich aber schnell wieder auf Johnny.

»Verdammt noch mal, Hayes.« Simon schiebt seine Hand unter meine und übt Druck auf die Wunde aus. »Wir müssen ihn hier rausbringen.« Der Blick aus seinen smaragdgrünen Augen wandert hinauf zu meinem Gesicht. »Bist du verletzt?«

Ich schüttle den Kopf, während die Tränen immer noch leise herunterlaufen.

»Du hast Franklin getötet, und sie«, Gwyneth schäumt vor Wut, »Vincent.«

»Wie bitte?« Ich stehe auf, während Simon Coen umklammert, sein Griff ist viel stärker als meiner. »*Du* hast diesen kranken Wichser geschickt, um mich zu entführen. *Du* hast das getan.« Ich zeige auf die Narbe auf meiner Wange. »Und du warst diejenige, die mir den verdammten Dolch gezeigt und mich quasi herausgefordert hat, Simon zu töten.«

Ein sadistisches Lachen sprudelt aus ihrer Brust, das mir einen Schauer über den Rücken jagt. »Und es war, als würde man einem Baby die Süßigkeiten wegnehmen.« Sie gluckst noch mehr. »Du begreifst nicht, dass der Mann, der auf dich geschossen hat, nicht weiß, wie er an die Waffe gekommen ist. Hätte ich nur jemanden angeheuert, der besser zielen konnte, wären wir nicht in diesem Schlamassel, und dein lieber Coen wäre nicht tot.«

»Du verdammte Schlampe«, sage ich mit zusammengebissenen Zähnen und trete vor.

»June«, warnt Johnny.

»Und du bist genauso schuld.« Sie hält die Waffe auf Johnny gerichtet. »Du musstest Franklin nur anstacheln. Ich hätte ihn dich töten lassen sollen, als er es zuerst wollte.«

Ich gehe näher an Johnny heran. »Gib mir die Waffe! Das ist eine Sache zwischen ihr und mir.« Ich sehe Gwyneth an. »Hast du das gehört, du dumme alte Hexe? Das hat nichts mit ihnen zu tun. Lass sie gehen!« Ich flüstere Johnny zu: »Du musst Coen in ein Krankenhaus bringen, *sofort*! Ich kann ihn nicht tragen. Bitte, Johnny, ich flehe dich an!«

»June, tu das bloß nicht!«, ruft Simon von seinem Platz bei Coen aus.

Ich habe ihn in eine unmögliche Situation gebracht, als ich ihm erlaubte, den Druck auf Coens Wunde zu übernehmen. Wenn er seinen Griff löst und zu mir kommt, wird Coen zweifellos verbluten. Aber wenn er nichts tut, bringe ich mich wieder in die Schusslinie.

Johnny lässt die Waffe mühelos aus seinem Griff in meinen gleiten. »Verstärkung kommt gleich«, murmelt er, bevor er davonstürmt.

Gwyneth weiß nicht so recht, auf wen sie zielen soll, aber ich bewege mich weiter von den Männern weg, damit sie sich auf mich konzentriert. Ich könnte sie leicht erschießen, aber sie wird einen Schuss abgeben, bevor ich aus dem Weg gehen kann, und sie weiß, dass das auch für mich gilt. Wir befinden uns in einem Patt, wer zuerst abgelenkt wird, und ich weigere mich verdammt noch mal, die Verliererin zu sein. Ich habe zu viel durchgemacht und bin zu weit gekommen, um zuzulassen, dass diese Schlampe der Grund für meinen Tod ist. Ihr Leben wird so oder so enden, auch wenn ich die ganze Nacht hier stehen muss und darauf warte, dass sie einen winzigen Fehltritt macht.

»Raus hier!«, rufe ich den Jungs zu, aber ich behalte sie im Visier. »Beweg deine Waffe in ihre Richtung und ich schwöre

431

dir, es wird das Letzte sein, was du tust. Tu es, ich fordere dich verdammt noch mal heraus.«

»Ich werde nicht auf deine Mätzchen hereinfallen, Mädchen. Meine Bedenken richten sich gegen dich, nicht gegen sie. Um die kümmere ich mich später.« Sie tritt einen Schritt zurück, und ich folge ihr und mache einen Schritt nach vorn.

*Will sie mich ködern? Versucht sie, mich in eine Falle zu locken? Oder versucht sie zu entkommen?*

Simon und Johnny heben Coen hoch und schleppen seinen leblosen Körper weg.

Ich ignoriere Simons wütenden Blick und konzentriere mich auf die Schlampe. »Wer war Vincent?« Ich stelle die Frage, die mir im Kopf herumschwirrt. »Warum bedeutet dir sein Tod etwas?«

Ihre Nasenflügel blähen sich auf, sie kommt auf mich zu und versteift ihre Arme. »Er war ... mein Sohn.«

Ich ziehe die Brauen zusammen. »Was? Ich wusste nicht, dass Franklin ...«

Sie wiegt langsam den Kopf.

»Oh!«, sage ich, als mir die Erkenntnis dämmert. Ich muss lachen. »Du wirfst mir vor, dass ich mehrere Männer liebe, aber du hattest einen unehelichen Sohn mit einem anderen Mann. Ist das der Grund, warum du mich so sehr hasst? Ich habe etwas, das du wolltest, aber nie hattest? Du bist sauer, weil du wählen musstest und ich nicht.«

In der Ferne ertönen Schüsse. Ein Zeichen, dass die Verstärkung kommt. Dass unsere Zeit hier begrenzt ist. Meine einzige Hoffnung ist, dass Simon und Johnny Coen aus diesem Höllenloch herausholen können, bevor ihnen noch mehr Schaden zugefügt wird.

Coen muss leben. Das muss er. Denn wenn er es nicht tut, weiß ich nicht, wie ich seinen dauerhaften Verlust überleben soll. Nur weil ich einen Mann gewonnen habe, heißt das nicht, dass ich damit einverstanden bin, einen anderen gehen zu lassen.

»Du«, spuckt Gwyneth aus. »Du bist eine egoistische und gierige Schlampe. Ohne dich wäre alles in Ordnung gewesen. Dominic und Simon hätten einen fairen Kampf gehabt und keiner von ihnen wäre deiner widerlichen Verführung zum Opfer gefallen.«

Ich lache wieder. »Dir ist klar, dass *sie* mich haben wollten, oder?«

»Du hast sie geködert!« Sie presst ihre Kiefer zusammen. »Du warst hinter ihrem Geld her! Dem Imperium! Du geldgierige Schlampe!«

»Wow!« Voller Blut stehe ich da und bin völlig verblüfft. Wie könnte sie sich noch mehr irren? Bei all dem ging es mir nie ums Geld.

Ist es schön, dass ich mir keine Gedanken darüber machen muss, wie ich genug Geld für die Miete zusammenkratzen kann?

Auf jeden Fall!

Ist das Wissen, dass ich mir keine Gedanken über meine nächste Mahlzeit machen muss, ein Luxus, für den ich dankbar bin?

Auf jeden Fall!

Aber ich habe sie nie um eine einzige Sache gebeten. Nicht ein einziges Mal. Das Einzige, was ich von ihnen will, ist ihre Zeit – ihre Liebe. Mit dem Rest können sie machen, was sie wollen. Ich brauche keinen üppigen Lebensstil – ich brauche nur sie.

Und ich würde alles dafür geben, wenn ich die Chance bekäme, mit allen vier Männern hier hinauszugehen. Ich würde wieder drei Jobs haben und mich mit beschissenen Chefs herumschlagen müssen, die mich zu einem Objekt machen und mich wie Müll behandeln. Ich würde im Elend leben und kämpfen, um über die Runden zu kommen. Ich würde durch die verdammte Hölle und zurück gehen, um unser Glück zu finden.

Gwyneth macht auf dem Absatz kehrt und dreht sich so schnell, dass ich kaum merke, was überhaupt passiert. Sie huscht um eine Ecke und rennt davon. Ich laufe ihr hinterher, aber eine Sekunde später stolziert sie mit erhobenen Händen zurück. Ich halte meine Waffe auf sie gerichtet und warte auf den Grund für ihren Rückzug. Claire erscheint, eine Pistole in der Hand, und sieht aus wie die böseste Schlampe, die ich je gesehen habe. »Nicht so schnell, *Winnie*.«

»Lass die Waffe fallen, Gwy!«, sage ich. »Es ist vorbei.« Ich schleiche auf Claire zu.

»Tut mir leid, dass ich so lange gebraucht habe«, murmelt Claire. »Ich habe die landschaftlich reizvolle Route genommen.«

»Du bist hier, das ist alles, was zählt.«

Gwyneth senkt ihre Arme, und für einen Moment denke ich, dass sie die Gelegenheit nutzen wird, um einen von uns zu erschießen, aber sie fügt sich tatsächlich und legt die Waffe auf den Boden. »Ihr wollt eine wehrlose alte Frau töten?«

Weitere Schüsse, dieses Mal näher.

Ich lasse meine Aufmerksamkeit in die Richtung schweifen, aus der es kommt, und halte den Atem an. Ist das ihre Verstärkung, die uns den Garaus machen will? Werden Claire und ich in der Unterzahl sein und von dieser dummen Hexe erledigt werden?

Doch statt ihrer Schläger stürmt Dominic Adler durch die verdammte Tür, in jeder Hand eine Waffe. Er dreht sich schnell um und schießt hinter sich, trifft sein Ziel und das fällt noch außerhalb des Raumes.

»Dominic«, jammert Gwyneth und täuscht ihre Unschuld vor. »Du bist gekommen. Diese beiden haben schreckliche Anschuldigungen gegen mich erhoben. Und sie ...« Die erbärmliche Schauspielerin zeigt auf mich. »Hat auf Coen geschossen. Sie will es mir in die Schuhe schieben.«

Dominic senkt seine rechte Hand und schießt ihr in das verdammte Bein. »Hör auf mit den Mätzchen, Gwyneth! Ich habe genug von dir gehört.«

Gwyneth schreit auf und fällt zu Boden, umklammert ihren Oberschenkel. »W... warum? Dominic. Ich war wie eine Mutter für dich.«

»Eine Mutter?« Dominic lacht bitter. »Eine Mutter würde nie das tun, was du getan hast.« Er schaut zwischen Claire und mir hin und her. »Geht es euch beiden gut?« Er drückt mich kurz an seine Brust, lässt mich dann aber los, hält mich auf Armeslänge und starrt auf das Blut, das meinen Körper bedeckt.

»Es ist Coens, nicht meins.«

»Mir geht es gut«, sagt Claire und geht auf die wimmernde Frau zu. »Aber es wird mir besser gehen, wenn sie tot ist.« Claire schießt erneut in Gwyneths Bein. »Die ist für Franklin.« Dann noch einmal. »Die ist für Johnny.« Und noch einmal. »Die ist für die Jagd auf uns.« Noch einmal »Die ist für Luciano.«

Ich stelle mich neben Claire und richte meine Waffe auf Gwyneth. »Die ist für Coen.« Ich trete ihr in den Magen. »Die ist für Vincent. Die ist für Johnny und Claire. Die ist für den Versuch, mein Leben zu ruinieren.«

»Und die«, sagt Claire, während Blut aus Gwyneths Mund kommt. »Die soll es beenden.« Sie schießt eine Kugel direkt in Gwyneths Stirn.

Gwyneths Körper erbebt unter der Wucht des Schusses, doch dann bleibt sie liegen, und das Blut aus den verschiedenen Löchern, die wir ihr zugefügt haben, fließt in Strömen.

Ich lasse sie nicht aus den Augen. Nein, ich leere die verdammte Kammer in ihre Brust und hoffe, dass, wenn es eine Chance für sie im Jenseits gäbe, dies genug sein wird, um sie in jedem Leben zu töten. »Verdammte Schlampe!«

Dominic packt mich an den Schultern und dreht mich zu sich. »Sie ist tot, June.« Er nimmt mir die Waffe aus der Hand und wirft sie zur Seite. »Hier!« Er drückt mir eine von seinen in die Hand und sieht Claire an. »Wir müssen von hier verschwinden.«

Wir haben die böse Schlampe zwar besiegt, aber ihre Lakaien sind immer noch da draußen, bereit, sie zu verteidigen, selbst wenn sie tot ist.

# KAPITEL ZWEIUNDDREISSIG – DOMINIC

»*B*lutdruck neunzig zu sechzig. Puls eins-fünfzig. Wir brauchen noch eine Blutkonserve.«

Ich dränge mich in den Raum, während die Leute in ihren Kitteln herumhuschen.

»Wir müssen den Riss finden«, sagt eine Frau. »Eine Arterie ist verletzt.«

»Sir.« Ein Mann kommt auf mich zu. »Sie dürfen nicht hier sein.«

Ich richte meinen Blick auf Coen. Schläuche, Infusionen, Beutel und Monitore sind an ihm befestigt. Der Scheiß piepst in verschiedenen Abständen. Das ist nicht in Ordnung. Er sollte nicht hier sein. Nicht in diesem Zustand.

»Wir müssen es kauterisieren, sonst verlieren wir ihn.«

Der Mann packt mich an den Schultern, und mit Hilfe eines anderen größeren Mannes schieben sie mich den Weg hinaus, den ich gekommen bin. Ich stürme in den anderen Raum, um June Antworten zu geben, aber wie soll ich ihr sagen, was ich gerade gehört habe? Dass, wenn sie nicht schnell handeln, ihre erste Liebe sterben wird? Sie hasst mich so schon genug, und jetzt muss ich ihr auch noch diese Nachricht überbringen.

Wenn ich früher etwas gesagt hätte, wäre das alles vielleicht nicht passiert.

Warum hatte ich so eine Scheißangst davor, ehrlich zu ihr zu sein, wenn Ehrlichkeit vielleicht das Einzige war, was uns vor diesem Albtraum hätte bewahren können.

Sie wurde für dieses Leben geschaffen. Dieses Leben. Diese Welt. Diese verdammte Dunkelheit.

Ich wollte es nicht für sie. Das wollte Coen auch nicht. Aber jetzt ist sie hier, bedeckt mit dem Blut mehrerer Menschen und nicht eine Sekunde lang zusammengebrochen wegen der Dinge, die sie getan hat. Vielleicht steht sie nur unter Schock. Der mögliche Verlust von Coen lässt sie vergessen, dass sie gerade eine Frau brutal ermordet und zahlreiche andere erschossen hat, um zu entkommen.

Ich hätte es von Anfang an wissen müssen. Wie sie da stand – blutüberströmt, gerade ihre Angreiferin erledigt, und anstatt wegzulaufen oder sich zu drücken, trat sie vor und nahm meine Hand in ihre. Sie griff nach mir, legte ihre Handfläche auf mein purpurgesprenkeltes Gesicht und tat etwas, was ich nie erwartet hätte. Sie küsste mich, verdammt.

Ich bin mehr als doppelt so alt wie sie. In den Wochen, in denen ich in diese Bar ging, hatte ich kaum mit ihr gesprochen. Es herrschte eine unbestreitbare Chemie, aber ich nahm an, dass sie nur auf meiner Seite lag. Ich hatte ihr meine Brutalität zur Schau gestellt, und sie ging hinein in diese Dunkelheit und umarmte sie. Ich nahm an, dass es eine einmalige Sache war. Dass sie nur neugierig war, dass der Nervenkitzel nachlassen würde und sie zur Vernunft kommen und erkennen würde, was für ein schlechter Mensch ich bin. Aber mit jedem Augenblick, der vergeht, setzt sie sich weiter über die Grenzen hinweg, die ich ihr auferlegt habe.

Damals konnte sie mit der Wahrheit umgehen, warum habe ich jemals angenommen, dass sie es jetzt nicht kann?

Vielleicht ist es diese tief sitzende Angst, dass ich irgendwann aufwachen würde und alles vorbei wäre. Dass ich das verhindern könnte, wenn ich sie von meinem Leben fernhalte, die Zeit, die ich mit ihr hatte, verlängern könnte, wenn ich sie nur von den dunklen Teilen meiner Welt trennen würde.

Aber dabei habe ich eine Brücke gebaut und die Teile abgerissen, bevor sie sie mit mir überqueren konnte. Jetzt stehe ich hier in den Trümmern und habe keine Hoffnung, jemals wieder hinüberzukommen.

Ich gehe mit gesenktem Kopf durch den Flur des Krankenhauses und biege in das Wartezimmer ein.

June schreitet durch den kleinen Raum, eilt aber sofort zu mir. Das enge Kleidchen ist in Fetzen gerissen und getrocknetes Blut bedeckt den größten Teil ihrer entblößten Haut. »Wie geht es ihm? Ist er okay? Wo ist er? Kann ich ihn sehen?«

Ich schlucke und setze mein bestes Gesicht auf. »Er wird gerade operiert.« Ich begegne ihrem Blick. »Wir sollten bald mehr wissen.«

»Nein.« June wiegt ihren Kopf hin und her. »Ich kenne diesen Blick, Dominic. Was verschweigst du mir?« Sie legt den Kopf schief und sieht mich an. »Ich will ihn sehen. Jetzt!«

»Sie haben mich aus dem Zimmer geworfen, June.« Ich fahre mit der Hand über meinen Bart. »Die Kugel hat eine Arterie getroffen. Sie tun, was sie können, um den Riss zu finden und ihn zu flicken.« Ich entscheide mich für Ehrlichkeit, denn alles andere würde die Situation nur noch schlimmer machen.

Junes Augen glänzen, als sich neue Tränen bilden. »Das ist … das ist schlimm. Die Wahrscheinlichkeit, dass er stirbt, ist …«

Ich lege meine Hand auf ihre Schulter. »So darfst du nicht denken, June. Nicht jetzt. Er braucht dich, um stark sein zu können.«

»Stark?« Sie stößt mich von sich. »Das ist alles, was ich bisher war, Dominic. Und wohin zum Teufel hat mich das gebracht?« June stößt ihre Hand gegen meine Brust. »Das ist deine Schuld.« Sie stößt mich noch fester. »Du hast das getan.

Mit deinen Lügen. Deinen Geheimnissen.« Sie ballt ihre Hand zu einer Faust und stößt sie erneut gegen mich. »Wenn Coen stirbt, ist das deine Schuld.« Sie schlägt mich mit ihrer anderen Faust. »Hörst du mich?« June schluchzt und hämmert ihre Fäuste gegen meine Brust. »Deine Schuld.«

Ich schlinge meine Arme um sie und sie sackt an mir zusammen. »Es tut mir leid«, sage ich. »Du hast recht. Mit jedem Wort.« Ich halte mich an ihr fest und umarme sie zum vielleicht letzten Mal. Denn selbst wenn Coen nicht stirbt, ist der Schaden bereits angerichtet, und es gibt kein Zurück mehr von dem, was ich ihr angetan habe.

»Liebes«, Simon kommt auf mich zu und löst June von meiner Brust. Er zerrt sie in seine Arme. »Komm mit! Lass uns einen Spaziergang machen. Du und ich.« Er wirft mir einen mitfühlenden Blick zu, aber das hilft nicht, den Schmerz in meiner Brust zu lindern.

Magnus stürmt in den Warteraum und sieht sich hektisch um, bevor er zu June eilt. Er legt seine Hände auf ihre Wangen und hebt ihr Gesicht zu sich hoch. »Es geht dir gut.«

Aber sie schüttelt den Kopf. June mag unverletzt sein, aber es geht ihr alles andere als gut.

Und das ist meine Schuld.

Ich schaue zu Johnny und Claire hinüber, die in der Ecke des Raumes sitzen und leise miteinander plaudern, die Hände ineinander verschränkt. Wenn die beiden nicht zu diesem verdammten Haus gekommen wären, wäre ich mir nicht so sicher, dass einer von uns jetzt hier stehen würde.

Ich habe einmal daran gezweifelt, ob er das Zeug dazu hat oder nicht, aber ich habe mich auch bei ihm getäuscht.

Ich habe mich in Johnny geirrt. In June. In Simon. Ich habe mich in allem geirrt. Und vielleicht habe ich mich geirrt, als ich dachte, ich wäre die beste Besetzung für die Leitung dieser Organisation. Vielleicht war ich übereifrig und töricht zu glauben, ich hätte das Zeug dazu. Denn hier zu sein, June dabei zuzusehen, wie sie mich hasst, und Coen, der so an der Schwelle des Todes steht … all das will ich nicht. Mein ganzes Leben lang habe ich darauf hingearbeitet, diese Position zu erlangen, aber ich würde alles auf der Stelle eintauschen, um irgendetwas davon in Ordnung zu bringen. Damit sie mich weniger hasst. Um der Mann zu sein, den sie verdient. Aber das Schiff ist schon vor langer Zeit abgefahren, und wenn ich den Thron aufgebe, gebe ich das Einzige auf, was ich noch habe.

Ich werde sie verlieren. Ich werde Coen und Magnus verlieren, und das Bündnis, das ich mit Simon hatte.

Mein Herz, meine Seele, meine verdammte Menschlichkeit. Es wird weg sein, und das Einzige, was übrigbleiben wird, ist die Hülle eines Mannes.

Minuten vergehen. Sie werden zu einer Stunde. Vielleicht zwei. Wir gehen abwechselnd im Raum auf und ab.

June zieht es zu Magnus und Simon, und manchmal gesellt sie sich zu Johnny und Claire. Sie geht mir um jeden Preis aus dem Weg, und ich kann es ihr nicht verdenken. Ich hasse mich auch. Irgendwann kommt Alec, um uns zu sagen, dass er Cora sicher nach Hause gebracht hat. Er sagt uns, dass sie sich Sorgen gemacht hat, weil alle verschwunden sind, aber dass sie sich gut amüsiert hat. Er hat Wechselkleidung für June mitgebracht, die, obwohl sie etwas weniger Freizügiges trägt, immer noch mit Coens Blut bedeckt ist.

Bram muss benachrichtigt worden sein, denn auch er taucht auf. Carlos, sein Koch, an seiner Seite, mit zwei großen Säcken voller Essen und einer Kanne Kaffee. June stürzt sich auf Bram und vergräbt ihr Gesicht in seiner Brust. Er beachtet das Blut nicht und umarmt sie, murmelt etwas, während er mit seinen Händen kleine Kreise über ihren Rücken zieht.

Ich habe mich noch nie so sehr wie ein Außenseiter gefühlt wie in diesem Moment. Als wäre ich gar nicht hier, sondern nur eine Fliege an der verdammten Wand.

Weitere Minuten vergehen. Simon überredet June, ein paar

Bissen von einem Sandwich zu nehmen. Sie hält eine Tasse Kaffee in der Hand und hat die Knie auf ihrem Stuhl bis zur Brust angezogen. In regelmäßigen Abständen nimmt sie einen Schluck Kaffee und starrt ausdruckslos vor sich hin. Magnus und Simon versuchen abwechselnd, sie zu trösten, unterbrechen sich dann aber, um ein eigenes Gespräch zu führen, bevor sie zu ihr zurückkehren.

Endlich, nach einer gefühlten Ewigkeit, öffnet sich die Tür erneut. Diesmal ist es ein Mann in Krankenhauskleidung, der ein Klemmbrett in der Hand hält. Er nimmt die Gesichtsmaske ab und blickt sich im Raum um, unsicher, auf wen er sich konzentrieren soll.

June erhebt sich und starrt diesen Mann direkt an, als ob er die Antworten auf alle Fragen des Universums hätte.

Für sie hat er die. Coen war ihre erste Liebe. Und er ist ihr Universum.

Auch wenn er in letzter Zeit ein verdammtes Arschloch zu ihr war. Aber wie kann ich ihn tadeln, wenn ich nicht besser war? Ich halte den Atem an und warte darauf, dass er spricht, dass er irgendetwas sagt, um uns mitzuteilen, ob Coen überlebt hat.

»Ich entschuldige mich dafür, dass Sie warten mussten. Die Operation hat viel länger gedauert, als wir erwartet haben«, erklärt er. »Der Schaden war groß. Aber wir konnten ihn erfolgreich beheben. Mister Hayes hat einen langen Weg der Genesung vor sich, und er ist noch nicht über den Berg.«

»Aber er ist ... am Leben?«, schafft es June zu murmeln.

Der Chirurg nickt. »Ja, er ist in einem kritischen, aber stabilen Zustand.«

»Kann ich ihn sehen?« Stumme Tränen kullern über Junes Wangen, und ich würde sie am liebsten wegwischen.

Magnus geht zu ihr und legt seinen Arm um ihre Schulter, hält sie fest und verhindert, dass ihre Beine unter ihr wegknicken.

»Er wird gerade aus dem OP verlegt. Sie können ihn in etwa einer Stunde besuchen. Aber nicht alle von Ihnen.« Er lässt seinen Blick durch den Raum schweifen. »Nur einer, bis er stabiler ist.«

Aber das spielt keine Rolle. Eine Person ist genug.

Ich atme erleichtert auf und verlasse den Raum, nachdem der Chirurg gegangen ist und June an der Brust eines besseren Mannes als mir Trost sucht. Ich bin hier nicht erwünscht, und jetzt, da ich weiß, dass Coen überleben wird, werde ich mich davon distanzieren, June weitere unnötige Qualen zu bereiten.

Wegzugehen ist das Beste und Einzige, was ich für sie tun kann.

# KAPITEL DREIUNDDREISSIG – JUNE

*I*ch lasse meine Hand nicht mehr von Coen, sobald ich an seiner Seite bin.

»Oh, Co«, flüstere ich und streiche ihm das goldene Haar aus der Stirn. »Was hast du getan?«

Ich lasse mich neben ihm auf das Bett sinken, um ihn nicht zu sehr zu stören. Ich betrachte unsere Hände und wünschte, er würde meine drücken. Ihn so zu sehen, bringt ein Gefühl der Hilflosigkeit zurück, das ich nicht ertragen kann. Ich würde alles geben, um mit ihm zu tauschen. Diejenige zu sein, die am Rande des Todes steht. Ich habe immer nur das Beste für Coen gewollt, schon vom ersten Moment an.

Ich war noch ein Kind, aber als ich seinen Schmerz *spürte* und sah, wie seine Schultern zitterten, wusste ich, dass ich alles tun würde, um ihn zu beruhigen. Ich hatte nicht viel, aber ich pflückte diese dummen Wildblumen und reichte sie ihm in der Hoffnung, dass diese kleine Geste etwas bewirken würde. Um ihm zu zeigen, dass es in einer Welt voller Dunkelheit auch etwas Licht gibt.

Ich merkte, dass er sich sträubte, mich heranzulassen, aber ich drängte ihn, und er hatte keine Chance gegen meine

Entschlossenheit, ihm Freundlichkeit zu zeigen. Ich musste ihn wissen lassen, dass er nicht allein war. Damals nicht und auch jetzt nicht. Nicht einmal, als ich dachte, dass alle Hoffnung zwischen uns verloren war. Dieses Fünkchen Hoffnung war in den letzten Monaten, vor allem in der letzten Woche, verblasst, aber es erwachte wieder zum Leben, als ich dachte, er würde sterben.

Nichts hat mich jemals mehr erschreckt, und ich könnte ihn selbst erwürgen für das, was er mir angetan hat, aber der Gedanke, ihn tatsächlich zu verlieren, war zu viel zu ertragen. Ich würde ihn lieber hassen und lebendig wissen, als ihn für immer zu verlieren.

Was für ein verdammter Widerspruch.

Ich sitze eine Weile da und beobachte ihn aufmerksam. Ich setze mich auf den Stuhl neben dem Bett und halte ihn immer noch fest, während ich ihn näher an seine Seite schiebe. Ich lege meinen Kopf neben seine Hand und seufze. »Es ist so einfach, dich zu lieben, Coen Hayes, aber du machst es einem verdammt schwer.« Ich küsse seinen Finger, schließe die Augen und lasse mich vom gleichmäßigen Piepen seiner Geräte in den Schlaf wiegen.

Ich döse vor mich hin und schwanke zwischen Realität und Träumen, die sich in Albträume verwandeln. Coen wird erschossen. Sein Blut sammelt sich um mich herum. Simon wird auch erschossen. Dann Magnus und Dom. Ihre Körper fallen neben meinen auf den Boden. Meine Hände versuchen verzweifelt, jeden von ihnen rechtzeitig zu erreichen, um ihr Leben zu retten. Aber ich schaffe es nicht rechtzeitig, und jeder einzelne Mann, den ich liebe, stirbt, und ich bin schuld daran.

Wenn ich nicht gewesen wäre, wäre das alles nicht passiert. Sie wären überhaupt nicht in diese Situation geraten. Ich war der Katalysator, der diese ganze verdammte Sache ins Rollen gebracht hat. Ich bin der gemeinsame Nenner für alle ihre Probleme. Ich sollte aus ihrem Leben verschwinden und ihnen eine Chance geben, das zu ändern. Aber das kann ich nicht. Und ich werde es nicht tun. Nein, ich behaupte, ich bin nicht egoistisch, aber ich weiß nicht, wie ich ohne meine Männer leben soll. Früher dachte ich, dass Beziehungen dumm sind, und weigerte mich, eine einzugehen. Ich habe mein Herz gehütet wie eine wilde Katze den Müll, den sie in einer Tonne findet. Aber ich habe nachgegeben. Ich habe mich diesen Männern geöffnet und mich verletzlich gemacht, und ich habe mich in jeden Einzelnen von ihnen verliebt. Wie hätte ich das je aufgeben können?

Coens Finger zucken, und ich schrecke hoch und starre in sein Gesicht.

Seine Augen huschen unter den Lidern hin und her, und schließlich, als ob eine ganze verdammte Ewigkeit vergangen wäre, öffnen sie sich.

»J …« Seine Stimme ist rau.

»Co.« Ich halte seine Hand fester.

»Du siehst scheiße aus«, sagt er.

Ich lache und schüttle den Kopf. »Danke. Du auch.«

Coen greift nach unten und versucht, sich aufzusetzen, aber sein Arm gibt unter ihm nach.

»Hier!«, sage ich und greife nach der Fernbedienung für sein Bett. Ich drücke ein paar Knöpfe, bis ich den richtigen gefunden habe, und richte ihn auf. »Ist das besser?«

Er müht sich ab, sich wieder aufzurichten. »Ja, danke.«

»Ich kann nicht glauben, dass du versucht hast, vor meinen Augen zu sterben.« Ich starre in seine schönen blauen Augen.

»Ich kann nicht glauben, dass du mich nicht lassen wolltest.«

Ich lache bitter. »Wie kannst du es wagen, dich so einfach aus der Affäre zu ziehen?«

Coen seufzt. »J, ich muss mich bei dir entschuldigen.«

»Weil du fast gestorben wärst? Ja, das musst du.«

»Nein.« Er schlingt seine Hand um meine. »Für so viele Dinge.« Coen räuspert sich. »Dass ich dich vor all den Jahren verlassen habe. Dass ich nicht früher zurückgekommen bin. Dass ich an dir gezweifelt habe. Dass ich dich wie Scheiße behandelt habe. Dass ich dich an mir zweifeln ließ. Ich kann dir nicht sagen, wie schwer es war, zu sehen, wie du dich in die gefährlichsten Männer des ganzen Staates verliebst. Ich sehe dich immer noch als dieses süße kleine Mädchen, das mir eine Handvoll Blumen geschenkt hat. Ich wollte nie, dass sich das ändert. Ich dachte, ich würde dich beschützen. Ich dachte, wenn ich dich wegstoße, würdest du es vielleicht selbst herausfinden. Dass du ohne uns besser dran wärst. Mit jemand anderem. Jemandem, der sicher ist. Jemandem, der *gut* ist.«

»Co…«

»Nein, J. Ich bin noch nicht fertig.« Er hustet und der Puls auf seinem Monitor steigt. »Ich verstehe, wenn du mir nie verzeihen kannst, aber du sollst wissen, wie leid es mir tut. Alles. Durch dich bin ich für immer ein besserer Mensch, und ich habe nichts getan, um diese Liebe zu verdienen. Ich habe sie nicht verdient. Ich verdiene dich nicht. Und es tut mir so verdammt leid, dass ich es jemals als selbstverständlich angesehen habe. Ich erwarte nicht, dass du mir antwortest oder mir auch nur ein bisschen deiner Zeit schenkst, aber Magnus wollte dir das nie verheimlichen. Er hat von Anfang an nie an dir gezweifelt. Du kannst sauer auf mich sein. Du kannst sauer auf Dom sein. Aber Magnus hatte nichts damit zu tun.«

Mein Herz folgt dem rasenden Rhythmus von seinem.

Coen fährt fort: »Und so ungern ich das auch zugebe, Simon hatte auch nichts damit zu tun. Er ist der Mann, mit dem du zusammen sein solltest. Nicht mit mir. Du bist ihm wichtiger als alles andere, und er würde dir nie das antun, was ich dir angetan habe. Bei ihm bist du sicher. Dein Herz ist bei ihm sicher.«

»Co…«

»Du brauchst meine Erlaubnis nicht, J. Du bist klug genug, um deine eigenen Entscheidungen zu treffen. Aber du sollst wissen, dass ich nur will, dass du glücklich bist. Und wenn es dazu nötig ist, mit ihm zusammen zu sein, dann werde ich zur Seite treten und das zulassen.« Er hält inne und fügt hinzu: »Okay, ich bin fertig. Es tut mir leid, dass ich dich unterbrochen habe. Ich musste mir das nur von der Seele reden, bevor ich ohnmächtig werde oder so.«

Ich halte seine Hand fest und sehe zu ihm, während ich auf der Innenseite meiner Lippe kaue, um die Tränen zu unterdrücken, die sich Bahn brechen wollen. »Ich habe Gefühle für ihn, Co. Du hast nicht unrecht. Simon war für mich da, als es keiner von euch war. Er hat mich nie weggestoßen oder angelogen. Er gab mir Freiraum, als ich ihn brauchte, und er war da, als ich nicht wusste, dass ich ihn brauchte. Er war wahrscheinlich das Einzige, was mich in den letzten Monaten davor bewahrt hat, völlig den Verstand zu verlieren. Ich wollte nie, dass aus uns etwas anderes wird als das, was wir anfangs waren, und ich hatte nie vor, diese Grenze mit ihm zu überschreiten. Und du hast recht. Ich bin stinksauer auf dich. Und auf Dominic. Ich weiß nicht, ob ich ihm jemals verzeihen kann, vor allem, wenn er sich weigert, zuzugeben, dass er etwas falschgemacht hat. Magnus hat klar gemacht, was er will. Und er hat sich bei jedem Schritt auf dem Weg entschuldigt. Er hat sogar versucht, eine Art Beziehung zu Simon aufzubauen und ihn mehr wie einen Freund als einen Feind zu behandeln. Ich werfe ihm nicht vor, dass er sich von Dominic zwingen ließ. Aber du, du hast auf eigene Faust gehandelt. Du hast mich weggestoßen und grausame Dinge gesagt. Du warst nicht wiederzuerkennen, und ich weiß nicht, ob das nur gespielt war oder ob du alles in deiner Macht Stehende getan hast, damit ich dich hasse.« Ich beiße mir auf die Lippe, ziehe sie in den Mund. »Ich habe keine Angst vor dem Tod, vor Entführungen oder gar vor Folter. Aber die Version von dir in letzter Zeit, die, die du unbedingt sein wolltest. Die hat mir Angst gemacht, Co. Und es beunruhigt mich, dass das dein wahres Ich ist.«

»J …« Tränen schießen Coen in die Augen. »Du kennst mich. Du kennst mein wahres Ich. Ich würde nie …«

»Mir wehtun?« Ich neige meinen Kopf zur Seite. »Aber das hast du.« Ich nicke. »Und du tust mir weiterhin weh. Und ich weiß nicht, was ich damit anfangen soll, Coen. Ich liebe dich, das habe ich immer getan, aber muss denn Liebe so schmerzhaft sein?«

»Nein.« Er wischt mit seinem Daumen über meine Wange. »Das sollte es nicht. Und das wird mir ewig leidtun.«

Ich schnaufe. »Es war dumm von dir, vor die Kugel zu springen, Coen.«

»Da bin ich anderer Meinung.«

»Warum?« Ich schaue ihn an. »Warum hast du es getan?«

Sein Blick wandert zwischen meinen Augen hin und her. »Weil er der bessere Mann ist, J. Und wenn es um mich oder ihn ginge, würde ich es sofort wieder tun.«

»Ich kann ohne dich leben, Co, ich habe es ein Jahrzehnt lang getan. Aber ich will es nicht. Nie wieder. Verstehst du das nicht?« Ich schlucke den Schmerz hinunter, den ich die letzten zehn Jahre unterdrückt habe. »Du kannst mich nicht verlassen.«

Die Tür zu Coens Zimmer öffnet sich und eine Krankenschwester kommt herein. »Mister Hayes. Schön zu sehen, dass Sie wach sind. Wie fühlen Sie sich?« Sie sieht sich seine Akte an und schreibt etwas darauf.

»Gut«, lügt er.

»Ich verstehe.« Sie blickt von seinem Klemmbrett mit dem Papierkram auf. »Die nächste Dosis Morphium sollte jeden Moment ankommen.« Sie richtet ihren Blick wieder auf mich. »Sie sollten ihn ausruhen lassen.«

»Genau, ja.« Ich lasse seine Hand los, nehme mir ein Taschentuch aus der Schachtel auf dem Tisch und tupfe mir die Nase ab. »Natürlich.«

Coen greift nach mir, seine Augen werden schwer von der Erschöpfung und den Medikamenten, die auf ihn einwirken.

449

»Ich liebe dich, J«, bringt er noch heraus, bevor sein Arm an die Seite fällt.

»Ist das normal?«, frage ich die Krankenschwester.

»Verliebt zu sein?« Sie schiebt eine Augenbraue nach oben.

»Nein, dass er ohnmächtig wird.«

Sie trägt noch etwas anderes in die Akte ein. »Ja. Er hat einen Cocktail aus Beruhigungsmitteln und Schmerzmitteln intus. In diesem frühen Stadium sollte er sich so viel wie möglich ausruhen.«

»Oh, okay.« Ich versuche, mich daran zu erinnern, wie es während der Genesung meiner Schusswunde war, aber dieser Abschnitt meines Lebens ist verschwommen. Vielleicht habe ich auch die ganze verdammte Zeit geschlafen.

»Ich würde an Ihrer Stelle die Gelegenheit nutzen, um nach Hause zu gehen und Erholung zu suchen. Er ist hier in guten Händen.«

Ich weiß, dass sie nur helfen will, aber mit ihrem herablassenden Ton tut sie sich keinen Gefallen. Ich bin mir bewusst, dass ich trotz meiner neuen Kleidung immer noch voller Blut bin. Warum ich noch nicht über die Schießerei befragt wurde, ist mir schleierhaft, aber ich nehme an, dass es etwas damit zu tun hat, dass Dominic immer noch so viel Macht hat. Claire und ich haben eine der Ratsvorsitzenden einer großen kriminellen Organisation ermordet. Wird das einfach so unter den Teppich gekehrt? Wird mein Handeln Konsequenzen haben? Oder werden wir beweisen können, dass sie es von Anfang an auf uns abgesehen hatte, und die Kontrolle über die Geschichte übernehmen? Hat Dom bereits damit begonnen, sich um all das zu kümmern? Er würde es mir sowieso nicht sagen, da er mich gern im Dunkeln lässt.

Ich denke, dieses Problem werde ich ihm überlassen, da er darauf besteht, alles zu regeln.

»Okay, ja«, sage ich schließlich zu der Krankenschwester, denn ehrlich gesagt könnte ich eine heiße Dusche und frische

Kleidung gebrauchen, die nicht sofort von meinem ekelhaften Körper verschmutzt ist.

Ich beuge mich hinunter, drücke meine Lippen auf Coens Stirn und flüstere in sein Ohr: »Ich liebe dich mehr.« Ich folge der Krankenschwester aus dem Zimmer und gehe den Korridor hinunter zu dem Warteraum, in dem wir unzählige Stunden verbracht haben, um zu erfahren, ob Coen die Operation überstanden hat.

Magnus und Simon sitzen in der Ecke und schlafen beide. Magnus' Kopf ruht auf Simons Schulter und die beiden nutzen das Gewicht des anderen, um sich abzustützen. Wenn ich mein Handy hätte, würde ich ein Foto machen, aber stattdessen muss ich mich mit diesem Bild begnügen.

Simon blinzelt ein paar Mal und richtet seinen Blick auf mich. Er gibt Magnus einen Klaps auf die Brust, und Magnus springt fast aus dem Sitz.

»Was? Hm?« Magnus beruhigt sich. »Oh Scheiße, Prinzessin. Hey.« Er reibt sich die Augen. »Ich habe nicht geschlafen.« Er erhebt sich. »Ich habe überhaupt nicht geschlafen.«

Simon steht ebenfalls auf und klopft sich die Schulter ab. »Ich glaube, du hast mich angesabbert, Mann.«

Ich nähere mich den beiden, die Arme vor der Brust verschränkt. »Gebt es einfach zu, ihr habt gekuschelt.«

Magnus zieht mich zu sich und erstickt mich in seiner Umarmung. »Ich würde lieber mit dir kuscheln, Prinzessin.« Er schnuppert an meinem Kopf. »Du könntest allerdings eine Dusche gebrauchen.« Er umarmt mich fester. »Ich liebe dich immer noch, wenn du schmutzig bist, aber ich weiß nicht, wessen Blut das ist.«

»Gibt es hier irgendwo ein Hotel oder so?« Ich lehne mich an Magnus. »Ich will eigentlich nicht zurück zum Haus gehen. Nicht, wenn Dom da ist.«

»Du kannst bei mir duschen, Liebes«, sagt Simon. »Und du kannst dort so lange bleiben, wie du willst.«

»Ich kann, äh, ich kann bei dir zu Hause vorbeikommen und dir ein paar Sachen bringen«, bietet Magnus an.

»Ja. Das wäre gut.«

Ich habe nichts mehr von Dom gehört, seit er aus dem Krankenhaus verschwunden ist, und ich habe weder die Energie noch die geistige Kapazität, mich mit ihm auseinanderzusetzen. Irgendwann werden wir miteinander reden müssen, aber im Moment würde ich ihm lieber eine Kostprobe seiner eigenen Medizin geben und ihn zur Abwechslung mal ignorieren. Vielleicht kommt er dann zur Vernunft und erkennt, wie sehr er es vermasselt hat. Er hat Glück, dass Coen noch am Leben ist. Denn ich hätte Dominic nie verziehen, wenn er gestorben wäre.

Es gibt nur so viel, wie ich ertragen kann, und das wäre mehr, als ich ertragen könnte.

»Obwohl …« Simon reibt sich den Nacken. »Ich habe mein Auto sozusagen zu Schrott gefahren, also muss ich einen Fahrer rufen.«

»Nee, Alter.« Magnus kramt seine Schlüssel aus der Tasche. »Ich setze euch bei dir zu Hause ab und fahre dann zurück zum Haus. Mach dir keine Sorgen!«

---

Simon sitzt mit mir auf dem Rücksitz, während Magnus uns zu Simons Wohnung fährt. Er lässt seine Hand nicht von mir, auch nicht, als wir aus dem Auto steigen und zu seinem Gebäude gehen. Wir nehmen einen privaten Aufzug zu seinem Penthouse und die Türen öffnen sich direkt vor seiner Wohnung.

Zwei der Wände in der hinteren Ecke sind mit raumhohen Fenstern versehen, die den Blick auf die Stadt freigeben. Darüber öffnet sich ein massives Oberlicht, das noch mehr natürliches Licht in diesen großzügigen Raum bringt. Alles ist aufgeräumt und minimalistisch, aber mit einer modernen Ausstrahlung. Dunkle Holzböden erstrecken sich über die gesamte Länge des Raumes mit dunkelgrauen Möbeln und üppigen grünen Pflanzen, die strategisch platziert sind. Eine anthrazitfarbene Metalltreppe führt auf eine andere Ebene, und verschiedene Türen säumen die Wände.

»Hier entlang, Liebes.« Simon geht mit mir die Treppe hinauf und führt mich in ein Zimmer, das nach ihm riecht. »Hier kannst du duschen.« Er führt mich in das angrenzende Badezimmer und lässt mich endlich los. »Handtücher.« Er deutet auf einen Stapel, der ordentlich auf dem Waschtisch liegt. »Shampoo und Spülung sind da drin.« Er nickt in Richtung der großen offenen Dusche. »Was noch?« Er schnippt mit den Fingern. »Klamotten, du brauchst Klamotten. Ich werde dir in der Zwischenzeit etwas zum Anziehen besorgen.«

Ich stehe da, als Simon den Raum verlässt, in den anderen geht und einen Moment später zurückkommt.

»Ich hoffe, das ist in Ordnung.« Er legt eine graue Jogginghose und ein weißes T-Shirt auf den Tresen neben den Handtüchern. »Und …« Simon schlendert zur Dusche hinüber und dreht den Wasserhahn auf. »Das ist ziemlich selbsterklärend.« Er will gehen, aber ich halte ihn am Arm fest.

»Simon.«

»Ja, Liebes?« Er wendet sich mir zu.

»Bleib!«

Er blinzelt, als ob er nicht wüsste, was ich gesagt habe.

»Bitte!« Ich kaue auf meiner Lippe. »Ich will nicht allein sein.«

»Liebes«, seufzt er und zieht mich an seine Brust. »Ich gehe nirgendwohin.«

Ich neige meinen Kopf zu ihm hinauf. »Küss mich!«

»Bist du sicher?« Er streicht mit seinen Fingern über meine Wange.

»Ja.«

Langsam presst er seine Lippen auf meine und bewegt sie mit sanfter Leichtigkeit. Mein Herz schlägt schneller und ich schmelze an seinem Körper, erwidere seinen Kuss und schlinge meine Arme um seinen Hals. Ich ziehe ihn an mich, verzweifelt auf der Suche nach der Nähe seines Körpers.

Simon lässt seine Hände nach unten gleiten und hakt sie unter meinen Oberschenkeln ein, packt mich fest und hebt mich vom Boden weg. Ich schlinge meine Beine um ihn und trenne seine Lippen mit meiner Zunge, tauche sie in seinen Mund und lasse sie an seiner entlang tanzen. Ich fahre mit den Fingern in sein Haar und wünschte, es gäbe eine Möglichkeit, das, was ich jetzt fühle, für immer zu bewahren.

*Hoffnung? Fröhlichkeit? Liebe?* Ich kann es nicht genau sagen, aber es fühlt sich an wie eine Mischung aus allem.

Simon bringt uns unter die Dusche, wir sind immer noch beide vollständig bekleidet. Er zieht seine Schuhe aus und ich tue das Gleiche, so gut es geht, multitaskingmäßig. Wir kichern beide, als wir uns wahllos eines Teils unserer Kleidung entledigen, die uns voneinander trennt.

Er drückt mich gegen die Wand und starrt mir in die Augen. »Liebes ...« Mit sich hebender und senkender Brust lässt er mich auf die Beine kommen. Er ergreift den Saum meines Shirts und zieht es mir über den Kopf. Ich hebe meine Arme, um ihm zu helfen, aber ich beiße die Zähne zusammen, als der Stoff den Verband an meinem Arm berührt.

Simons Blick fällt sofort auf meine Rippen. »Was ist passiert?« Er fährt mit den Fingern knapp daran entlang, ohne Druck auszuüben.

Ich zucke in Erwartung der Berührung zusammen. »Es ist in Ordnung«, sage ich. »Mir geht es gut.«

»Lüg mich nicht an, Liebes!« Er dreht mich, um einen besseren Blick zu bekommen. »Ist das von einem Stiefel?«

Ich nicke und erinnere mich an den Mann, der mich zu

Gwyneths Haus brachte und mir in die Seite trat, als ich versuchte zu entkommen. Er hatte mir ein Bein gestellt, mich zu Boden geworfen und hatte dann mit seinem Stahlkappenstiefel mit solcher Wucht auf mich eingetreten, dass ich auf den Rücken fiel. Er packte mich am Knöchel und zerrte mich schreiend ins Haus, wo er mich an den Stuhl fesselte. Es dauerte nicht lange, bis Gwyneth den Raum betrat, und alle meine Vermutungen bewahrheiteten sich. Sie war es gewesen, die die ganze verdammte Sache inszeniert hatte – eine Wahrheit, die ich nur zu spät erkannt hatte.

Simon kniet sich hin und presst seine Lippen auf meine geprellten und geschwollenen Rippen. »Es tut mir so leid, Liebes.« Er zieht mir die Leggings über den Hintern und streift sie zusammen mit dem Höschen ab, schiebt meine Füße seitlich heraus und wirft die Klamotten weg, ohne darauf zu achten, wo sie landen. Er steht vor mir, greift um mich herum und öffnet mit einer Hand meinen BH, während er mit der anderen über meine Wange streicht.

Ich greife nach seinem Shirt und schiebe es nach oben und über seinen Kopf, sodass seine perfekt geformte Brust und sein Bauch zum Vorschein kommen. Ich streiche mit meinen Fingern über jede Erhebung und lasse sie am Knopf seiner Jeans enden.

Er öffnet sie und schiebt sie über seine Hüften, steigt heraus und wirft sie zu unseren anderen Sachen.

Ich halte meinen Blick auf seinen gerichtet, als er näherkommt und mich an seine Brust zieht.

Wir stehen da, völlig nackt, und halten uns gegenseitig in dieser riesigen Dusche. Unsere Umarmung hat etwas so Intimes an sich, obwohl sie überhaupt nicht sexuell ist.

Simon zieht mich unter das Wasser und massiert meine Kopfhaut, befeuchtet mein Haar und befreit mich zweifellos von den Nachwirkungen der Ereignisse in Castleberry Court.

»Dreh dich um!« Er dreht mich an der Hüfte, sodass ich mit dem Rücken zu ihm stehe.

»Was machst du da?«, frage ich.

»Ich wasche dir die Haare.« Er holt eine Flasche aus dem Regal an der Wand und spritzt etwas von dem Zeug in seine Hand. Simon schäumt es in mein Haar, macht vorsichtige kreisende Bewegungen und achtet darauf, dass er jeden Zentimeter meines Haars erwischt. Er schnappt sich einen der vielen Duschköpfe, die uns besprühen, und spült damit das Shampoo und die blutige Mischung vollständig in den Abfluss.

»Das musst du nicht tun.« Ich halte ihn davon ab, sich eine weitere Flasche zu schnappen.

»Du hast recht, Schatz. Ich muss das nicht. Ich will es.« Er hält sich trotzdem daran fest und verteilt die Spülung in meinen Haarspitzen, wobei er vorsichtig alle Verfilzungen herauszieht, die er findet. »Und wenn wir schon mal dabei sind.« Er will nach dem Shampoo greifen, aber ich halte ihn auf.

»Nein. Lass mich!« Ich lasse etwas davon in meine Hände tropfen, und obwohl er sich etwas sträubt, erlaubt er mir, sein Haar zu waschen. Ich fahre mit den Fingern über seine Kopfhaut und arbeite genauso gründlich, wie er es bei mir getan hat. Ich forme einen kleinen Irokesen und kichere ihn an. »Tut mir leid, das musste sein.«

Er grinst und schüttelt den Kopf, wischt mit der Hand darüber, um das alberne Styling loszuwerden, und neigt den Hals, um sich die Seifenlauge abzuspülen. Simon wischt sich über die Augen und konzentriert sich wieder auf mich. Er wäscht den Rest der Spülung aus meinem Haar und hängt den Duschkopf an den Haken.

Simon schäumt etwas Seife in seinen Händen auf und kommt auf mich zu, beginnt an meinen Schlüsselbeinen und streicht über meine Schultern, wobei er jeder Beule, jedem blauen Fleck und jedem Schnitt an meinem Körper besondere Aufmerksamkeit schenkt. »Wir haben ähnliche Narben.« Er streicht mit dem Finger über die Narbe auf meiner Brust und ergreift meine Hand, um die feine Narbe auf seiner zu ertasten, direkt über seinem Herzen, wo ich versucht habe, ihn zu erstechen.

»Es tut mir leid«, sage ich ihm.

»Mir nicht.« Er macht sich wieder an die Arbeit, mich zu säubern, und es gibt keine Stelle, die er nicht berührt, er geht sogar so weit, sich vor mich zu knien und einen meiner Füße auf sein Bein zu stützen, damit er jeden Zentimeter von mir erreichen kann. Er trägt ein wenig Seife auf seine Hände, um meine Oberschenkel und meine Mitte einzureiben. Er starrt zu mir hoch, während er mit seinen Fingern über meine Falten fährt und mich abspült.

Ich nehme sein Gesicht in meine Hände und ziehe ihn zu mir hoch, wobei mein Mund innerhalb von Sekunden seinen findet. »Bring mich ins Bett!«, hauche ich. »Bitte!«

Simon spült den Rest der Seifenlauge von uns ab und stellt das Wasser ab. Er greift nach einem Handtuch, aber ich halte ihn auf, greife seinen Arm und drehe ihn zu mir. Als ob er meine Gedanken lesen könnte, nimmt er mich auf den Arm, wie er es vorhin getan hat, nur dass wir jetzt nass und völlig nackt sind.

Ich küsse ihn erneut und schlinge mich auf dem Weg ins Schlafzimmer um ihn.

Er lässt mich vorsichtig auf die Matratze sinken und legt mich zurück. »Liebes, bist du sicher?«

Ich greife nach unten und nehme seinen Schwanz in die Hand, um endlich einen Blick darauf zu werfen. Ich schlucke und schaue zu ihm hoch. »Ich bin sicher.«

Simon drückt mich an sich, seine Hände liegen auf beiden Seiten meines Kopfes. Er presst seinen Mund auf meinen und küsst mich mit einem Fieber, wie er es noch nicht getan hat. Er zieht seine Lippen meinen Hals hinunter, saugt und leckt an meiner zarten Haut. Er greift mit einer Hand um meine

Brust und lässt seinen Schaft an meinem Eingang entlang gleiten.

Er positioniert sich und schaut mir in die Augen. »Hast du deine Meinung geändert?«

»In den zwölf Sekunden?« Ich seufze. »Nein.« Ich bewege mich, umklammere seine Taille und ziehe ihn in mich hinein.

Simon stöhnt, als sein Schwanz kaum in mich eindringt, und fährt fort, ganz langsam in mein gieriges Loch einzudringen.

»Fuck!«, platze ich heraus, während sein Umfang mich weiter dehnt.

»Tue ich dir weh?«

»Nein«, hauche ich. »Überhaupt nicht.«

Er beschleunigt sein Tempo und füllt mich noch mehr aus. »Du fühlst dich sogar noch besser an, als ich es mir vorgestellt habe, Liebes.«

»War es das Warten wert?«, frage ich und ziehe ihn mit meinen Händen näher an mich.

Er beugt sich zu mir, sein Gesicht schwebt über meinem. »Ohne Zweifel.« Simon streicht mit dem Daumen über meine Unterlippe und zieht sie nach unten. »Aufmachen!« Er starrt mir direkt in die Augen, während er mir in den Mund spuckt, und wenn ich dachte, etwas anderes wäre das Schärfste, was jemand je getan hat, dann habe ich mich gewaltig geirrt.

Nein, Simon fucking Beckett, der mir in den Mund spuckt, steht ganz oben auf der Liste.

Ich pulsiere um ihn herum, mein Orgasmus rückt von Sekunde zu Sekunde näher.

»Zusammen?«, fragt er.

Ich lächle ihn an und ziehe seine Lippen auf meine. »Zusammen.« Ich wirble meine Zunge um seine und er pumpt härter in mich hinein, sein Höhepunkt füllt mich aus und ich schließe mich ihm an. Ich zittere in seiner Umklammerung und er bleibt noch lange in mir, nachdem wir beide aufgehört haben zu zittern.

»Verdammt, ich liebe dich, June.« Er küsst meine Lippen, meine Nase, meine Stirn. »So verdammt sehr.«

»Hallo«, ruft eine Stimme von unten herauf.

Ich blinzle zu ihm hoch. »Ist das Magnus?«

»Ja.« Er lacht.

Ich hebe meinen Kopf zur Tür. »Wir sind oben«, rufe ich.

»Seid ihr anständig?«, brüllt Magnus zurück.

»Nein«, sage ich ihm wahrheitsgemäß.

»Krass!« Er steigt die Treppe hinauf, seine Schritte donnern auf jeder Stufe. »Kann ich mitmachen?« Er kommt um die Ecke, und ich sehe ihn von oben herab an. »Oh, Scheiße, das war kein Scherz.« Er lehnt sich gegen den Türrahmen. »Wurde auch Zeit, dass ihr beide mal einen draufmacht.«

»Es hat lange gedauert«, sagt Simon etwas verschämt.

Er und Magnus haben sich in den letzten Wochen angefreundet, aber ich vermute, dass Magnus ihn jetzt zum ersten Mal nackt und mit seinem Schwanz in seiner eigenen Freundin sieht. Jetzt, da ich weiß, was los ist, kann ich die Schüchternheit verstehen.

Aber als ich spüre, wie Simons Schwanz in mir härter wird, wird mir klar, dass er vielleicht doch nicht so bescheiden ist, wie ich dachte.

Ich strecke meinen rechten Arm nach hinten zu Magnus. »Komm her!« Ich schaue Simon an. »Ist das okay?«

Er nickt und wippt leicht mit den Hüften.

Magnus stößt sich von der Wand ab. »Das musst du mir nicht zweimal sagen.« Sofort knöpft er seine Jeans auf und zieht sie sich über die Hüften, sodass seine bereits volle Erektion freiliegt. Er küsst mich, bevor er sich hinter mich kniet.

Ich lecke mir über die Lippen und neige meinen Kopf näher zu ihm, als er seine Kuppe über den Rand meines Mundes führt. Er taucht seinen Schwanz zwischen meine Lippen und fickt mein Gesicht zärtlich. Ich halte meinen Arm nach hinten gestreckt, umklammere seinen tätowierten Oberschenkel und sauge jeden Zentimeter ein, den er mir gibt.

Magnus legt seine Finger auf meine schmerzende Klitoris. Er gleitet mit seiner Hand weiter und ergreift den Ansatz von Simons Schwanz, während Simon in mich hineingleitet und wieder herauszieht.

Das Gefühl und die Fülle meiner Löcher lassen mein Innerstes zusammenziehen. Ich stöhne gegen Magnus' Schaft und würge, als er mich noch ein bisschen tiefer fickt.

Simon beugt sich nach unten, um meine Brustwarze zwischen seine Zähne zu klemmen. Er saugt sie in seinen Mund und rollt sie zwischen seinen Lippen.

Magnus reißt sich von mir los. »Geht es dir gut, Prinzessin?« Er streichelt seinen Schaft über mir, während die Feuchtigkeit aus meinem Mund auf seinem Schwanz verweilt.

»Mmhm.« Ich greife nach ihm und halte ihn in meiner Hand, streichle und pumpe und ziehe.

Er lässt sich neben mir auf das Bett fallen, damit ich einen besseren und bequemeren Zugang zu ihm habe.

»Willst du ihn reiten, Liebes?« Simon leckt über meinen Hals und knabbert an meinem Ohr. »Willst du ein bisschen auf seinem Schwanz sitzen?« Er zieht sich aus mir heraus und fährt mit der Kuppe über meine pochende Klitoris.

Ich stütze mich auf meine Ellbogen und dann auf meine Knie, spreize sie über Magnus und setze mich auf seinen Schaft. Simon sieht mit lustvollem Blick zu, wie die Frau, die er liebt, einen anderen Mann fickt. Magnus greift nach oben und nimmt meine beiden Brüste in seine Hand. »Verdammt, Prinzessin!«

Ich bewege mich auf seinem Schaft auf und ab, genieße diesen neuen Winkel und den Schwanz, der mich ausfüllt. Ich folge Simons Blicken, als er sich von der Bettkante erhebt und hinter mich kommt. Ich beuge mich zu Magnus hinunter, drücke meine Lippen auf seine und gebe Simon einen besseren Blick.

Simon klettert zwischen Magnus' Beinen auf das Bett und stößt seine Beine auseinander. Mit einer Handfläche, die auf meiner Hüfte ruht, reibt Simon die Kuppe seines Schafts über mein bereits gefülltes Loch. Er hält mich fest, damit ich mich nicht mehr bewegen kann, und zieht Magnus' Schwanz ein Stück aus mir heraus. Einen Moment später füllt er mich wieder aus, aber statt nur Magnus' Schwanz, stoßen beide in meine enge Muschi.

»O mein Gott!«, wimmere ich.

»Ich weiß, Prinzessin.« Magnus zieht mein Gesicht nach unten und auf seins. Er küsst meine Lippen und wippt mit den Hüften. »Du nimmst uns beide so gut.«

Simon hält sein Tempo konstant, bis ich mich wieder auf ihn stürze und mich an die Masse gewöhnt habe, die sie beide im selben Loch haben.

»Fuck!«, stöhne ich gegen Magnus und beiße ihm auf die Lippe.

»Du bist so ein gutes Mädchen, Liebes.« Simon fickt mich ein wenig härter, sein Schwanz wird steifer genau neben dem von Magnus.

Magnus hebt seine Hand und taucht seinen Zeigefinger in meinen Mund. Ich sauge daran und dann schiebt er ihn hinunter auf meine Klitoris und reibt Kreise mit dem feuchten Finger.

»O Gott, Leute, ich bin …« Ich keuche.

Magnus packt meinen Hinterkopf und lässt seine Lippen mit meinen verschmelzen, seine Zunge drängt sich in meinen Mund. Er keucht und ist der Erste von uns, der zum Höhepunkt kommt und in mir überläuft.

Ich komme als Nächste, mein Orgasmus überrollt mich und mein ganzer Körper zittert vor Lust. Ich ziehe mich um beide zusammen und Simon stöhnt und pumpt seinen Orgasmus auch in mich hinein.

Wir liegen da, ein Haufen aus verschwitztem Sex.

Ich zucke zusammen und lächle gegen Magnus' Mund, als er mich ein letztes Mal küsst.

Er lehnt seinen Kopf zurück. »Scheiße!«

Simon krabbelt hinter mir hervor und zieht sich langsam aus meiner gefüllten Muschi heraus. Ich steige von Magnus herunter und lasse mich auf das Bett neben ihm fallen. Simon legt sich auf meine andere Seite, und ich strecke meine Arme nach beiden Männern aus, einen auf jeden ihrer Bäuche.

»Das war verdammt heftig«, sage ich, während ich ausdruckslos an die Decke starre.

Magnus stützt sich auf seinen Ellbogen und starrt mich an. »Du brauchst auf jeden Fall einen Plan B hiernach.«

Ich lache und atme aus, eine Million Gefühle durchströmen mich auf einmal. Simon ist in meinem Leben. Magnus ist damit einverstanden. Verdammt, Coen ist sogar damit einverstanden. Und er ist in Sicherheit. Mein süßer Coen wird leben. Aber dann zerreißt es mir das Herz, wenn ich an Dominic denke.

Die Distanz zwischen uns war noch nie so groß wie heute, und egal, was ich tue, ich kann mich des Gefühls nicht erwehren, dass wir es vielleicht nicht schaffen werden.

# KAPITEL VIERUNDDREISSIG – DOMINIC

*J*ch habe seit drei Tagen nichts gegessen. Ich bin mir nicht einmal sicher, ob ich geschlafen habe. Zum ersten Mal in meinem Leben macht sich dieses Loch in meiner Brust breit, und ich weiß nicht, ob es Trauer oder ein verdammter Herzinfarkt ist.

Ich nehme eine Aspirin und schlucke sie mit einem kräftigen Schluck Bourbon herunter.

June ist nicht nach Hause gekommen. Magnus kommt und holt ihr ein paar Klamotten, aber er verhindert, dass sie überhaupt hierherkommt.

Nach Hause. Ich werfe die Flasche Aspirin quer durch den Raum. »Es ist nicht ihr Zuhause, du verdammter Idiot.«

Coen soll bald entlassen werden, aber wird er in ein leeres Haus zurückkehren wollen? Er hat sein Leben riskiert, um den verdammten Simon Beckett zu retten – auf keinen Fall wird er während seiner Genesung ohne June sein wollen.

Wird er dorthin gehen? An denselben Ort, an dem auch Magnus die meiste Zeit verbringt?

Dieses Haus ist so verdammt leer, wenn keiner von ihnen hier ist. Sie alle haben mich für den Mann verlassen, der einst mein Feind war. Ich nehme meine Schlüssel vom Tresen und mache mich auf den Weg in die Garage. Wenn sie gehen, gehe ich auch. Ich fahre rücksichtslos durch die Stadt, halte weder an Ampeln noch an Stoppschildern an und benutze keinen einzigen verdammten Blinker. Ich fahre rücksichtslos zu schnell und kümmere mich einen Dreck darum, ob ein Sattelschlepper in mich fahren könnte oder nicht.

Was soll das bringen?

Wie konnte es dazu kommen, dass ich einmal an der Spitze der Welt stand, alles hatte, ein milliardenschweres Verbrechersyndikat, und jetzt ein Mann ohne ein verdammtes Ziel bin?

Ich hatte *sie*. Die stärkste, furchtloseste, mutigste Frau, die ich je gekannt habe, und ich habe sie durch meine arroganten Finger gleiten lassen. Ich habe gelogen, ich habe sie weggestoßen, ich habe alles falsch und nichts richtig gemacht.

Vielleicht habe ich einfach eines dieser Herzen, die brechen müssen.

Ich fahre in das Parkhaus und steige direkt aus meinem Geländewagen, ohne mir die Mühe zu machen, die Tür zu schließen oder abzusperren. Von mir aus kann ihn jemand klauen.

Ich drücke den Knopf und warte auf eine Antwort. Eine Sekunde vergeht, dann zwei. Ich seufze und streiche mir mit der Hand durch den Bart. Ich wusste, dass das eine beschissene Idee war, aber ich habe es trotzdem getan. Ich lehne meinen Kopf gegen das Gebäude, balle meine Faust und klopfe darauf, die Niederlage durchspült mich.

Doch als der Summer ertönt und die Tür aufgeschlossen wird, keimt in mir wieder ein Fünkchen Hoffnung auf.

Ich stürme geradewegs in das Gebäude und gehe zum Aufzug, drücke den Code ein und warte, bis sich die Tür öffnet. Ich steige ein und fahre bis ganz nach oben. Die Tür öffnet sich wieder und gibt den Blick frei auf Simons makelloses Penthouse und June, Simon und Magnus, die alle in der Küche sitzen.

June dreht sich zu mir um, und das Lächeln auf ihrem Gesicht wird bei meinem Anblick schwächer. »Dom, was machst du denn hier?«

Simon zieht seine Pistole heraus und legt sie auf den Tresen, wobei er sie wie eine Warnung auf mich richtet. »Lass es mich nicht bereuen, dass ich dich reingelassen habe.«

»Ich dachte, es wäre der Lieferservice.« Magnus verschränkt die Arme vor der Brust.

Alle drei befinden sich in der Defensive.

»Ich bin nur gekommen, um zu reden.« Ich bewege mich vorwärts und merke, wie sich June mit jedem Schritt, den ich auf sie zukomme, anspannt. »Bitte!«

Sie springt vom Hocker und geht um Magnus herum. »Dann rede!«

Mein kaltes, totes Herz klopft bei diesem Quäntchen Chance, das sie mir gibt.

»June.« Ich seufze. »Ich kann nicht essen. Oder schlafen. Oder atmen. Mein ganzer Körper tut weh, als hätte mir jemand das Herz aus der Brust gerissen.«

»Dann weißt du, was ich in den letzten sechs Monaten gefühlt habe.«

Ich gehe noch einen Schritt weiter und ignoriere den Schlag in die Magengrube. »Ich weiß. Es ist schrecklich. Ich wollte nie, dass du dich so fühlst. Ich …« Ich starre ihr in die Augen und flehe sie an, meinen Blick zu erwidern. »Ich habe mich geirrt, June. In allem. Ich habe mich verdammt geirrt. Und ich weiß, dass es zu spät ist, aber du sollst wissen, wie leid es mir tut.« Ich falle vor ihr auf die Knie und schere mich einen Dreck um die beiden Männer, die Zeugen dieses erbärmlichen Schauspiels sind. »Es tut mir so leid, dass ich dich angelogen habe. Dass ich dich behandelt habe, als hättest du nicht das Zeug dazu, in meiner Welt zu sein. Ich hatte einfach Angst. Ich wollte dieses Leben nicht für dich. Ich wollte nicht, dass du denkst, ich könnte dich nicht beschützen. Ich wollte das Problem lösen, bevor du in

Gefahr gerätst. Ich wollte nicht, dass du an mir zweifelst. Ich habe geschworen, dich zu beschützen, und auch wenn ich dachte, dass ich das tue, habe ich es falschgemacht. Ich hätte es dir sagen sollen. Ich hätte dich einweihen sollen. Ich hätte der Mann sein sollen, den du brauchst. Aber ich schwöre dir, ich weiß jetzt, wie verdammt falsch ich lag. Und ich bin fertig, ich bin mit all dem fertig. Ich habe nächste Woche eine Ratssitzung angesetzt, um mitzuteilen, dass ich zurücktrete. Ich will das nicht. Nichts davon. Nichts bedeutet etwas, wenn ich dich nicht haben kann. Ich habe mein ganzes verdammtes Leben auf diesen Posten hingearbeitet. Es war das Einzige, was ich je wollte. Aber es ist nichts im Vergleich dazu, dich zu verlieren, June. Ich ... ich will es nicht. Ich brauche es nicht. Ich brauche dich. Ich will dich. Und ich werde dich jeden Tag für den Rest meines Lebens anflehen, mir zu verzeihen. Denn du bist das Einzige, was mich interessiert, das Einzige, was zählt. Was immer du willst. Ich werde es tun. Sag mir nur, was ich tun soll.«

Ich nehme ihre Hand in meine und beobachte, wie Tränen über ihre Wangen kullern.

»Ich wollte dich nie verletzen. Und ich werde mir das nie verzeihen. Du bist stark. Du bist fähig. Du bist so viel mehr wert, als dieses Leben dir zu bieten hat. Du hast mich etwas fühlen lassen, was ich noch nie zuvor gefühlt habe, June. Bedingungslose Liebe. Und es tut mir so verdammt leid, dass ich dir das nicht zurückgegeben habe. Ich war egoistisch. Ich war töricht. Ich war ein verdammter Idiot. Ich habe dich nicht verdient. Das ist mir klar. Aber bitte hör mir zu, wenn ich dir sage, dass es mir leidtut.«

Ich lasse den Kopf sinken, während eine einzelne Träne über meine Wange kullert.

June spricht nicht. Im Penthouse ist es bis auf mein schweres Atmen still.

Ich habe so viele Worte gesprochen, und doch fühlt sich

keines davon so an, als hätte ich auch nur an der Oberfläche gekratzt, um ihr mitzuteilen, wie sehr ich alles bedauere. Und jetzt knie ich hier, ein halber Mann mit einem blutenden Herzen in den Händen, und biete es ihr an, in der Hoffnung, dass sie vielleicht, nur vielleicht, noch einen Funken Liebe für mich hegt.

June lässt meine Hand los, und es ist, als würde ein Pfahl direkt durch mein Herz getrieben werden.

Sie legt ihre Handflächen auf meine Wangen und neigt meinen Kopf zu sich hinauf. »War das so schwer?«

»W... was?« Ich starre sie ungläubig an, dass sie überhaupt mit mir spricht.

»Ich wollte doch nur, dass du dich entschuldigst, Dom.« Sie seufzt, ihre Daumen streichen über meinen Bart. »Die ganze Zeit. Das ist alles, was ich wollte. Aber ich hatte es satt, dich anzuflehen, du musstest es selbst herausfinden.«

»Du meinst, du ...?« Aber ich kriege die letzten Worte nicht heraus.

»Ob ich dich noch liebe?« Sie lächelt durch ihre Tränen hindurch. »Ja, ich liebe dich immer noch.«

Und als wäre ich von einem verdammten Blitz getroffen worden, pocht mein Herz wieder. Ich erhebe mich, hebe sie hoch und schlinge meine Arme um ihre Taille. »Du liebst mich!« Ich drehe sie im Kreis und lasse sie langsam auf den Boden sinken.

June starrt zu mir hoch. »Ich bin immer noch verdammt sauer auf dich, aber ich kann sauer sein und dich gleichzeitig lieben.«

Ich nehme ihr Gesicht in meine Hand. »Das ist okay für mich. Ich bin so glücklich damit.« Ich seufze und genieße das Gefühl ihrer Haut auf meiner.

»Nun«, sagt Magnus. »Wirst du sie küssen oder nicht?«

June und ich lächeln beide, und ich verliere keine Zeit mehr, überbrücke das letzte bisschen Abstand zwischen uns und drücke meine Lippen auf ihre.

Sie schlingt ihre Arme um meinen Hals und zieht mich näher heran.

Ich beuge und kippe sie nach hinten, wobei mein Mund jede Sekunde auf ihrem liegt.

Jemand klatscht und ich grinse sie an und richte uns auf.

»Es tut mir leid, dass es so lange gedauert hat«, sage ich. »Ich hätte dich nicht warten lassen dürfen.«

»Tu es einfach nie wieder!« June greift nach oben und berührt meine Wange. »Ich habe dich vermisst.«

»Ich habe dich vermisst.« Ich lege meine Hand auf ihre.

Ihre Augen weiten sich. »Aber ich bin immer noch wütend auf dich. Das darfst du nicht vergessen.« June lächelt und es ist, als ob sich der Himmel öffnet und ein Engel sein Licht auf mich scheinen lässt.

»Mach dir keine Sorgen«, sage ich ihr. »Ich werde den Rest meines Lebens damit verbringen, es wiedergutzumachen.«

Sie zeigt mit dem Finger auf meine Brust. »Ich nehme dich beim Wort.«

»Ich bin nur froh, dass ich dich nicht erschießen musste.« Simon steckt seine Waffe zurück in den Halfter. »Du weißt, wie unangenehm das werden kann.«

Ich strecke meinen Arm nach ihm aus. »Ich schulde dir auch eine Entschuldigung.«

Er starrt auf meine Hand hinunter, als wäre sie eine Bombe, die darauf wartet zu explodieren.

»Ich meine es ernst. Ich habe dir eine viel härtere Zeit bereitet, als du verdient hast. Es tut mir leid.«

Simon zieht die Augenbrauen hoch, beschließt aber, mein Angebot anzunehmen. »Entschuldigung angenommen. Aber in meinem Namen, nicht in dem von June. Da musst du dir schon etwas einfallen lassen.« Er schüttelt mir fest die Hand.

»Du hörst doch nicht wirklich auf, oder?« June neigt ihren Kopf in meine Richtung.

»Ich habe das Treffen einberufen, ja. Wenn es zwischen uns steht, will ich es nicht.«

Sie legt ihre Hand auf meine Schulter. »Dann lassen wir es nicht zu. Du kannst beides haben, Dom, aber du musst dich für *beides* entscheiden. Du kannst mich nicht wieder ausschließen. Wir müssen das gemeinsam tun. Wir alle.« Sie nickt auch Simon und Magnus zu.

»Wirklich?«, frage ich. »Nach allem, was ich dir angetan habe, bist du bereit, es noch einmal zu versuchen?«

»Diesmal zu meinen Bedingungen. Nicht zu deinen.« June verschränkt die Arme. »Und ich weiß nicht genau, wie es funktioniert, aber meine erste Amtshandlung ist, diesen verdammten Rat loszuwerden. Niemand sollte so viel Macht an eine Gruppe geldgieriger alter Damen abgeben.«

Ich lache zum gefühlt ersten Mal seit einer Ewigkeit. »Abgemacht.« Seit der Gründung unserer Organisation wurde der Rat eingesetzt, um sicherzustellen, dass die Männer nicht die totale Autorität über das Geschäft haben, aber June hat recht, es ist ein veraltetes System, die uns nicht mehr dient. Es wird einige Überzeugungsarbeit und einen Rollentausch erfordern, aber wir werden eine Lösung finden, denn ich kann sie nicht bei der ersten Sache, die sie von mir verlangt, enttäuschen.

Solange ich lebe, werde ich es mir zur Lebensaufgabe machen, sie glücklich zu machen.

»Aber zuerst«, sagt June, »müssen wir eine Willkommensparty planen. Coen wird morgen entlassen, und ich hoffe, das wird ein Riesending.«

Und wenn es das ist, was meine Füchsin will, dann ist es das, was sie bekommen wird.

# EPILOG – JUNE

Ich blicke von dem Papierkram, den ich gerade durchsehe, auf und begegne Dominics Blick. »Hey, die Hochrechnungen für das dritte Quartal liegen um etwa zwei Prozent darunter. Du musst sie dazu bringen, die Zahlen noch einmal zu überprüfen.«

Dom grinst, schlendert zu mir herüber und presst seine Lippen auf meine Stirn. »Von wegen Hauptfach Wirtschaft, du hast dich auch auf Buchhaltung spezialisiert?«

»Ich habe mich darauf spezialisiert, ein Geschäft nicht zu versauen, weil die Leute nicht rechnen können.« Ich lege den Kopf schief und drehe meinen Kopf in seine Richtung. »Du küsst mich besser, bevor mir die Lippen abfallen.«

Er lacht und drückt mir einen schlampigen Kuss auf. »Ich liebe dich so sehr.« Dom nimmt mich in seine Arme und zieht mich vom Schreibtisch weg.

»Wow, ich sagte Kuss, nicht was auch immer das ist.« Ich scharre mit den Füßen und versuche, mich von diesem starken Mann zu befreien. Aber wem mache ich etwas vor, ich verschlinge jedes bisschen Zuneigung, mit dem er mich überhäuft.

Seit Dom zur Vernunft gekommen ist, läuft es zwischen uns ganz anders. Und nicht nur zwischen ihm und mir, sondern zwischen mir und allen meinen vier Männern. Es gibt keine unaufhörliche Feindseligkeit, Arroganz oder exzessive Zurschaustellung von toxischer Maskulinität.

Wenn überhaupt, dann wachsen sie über sich hinaus, um mir so viel Liebe wie möglich zu geben, sodass mein Herz mit jedem Tag größer und größer wird. Am Anfang war es eine Umstellung, aber ist das nicht bei jeder neuen Beziehung so? Und als dann auch noch Simon in die ohnehin schon testosterongeladene Situation kam, wurde es eine lustige Angelegenheit, die es zu meistern gilt. Wir hatten unsere Probleme, aber nicht so wie damals, als sie Geheimnisse hatten und ich ganz alleine schmoren musste.

Sie waren ziemlich wütend, als sie herausfanden, dass Simon und ich zu diesem Untergrundkampf gegangen sind, und sie waren noch schockierter, als sie erfuhren, dass ich den Mann in dieser Gasse erschossen hatte. Aber sie nahmen meine Geheimnisse an und akzeptierten sie. Sie haben aufgehört, Dinge vor mir zu verheimlichen, und anstatt zu versuchen, jedes Problem selbst zu lösen, gehen wir es gemeinsam an. Denn wir arbeiten besser, wenn wir uns mit ganzem Herzen engagieren.

Wir haben es mit schlechten Tagen und hartnäckigen Problemen zu tun, aber wir gehen jeden Tag mit Liebe und einem offenen Geist an, und das ist es, was uns dabei hilft. Jeder von uns ist unsicher und hat mit seinen eigenen Traumata zu kämpfen, die von unserer Kindheit bis hin zu Dingen reichen, mit denen wir uns als Erwachsene auseinandergesetzt haben, aber anstatt allein daran zu zerbrechen, packen wir alles gemeinsam an.

Denn ist es nicht genau das, worum es in Beziehungen geht? Verletzlich zu sein und sich selbst zu erlauben, ohne

Einschränkungen zu lieben, selbst wenn man sich nicht sicher ist, ob man es wert ist?

»Wohin bringst du mich?« Ich klopfe Dom spielerisch auf den Rücken.

»Du warst ein böses Mädchen, June. Du musst bestraft werden.« Er gibt mir einen Klaps auf den Hintern und trägt mich die Treppe hinauf in den zweiten Stock unseres Hauses.

»Moment mal? Ist heute Dienstag?« Ich wackle aufgeregt. »Gibst du endlich nach?« Als er nicht antwortet, quieke ich. »Ich wusste es, ich wusste verdammt noch mal, dass du nachgeben würdest.«

Er bleibt vor meiner Schlafzimmertür stehen.

Ja, mein Schlafzimmer. Wir alle haben eins. Jeder von uns. Sogar Simon. So haben wir unseren eigenen Raum, und dann gibt es noch ein gemeinsames Schlafzimmer, das uns allen gehört. Simon hat immer noch sein Penthouse, und wir übernachten manchmal dort. Aber wir können uns frei bewegen und respektieren trotzdem die Privatsphäre des anderen. Wir sind vielleicht verdammt offen, aber wir lassen das zu.

»Wir haben abgestimmt«, sagt Dom. »Einstimmig, natürlich.«

»Offensichtlich«, grinse ich so breit, dass meine verdammten Wangen schmerzen.

»Der Gruppensex-Dienstag ist offiziell mein neuer Lieblingstag in der Woche.« Ich schlinge meine Arme um seinen Hals und küsse ihn. »Scheiß auf den Taco-Dienstag, der wird überbewertet.«

Er trägt mich in mein Schlafzimmer, wo Simon, Coen und Magnus bereits auf mich warten. Sie plaudern miteinander, etwas, von dem ich vor sechs Monaten nie gedacht hätte, dass ich es erleben würde. Geschweige denn, dass sie sich auf das vorbereiten würden, was gleich passieren wird.

Dom lässt mich auf die Matratze fallen.

Ich hüpfe auf meine Knie. »Können wir es heute versuchen?«

»Ich weiß es nicht, Prinzessin.« Magnus stützt sich auf die Ellbogen und neigt seinen Kopf zu mir.

Ich küsse seine Lippen und schaue zu den anderen Männern.

Simon zwinkert mir zu. »Du weißt, dass ich für alles zu haben bin, Liebes.«

Coen seufzt. »Wessen Schwanz berühre ich hier?«

Simon stupst ihn an. »Wahrscheinlich meinen, du kleiner Perverser.«

Coen wirft ihm einen strengen Blick zu. »Du bist derjenige, der versucht hat, mich in Castleberry anzumachen.«

»Ich bin aus dem verdammten Auto gefallen, du hast mein Bein berührt und dein Gesicht in meinen Schritt gesteckt.«

»Wisst ihr«, sage ich zu den beiden. »Wenn ihr euch so streitet, denke ich, ihr seid heimlich verliebt oder so.«

»Ich toleriere ihn«, betont Coen.

»Sagt der Typ, der meinen Schwanz anfassen will«, neckt Simon.

Magnus lacht. »Wie kommt es, dass niemand meinen Schwanz anfassen will?«

»Nun«, mischt sich Dominic ein. »Niemand sollte besser meinen Schwanz anfassen.«

Ich ziehe mein Shirt über den Kopf und werfe es auf den Boden. »Jemand sollte mir besser einen Schwanz geben, den ich anfassen kann, oder ich werde die Gruppensex-Dienstage abschaffen.« Ich lehne mich zurück, knöpfe meine schwarze Jeans auf und schlüpfe aus ihr. »Diese Muschi kümmert sich nicht um sich selbst.«

»Reserviert!«, ruft Dominic, packt mich an den Knöcheln und zieht mich zu sich heran. Er zieht mir das Höschen aus, hält es aber in seiner Faust geballt.

»Ah, nicht fair.« Magnus springt vom Bett und reißt sich, so schnell er kann, die Kleider vom Leib, kehrt zum Bett zurück und lässt sich neben mich plumpsen. Er küsst meinen Mund, während Dom mit seiner Zunge über meinen bereits feuchten Schlitz streicht.

Dom überrascht mich, indem er mein Höschen mit zwei Fingern in mich schiebt. Er saugt an meiner Klitoris und zieht sich für eine Sekunde zurück. »Was meinst du, sollen wir zehn versuchen?« Er nimmt seine andere Hand und fährt mit ihr über meinen Kitzler, während er mich mit meinem Slip fingert.

Magnus packt mich an der Kehle und küsst mich noch fester.

»Zehn wären ziemlich solide für einen Dienstagnachmittag«, sagt Simon von irgendwo über mir.

Ich greife nach ihm und er nimmt meine Hand und führt sie an seinen bereits steifen Schwanz.

Mein Innerstes spannt sich an, und bevor ich es überhaupt stoppen kann, komme ich unter Doms Zunge zum Höhepunkt und stöhne in Magnus' Mund.

»Da ist einer.« Dom zieht den Slip aus meiner pochenden Muschi, und als ich mich von Magnus löse, um zu Dom zu sehen, steckt er ihn in seine Hosentasche.

Ich schüttle den Kopf. »Du böser Junge.«

Er zuckt mit den Schultern. »Ein kleines Souvenir für später.« Dom erhebt sich, schiebt seine Hose hinunter, klettert zurück aufs Bett und schiebt seinen dicken Schwanz in mein gieriges Loch.

Ich nehme seinen ganzen Umfang auf und spucke auf meine Hände, von denen eine nach Magnus und die andere nach Simon greift. Ich neige meinen Kopf, um nach Coen zu sehen, der sich mir ebenfalls mit seinem federnden Schwanz nähert. Ich öffne meinen Mund und lecke mir über die Lippen, eine offene Einladung für ihn, mein Gesicht zu ficken.

Magnus saugt an meiner Brustwarze und nimmt sie zwischen seine Lippen, kneift sie und übt Druck aus, während ich seinen Schwanz streichle.

Dom fickt mich härter, zieht meine Beine hoch und stützt sie auf seine Schultern. Er oder jemand, ich weiß es nicht, wer, reibt an meiner Klitoris.

Coen schiebt seinen Schwanz in meinen hungrigen Mund hinein und zieht ihn wieder heraus und lässt ihn dann gegen meinen Rachen stupsen.

Es gibt so viele Empfindungen, dass ich gar nicht weiß, worauf ich mich konzentrieren soll, vor allem, als mein nächster Orgasmus so verdammt nahe ist, dass er über mich hereinbricht. Aber ich bin der Wut dieser Männer nicht gewachsen, und als ich komme, ist er härter als beim ersten Mal. Ich pulsiere um Doms Schwanz und er stößt weiter in mich.

»Zwei.«

»Das ist nicht fair«, erklärt Magnus. »Du hast den ganzen Spaß.«

Dominic zieht sich aus mir heraus und lässt mein Loch wütend vor Verlangen zurück. Ich bin schon zweimal gekommen und kann es kaum erwarten, zu sehen, was sie noch für mich auf Lager haben.

»Leg los!«, sagt Dom zu ihm. »Mal sehen, was du kannst.«

Ich lasse alle meine Männer los und schiebe mich weiter auf das Bett. »Magnus.« Ich tätschle den Platz neben mir.

Er legt sich hin und grinst von einem Ohr zum anderen, als ich auf ihn steige, seine Hüften streife und mich auf seinen Schaft gleiten lasse, während die drei anderen Männer zusehen.

Ich reite auf ihm auf und ab und er wiegt seine Hüften unter mir.

Dominic kommt um uns herum und zieht mein Gesicht nach unten und auf seinen Schwanz.

»Schmeckst du dich an ihm, Prinzessin?« Magnus packt mich an der Taille und fickt mich hart. »Du schmeckst so süß.«

Ich beobachte Simon und Coen, die beide mit ihren

Schwänzen in den Händen dastehen. Simon stupst Coen an und gibt ihm ein Zeichen, dass er sich bewegen soll.

Coen lässt sich überraschenderweise darauf ein und klettert hinter mir auf das Bett. »Hör mal, ich verstehe nicht, wie du da zwei reinbekommen hast, geschweige denn drei.«

Simon lächelt und legt sich neben ihn auf das Bett. »Finde einfach die Öffnung und schiebe deinen Schwanz da rein.«

Auch ich lache, wodurch sich meine Muschi noch mehr um Magnus' Schaft zusammenzieht, und ohne es zu wollen, komme ich zum dritten Mal.

Ich höre lange genug auf, Dominics Schwanz zu lutschen, um zu sagen: »Der sollte nicht zählen. Ich hatte aus Versehen einen Orgasmus.«

Dominic schiebt sich mir wieder in meinen Mund. »Es zählt.« Er ergreift meine Wangen und stößt in mich hinein.

Finger tasten sich um Magnus' Schwanz und meine Muschi herum, und eine Sekunde später gesellt sich ein weiterer Schwanz zu uns und dehnt mich aus.

»Gut gemacht«, sagt Simon.

»Kumpel, versuch nicht, mich anzufeuern. Du machst mich noch ganz weich.« Coen geht sanft mit mir um und scheint sich mit dem Gefühl vertraut zu machen, dass sein Schwanz an Magnus' Schwanz reibt.

Ich stöhne gegen Dom und sehe ihn mit Tränen in den Augen an.

Er grinst. »Du nimmst uns wie ein braves Mädchen.«

Simon kniet neben mir und schiebt seine Hand zwischen mich und Magnus, um meinen Kitzler zu reiben. »Gibst du uns jetzt Nummer vier, Liebes?« Er übt mehr Druck aus.

Ich drücke mich gegen Magnus und Coen und genieße den Druck, mit dem sie mich füllen.

Coen packt meinen Hintern und schlägt sanft darauf. Dann ein bisschen härter. Normalerweise ist er nicht so abenteuerlustig, aber je mehr Zeit wir zusammen verbringen, desto mehr kommt er aus sich heraus.

Er landet ein weiteres Mal mit seiner Handfläche auf meinem Hintern, das Geräusch hallt in der Luft und lässt meine Muschi sich um ihn und Magnus zusammenziehen. Ich würge an Dominic, während ich einen weiteren Orgasmus durchatme.

»Vier«, erklärt Simon. »Wie wäre es mit fünf, bevor wir versuchen, einen weiteren Schwanz in dich zu stecken, Liebes?«

»Ich schaffe hier fünf.« Magnus packt meine Hüften und steigert sein Tempo, fickt mich härter und tiefer von unten. »Kneif in ihre Klitoris, Simon.« Er stößt härter in mich hinein und Coen macht es ihm von hinten gleich. »Gibst du uns jetzt fünf, Prinzessin?«

Und weil ich mich nicht zurückhalten kann, weil es alles so viel ist, platze ich wieder auf ihm und pulsiere um zwei Schwänze.

»Das ist unser braves Mädchen«, sagt Dominic, während seine Hände immer noch mein Gesicht packen und mein Gesicht ficken. Er verlangsamt sein Tempo und vertieft seine Bewegungen. »Willst du noch mehr gefüllt werden?«

Ich nicke und frage mich, wie es möglich ist, sich noch mehr zu wünschen, als sie mir bereits gegeben haben.

Dominic zieht sich aus meinem Mund zurück. »Ich denke, du solltest sie auf den Rücken drehen.«

Coen und Magnus halten beide inne und warten auf weitere Anweisungen.

»Gute Idee«, sagt Simon. »Du meinst, wenn Bryant noch unter ihr ist?«

Dominic nickt und reibt sich über den Bart. »Ja. Auch Hayes kann in der gleichen Position bleiben.« Er legt den Kopf leicht schief. »Und du kannst von der Seite schräg kommen.« Dominic blinzelt. »Ich denke, das wird funktionieren.« Er tätschelt mein Kinn. »Dann bleibt immer noch dein hübsches Gesicht, um von mir gefickt zu werden.«

»Werde ich dich nicht erdrücken?«, frage ich Magnus, als ich mich umdrehe und auf seine Brust lege.

»Prinzessin, wenn das meine Art zu sterben ist, wäre es mir eine Ehre.« Er lässt meinen Körper auf seinen Schaft gleiten. »Da ist einer. Wer ist der Nächste?«

Coen schiebt sich wieder neben Magnus. »Ist das okay?«

Ich nicke und lecke mir die Lippen.

»Bist du dir sicher, Liebes?« Simon streichelt seinen Schwanz.

»Ja.«

Simon schafft es, sowohl über mich als auch über Magnus zu klettern und seinen Schwanz über meine Klitoris gleiten zu lassen. Er blickt hinter sich zu Coen. »Glotz mir nicht auf den Arsch, Alter.«

»Ich habe verdammt noch mal nicht geguckt.«

Simon stößt ihn mit dem Ellbogen. »Ich verarsche dich doch nur, Kumpel, entspann dich!«

»Glaubst du, dass du es schaffst?«, frage ich ihn und die Vorfreude steigt ins Unermessliche.

»Liebes«, er drückt seine Lippen auf meine, »zweifle nicht daran, was ich für dich tun würde.« Simon gleitet mit seinem Schwanz weiter nach unten und schiebt ihn zu Coen und Magnus hinein, füllt mich mehr aus, als ich je in meinem Leben gestopft worden bin. »Ist das zu viel?«

Ich schlucke und beiße die Zähne zusammen. »Nein, es ist …« Ich lehne meinen Kopf zurück und stöhne. »Erstaunlich.«

Dom nutzt die Gelegenheit, um mit der Kuppe seines Schafts über meine Lippen zu fahren. »Jetzt kannst du sagen, dass du vier Schwänze auf einmal hattest.«

Ich öffne meinen Mund und lasse ihn zwischen meine Lippen gleiten.

Er kommt näher und hält sich nicht zurück, während er mich in den Hals fickt.

Alle drei anderen Männer bewegen ihre Hüften und ficken

meine gierige Muschi, ihr Umfang dehnt mich so weit, dass ich mich frage, wie ich mich jemals davon erholen soll. Aber es war meine Idee. Nachdem Simon und Magnus mich beide in dasselbe Loch gefickt haben, wurde das zu einer meiner Lieblingsbeschäftigungen. Und es hat mich dazu gebracht, darüber nachzudenken, ob ich drei auf einmal ertragen kann, und jetzt kennen wir wohl die Antwort auf diese Frage.

Simon leckt und saugt an meinem Hals und fickt mich, während er auf mir liegt. »Das machst du so gut, Liebes.«

»Leute«, sagt Magnus von unten. »Ich will euch die Party nicht verderben, aber wenn nicht jemand mit mir die Stellung tauscht, werde ich bald platzen.« Er wiegt sanft seine Hüften. »Ich denke ständig an Baseball und schmutzige Socken, aber es funktioniert nicht.«

Ich ziehe meinen Arm zurück und fahre mit ihm durch Magnus' Haar, streiche mit den Fingerspitzen über seine Kopfhaut und ziehe sie in meinem Griff. Eine Art stille Erlaubnis, dass auch er zum Höhepunkt kommen darf. Aber da Doms Schwanz in meinem Hals steckt, kann ich meine Zustimmung nicht wirklich verbalisieren.

Magnus stöhnt gegen meine Berührung an.

»Ich bin mir ziemlich sicher, dass du dich amüsieren darfst, Bryant«, sagt Simon zu ihm. »Und ob ich das darf.« Er grunzt und fickt mich noch ein bisschen härter. »Geht es dir gut da hinten, Perversling?«

Coen murmelt etwas. »Mmhm. Baseball. Oder so.«

Jeder einzelne ihrer Schwänze wird hart und dehnt mich noch weiter aus, als ich es ohnehin schon wurde. Ich schließe meine Augen und sauge an Dominics Schaft und greife mit meinem anderen Arm nach oben, um seinen Ansatz zu greifen.

Magnus stöhnt und hechelt, sein Körper schaukelt noch fester in mir.

Coen folgt der Bewegung und stößt in meine Muschi, bis auch er in mir explodiert. Er verlangsamt sein Tempo und zieht sich zurück, sodass nur noch Simon und Magnus immer noch in meinem Loch sind.

Simon bewegt sich weiter nach unten und wechselt die Position, nachdem Coen seinen Platz verlassen hat. Er greift nach vorne, streicht mit seinen Händen über meine Brüste und lässt sie auf meiner Taille ruhen. Er fickt mich tiefer, Magnus' Schwanz, der noch immer von seinem Orgasmus herunterkommt, liegt neben Simons härter werdendem Schaft.

»Verdammt, Liebes. Du nimmst uns so gut.« Simon führt eine von Magnus' Händen an meinem Körper hoch und die andere an meiner Klitoris herunter. Die beiden bewegen sich im Rhythmus auf meiner schmerzenden Perle.

Dominic fickt mein Gesicht und lässt nicht locker, bis ich um ihn herum wimmere und mein nächster Orgasmus über mich hereinbricht.

»Sechs«, haucht Simon, während er in mich stößt. Er verlängert seine Stöße und macht aus meinem sechsten Orgasmus einen siebten. »Braves Mädchen, Liebes.«

Keuchend und atemlos sauge ich an Doms Schwanz, schließe meine Lippen um ihn und wirble mit meiner Zunge herum.

»Das ist es«, sagt er und greift mit einer Hand in mein Haar. »Bist du bereit, mich zu verschlingen?«

Ich tue mein Bestes, um zu nicken und Zustimmung zu murmeln.

Dominic muss das verstehen, denn er hält sich am Ansatz seines Schafts fest und schießt seine Ladung in meinen Mund, sodass sie meinen Rachen füllt. »So ein gutes Mädchen.« Er zieht die Kuppe seines Schafts heraus und lässt sie über meine Lippen gleiten. Ich lecke daran und atme tief ein.

»Geht es dir gut, Prinzessin?« Magnus nimmt meine Brust in die eine und meinen Nippel in die andere Hand. »Kannst du noch viel mehr ertragen?«

»Mmh.«

Simon greift nach unten, seine Hand legt sich um meinen Nacken und sein Mund fällt auf meinen. »Du bist perfekt, Liebes.« Er festigt seinen Griff und lässt seine Hüften gegen meine prallen, wodurch sich die Reibung zwischen uns verstärkt. »Wirst du wieder für uns kommen?«

Magnus wird wieder härter, erholt sich von seinem Höhepunkt und füllt mich neben Simon aus.

Simon bemerkt, dass Magnus neben ihm wächst, und grinst gegen meine Lippen.

»Spuck mir in den Mund!«, sage ich ihm.

Er lächelt wieder. »Habt ihr das gehört, Jungs?« Simon zieht mein Kinn nach unten und kommt meiner Aufforderung nach. »Verdammt, ich liebe dich.« Er stößt wieder in mich und zittert, als sein Orgasmus über ihn hereinbricht und auch mich in eine Spirale schickt. Er verlangsamt sein Tempo und zieht sich aus meiner schmerzenden Muschi zurück. »Acht.«

Magnus schlingt seinen Arm um meine Taille und hebt mich so schnell in die Luft, dass ich gar nicht weiß, was passiert, bis ich auf allen vieren bin und er hinter mir kniet und mich mit einem neuen Selbstbewusstsein fickt. Er drückt mein Gesicht auf das Bett und stößt in mich hinein.

Ich klammere mich an den Decken fest, aber sie halten mich nicht an Ort und Stelle, während Magnus mich noch härter fickt.

Er stößt in mich und ich genieße die Befriedigung seiner Kontrolle.

Magnus greift unter mich und übt Druck auf meine Klitoris aus. Er pumpt in mich hinein und ich zersplittere um ihn herum, mein Gesicht ist in den Laken vergraben und meine Muschi pulsiert mit einer neuen Intensität.

»Neun«, wimmere ich und lasse mich auf das Bett fallen. »Ich muss aufhören«, sage ich, bevor jemand anderes darauf bestehen kann, wieder auf seinen Platz zu klettern.

Magnus fällt zur Seite und streckt seinen Arm aus.

Ich klettere auf seine Brust und mustere die anderen Männer im Raum. »Ich liebe Gruppensex am Dienstag.«

*S*imon und ich trainieren mindestens zwei Tage pro Woche. Wir heben Gewichte, boxen, trainieren Selbstverteidigung und eine Mischung aus Ausdauer und Yoga oder was wir sonst noch in unser Programm einbauen können.

Es hat mir geholfen, Muskelmasse aufzubauen, weil ich abgenommen hatte, und so habe ich mehr zugenommen. Meine Muskeln sind funktional und zweckmäßig und werden mich hoffentlich davor bewahren, jemals wieder von einem anderen Scheißkerl überrumpelt zu werden. Ich habe argumentiert, wie wichtig es ist, dass ich gelernt habe, mich zu verteidigen, nicht nur mit einer Waffe, sondern auch mit meinem Körper.

Wir verbringen auch viel Zeit auf dem Schießstand, und Simon hat mir beigebracht, wie man die meisten Waffen in unserem Arsenal auseinandernimmt, reinigt und wieder zusammensetzt. Bei manchen sind es mehr Schritte als bei anderen, und manchmal muss ich schummeln und hinüberschauen, was Simon tut, aber ich habe es noch nicht geschafft, mir die Hand wegzuschießen, und das nenne ich ein großes Plus.

Die Lage mit Cora ist angespannt. Sie merkt, dass ich ihr Informationen vorenthalte, und je mehr ich das tue, desto mehr zieht sie sich zurück. Ich hasse es verdammt noch mal, aber ich hatte nicht gerade die beste Gelegenheit, ihr zu sagen, was los ist. Sie hat zu Hause einiges durchgemacht, und ich wollte ihr Leben nicht völlig durcheinanderbringen, wenn ich ihr erzähle, dass ihre beste Freundin mit vier Männern zusammen ist, die eine große kriminelle Organisation leiten, und dass die beiden Jungs, in die sie derzeit verknallt ist, auch Teil der kriminellen Unterwelt sind.

*Wie sagt man das seiner besten Freundin?*

Ich werde es herausfinden, aber jetzt ist nicht der beste Zeitpunkt dafür. Vielleicht nächste Woche, wenn wir uns zum Mädelsabend treffen.

Ich habe vor, mich vorher mit Claire zu treffen, damit sie und ich uns zusammensetzen und einen Plan ausarbeiten können, wie wir Cora die Nachricht überbringen und mit möglichen Folgen umgehen können, die nicht zu unseren Gunsten ausfallen könnten. Das Ziel ist es, sie in Sicherheit zu bringen und nicht, dass sie durchdreht und sich möglicherweise selbst in Gefahr bringt.

Jetzt sehe ich, wie schwer es für meine Männer war, mir die Wahrheit zu sagen. Aber ich bin mir bewusst, dass die Wahrheit uns schließlich alle zusammengebracht hat.

Aber was ist, wenn Cora die Dinge nicht so handhabt, wie ich es tue? Was, wenn sie zu süß und unschuldig für diese Welt ist und ich zufällig eine psychotische Schlampe bin, die gerne Menschen tötet?

Ich schätze, ich werde es nicht wissen, bis ich es herausgefunden habe. Und weil Cora mir die Welt bedeutet, werde ich es herausfinden müssen.

»Hey«, ruft Dominic quer durch den Raum. »Bryant, du kommst mit mir.«

Magnus blickt zu ihm auf. »Wohin gehen wir?«

»Ein paar Köpfe einschlagen.« Dominic zwinkert ihm zu.

»Klingt gut.« Magnus springt auf und geht an Simon und mir vorbei, um mir einen Kuss auf die Lippen zu geben. »Du bist ganz verschwitzt, Prinzessin.« Er leckt sich über die Lippen. »Das gefällt mir.«

»Kann ich mitkommen?«, frage ich Dominic und klimpere mit den Wimpern.

»Vielleicht beim nächsten Mal.« Er schlendert zu mir und küsst mich schnell. »Ich brauche Magnus' Expertise. Ich kann Menschen lesen, aber Bryant ist ein verdammter menschlicher

Lügendetektor. Außerdem musst du deine Sitzung mit Beckett beenden.«

Auf dem Weg nach draußen wirft Magnus einen Blick zurück. »Thailändisch zum Abendessen, nicht vergessen.«

»Das würde ich nie.«

Magnus und Dom lassen Simon und mich zurück.

Simon hebt seine Hand mit der Pratze. »Komm schon, Liebes. Schlag mich!«

Ich verpasse ihm einen Schlag und überrasche ihn dann mit einer Drehung und einem Tritt. »Können wir für heute aufhören? Ich bin verdammt müde.«

Er neigt den Kopf zur Seite, tritt vor und presst seine Lippen auf meine, aber nicht bevor er sein feuchtes Gesicht über meines reibt.

»Ich hasse dich.« Ich starre ihn an.

Er grinst wie ein Idiot. »Ich liebe dich auch, verdammt.«

Coen ruft von seinem Platz auf der Bank aus. »Seid ihr zwei fertig oder wollt ihr ficken?«

»Auf jeden Fall das eine oder das andere«, erwidert Simon. »Warum? Willst du mitmachen?«

Coen rollt mit den Augen und widmet sich wieder seinem Buch.

»Willst du duschen?«, fragt Simon mich.

»Zusammen?«

»Zusammen«, sagt er, und dieses eine Wort hat so viel mehr Gewicht, als er je wissen könnte.

---

*D*as ist vielleicht das Ende von *Villain Era,* aber das ist noch nicht alles aus diesem Universum!

Vermisst du Dominic schon? Hier ist deine Chance, herauszufinden, was Dom im ersten Kapitel von Untamed Vixen durch den Kopf ging! *Melde dich für meinen Newsletter an, um direkt in diese exklusive Bonusszene zu springen. Scanne diesen QR-Code, um direkt dorthin zu gelangen!*

Du hast alles gelesen und willst immer noch mehr? Dann komm in meine private Lesergruppe auf Facebook!

# EBENFALLS VON LUNA PIERCE:

**Sinners and Angels Universe**

Untamed Vixen – Zügellos (Eins)

Villain Era – Hemmungslos (Zwei)

# ENGLISCHE TITEL VON LUNA PIERCE

**Sinners and Angels Universe**

Broken Like You (Standalone)

Untamed Vixen (Part One)

Villain Era (Part Two)

Ruin My Life (Standalone)

**The Harper Shadow Academy Series**

(PARANORMAL ACADEMY REVERSE HAREM)

Hidden Magic

Cursed Magic

Wicked Magic

Ancient Magic

Sacred Magic

Harper Shadow Academy: Complete Box Set

**Falling for the Enemy Series**

(PARANORMAL REVERSE HAREM)

Stolen by Monsters

Fighting for Monsters

Fated to Monsters

# ÜBER DEN AUTOR

Luna Pierce ist die Autorin düsterer zeitgenössischer und paranormaler Liebesromane. Sie liebt es, kaputte Charaktere zu erschaffen, denen man auf ihrer Reise, sich selbst zu finden und für das zu kämpfen, was sie lieben, unweigerlich verfällt. Ihre Geschichten sind für hoffnungslose Romantiker, die Spannung, Angst und Leidenschaft lieben.

Wenn sie nicht gerade schreibt, trinkt sie viel zu viel Kaffee, macht endlose To-do-Listen und verbringt Zeit mit ihrer Tochter und ihren Katzen in einer Kleinstadt in Ohio.

Tritt der exklusiven Lesergruppe bei: Luna Pierce's Gritty Romance Squad.

Melde dich für Lunas Newsletter an und erhalte Updates unter: https://www.lunapierce.com/subscribegerman

Wenn dir die Geschichte von June gefallen hat, hinterlasse bitte eine ehrliche Rezension auf Amazon, Goodreads, Tiktok und/oder BookBub.